KB184975

몰입은 우리가 쓰레기통에 던져 놓았던
먼지 낀 시간들을 순도 100%의 황금빛 삶으로
바꾸어 놓을 것입니다.

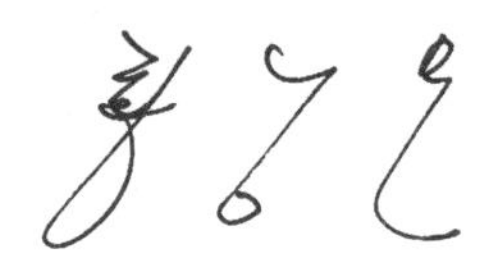

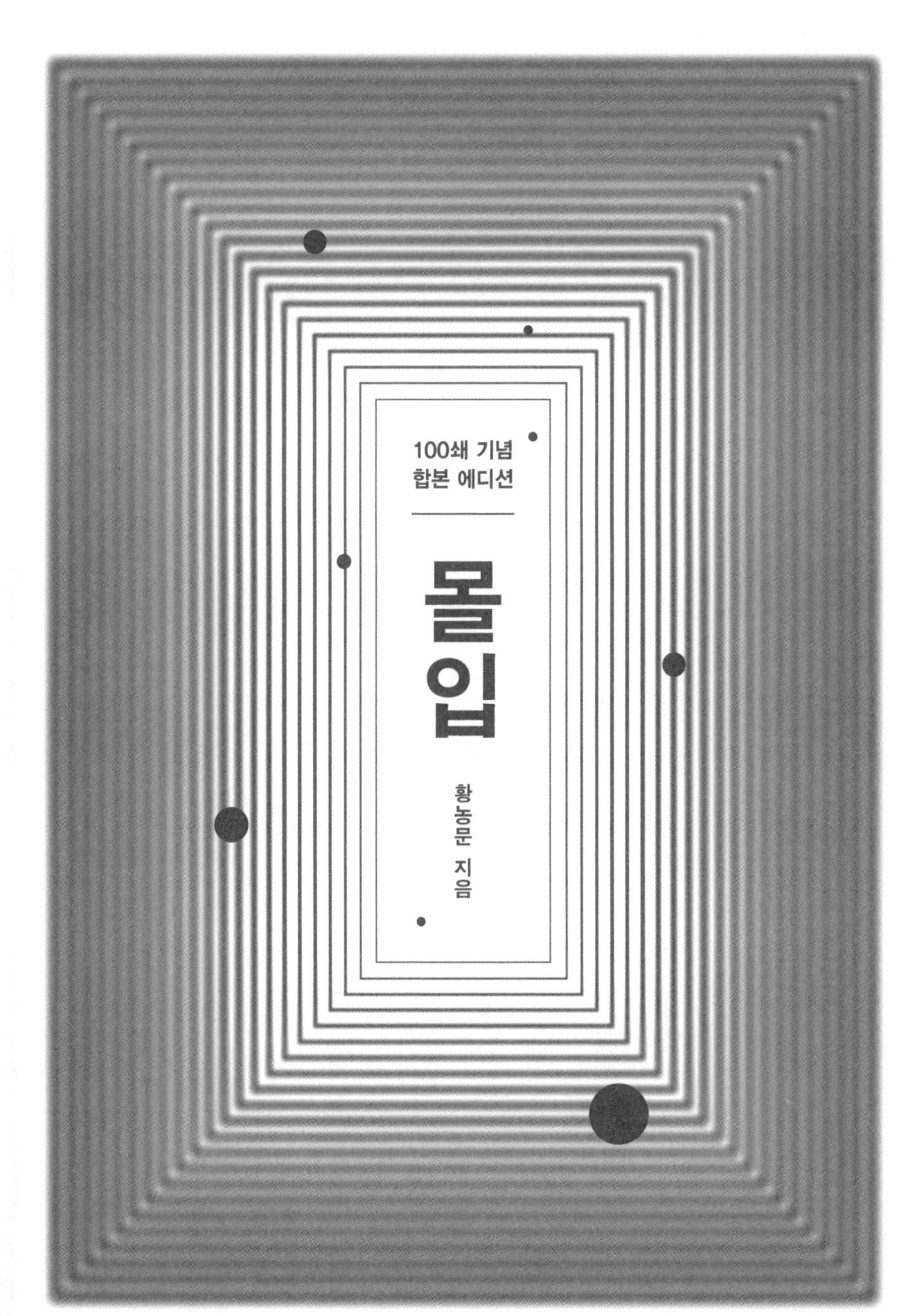
100쇄 기념
합본 에디션
몰입
황농문 지음

이 책에 쏟아진 찬사

펌프로 지하수를 풍성하게 끌어올리려면, 한 바가지 마중물로 물길을 만들어 주어야 한다. 몰입은 깊은 의식 속에 숨겨져 있는 해답을 끌어올리는 마중물이다. 황농문 교수는 공학자다운 신념과 방법으로 몰입을 자신의 구체적인 경험 속에서 분석하고, 해체하고, 종합하고, 복원한다. 그래서 그의 몰입은 가수분해 설명을 듣는 것처럼 간단명료하다. 몰입에 몰입하는 방법을 실험 매뉴얼처럼 구체적으로 알려주는 보기 드문 책이다.

문용린, 서울대학교 명예교수

21세기는 창의력이 경쟁력인 시대다. 황농문 교수가 말하는 '몰입'은 글로벌 무한 경쟁시대를 살고 있는 이 땅의 젊은이들에게, 창의력을 체득하여 자신감 넘치고 열정과 행복이 가득한 삶을 개척하게 하는 원동력이 될 것이다.

손욱, 서울대학교 융합과학기술대학원 초빙교수

앞으로 한국의 미래를 이끌어 갈 동력을 꼽으라면 단연 '인재'가 첫째일 것이다. 그러기 위해서는 그 흔한 간판이나 자격증으로 만들어진 인재가 아니라 창의적인 사고로 도전과 경쟁을 즐기는 '진짜 인재'가 되어야 한다. 이 책은 그런 진짜 인재가 되는 비결을 구체적이고 생생하게 설명해 놓았다. 성공과 행복을 동시에 거머쥐고 싶은 사람이라면 'Think Hard'의 패러다임으로 확실한 돌파구를 마련하게 될 것이다.

서상기, 17대 국회의원, 한국청소년단체협의회 회장

노벨상을 휩쓰는 유대인들의 교육은 "몸을 쓰지 말고 머리를 쓰라"는 것이라고 한다. 우리나라도 사람의 능력을 개발하는 것 외에는 다른 국가적 활로가 없는 나라다. 저자는 '몰입'을 통해 자신의 능력을 최대로 발휘하는 최고의 경

험을 했다. 많은 사람들이 몰입을 통해 잠자는 90%의 잠재력을 일깨웠으면 한다. 이 책을 읽으며 한 줄기 빛을 본 듯한 느낌이 들었다.

양상훈, 조선일보 주필

내일 세상이 끝난다면 나는 오늘 어떻게 살아야 할 것인가? 이 질문은 긍정심리학에서 삶의 가치를 재발견하기 위해서 던지는 질문이다. 저자 황농문 교수는 비범한 천재들이 바로 이런 삶의 한시성에 대한 깊은 통찰을 바탕으로 삶에 몰입할 수 있었고 불멸의 창의적 업적을 남길 수 있었다는 사실을, 본인의 직접적인 체험을 통해서 밝히고 있다. 저자의 경험과 뇌과학 연구, 학생들의 몰입 체험을 사례로 들어가며 몰입에 이르는 방법을 명확하게 전달하려 애쓴 이 책은 몰입을 이해하고 실천하기 위한 큰 디딤돌이 될 것이다.

최인수, 성균관대학교 아동청소년학과 및 인재개발학과 교수

내가 만난 행복한 사람들은 무엇엔가 미치도록 빠져 있는 사람들이었다. SBS 스페셜 〈몰입〉을 준비하면서 '몰입의 고수' 황농문 교수를 만나, 몰입을 통해 삶이 얼마만큼 충만하고, 마침내는 절정에 이르도록 하는지를 알게 되었다. 우리는 쓸데없는 잡담과 다람쥐 쳇바퀴 같은 일상으로 보석 같은 삶을 쓰레기통에 버리고 있는지도 모른다. 이 책은 우리가 쓰레기통에 던져 놓았던 먼지 낀 시간들을 순도 100%의 황금빛 삶으로 바꾸어 놓을 것이다.

이승주, 前 SBS스페셜 〈몰입-최고의 나를 만나다〉 기획 부장

교수님의 문제해결 과정을 통해 회사가 정상궤도에 진입함은 물론 조직경쟁력이 향상됨을 느낄 수 있었다. 그리고 문제를 끝까지 논리적으로 집중해서 생각하면 답이 보인다는 황 교수님의 노력이 함께했던 동료들의 의식변화로 이어져, 개개인이 성취감을 맛보며 자기 일을 사랑하고 자랑스러워하게 되었다. 앞으로 몰입적 사고의 중요성을 깨우친 구성원들이 이것을 후배와 다른 동료들에게 전파하여 회사는 물론 국가의 기술경쟁력도 크게 향상될 것으로 믿는다.

장희혁, I전자 연구원

몰입, 최고의 나를 만나는 기회

아프리카의 초원을 거닐다가 사자와 마주쳤다고 하자. 이때는 이 위기를 어떻게 빠져나갈까 하는 것 이외에는 아무 생각이 없을 것이다. 이 상태가 바로 몰입이다.

몰입 상태에서는 한 가지 목표를 위하여 자기가 할 수 있는 최대 능력을 발휘하는 비상사태가 발동한다. 자신을 초긴장 상태로 만들어 모든 것을 잊고 오로지 한 가지 일에 집중하기 때문에 잠재된 능력을 최대로 발휘하는 것이다. 이러한 몰입적 사고는 과학, 비즈니스, 학습 등 여러 분야에서 그 위력을 발휘해 왔다.

중력의 법칙을 어떻게 발견했느냐는 질문에 뉴턴은 "한 가지만,

그것 한 가지만을 생각했다"고 대답했다. 아인슈타인은 또 "몇 달이고 몇 년이고 생각하고 또 생각한다. 그러다 보면 99번은 틀리고 100번째가 되어서야 비로소 맞는 답을 찾아낸다"고 이야기한 바 있다. 소프트뱅크 손정의 회장도 몰입적 사고를 통하여 수많은 사업 아이디어를 얻었고, 혼다의 창업자인 혼다 소이치로도 몰입적 사고로 엔진을 개발했다. 투자의 귀재 워런 버핏도 몰입적인 사고를 하기로 유명하다. 워런 버핏이 설립한 회사인 버크셔 해서웨이의 직원은 "버핏은 하루 24시간 버크셔에 대해 생각한다"고 말한다. 마이크로소프트의 빌 게이츠는 'Think Week'라는 사고 주간을 두어 1년에 두 번, 인적 없는 외딴 별장에서 1주일씩 시간을 보낼 만큼 몰입적 사고를 적극 활용하고 있다. 마이크로소프트의 비전 중 상당수는 바로 이 사고 주간의 몰입적 사고를 통해 결정된 것으로 알려져 있다. 이들은 모두 주어진 문제에 대하여 극한의 몰입을 지속함으로써 해결점을 찾는다.

평범한 사람이 그들의 머리를 따라잡기는 어렵다. 그러나 적절한 방법을 알고 노력한다면 이들이 사용했던 몰입적 사고는 얼마든지 따라 할 수 있다. 몰입적 사고를 따라 할 수만 있어도 우리는 어떤 분야에서든 엄청난 위력을 발휘하게 된다.

나 역시 1990년부터 1997년까지, 아주 특별한 몰입 상태에서 연구를 진행했다. 모든 시간과 마음을 다해 오로지 주어진 문제 하나만을 생각하는, 바로 그런 몰입 상태 말이다. 이런 지극한 몰입 상태에 이르면 몇 날이고 몇 주일이고 내내 그 생각만 하고, 그 생각과 함께 잠이 들었다가 그 생각과 함께 잠이 깬다. 이런 몰입 상태에서는 문제 해결과 관련된 새로운 아이디어가 끊임없이 떠오른다.

이때의 감정 변화도 매우 특별하다. 그 문제를 해결할 수 있다는 자신감이 솟구치고, 호기심이 극대화된다. 무엇보다 놀라운 것은 지고至高의 즐거움이 뒤따른다는 것이다. 바로 '사고하는 즐거움'이다. 이 사고하는 즐거움은 몰입에 뒤따라오는 것으로 작은 노력으로도 고도의 몰입 상태를 지속할 수 있게 하는 원동력이다. 일단 몰입 상태에 들어가기만 하면 문제가 풀릴 때까지 며칠이고, 몇 주일이고 심지어 몇 년까지도 몰입 상태를 지속할 수 있다. 적어도 몰입적인 사고를 하는 동안은 완벽한 삶을 살고 있다고 느낀다. 더욱 중요한 것은 몰입적 사고가 다양하고도 괄목할 만한 성과를 만들어낸다는 것이다. 내가 몰입을 통해서 얻은 성과들 또한 몰입 이전의 내 능력으로는 평생을 연구해도 얻기 힘든 것들이었다.

7년 동안의 몰입 체험은 '의도적인 노력으로 어떤 일에 몰입하는 것이 가능하고, 그에 따라 가치관도 바뀔 수 있다'는 사실을 깨닫게 해주었다. 다시 말해 의도적인 노력으로 내가 바뀌었다. 뿐만 아니라 몰입을 할 수 없는 여건이라도 주어진 상황에서 자신의 능력과 삶의 행복을 최고로 끌어올릴 수 있는 방법까지 찾게 되었다.

그렇다고 해서 몰입이 어렵거나 복잡한 것은 아니다. 사람은 누구나 몰입할 수 있는 능력을 가지고 있다. 위기 상황에서 할 수 없이 몰입하기도 하고 몰입이 주는 즐거움 때문에 번지점프와 같은 가상의 위기 상황을 만들어 일부러 몰입을 추구하기도 한다. 그런데 이왕이면 업무나 학습 활동에 몰입하여 높은 기량도 쌓고 즐거움도 얻는 게 더 좋을 것이다. 이것은 삶에서 대단히 중요한 문제이고 이 방법을 터득하면 삶의 행복을 찾을 수도 있다.

놀아도 몰입하지 않으면 재미가 없고 아무리 돈이 많아도 몰입하지 않으면 행복을 경험하기 어렵다. 행복을 추구하면서도 해야 할 일을 남보다 더 잘할 수 있도록 해주는 방법이 바로 몰입이다. 이 책에서 나는 오랫동안 반복적으로 경험해 온 '몰입적 사고 방법'을 체계화하기 위해 노력했다. 얼핏 보기에 마라톤은 아무나 도전할 수 없는 초인적인 운동 같지만 적절한 훈련만 거친다면 누구나 할 수 있는 것처럼, 몰입적 사고 역시 원리를 깨닫고 단계적인 훈련을 거치면 누구나 자유롭게 활용할 수 있는 능력임을 깨달았기 때문이다.

몰입적 사고야말로 잠재되어 있는 우리 두뇌의 능력을 첨예하게 깨우는 최고의 방법이며 나 스스로 창조적인 인재가 되는 지름길이다. 이 사실을 깨닫고 몰입적 사고를 할 수 있게 된다면 내 안에 숨어 있는 천재성을 이끌어내고 인생의 즐거움과 행복을 만나는 일이 그리 어렵지만은 않을 것이다.

들어가며

다이아몬드 생성 메커니즘을 규명한 날의 기억

새벽 한 시. 오늘도 어김없이 한밤중에 잠에서 깼다. 의식이 돌아오는 순간, 나는 이미 그 문제를 생각하고 있었다. 지난 1년 6개월 동안 내 머릿속은 온통 이 문제뿐이었다. 문제를 생각하다 잠이 들고 문제를 생각하며 잠에서 깨는 일이 계속되었다. 아마도 이 문제가 풀릴 때까지는 이런 상황이 계속될 것이다.

떠오른 아이디어는 잠이 깨자마자 적어두지 않으면 금방 잊어버린다. 그래서 빨리 아이디어를 노트에 적기 위해서라도 일어나야 한다. 습관이 되어선지 일찍 잠자리에 든 탓인지 일어나는 것은 힘들지 않다. 졸음을 쫓으면서 억지로 일어나는 게 아니라 몸이 저절로 일어나는 느낌이다.

삼라만상이 모두 잠들어 있는 이른 새벽, 이 넓은 우주에 오로지 이 문제와 그것을 생각하는 나만 존재한다고 느껴진다. 아마도 이것이 인간이 할 수 있는 최대의 집중일 것이다. 가슴 속 깊은 곳에서 고요한 행복감이 밀려온다.

나는 약간 흥분된 상태에서 거실을 서성이며 계속 그 문제를 생각한다. 새벽의 고요를 틈타 아이디어가 계속 떠오른다. 수수께끼가 풀릴 듯하면서도 풀리지 않는 상태가 1년 넘게 지속되고 있다. 금방이라도 풀릴 것 같고 손에 잡힐 듯한 느낌이 나를 계속 미치게 만든다. 틀림없이 풀 수 있을 것이라는 막연한 기대감은 도대체 어디에서 오는 것일까? 매일매일 솟구치는 이 자신감의 근거는 무엇일까? 어쩌면 내가 한시도 이 문제를 놓지 못하는 것은 이 문제를 풀려는 의지보다 그것이 곧 풀릴 것 같다는 기대감과 풀 수 있다는 자신감 때문일지도 모른다.

지난 1년 6개월 동안 혼신의 힘을 다해 이 문제를 풀려고 시도했지만 아직 성공하지 못했다. 그러나 아쉬움은 없다. 최선을 다했다고 스스로 확신하기 때문일 것이다. 아직까지 이 문제를 해결하지 못한 것은 능력 부족일지는 몰라도 노력을 게을리한 탓은 아니다. 최선을 다하면 실패해도 아쉽거나 후회스럽지 않다. 무수한 실패도 문제 해결을 위한 과정이라고 생각하게 되어 문제의 해답과 조금씩 거리를 좁혀가는 것에 더 큰 의미를 두게 된다.

다이아몬드가 원자 단위로 형성된다는 기존의 생각은 확실히 잘못되었다. 틀림없는 결론은 음의 전하를 띤 다이아몬드 나노입자가 공중에 떠 있다는 것이고, 이들이 실리콘 기판 위에서는 다이아몬드를 만들고 철 기판 위에서는 흑연 알갱이가 얼기설기 뭉쳐진 검댕을 만든다는 것이다. 문제는 '왜 두 기판

사이에 이러한 극단적인 차이가 벌어지는가'다. 공중에 떠 있는 하전荷電된 나노입자는 일종의 콜로이드다. 이 문제를 더 이해하려면 콜로이드에 대한 지식이 필요한데, 나는 콜로이드에 대하여 아는 것이 별로 없다. 얼마 전에 사두었던 콜로이드 입문서를 다시 읽어야 할 것 같다.

세수를 하면서, 아침을 먹으면서, 또 연구소를 향해 운전을 하면서 계속 그 문제만 생각했다. 모든 것이 명확하고 잘 들어맞는다. 그런데 두 종류의 기판에서 생성되는 물질이 왜 그렇게 극단적으로 차이가 나는지를 도통 모르겠다. 분명한 것은 내가 배운 모든 지식으로는 도저히 설명이 안 된다는 것이다. 둘 중의 하나다. 내가 중요한 지식을 모르고 있거나 기존의 지식이 무엇인가 잘못되어 있는 것이다. 다른 사람들은 엄청나게 이상한 이 사실에 왜 주목하지 않는지 이해가 가지 않는다. 지나가는 사람 아무나 붙들고 이 이야기를 해주고 싶은 심정이다. 여기에 엄청나게 이상한 일이 벌어지고 있다고…….

사무실에 들어서자마자 콜로이드 입문서를 펴 들었다. 얼마간 읽어 내려가자 마음을 붙잡는 설명이 눈에 들어온다.

(중략) "콜로이드 상태에서는 인력이 우세할 경우, 임의의 방향으로 움직이던 입자들 사이의 거리가 어느 정도 가까워지면 서로 달라붙어 다공질의 구조를 만든다. 반대로 척력이

우세할 경우, 이들이 침전할 때 스스로 아주 규칙적인 배열을 하여 치밀한 구조를 만든다." (중략).

여기까지 읽은 순간, 영감이 스쳤다. 만약 실리콘 기판 위에서는 전하가 쉽게 빠져나가지 않는다면 척력 때문에 다이아몬드 나노입자들이 일정하게 배열하여 다이아몬드 결정이 될 것이고, 철 기판 위에서는 나노입자가 표면에 닿기 직전에 기판으로 전하를 잃어 흑연으로 바뀜과 동시에, 척력을 잃어 인력이 우세해지면 다공질의 흑연 덩어리로 자랄 것이다. 그렇다면 모든 것이 맞아떨어진다. 복잡하게 얽혀 있던 모든 의문들이 일순간에 해소되었다.

다시 한번 곰곰이 하나씩 되짚어 생각을 점검하기 시작했다. 그동안 실타래처럼 얽혀 있던 의문들이 하나둘 풀리기 시작하더니, 마침내 모든 것이 말끔하게 설명되었다. 자욱하게 깔린 안개가 맑게 개면서 질서정연하고 아름다운 세상이 눈앞에 펼쳐지는 기분이었다. 믿어지지 않았다. 드디어 문제를 해결한 것이다. 오랜 기간 지속되었던 긴장이 풀리기 시작했다. 그간의 과정이 떠오르면서 만감이 교차했다. 내 생애에 이렇게 극적인 순간이 있었던가! 세상 모든 것을 긍정하고 싶다.

차례

2부 | 최고의 삶을 선사하는 몰입 활용법

1부

최고의 나를 만나는 몰입의 순간

1장

Work Hard에서 Think Hard로

세상을 바꾼 천재들의 생각법

과학사에 이름을 남긴 천재들이라고 해서 특별한 연구법을 갖고 있는 것은 아니다. 그런데 그들의 삶을 되짚어보면 아주 재미난 공통점을 발견할 수 있다. 바로 지극한 몰입이다. 그들은 한 가지 의문에 몰입하고 또 몰입해서 해결책을 찾아냈다. 결국 그들은 몰입을 통해 극한의 집중력을 발휘함으로써 두뇌를 100퍼센트 활용하는 재능을 지닌 사람들이었다.

단언하건대 만약 몰입적인 사고 없이 탁월한 지적 재능만 부여받았다면 그들은 위대한 업적을 이루지 못했을 것이다. 실제로 천재 과학자들의 연구 태도나 방법을 보면 탁월한 지적 재능보다는 주어진 문제를 풀려고 혼신의 노력을 기울인 몰입적 사고가 더 중요한 역할을 하고 있음을 알 수 있다.

이와 관련하여 지식융합연구소 이인식 소장은《조선일보》에 연재했던 칼럼 〈멋진 과학〉을 통해 천재와 범인의 차이점을 명료하게 설명한 바 있다.

> 천재의 수수께끼에 도전한 인지 과학자들은 천재나 범인, 모두 문제 해결 방식이 동일한 과정을 밟는다는 사실을 밝혀냈다. 다시 말해 천재와 보통 사람 사이의 지적 능력 차이는 질보다는 양의 문제이다.

천재와 보통 사람의 지적 능력 차이가 질보다 양의 문제라면 천재들의 위대한 업적은 순전히 주어진 문제를 풀기 위한 그들의 노력에 의해 얻어졌다는 것을 의미한다. 즉 천재들은 극도의 몰입적인 사고를 할 수 있는 남다른 열정의 소유자였던 것이다.

먹지도, 자지도 않고 오직 생각만 거듭한 뉴턴

뉴턴은 어떻게 만유인력의 법칙을 발견했느냐는 질문에 "내내 그 생각만 하고 있었으니까"라고 간단하게 대답했다고 한다. 별스러울 것 없이 들리는 이 단순한 대답 속에는 주어진 문제를 해결하는 데 필요한 가장 핵심적인 요소가 깃들어 있다. 뉴턴의 답변에서 '생각'은 일반적으로 사람들이 하는 생각과는 의미가 다른, 몰입적인 사고를 뜻한다.

뉴턴의 일생을 다룬 《프린키피아의 천재》라는 책에는 그의 독특한 사색 방법이 자세히 소개되어 있다. 뉴턴은 한 가지 문제를 붙잡으면 밥 먹는 것도, 잠자는 것도 잊어버렸다. 접시째 내버려둔 음식 때문에 그의 고양이는 나날이 뚱뚱해졌고, 밤잠을 설치고도 뉴턴 자신은 밤을 새웠다는 것조차 몰랐다고 한다. 특히 밤을 새워 어떤 명제를 발견했을 때는 거기에 만족해 몸이 상하는 것도 모를 정도였다.

나이가 들어서도 그의 연구열은 식을 줄을 몰랐다. 그를 식탁으로 불러들이려면 식사가 준비되기 30분 전부터 불러대야 했으며, 식탁에 앉아서도 책을 들여다보느라 음식에 손도 대지 않는 일이 허다했다. 심지어 저녁 식사로 차려진 죽이나 달걀을 다음 날 아침으로 먹는 일도 흔했다고 한다. 뉴턴의 몰입적 사고는 한 문제가 풀릴 때까지 몇 개월, 심지어 몇 년 동안이나 지속되었다.

몰입적인 사고를 하면 일상생활도 평상시와는 달라진다. 몰입적인 사고를 하는 삶과 보통의 사교적인 생활이 양립하기란 좀처럼 쉽지 않기 때문이다. 몰입적인 사고를 하면 자신이 하는 일 이외의 세계에 대해서는 관심이 없어진다. 이러한 이유로 사교적인 활동에 관심이 없어지고 대인 관계에서도 문제가 생기게 마련인데, 바로 이것이 몰입적 사고를 하는 사람들이 범하기 쉬운 문제점이고 주의해야 할 점이다.

뉴턴 역시 사교성과는 거리가 먼 사람이었다. 그는 언제나 연구와 가까이 지냈고, 누군가를 방문하는 일도 거의 없었다. 그를 찾아오는 사람도 다해봤자 두세 명에 불과했으며, 스스로 말을 타고 나가 바깥바람을 쐬거나 산책하는 일, 운동이나 취미 등의 여가생활을 하는 것을 본 사람이 없었다. 케임브리지 대학 루카스 석좌교수로 학교에서 연구하던 학기 중을 제외하면 그는 거의 모든 시간을 자기 방에 틀어박혀 연구하는 것으로 보냈다.

침대에서도 미적분 생각밖에 없었던 리처드 파인만

호기심을 전염시키는 물리학 강의로 유명한 리처드 파인만Richard Feynman에 대해서도 재미있는 에피소드가 많이 있다. 그는 양자역학을 새로이 정립한 공로로 노벨상까지 수상한 위대한 과학자이지만 일상생활에는 영 서툴렀던 모양이다.

파인만의 전기 《천재》에 의하면 파인만은 첫 번째 아내와 사별한 뒤 메리 루라는 여성과 재혼을 한다. 하지만 그들의 결혼생활은 오래가지 못했다. 사교와 파티를 좋아하는 메리 루와 파인만은 맞지 않는 옷처럼 서로 겉돌기만 했다. 이들은 이혼에 이르게 되었는데, 당시 메리 루가 법정에서 진술한 내용이 미 전역의 신문에 보도되면서 자신의 일에만 몰입해 있는 과학자들의 일상이 호사가들의 입에 오르내렸다. 과학자들의 일상이 다른 유명 인사들과는 달리 전혀 노출되지 않아 더욱 흥미로웠을 것이다.

〈대학교수, 침대에서 봉고 연주에 미적분까지〉라는 제목으로 소개된 기사 내용을 보면 파인만의 일상이 눈에 보이는 듯하다. 파인에게 봉고 연주가 유일한 취미였다는 걸 생각하면 더욱 재미있다.

"드럼 소리가 지독하게 시끄러웠죠. 게다가 깨자마자 머릿속으로 미적분 문제들을 풀기 시작한답니다. 차를 몰면서도, 거실에 앉아서도, 밤에 침대에 누워서도 미적분을 했죠."

사교적인 메리 루에게 파인만의 생활 습관은 지루하고 고통스러웠을 게 뻔하다.

"물리는 나의 유일한 취미입니다. 그것은 나의 일이자 오락이기도 하죠. 내 노트를 보면 알 수 있듯이, 나는 항상 물리에 관한 문제를 생각합니다."

파인만의 말처럼 유난히 호기심이 많았던 만큼 물리학을 바라보는 그의 자세는 남달랐다. 물리학은 그의 생활을 송두리째 잠식하고 있었다.

지구를 방랑하는 천재 수학자,
폴 에르되시

중요한 문제를 적극적으로 찾기 위해서는 한곳에 머물러 있지 않고 돌아다녀야 한다. 이때 가장 큰 걸림돌은 바로 직장이다. 대부분의 직장은 한 곳에 머무를 것을 요구하기 때문에 문제를 찾아다니는 데 방해가 될 수밖에 없다. 이런 문제 때문에 미국 유명 대학의 교수 자리도 마다하고 평생 문제를 찾아다닌 수학자가 있다. '방랑 수학자', '화성에서 온 수학자' 등의 별명을 얻은 헝가리 출신의 전설적인 수학자, 폴 에르되쉬Paul Erdős다.

폴 에르되시는 보통의 수학자가 평생에 한 편 쓸까 말까 한 수준 높은 논문을 1,500편 가까이 발표했다. 그의 전기를 읽어보면 그가 평생 동안 몰입 상태를 유지했음을 알 수 있는데, 그는 아내도, 아이도, 직업도, 취미도, 심지어 살 집도 없이 평생을 수학에 바쳤다. 그 어떤 것으로부터도 구속받지 않고 좋은 수학 문제와 새로운 수학 인재를 찾아다니는 데만 관심을 쏟아부었다. 그는 전 세계를 휘젓고 다녔고, 대학에서 연구소로, 또 다른 대학으로 방랑을 계속했다. 그는 날마다 19시간씩 수학을 생각하고 저술하였으며 1,475편이라는 방대한 분량의 논문을 남겨 후학들을 자극했다.

스스로 미분을 풀어낸 중학생들

몰입이 천재들만의 전유물은 아니다. 몰입의 놀라운 효과를 체험한 나는 다른 사람들과 그 경험을 공유하고 싶었다. 그간 몇몇 제자들에게 몰입을 지도한 결과, 그들 역시 놀랄 만한 성과를 얻었기 때문에 성장기 청소년들을 대상으로 실험을 해보고 싶었다. 그런 기회가 된 것이 2007년 6월에 방송된 SBS 스페셜이었다.

SBS 스페셜 〈몰입-최고의 나를 만나다〉 수학 실험

2007년 5월 25일 금요일 오후 5시 30분, SBS 스페셜 촬영 장소인 양수리 수양관에 도착했다. 원묵중학교 학생 10명이 교무부장과 수학 교사의 인솔 아래 이미 와서 기다리고 있었다. 남학생 5명, 여학생 5명으로 구성된 학생들은 대부분 특목고를 목표로 하고 있으며, 성적은 대체로 상위권이지만 모두 수학을 잘하는 것은 아니라고 했다. 저녁 8시부터 오리엔테이션 시간을 갖고 이 프로그램의 취지에 대하여 설명했다. 그리고 이제까지 학교에서 풀었던 수학 문제와는 달리, 2박 3일 동안 한 문제만을 풀 예정임을 알려주고 문제를 제시했다.

'$y = t^3$'

이 문제는 실험에 참가한 학생들이 아직 배우지 않은 미분 문제로, '그래프 위의 점(2, 8)에서의 접선의 기울기를 구하라'는 것이었다. 먼저 평균속도의 개념을 복습하고 순간속도의 개념을 설명한 뒤 2초에서의 순간속도를 구해야 했다. 나는 학생들에게 이 문제는 뉴턴이 최초로 해결한 것으로 난도가 대단히 높다는 사실을 강조했다. 따라서 평소 수학 문제를 풀듯이 생각을 급하게 하면 오래지 않아 머리가 아파서 포기하게 될 수 있으므로, 명상을 하듯

그리고 마음의 산책을 하듯이 천천히 생각하라고 거듭 당부했다.

반응은 생각보다 빨리 왔다. 시작한 지 2시간 30분 만에 한 학생이 문제를 풀어낸 것이다. 이 학생에게는 더욱 발전된 형태의 적분 문제를 내주고 다시 생각의 시간을 갖도록 했다. 적분 문제는 정답을 도출하지는 못했지만, 그 나름의 방법을 통해 답에 상당히 접근하는 모습을 보여주었다. 이 학생이 문제를 푸는 모습은 다른 학생과 확실히 달랐다. 다른 학생들은 모두 노트에 연필로 그림을 그리거나 계산을 하는 데 반해 이 학생은 두 손 놓고 생각만 하고 있었다. 오리엔테이션에서 제시한 대로 천천히 생각하기를 실천하며 문제에 몰두하고 있는 모습이 인상적이었다.

다음 날 여학생 한 명이 문제를 해결했다. 이 학생은 전날 문제를 푼 학생과 풀이 과정이 달랐다. 문제를 푸는 과정에서는 크게 눈길을 끄는 점이 없었는데, 나중에 들으니 이 학생은 극한에 대한 선행학습을 했다고 했다. 그렇다면 미분에 대한 접근이 한결 용이할 터였다. 이 학생에게도 적분 문제를 내주고 푸는 과정을 관찰했더니, 노트에 문제의 곡선을 큼직하게 그려놓은 뒤 연필을 놓고 그 그림을 보면서 계속 생각만 했다.

마지막 오전까지 문제를 해결한 사람은 더 이상 나타나지 않았다. 학생들이 푸는 과정을 지켜보니 함수와 기울기에 대한 기본 개념이 부족한 것 같아 마지막 날 오전에 함수와 기울기에 대한 설명을 보강해 주었다. 그러나 오전 중에 문제를 해결한 학생은 나타나지 않았다. 그래서 점심 식사 이후 정확한 답을 구하려고 하지 말고, 비슷한 답을 구한 뒤 정확한 값에 가까워지는 것을 생각해 보라고 방향을 잡아줬다. 이 힌트를 듣고 한 명이 추가로 문제를 풀었다. 자세한 설명을 덧붙여가며 더 구체적인 힌트를 두 번 더 주자, 모든 학생이 문제를 해결할 수 있었다.

이 실험은 타고난 재능보다는 고도의 집중을 통한 몰입적 사고가 문제 해결에 더 큰 작용을 한다는 것을 증명해 준다. 미분에 대해 전혀 배우지 않은 중학생들이, 뉴턴이 고민하던 문제를 생각만으로 풀어냈다는 것은 사고에 대한 우리의 고정관념을 바꾸기에 충분한 것이었다. 어떤 문제건 머리가 나빠서 풀 수 없다는 건 더 이상 정당한 이유가 될 수 없다.

자유롭고 자연스러운 사고 흐름

몰입 이론의 창시자라 할 수 있는 미하이 칙센트미하이Mihaly Csikszentmihalyi는 몰입을 '플로flow'라고 명명했다. 삶이 고조되는 순간, 마치 자유롭게 하늘을 날아가는 듯한 느낌이거나 물 흐르는 것처럼 편안하고 자연스럽게 행동이 나오는 상태에서 몰입이 이루어진다는 것이다. 칙센트미하이는 "몰입은 의식이 경험으로 꽉 차 있는 상태다. 이때 각각의 경험은 서로 조화를 이룬다. 느끼는 것, 바라는 것, 생각하는 것이 하나로 어우러지는 것이다"라고 말한다. 그러면서 스키를 타고 산비탈을 질주할 때를 예로 드는데, 그때만큼 순수한 몰입을 설명하기 좋은 예도 흔치 않을 것이다. 스키를 타고 산비탈을 질주할 때는 누구라도 몸의 움직임, 스키의 위치, 얼굴을 스치며 지나가는 공기, 눈 덮인 나무에 주의를 집중한다. 조금이라도 마음이 흐트러지면 눈 속에 고꾸라지기 십상이기 때문에 다른 생각이 비집고 들어올 틈이 없다. 바로 이 순간, 우리는 완전한 몰입을 경험하게 된다.

몰입 상태에 이르기 위한 길 찾기

칙센트미하이는 삶을 훌륭하게 가꾸어주는 것은 행복감이 아니라 깊이 빠져드는 몰입이라고 단언하며, 몰입에 뒤이어 오는 행복감은 스스로의 힘으로 만들어낸 것이어서 우리의 의식을 그만큼 고양시킨다고 했다. 몰입에 의하여 일과 놀이가 하나로 어우러지는 것이 바람직하고 건강한 삶이라는 게 그의 설명이다.

다음 페이지 그림은 주어진 과제의 난이도와 자신의 실력에 따라 달라지는 심리 상태를 나타낸 것으로, 몰입 이론의 핵심이라 할 수 있다. 가로축은 실력이 높고 낮음을 나타내고 세로축은 과제의 난이도를 나타낸다. 각 영역에는 각각의 심리 상태와 그에 따른 대표적인 활동을 써넣었다. 자, 그럼 그림을 보며 우리의 일상을 떠올려보자.

과제와 실력의 함수 관계

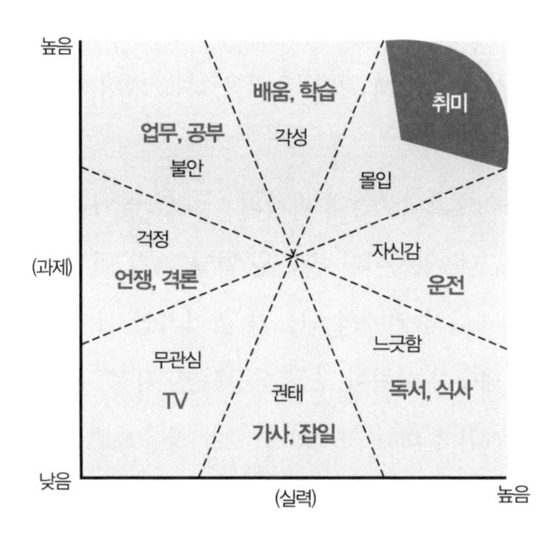

출처: 마시미니와 카를리(1988) 참고, 칙센트미하이(1990)

그림에서처럼 과제의 난도도 낮고 실력도 낮을 때 나타나는 심리 상태는 '무관심'이다. 대표적인 활동으로 TV 시청을 예로 들 수 있는데, 매사에 무기력하고 무관심하며 주어지는 자극만 소극적으로 받아들이는 상태다. 여기에서 자신의 실력만 약간 증가하면 심리 상태는 '권태'가 된다. 이때는 능력에 비해 과제가 보잘것없으니 즐거움을 느끼지 못한다. 단순한 가사 노동이나 잡일을 할 때 느끼게 되는 감정 상태라 할 수 있다. 여기서 실력이 더 증가하면 심리 상태는 '느긋함'이 된다. 이 상태에 해당하는 활동이 독서나 식사다.

이런 여유로운 상태에서 과제의 난도가 조금 올라가면 문제 해결에 대한 자신감을 갖게 된다. 운전을 하는 행위가 이런 심리 상태에 속한다.

반대로 실력은 그대로인데 과제의 난도만 높아지면 과제에 대한 걱정이 생긴다. 언쟁이나 격론을 벌일 때가 이런 심리 상태이다. 여기에서 또다시 과제의 난도가 높아지면 사람들은 '불안'을 느낀다. 이 상태에서 실력이 조금 상승하면 '각성' 상태가 된다. 이런 식으로 개인의 실력과 과제의 난도가 상승하고 자신감이 구축되면 어느 순간 몰입에 이르게 된다. 앞의 그림을 이용하여 자신이 어느 심리 상태에 있는지 알게 되면 몰입으로 가는 길을 파악하는 것이 그리 어렵지 않을 것이다. 다시 말해 몰입 상태로 가기 위해서 자신의 실력을 올려야 하는지 아니면 과제의 난도를 올려야 하는지 알 수 있다는 얘기다.

그렇다면 과제의 난도가 월등하게 높아지면 어떤 일이 벌어질까. 바로 그런 상황이 우리가 여기에서 이야기하려는 특별한 몰입이다. 그림에서 대각선 방향으로 가야 몰입이 가능해지므로 실력이 월등하게 높아져야 몰입에 이를 수 있다. 실력을 월등하게 향상시키는 것은 곧 집중도를 올리는 것에 해당된다.

'순간'이 아니라
'오래' 몰입하는 것이 중요하다

칙센트미하이는 몰입을 쉽게 하기 위해서는 첫째, 목표가 명확해야 하고 둘째, 일의 난이도가 적절하고 셋째, 결과의 피드백이 빨라야 한다고 했다. 그런데 목표는 명확하지만 난도가 너무 높아서 아무리 생각을 해도 해결이 되지 않아 피드백을 받을 수 없는 경우에는 어떻게 될까? 바로 이런 경우가 몰입하기에 가장 불리한 상황이다. 생각하는 시간은 길어지고 해결책은 오리무중이니, 자꾸만 다른 상념이 비집고 들어와 몰입이 안 되고 집중하기 어려울 것이다. 그런데도 계속 그 문제를 풀려고 생각하면 어떻게 될까? 그것도 하루도 아니고 며칠을 계속 그 문제를 해결하려고 끙끙댄다면? 아마 우리 몸에서는 문제를 해결하려는 과정 자체를 대단한 위기 상황으로 받아들일 것이다. "얼마나 중요한 문제이기에 몇 날 며칠을 이 문제만 생각할까? 아마도 이 문제를 해결 못 하면 죽나 보다"라고 판단하는 것이다. 그래서 우리 뇌에서는 비상사태를 선포하고 이 문제를 해결하는 데 온 힘을 쏟게 되는데, 이것이 바로 내가 체험한 몰입이다.

이 상태에 이르면 다른 모든 것을 잊고 오로지 그 문제만 생각할 수 있는 특별한 상태가 된다. 이 상태는 일상의 다른 몰입과는 달리 순간적으로 유지되는 것이 아니고 조금만 노력해도 내가 원하는 만큼 오랫동안 유지할 수 있다. 그래서 주어진 문제를 풀기 위하여 최고로 활성화된 두뇌를 문제가 풀릴 때까지 얼마든지 유지할 수 있다. 결국 자신의 지적 능력이 최대로 발휘되는 이러한 몰입 상태에서 문제를 푸는 노력이 몇 개월 이상 누적되면 평소에는 상상도 할 수 없는 어려운 문제를 해결할 수 있게 된다.

이제 우리도 본격적인 몰입을 시도해 볼 텐데, 그렇다고 긴장할 건 없다. 누구나 만만히 여기는 '생각에 잠기기'가 몰입의 본질이니까. 칙센트미하이는 운동선수가 말하는 '물아일체의 상태', 신비주의자가 말하는 '무아경', 화가와 음악가가 말하는 '미적 황홀경'이 몰입이라고 하였다. 이 순간을 가리켜 무용수들은 "마음이 방황하지 않고 하고 있는 일에 완전히 몰입하는 것"이라고 하고, 암벽 등반가는 "나 자신과 등반이라는 행위가 하나가 된다"고 말한다. 또 체스 선수는 "시합에 집중하는 것은 마치 숨쉬는 것과 같아서 지붕이 무너지더라도 벽돌에 맞지만 않는다면 무슨 일이 일어났는지 모를 것"이라고 표현한다. 이렇듯 몰입을 직업에 따라, 하는 일에 따라 각기 다르게 표현하지만 고도로 집중된 상태라는 본질에는 변함이 없다.

아인슈타인은 "나는 몇 달이고 몇 년이고 생각하고 또 생각한다. 그러다 보면 99번은 틀리고, 100번째가 되어서야 비로소 맞는 답을 얻어낸다"고 했다. 그러나 한 문제를 풀기 위해 생각하고 또 생각한다는 말의 의미를 정확하게 이해하는 사람은 별로 없을 것이다. 우리의 일상 속에서는 주어진 문제에 대하여 이렇게 오랫동안 집중적으로 생각할 일이 거의 없기 때문이다. 우리는 "아인슈타인 같은 사람도 99번이나 틀린 답을 얻었다는데, 나처럼 평범한 사람이 생각은 무슨 생각이야. 그냥 되는 대로 살면 되지, 뭐!" 하는 식으로 생각하고 만다. 그러나 아인슈타인이 말하는 '생각'을 제대로 이해하고 따라 해본다면 놀라운 세계를 만나게 된다. 자신의 목표를 이루겠다는 강한 의지와 몰입을 하면서 얻어지는 자신감이면 세상에 풀지 못할 문제가 없기 때문이다.

몰입은 지극히 이상적인 상태이지만, 그 과정이 그리 복잡하지는 않다. 방법과 요령, 주의점만 알면 단기간의 훈련을 통해서도 얼마든지 몰입에 이를 수 있다. 하지만 몰입이 인생에 미치는 의미와 효과는 엄청나다. 몰입 상태에서는 두뇌 활용이 극대화될 뿐만 아니라, 가장 빠른 속도로 사고력이 발전한다. 또 몰입 상태가 되면 머리가 잘 돌아가 평소에 풀리지 않던 어려운 문제도 아주 쉽게 풀린다. 이렇게 극대화된 두뇌에 어떤 문제라도 해결할 수 있다는 자신감과 문제에 대한 강한 호기심이 더해지면 아무리 난도가 높은 문제라도 답을 얻을 때까지 포기하지 않게 되고, 결국은 풀게 된다. 그 순간 자신의 가치는 수직 상승하며 삶의 만족도 치솟아 오를 것이다.

그런데도 대부분의 사람들은 아직 몰입에 대한 이해나 경험이 부족한 것 같다. 몰입에 대해 생각조차 안 해본 사람이 수두룩하고, 한때 관심을 가져본 사람이라도 너무 막연하거나 어렵게 생각하는 경우가 많다. 그러나 몰입은 나이나 학력, 지적 수준과 상관 없이 가능한 일이다. 본격적으로 몰입 체험을 소개하기 전에 내가 몰입을 하게 된 개인적인 동기와 배경을 참고하면, 몰입에 대한 이해가 좀 더 쉬워지지 않을까 싶다.

특별한 몰입 체험

내가 개인적으로 몰입 상태를 경험하게 된 것은 극단적인 사고 활동을 추구하면서다. 당시 나는 최선을 다해서 후회 없이 인생을 살고 싶다는 생각에 사로잡혀 있었다. 그래서 아무리 힘들어도 의식이 있는 한 주어진 문제만을 생각하겠다는 극단적인 생각을 실천했다. 그러다 어느 순간 몰입 상태에 들어갔다. 최선을 다하는 삶을 살아야겠다는 생각이 몰입의 동기가 된 것이다.

최선의 삶에 대한 관심이 생긴 때는 나의 중고등학교 시절로 거슬러 올라간다. 그 시절 나는 잠자리에서 하루를 결산하곤 했는데,

후회와 괴로운 마음으로 하루 일과를 마감할 때는 아직 실패하지 않은 내일이 있고 내일부터는 최선을 다하겠다는 다짐이 유일한 위로였다.

그러다가 "실패한 한 달 뒤에는 그다음 달이 있고, 실패한 1년 뒤에는 그다음 해가 있지만, 실패한 인생 뒤에는 그다음 인생이 없기 때문에 위로받을 방법이 없다"는 생각을 하게 됐다. 후회로 가득한 말년, 이런 인생은 내가 상상할 수 있는 가장 처참한 가정이었다. 이때부터 나는 어떻게 하면 후회하지 않는 인생을 살 수 있을까 하는 문제를 고민하게 되었고, 결국 이 문제가 그때 이후로 지금까지 내 인생의 가장 중요한 화두가 되었다.

그렇다면 "최선이란 무엇인가?", "최선의 삶이란 어떻게 사는 것인가?" 이 물음에 자신 있게 대답할 수 있는 사람은 그다지 많지 않을 것이다. 이 물음에 확실한 답을 가지고 있다면 기대보다 더 성공한 인생을 살 수도 있겠지만, 불행하게도 많은 사람들이 어떻게 해야 최선의 삶을 사는지는 모르고 있다. 나 역시 그들과 마찬가지였다. 최선의 삶을 추구했으나 최선에 대한 잘못된 이해 때문에 고생만 하고 성과를 얻지 못한 경우가 많았다.

이제부터 최선에 대한 패러다임이 변화하는 과정을 통해 평범한 중학생이 점차 프로페셔널한 연구원으로 변화해 가는 과정을 이야기해 보겠다.

수면과 학습능력에 대한 착각

내가 중학교 1학년을 마칠 무렵, 우리 집에서는 명문고에 입학하려면 4시간만 자고 공부해야 한다면서 매일 새벽 2시까지 공부하고 아침 6시에 일어나도록 했다. 그렇게 몇 개월이 지나자 4시간 자면서 공부하는 것이 몸에 배기 시작했다. 괴롭기는 했지만 당시에는 4시간만 자고 공부하는 것이 미덕이라고 생각했기 때문에 남들보다 잠을 적게 자고 공부하는 나 자신이 자랑스러웠고 자부심도 적지 않았다. 일단 4시간 자는 것을 목표로 삼자, 하루를 성공적으로 보냈느냐 아니면 실패로 보냈느냐는 4시간 수면을 실천했느냐 그렇지 못했느냐에 의해 판가름 났다. 하루를 성공적으로 보냈으면 만족감을 느끼며 잠이 들었고 실패한 날은 후회와 괴로움 속에 잠이 들었다.

그러나 4시간 수면이 장기화되면서 수면 부족으로 인한 여러 가지 부작용이 생겨났다. 가장 큰 부작용은 공부에 대한 싫증이었다. 컨디션이 좋지 않은 상태에서 공부를 하니 집중이 안 되고 공부하기가 너무도 싫었다. 수업 시간에는 졸음을 참느라 괴로운 시간을 보냈고, 쉬는 시간에는 주로 책상에 엎드려서 잠을 잤다. 그러다 보니 하루에 4시간 자는 목표가 지켜지지 않는 날이 많아졌고, 많은 날을 실패와 좌절 속에서 보내야 했다. 그렇게 스스로를 자책하는 날이 많아지다 보니 고등학교 2학년 때에는 살아가는 것 자체에 회의가 생기고 우울증이 나타나기 시작했다. 잠을 줄이고 공부하는 것이 최선이라는 생각에 뭔가 오류가 있다는 느낌이 든 것은 바로 이때부터였다.

고등학교 3학년이 되었다. 그 당시 3시간 자면 대학에 합격하고 4시간 자면 낙방한다는 말이 있었는데, 우리 가족도 나도 이 말을 철석같이 믿고 있었다. 그래서 매일 새벽 3시에 어머니가 나를 깨우곤 했다. 누적된 피로에 힘은 들었지만 이제부터 1년은 공부만 할 각오를 했기 때문에 3시간 수면을 군말 없이 받아들였다. 수면 부족으로 머리가 멍해져서 학습 효과가 떨어지는데도 잠을 자는 시간은 3시간을 유지하려 노력했다.

시간이 흐를수록 체력은 계속 떨어졌고 몸과 마음까지 쇠약해져 갔다. 심지어 감기와 편도선염이 심해져 목에 붕대를 감고 학교를 다녀야 할 정도였다. 그래도 3시간 수면을 멈출 수는 없었다. 결국은 부모님이 결단을 내렸다. 이러다가 큰일 나겠다고 생각하신 거다. 대학 입시를 포기하더라도 자식의 건강부터 챙겨야겠다고 판단하셨던지 필요한 만큼 충분히 잠을 자도록 했다. 그날 이후부터는 6시간 정도 잠을 잤다.

그런데 놀라운 일이 벌어졌다. 잠을 필요한 만큼 자고 나자 오히려 공부가 더 잘되는 것이었다. 잠이 부족할 때는 공부하는 것이 지옥 같고, 맑은 정신으로 공부했던 시간이 그렇게 많지 않았는데, 필요한 만큼 자고 나자 맑은 정신이 오랫동안 유지되며 성적도 오르기 시작했다. 이전에 내가 왜 그렇게 공부를 싫어했는지 이해가 안 될 정도였다. 공부를 하기 위해 줄였던 잠이 오히려 수면 부족 상태를 만들어 역효과를 내온 것이다. 공부를 한다는 것은 단지 오랜 시간을 의자에 앉아 있는 것에 불과하다. 가만히 앉아만 있으면 심심하니까 앞에 책을 펼쳐놓고 그것을 들여다보는 것이다. 그 이상도 그 이하도 아니다. 서 있는 것보다 책상에 앉아 공부를 하는 것이 훨씬 더 편하다. 그러나 잠을 줄이게 되면 상황이 달라진다. 수면 부족으로 머리를 쓰는 일이 괴로워지면서 공부하는 것이 지옥처럼 힘들고 학습 효율도 떨어진다.

지속적으로 실천 가능한 페이스 유지법 찾기

마라톤에서 좋은 성적을 거두려면 자신만의 페이스를 지켜야 하듯, 공부를 할 때도 각자의 상황에서 최적의 페이스를 찾는 것이 중요하다. 특히 입시처럼 장기간에 걸쳐 최선을 다해야 하는 경우에는 자신만의 페이스를 찾아서 하루의 패턴을 만들고 이것을 반복해야 한다.

그때 가장 중요한 것은 정신적으로나 육체적으로 피로가 누적되어서는 안 된다는 것이다. 따라서 충분한 수면 외에 스트레스를 해소할 수 있는 규칙적인 활동도 일상의 패턴에 포함시켜야 한다. 나는 수업이 끝난 뒤 30분 정도 학교 야구부원들이 연습하는 광경을 지켜보았다. 그러고 나서는 11시까지 고3 전용 도서관에서 공부를 하다가 집으로 돌아오곤 했다. 이것이 내가 지속적으로 부작용 없이 실천했던 최선의 패러다임이었다. 속도 조절이 필요한 순간마다 효과적인 대책을 찾게 한 기준점이 되었다.

진정한 프로들의 가치관

대학에서 학생들을 지도하다 보면 많은 학생들이 방황하는 것을 알 수 있다. 어떻게 보면 인생에서 방황은 피할 수 없는 과정일지도 모른다. 방황에는 자신을 한 차원 높은 상태로 성장시키는 생산적인 방황이 있는가 하면, 자신을 끝없는 나락으로 떨어뜨리는 파괴적인 방황도 있고, 아무 결론도 내리지 못하고 시간만 낭비하는 소모적인 방황도 있다. 내가 경험한 대학 시절의 방황은 대체로 소모적인 방황이었던 것 같다. 그래서 무엇 하나 제대로 한 것 없이 어정쩡하게 대학 시절을 보내고 말았다.

분명한 목표를 정하라

대학에 입학한 지 얼마 되지 않아 대학생활을 어떻게 보내야 하는가에 대한 고민이 생겼다. 고3 때처럼 공부만 열심히 하면 되는지, 많은 친구들을 사귀거나 서클 활동을 열심히 하는 것이 좋은지, 민주화를 외치며 학생운동을 열심히 해야 좋은 것인지, 남을 위해 봉사하며 사는 것이 좋은지, 부모님에게 훌륭한 효자가 되는 것이 좋은지 알 수가 없었다. 그러다 다다른 결론이 '고3이라는 특수한 상황에서는 공부 한 가지만 했지만, 대학부터는 각각의 중요도에 맞게 나의 시간과 관심을 적절하게 배분하여 노력해야 한다. 그것이 최적의 대학생활이고 최선'이라는 것이었다. 이렇게 어정쩡한 결론은 결국 어정쩡한 결과로 이어졌다. 3학년이 되고 보니, 정말 한 것 없이 지난 2년을 흘려보냈다는 생각이 절로 들었다. 앞으로 남은 2년마저 이런 식으로 보내며 졸업한다고 생각하니 아찔할 지경이었다.

그래서 이번에는 한 가지 목표를 분명하게 정해서 노력해야겠다고 생각을 고쳐먹었다. 처음에는 본교 대학원 진학을 목표로 삼았다가 4학년 때 카이스트 진학으로 방향을 바꾸었다. 중요한 일을 오래해야 할 때는 밤 11시를 넘기지 않되, 꾸준히 해나간다는 고3 때 익힌 생활관은 카이스트를 준비하는 기간에도 변치 않았다. 잠은 필요한 만큼 잤고, 공부하다가 졸리면 언제든 책상에 엎드려 자곤 했다. 이렇게 공부를 하다 보니 노는 것보다 오히려 마음이 더 편했고, 특히 잠자리에 들 때는 최선을 다해 하루를 보냈다는 만족감과 함께 확실히 더 행복했다. 덕분에 그 당시 입학 경쟁률이 6:1이었던 카이스트에 무난히 합격할 수 있었다. 카이스트에 입학해서 석·박사 과정의 연구 활동을 하면서도 특별한 경우가 아니면 밤 11시까지 연구실에 있다가 기숙사로 돌아가 잠을 잤다. 11시까지 연구실에 있다가 기숙사로 돌아와 오늘 하루도 최선을 다했다고 생각하면서 잠자리에 들어야 맘이 편하고 만족감이 들었다. 나는 특별히 무리하지도 않았지만 게을리하지도 않으면서 시간을 보냈다. 그리고 이런 식의 일과 패턴은 나중에 몰입적인 연구를 시작하기 전까지 계속되었다.

네가 일하는 분야에서 세계 최고가 되라

더 발전된 패러다임을 깨닫기까지는 오랜 기간이 걸렸다. 여기에는 카이스트에서 나의 지도 교수였던 윤덕용 교수님의 가르침이 큰 역할을 했다. 윤 교수님은 카이스트 원장을 지낸 분으로, 재료 분야의 세계적인 석학으로 명성이 자자했다. 이분이 나의 지도 교수가 된 것은 내 인생을 바꾼 커다란 행운이었다. 내가 몰입적인 사고를 하게 된 것도 이분의 특별한 가르침 덕분이었다.

— 생각 없이 열심히 노력만 하지 말고 머리를 써라.

— 네 분야에서 세계 최고가 되라.

— 연구하는 것을 즐겨라.

— 제품이 아닌 작품을 만들듯이, 연구 활동 하나하나에 최선을 다하라.

윤 교수님의 이런 생각은 내가 생각하고 연구하는 방법을 완전히 바꿔놓았다. 교수님은 항상 학생들에게 연구의 모든 면에서 세계 최고, 일류가 될 것을 요구했다. 실험을 계획하는 일, 실험을 실시하는 일, 실험 결과를 해석하는 일, 연구 결과를 발표하는 일, 논문을 쓰는 일 등 모든 면에서 나로서는 거의 불가능해 보이는 수준과 노력을 요구했다. 하지만 이런 가르침은 프로페셔널이 되지 않으면 아무도 기억해 주지 않을뿐더러 누구도 살아남을 수 없음을 각인시켰다.

그 당시 나는 일을 대충하는 버릇이 있어서 호된 야단을 맞기 일쑤였다. 논문 한 편을 쓸 때도 어찌나 까다롭게 굴고 퇴짜 놓기를 밥 먹듯 하시는지, 이분에게 박사 학위를 받으려면 100년은 족히 걸리겠다는 참담한 생각이 들곤 했다. 내가 전생에 무슨 죄를 지어서 이런 분을 지도 교수로 맞게 되었을까 하는 비관이 절로 들었다. 하지만 졸업을 위해서는 노력할 수밖에 없었고, 그 과정에서 나도 모르게 엄청난 성장을 경험했다. 윤 교수님은 은연중에 나의 잠재력을 이끌어내는 법을 심어주셨던 것이다.

지금 하는 일이 당신에게 가장 중요한 일이다

사람들은 모두 엄청난 잠재력을 가지고 있지만 대부분은 이 능력을 전혀 발휘하지 못하고 인생을 마친다. 각 분야의 정상에 있는 사람은 자신의 잠재력을 어느 정도 발굴해 낸 사람들이다. 문제는 이런 잠재력이 절대 저절로 발휘되는 게 아니라는 것이다. 자신의 능력으로는 도저히 불가능해 보이는 수준의 일을 하도록 강요받지 않으면 내 안에 숨어 있는 능력은 영원히 빛을 못 볼 수도 있다. 잠재력을 끄집어내는 과정은 고통스럽지만, 한계를 뛰어넘어 잠재력의 발현을 경험하는 것은 살면서 느낄 수 있는 몇 안 되는 소중한 순간일 것이다.

이 시절에 나를 바꾼 또 다른 가르침은 프로가 되려면 자신이 연구하는 분야가 세상에서 가장 중요하다는 믿음이 있어야 한다는 것이다. 내가 하는 일이 세상에서 가장 중요하다고 믿어야 비로소 자신의 인생을 던져서 그 일을 하게 되고 그래야 일이 재미가 있고 경쟁력도 생긴다는 것이 윤 교수님의 가르침이었다.

교수님 자신도 당신이 하는 연구가 세상에서 가장 중요한 일인 것처럼, 다른 일에는 전혀 관심이 없었다. 모든 사회 활동이나 사교 활동은 접어둔 채 오로지 연구에만 전념했다. 그러나 나는 연구가 아닌 다른 일에도 적당한 관심을 기울이는 것이 더 바람직해 보였다. 세상에 대한 관심을 모두 끊고 자신의 연구에만 '올인'하는 프로페셔널리즘을 실천한다면 희생할 것이 너무 많다고 느꼈기 때문이다. 그래서 당시만 해도 그러한 삶에 적잖이 거부감을 갖고 마음 깊이 받아들이지 못했다. 교수님의 가치관이 몰입적인 사고를 실천하는 데 그리고 그 이후의 삶에 결정적인 영향을 준 건 시간이 더 흐른 후의 일이었다.

박사 학위를 받고 대전에 있는 표준과학연구원에 취직을 했지만 워낙 해야 할 일의 종류가 많고, 연구와는 직접 관련되지 않은 일들에 시간이 분산되었기 때문에 진지하게 연구만 하기는 매우 어려운 분위기였다. 학생 때처럼 연구 주제와 관련된 논문을 읽고 있으면 한가한 사람으로 취급하는 듯했다. 이때부터 또다시 '이곳에서의 최선'을 고민하기 시작했다.

그 당시만 해도 정부출연연구소에서 해야 하는 일이 무엇인지에 대해 명확하게 정의된 바가 없었다. 연구소에서 쓰는 보고서는 논문처럼 심사나 평가를 하는 것이 아니기 때문에 논문만큼 정성을 들이지 않아도 되었고, 실험을 하거나 데이터를 분석하거나 보고서를 작성할 때도 별다른 주의를 기울이지 않고 할 수 있었다. 이를 방지하기 위한 자구책으로 국제적으로 저명한 학술지에 논문을 발표해야 한다는 몇몇 연구원들의 주장이 있었고 나 역시 논문을 몇 편 발표했지만, 당시 연구소에는 논문을 쓰는 연구원이 별로 없었고, 논문을 쓰라고 권장하는 분위기도 아니었다. 그러다가 미국의 국립표준기술연구소NIST(이하 니스트)로 박사 후 과정Post-doc(이

하 포닥)을 가게 되었다. 그곳에서 만난 사람이 바로 로버트 로스Robert S. Roth 박사였다. 로스 박사는 세라믹스의 상태도에 대한 연구를 40여 년간 해온 인물로 자신이 하는 연구 이외에 세상 어떤 대상에도 거의 관심을 가지지 않았다. 저 사람은 도대체 무슨 재미로 사나 의아할 정도였다. 하지만 그의 얼굴에서 지루함이라곤 찾아볼 수 없었다. 오히려 굉장히 행복해하는 얼굴이었다. 니스트에는 이러한 연구원들이 몇 사람 더 있었다. 카이스트의 내 지도교수 같이 연구밖에 모르고 사는 별난 사람들을 여기서 또 보게 된 것이다.

그러나 그들의 생각과 자세에 무언가 나와는 맞지 않는 구석이 있었다. 그러다가 시간이 흐르면서 다른 생각이 들기 시작했다. 누가 옳은가? 내가 옳은가 아니면 윤 교수님이나 로스 박사가 옳은가? 저 사람이 근무하는 직장은 연구소이고 저 사람의 직업은 연구원이다. 연구소에서 근무하는 연구원이 자신이 하는 연구에만 관심이 있고 종일 즐거운 얼굴로 연구만 하는데, 나는 무엇이, 왜 잘못되었다고 생각하는 걸까? 혹시 내가 잘못된 것은 아닐까? 어쩌면 내가 아마추어이고, 그분들이 정말 프로가 아닐까 하는 생각이 들기 시작했다.

1년 동안 로스 박사와 같이 연구를 하다 보니 이 사람의 인생이 하도 단순해서 나에게 그의 전기를 쓰래도 쓸 수 있을 것 같았다. "태어나서 밥 먹고 연구하다 죽었다"가 전부일 테니까. 여러 가지 생각 사이를 오가다 결국 직업 연구원이라면 이렇게 살아가는 것이 더 옳다는 결론에 도달했다. 너무도 비슷한 두 사람, 윤 교수님과 로스 박사를 만나 그들의 삶을 지켜보니 그동안 내가 매몰되어 있던 가치관이 얼마나 잘못되어 있었는가를 실감할 수 있었다.

문득 나도 한번 그렇게 살아보고 싶다는 생각이 들었다. 그들처럼 연구 이외의 어떤 문제에도 관심을 두지 않고, 오직 연구 자체를 인생의 목적으로 삼고 살겠다고 결심했다. 그래서 내 자서전에도 "태어나서 밥 먹고 연구하다 죽었다"라고 단순하게 기록되었으면 하는 생각을 갖게 된 것이다.

후회하지 않기 위해 해야 할 일을 떠올려라

연구만 하면서 사는 인생이라면 은퇴하거나 죽음에 이르렀을 때 남는 것은 결국 논문이다. 로스 박사는 그동안 100여 편의 논문을 발표했고, 나 역시 그때까지 발표할 100여 편의 논문과 내 인생을 맞바꾸게 될 것이다.

그런데 바로 그 순간, 막연하지만 강렬한 생각이 머릿속을 스치고 지나갔다. 100여 편의 논문들과 내 인생을 맞바꾸고 싶지 않다는 생각이었다. 그러자 문제가 심각해지기 시작했다. 은퇴할 때까지 모든 것을 희생하고 최선을 다해서 살아가려고 하는데, 그 노력의 결과와 내 인생을 바꾸고 싶지 않은 것이다. 결국 내가 잘못된 길을 선택했다는 얘기였다.

그때부터 나는 내가 왜 이 길을 선택하게 됐는지를 생각해 보았다. 대학과 카이스트 석사·박사 과정 동안 정신없이 공부에 매진하고 결혼을 했고, 이제 이렇게 미국으로 포닥까지 오게 됐다. 모든 일이 정신없이 정해진 순서에 따라 진행된 느낌이었다. 돌이켜 보니 내가 자유의지를 가지고 판단한 것이 하나도 없었다. "아, 그래서 이런 지경에 이르렀구나!" 내 의지대로 판단하지 않고 주변에서 이렇게 해야 한다고 하니 따라가고, 그러다 보니 지금 그 자리에 서 있게 되었다는 생각이 들었다. 이 길이 아닌 것은 분명했다. 후회하지 않을 삶, 혹은 직업을 새로이 찾아야 할 때였다.

인생의 마지막 순간에 후회를 한다면 그것은 실패한 인생이다. 그것은 내가 중학교 때부터 갖고 있던 확고한 신념이 아니던가. 그렇다면 과연 어떻게 살아야 인생의 마지막 순간에 후회하지 않을까? 온갖 생각이 머리를 어지럽혔다. 박사 학위와 안정된 좋은 직장을 갖고 있다는 프리미엄을 모두 버리고 이제라도 올바른 직업을 찾아보자는 생각이 들었다. 그 길이 비록 가시밭길이라고 해도 후회하지 않을 길이라면 기필코 가리라 마음먹었다.

그때부터 내가 할 수 있는 다른 모든 직업을 하나씩 검토해 보았다. 하지만 뾰족한 해결책은 없었다. 어떤 인생을 선택해도 마지막에는 후회할 것 같았고, 또 그것이 인생이라는 데 생각이 미쳤다. 나는 몇 주일이 지나도록 명확한 결론을 내리지 못하고 방황했다. 그즈음에 내린 결론은 한없이 우울한 것이었다. “어떻게 살아도 후회한다. 이렇게 살아도 후회하고 저렇게 살아도 후회한다. 이것이 인생이다.” 더 이상 명쾌한 답을 얻지 못한 채 시간이 흘러가고 있었다.

Think Hard의 발견

그러던 중 중대한 사건이 일어났다. 니스트의 펠로Fellow(석학회원) 연구원인 브라이언 론Brian R. Lawn 박사가 자기가 한 연구를 세미나 형식으로 발표하게 된 것이다. 그가 선택한 주제는 몇 년 동안 연구해도 논문 한 편이 나올까 말까 하는 매우 어려운 문제였다. 그는 지난 몇 년 동안 끈질기게 한 문제에만 매달려 씨름해 왔는데 이제 그 중간 결과를 발표한다는 것이었다. 연구가 어렵든 쉽든, 논문을 쓸 수 있든 없든 간에 재료 분야에서 중요한 주제이기 때문에 연구한다는 론 박사의 태도는 내게 큰 충격으로 다가왔다. 론 박사처럼 책임감과 자부심을 갖고 연구를 하면 은퇴하거나 죽을 때조차 후회가 없을 것 같다는 생각이 들었다. 그리고 만약 내가 은퇴할 때 나의 연구 결과에 만족하지 못한다면 그 이유는 그때까지 연구에 임한 자세 때문일 것임을 깨닫게 되었다. 논문을 몇 편 쓰든 내가 그 연구를 수행하면서 최선을 다했다면 후회할 이유가 없을 것이다. 그러나 그때까지 내가 걸어온 길을 돌아보니 내가 가진 능력을 충분히 발휘하고, 최선을 다하여 연구를 수행했다고 볼 수 없었다. 석·박사 과정에서는 주어진 기간 안에 학위 논문을 끝내야 한다는 제약 때문에 졸업 여건을 충족하는 데 큰 비중을 두었고, 연구소에 와서는 프로젝트마다 주제의 제약, 시간의 제약, 주위 환경의 제약, 연구 분위기의 제약 등이 있었고, 꼭 집어 이야기하기는 어렵지만 최선을 다해서 연구 활동을 하기 어려운 여러 가지 이유가 있었다. 론 박사의 세미나 이후 나는 오랜 갈등을 끝내고 명확한 답을 얻게 되었다. "지극히 현실에 순응하는 삶을 살면 그 순간은 편할지 모르지만 인생을 정리하는 단계에서는 후회를 하게 된다. 현실적인 어려움과 능력의 한계에 이르더라도 정말 중요한 문제 그리고 꼭 해결해야 하는 주제를 선택해 최선을 다해 연구하면 후회가 없을 것이다." 지난 시간을 돌아보니, 그동안 내가 현실에 적응하는 데 너무 많은 시간을 보냈음을 깨닫게 되었다. 연구에 대한 노력을 논문 편수 늘리는 데 쏟았고, 그러다 보니 논문을 쓰기 어려운 연구는 피해가고 있었다. 나의 아이디어는 모두 논문을 내는 데 초점을 두고 있었던 것이다.

그 순간 나는 윤 교수님의 말대로 작품을 만들듯 연구를 하고 논문을 쓰리라 굳게 결심했다. 일생을 두고 작품을 추구하는 자세를 가져야 어릴 적 과학자에 대한 꿈도 이루고, 숨겨진 나의 잠재력도 발휘할 수 있을 것 같았다. 그리고 나는 여기에서 인생의 중요한 교훈을 깨달았다. 살아오는 동안 자신의 능력을 충분히 발휘하느냐 못 하느냐에 삶의 질이 달려 있다는 것이다.

나는 인생의 방향뿐만 아니라 연구 방식에까지 두루 변화가 필요하다는 것을 절감했다. 더 이상 논문 쓰는 것을 목적으로 할 게 아니라 내가 연구하는 분야에서 정말 중요하고 해결해야 할 주제를 선택해, 시간이 얼마가 걸리더라도 내 능력을 모두 발휘하기로 했다.

이제 남은 문제는 어떻게 하면 자신의 능력을 최대한 발휘할 수 있느냐는 것이었다. 니스트의 펠로들은 다른 연구원들에 비해 많은 시간을 생각하면서 보낸다. 한 펠로 연구원은 실험 데이터가 그려진 16절지 크기의 종이 한 장을 항상 들고 다니면서 생각에 골몰했다. 복도를 걸어갈 때나 커피를 마실 때나 세미나에 참석할 때나 변함없이 그 메모지를 들고 다니면서 수시로 들여다보는 것이다.

이런 모습을 보면서 연구란 어떻게 해야 하는 것인지 머릿속에서 하나둘 정리가 되어갔다. 자신이 풀 수 없을 것 같은 문제라도 포기하지 않고 그 문제에 대해서 계속 생각하는 것이 자신의 두뇌를 최대로 활용하는 것이고, 이런 방식으로 연구하는 것이야말로 자신의 능력을 최대로 발휘하는 것이라는 데 생각이 미친 것이다.

그리고 의식이 있는 한 내 연구와 관련하여 풀리지 않는 문제를 생각하는 데 모든 시간과 노력을 쏟아붓겠다고 결심했다.

연구의 우수성은 그 문제를 얼마나 오랜 시간 집중해서 생각하느냐에 달려 있다. 매일 열심히 일하는 것이 최선이라고 생각하던 기존의 패러다임에서 벗어나, 머리를 쓰지 않으면 아무리 열심히 해도 그저 그런 연구 결과밖에 얻지 못한다는 사실을 깨닫게 되자 나는 완전히 다른 사람이 되었다. 열심히 일한다고 남들보다 두 배 이상 잘하기 힘들지만 열심히 생각하면 남보다 열 배, 백 배 어쩌면 천 배까지도 잘할 수 있다. 그야말로 열심히 생각하는 것에 인생을 온전히 던져볼 만했다. 이른바 'Work Hard'의 패러다임에서 'Think Hard'의 패러다임으로 일하는 방식 자체를 바꿔 탄 것이다.

포닥을 마치고 표준과학연구원으로 돌아온 나는 니스트에서 배운 교훈을 실천하기 시작했다. 또한 니스트에서 배운 상태도 연구에 대한 프로젝트를 수행하기 위해 연구계획서를 작성하고 발표했다. 그런데 그 모든 의욕이 한순간에 무너지고 말았다. 연구 내용이 과제 선정에서 탈락된 것이다. 장기적으로 연구할 주제를 선정하여 1년 동안 니스트에서 훈련을 받고 왔는데 연구비를 주지 않으면 어쩌란 말인가? 이것이 바로 현실이었다. 상태도 연구는 그 당시 국내 현실에서는 그렇게 시급한 문제가 아니었다.

갈 길을 잃고 황망히 앉아 있던 내게 주어진 것은 다른 연구원이 이직하면서 남기고 간 저압 다이아몬드에 관한 연구였다. 나는 어쩔 수 없이 저압 다이아몬드 연구를 시작했다. 어쨌거나 이 연구를 통해 니스트에서 익힌 교훈을 실천하는 수밖에 없었다. 나는 스스로에게 저압 다이아몬드 연구가 세상에서 가장 중요하다는 강한 암시를 불어넣었다. 시간이 조금 걸리긴 했지만, 놀랍게도 어느 순간 나는 그것을 믿고 그에 따라 행동하고 있었다. 뒤이어 주어진 문제 하나에만 집중하기 시작했다. 일단 문제를 설정했다. 이 연구 주제에서 가장 중요한 문제는 무엇인가? 그것은 왜 저압에서 안정상인 흑연이 생성되지 않고 준안정상인 다이아몬드가 생성되는가에 대한 의문이었다. 이 문제는 그 당시 해당 분야에서 가장 중요한 주제였다. 그러나 이 문제를 프로젝트 기간 내에 풀기란 불가능해 보였다. 어쩌면 내 능력으로는 평생을 노력해도 풀 수 없을지 모르는 일이었다. 그러나 나는 도전하기로 결심했다. 거의 불가능해 보이는 수준의 일을 하도록 자신을 채찍질하지 않으면 결코 내 안에 숨겨져 있는 잠재력을 끄집어낼 수 없을 것이라는 생각이 강하게 힘을 보태고 있었다. 잘못하면 죽도 밥도 안 될 수 있다는 생각으로 긴장의 고삐를 늦추지 않고 주어진 문제에 몰입하기 시작했다.

이런 태도는 나를 완전한 몰입 상태로 이끌었다. 그리고 몰입을 오랜 시간 유지하면서 두뇌 활동의 극대화와 지고의 즐거움을 동시에 경험하게 되었다. 모진 가시밭길일 것이라고 예상했던 그 길이 천국으로 가는 길이었던 것이다.

2장

본격적인 몰입을 시도하기 위하여

몰입에 들어가기 전에 준비할 것들

문제 설정

몰입에 들어가기 위해 생각을 한 곳에 집중하려면 명확한 목표가 있어야 한다. 사격을 할 때 목표물을 눈으로 겨누듯이 생각으로 그 목표를 겨누는 것이다. 따라서 먼저 자신이 해결하고자 하는 문제를 설정한다. 문제가 명확해야 집중하기가 쉽다.

문제를 설정할 때는 미해결된 문제 중에서 중요하고 핵심이 되는 것을 우선으로 택한다. 난도는 높아도 대단히 중요해서 그것을 해결하는 게 의미가 있어야 한다. 그 문제가 절실하게 느껴질수록 몰입이 용이하다. 또 해결해야 하는 기간을 정해두는 것도 절실함을 자극하는 데 도움이 된다.

먼저 몰입적인 사고를 시도하기 몇 주 전부터 관련 문헌 등을 읽어서 설정된 문제에 관련한 지식을 충분히 습득한다. 문제를 생각할 때는 예비 지식을 많이 알수록 몰입이 쉬워지고 문제 해결도 잘된다. 이 원리는 스포츠나 취미 활동에 비교해 보면 이해하기 쉽다. 테니스나 골프를 처음 배우는 사람이 게임에 몰입할 수는 없다. 적어도 1년 정도의 경험이 있어야 고도로 집중된 경기력을 보이는 몰입 경험을 할 수 있을 것이다. 만약 문제 해결보다 몰입 경험 자체를 목적으로 할 때는 자신이 잘 알고 있고 관심을 두고 있는 문제를 푸는 것이 좋다. 충분한 지식과 관심이 있어서 그 주제에 대하여 생각하는 것이 쉬울수록 몰입하기에 유리하기 때문이다. 특히 그 주제를 생각하는 것이 자신의 감정선과 맞닿아 있다면 더욱 효과적이다.

반면에 문제 해결을 목적으로 몰입을 시도할 경우에는 '어떻게 하면 되는가?'라는 물음보다는 '왜 그렇게 되는가?' 하는 물음이 훨씬 더 절실한 감정을 불러일으킨다. 대체로 '왜'에 대한 답은 한 가지 원인으로 생각을 집중시켜서 수렴적 사고를 유도하지만, '어떻게'에 대한 답은 여러 가지 가능성을 열어두어, 집중을 분산시키는 발산적 사고를 유도하는 경향이 있기 때문이다. 따라서 몰입을 시도하는 초기에는 '왜'라는 형식의 물음으로 문제를 선정한다. 그러고 나서 몰입 상태에 들어간 뒤에는 '어떻게'라는 분산적 사고에 관한 문제를 다루어도 몰입 상태를 꾸준히 유지할 수 있다.

몰입할 수 있는 환경의 확보

몰입을 제대로 체험하기 위해서는 몰입을 위한 기간이 적어도 1주일 이상은 되어야 한다. 따라서 본격적으로 몰입을 시도하려고 하는 사람은 1주일 이상 한 가지 문제에 집중할 수 있도록 주변 상황을 정리해 두어야 한다. 몰입에 들어가는 과정이나 몰입 상태에 있을 때, 다른 일을 하면 집중도를 현저하게 떨어뜨리므로 해야 할 일을 모두 끝내두는게 좋다.

그리고 오해의 소지가 없도록 가족이나 주변의 동료, 직장 상사에게 양해를 구한다. 일단 몰입 상태에 들어가면 옆에서 불러도 대답을 하지 못하는 일이 자주 발생한다. 이러한 상황에서는 내가 상대방을 무시했다는 등 대인 관계에 이런저런 오해가 발생할 수 있으므로 미리미리 대처해야 한다.

불필요한 정보의 차단

몰입 상태로 들어가기 위해서는 신문이나 TV 시청 등 외부 정보가 자신의 뇌에 입력되는 것을 가능하면 차단해야 한다. 특히 뉴스는 자극적인 사건을 다루기 때문에 몰입하는 데 큰 방해가 된다. 같은 이유로, 몰입 시도 중에는 남들과 점심 식사를 같이 하는 것도 가급적 피하는 것이 좋다. 점심 식사를 하러 가거나 오는 도중, 혹은 식사 중에 나누는 단순한 잡담으로도 문제에 대한 집중도가 현저히 떨어지기 때문이다. 몰입을 준비하는 기간 만큼은 자신이 집중하려는 문제가 아닌 다른 어떤 주제에 대한 이야기도 집중도를 떨어뜨릴 수 있다는 점을 잊어서는 안 된다.

혼자만의 공간 선정

몰입을 위한 장소는 직장이나 집에서 멀리 떨어진 한적한 곳이 유리하며 반드시 조용하고 방해받지 않는 독방이나 혼자만의 공간이 있어야 한다. 방에 다른 사람이 한 명만 있어도 자신의 마음을 송두리째 한 가지 문제에 집중하는 데 방해가 된다. 상대의 말이나 행동 등에 반응을 보이기 위해 뇌의 일부를 대기 상태로 준비하고 있기 때문이다.

몰입을 할 때는 뇌 전체가 문제를 푸는 데 전력해야 하는데 그중 일부가 다른 자극에 대기 상태가 되면 집중도를 올리기가 어려워진다. 그러므로 반드시 혼자만의 공간을 확보하라. 목까지 받칠 수 있는 편안한 의자나 소파를 준비하면 더욱 좋다. 자세가 편할수록 집중이 잘 된다는 점을 기억하기 바란다.

규칙적이고 땀 흘리는 운동

몰입은 극단적인 두뇌 활동이기 때문에 규칙적인 운동을 하지 않으면 생각에서 헤어나오지 못하는 문제가 생길 수 있다. 따라서 아무런 문제 없이 몰입을 지속하기 위해서는 반드시 규칙적인 운동을 해야 한다. 운동하는 순간에는 유일하게 의식적으로 주어진 문제를 잊고, 다른 일에 열중할 수 있기 때문이다. 운동을 규칙적으로 1주일만 해도 기분이 한결 상쾌하고 컨디션이 좋아지며 자신감과 의욕이 생기는 것을 경험할 수 있다. 이런 최상의 컨디션, 자신감과 의욕이 몰입을 시도하는 데 실로 중요한 역할을 한다. 운동은 매일 규칙적으로 하는 것이 중요하기 때문에 땀을 흘리고 즐겁게 몰두할 수 있는 것을 선택하되, 1시간을 넘기지 않는 것이 좋다.

단백질 위주의 식사

몰입 상태에서 연구를 하던 7년 동안 나는 의도적으로 육류 위주의 식단에 채소를 곁들여 섭취했다. 특별한 이유가 있었던 것은 아니고, 미국에서 보냈던 포닥 시절의 식사 패턴을 유지하기 위해서였다.

포닥 과정을 끝내고 귀국한 지 얼마 안 되어서는 에너지가 넘쳐 나서 강도 높게 생각을 하거나 일을 해도 전혀 지치지 않았는데, 한 달 정도 시간이 지나니 몸이 지치기 시작했다. 그 이유가 무엇인가 곰곰이 생각하다가 깨달은 것이 바로 식사 패턴이었다. 그때부터 포닥 시절처럼 육류와 채소 중심으로 식단을 바꿨다. 몸은 금세 예전의 컨디션을 되찾았고 다시 강도 높은 생각을 할 수 있게 되었다.

식사와 몰입이 서로 과학적 상관관계가 있는지는 확신할 수 없다. 게다가 몰입과 거의 비슷한 상태인 삼매三昧를 추구하는 화두선에서는 채식을 권하는 것으로 알려져 있지만 나는 개인적으로 육식이 몰입에 도움이 된다는 믿음을 가지고 있다. 몰입은 생각과 집중의 강도가 매우 높은 상태를 만드는 것이고 매우 활발한 두뇌 활동을 요구하는데, 이러한 활동은 단백질 소모가 많기 때문에 영 설득력이 없는 것도 아닌 셈이다.

완전한 몰입에 들어가는 3일간의 과정

천천히 생각하는 명상적 사고 훈련이 어느 정도 되어 있는 사람이라도 몰입을 처음 시도해 보는 경우에는 완전한 몰입 상태에 들어가는 데 1주일 정도의 시간이 걸린다. 그러나 일단 몰입 경험이 생기고, 생각하는 주제에 대해 여러 번 몰입해서 익숙해지면 3일만 지나도 충분히 몰입 단계에 도달할 수 있다.

제1일:
잡념을 털어내고 자세를 만든다

설정된 문제를 분석하기 시작한다. 명상하듯이 마음을 차분하게 가라앉히고, 머리까지 기댈 수 있는 편안한 의자에 온몸의 힘을 빼고 앉아 주어진 문제를 곰곰이 생각한다. 생각의 속도는 의식적으로 약간 늦춘다.

첫날은 이 문제를 생각하려고 해도 다른 잡념이 떠오르며 집중이 잘 되지 않는 것이 보통이다. 특히 마음이 산만한 상태라면 더욱 그렇다. 그러나 계속 노력한다. 자신도 모르게 자꾸 다른 생각이 나고, 더러는 설정된 문제를 생각하는 것조차 잊어버릴 때도 있다. 설정된 문제를 메모지에 써서 눈에 띄는 곳에 붙여놓으면 이런 일을 방지할 수 있다. 초보자의 경우 눈을 감고 생각하면 집중이 더 잘 된다.

생각에 진전이 없어 지루하고 힘들더라도 차분하게 생각을 계속한다. 어려운 문제를 선택한 경우, 생각에 진전이 없는 것은 당연한 일이다. 기억해야 할 것은 생각에 진전이 없어도 이렇게 노력하는 동안에 정신적인 집중도가 조금씩 올라간다는 것이다. 문제 해결에 전혀 진전이 없다고 느껴지지만 절대 그렇지 않다.

몰입이 힘든 것은 바로 집중된 정도가 눈에 보이지 않아서 진행되는 과정을 확인할 수 없기 때문이다. 이런 때에는 몰입 상태에 이르는 과정을 다른 가시적인 활동에 비유하면 도움이 된다. 모든 뇌 세포마다 이 생각으로 채워간다고 생각하거나 정상에 오르는 데 3일 정도 걸리는 등산에 비유하는 것도 효과적이다. 그런데 그 산이 경사가 약간 있어 미끄러져 내려가는 산이라서 계속 노력하지 않으면 조금씩 집중도가 떨어짐을 명심해야 한다.

첫날은 평지에서 출발한 터라 몸 상태도 준비되지 않고 머리도 산만한 상태이므로 가장 힘이 들고 괴롭다. 이때는 일어서서 왔다 갔다 하면서 생각해도 좋고, 편안한 의자에 앉아 명상하듯이 생각해도 좋다. 마음의 산책을 한다는 기분으로 여유를 갖고 천천히 생각한다. 생각의 속도를 천천히 하는 것이 익숙하지 않은 사람은 산책을 하면서 생각하는 것도 좋다. 걷는 속도에 맞춰 생각의 속도가 느려지는 경향이 있기 때문이다.

어차피 높은 집중도에 이르기까지는 사흘 이상의 시간이 소요되므로 성급하게 생각하지 말고, 시간은 충분히 있다고 생각한다. 평생을 이 문제 하나만 생각하겠다는 각오면 더욱 좋다. 이 문제가 세상에서 가장 중요하다고 생각하는 것도 몰입하는 데 도움이 된다.

편안하게 앉은 채 천천히 생각하다 보면 자신도 모르게 선잠이나 가수면 상태에 들곤 한다. 고도의 몰입 상태에서도 생각을 하다가 가수면 상태를 자주 경험하게 되는데 선잠은 아이디어를 얻거나 집중도를 올리는 데 도움이 된다. 선잠이 들면 굳이 피하려 하지 말고 자연스럽게 받아들인다. 그러다 잠에서 깨어나면 다시 문제를 분석한다. 물 흐르듯이 자연스럽게 신체가 원하는 대로 따라가면 된다.

다만 생각을 할 때는 잠자리에 든 경우를 제외하고는 되도록이면 눕지 말고, 앉은 자세를 유지하는 것이 좋다. 잠자리가 아닌 상황에서 누워서 생각하면 깊은 잠이 들어 몸이 늘어지고 컨디션이 나빠진다. 앉아서 생각하다가도 선잠을 지나 완전히 잠이 드는 경우도 종종 있다. 이때는 앉은 채 머리를 뒤로 젖혀 기댄 상태로 잠이 들면 된다. 특히 잠이 부족한 경우에는 앉은 상태에서도 깊은 잠이 드는 경향이 있는데, 잠이 부족하면 집중력이 떨어지기 때문에 잠은 충분히 잔다.

생각하다가 기억하고 싶은 아이디어나 문제 해결에 도움이 될 만한 사실이 떠오르면 즉시 노트에 기록한다. 첫날의 아이디어는 대부분 별로 도움이 안 되는 경우가 많다. 떠오른 아이디어가 유치하더라도 가능하면 적어둔다. 그러다 보면 생각이 유도되고 집중력 향상에도 도움이 된다. 게다가 머릿속에 떠오른 아이디어를 노트에 기록해 두면 그 아이디어를 기억하고 있어야 한다는 부담이 없어져 머리가 더 잘 돌아가는 효과도 있다.

이렇게 하루를 보내고 1시간 정도 땀 흘리는 운동을 한 뒤, 집에 와서 샤워와 식사를 마치고 편안한 자세로 앉거나 누워서 생각을 이어간다. 잠자리에 누워서도 생각을 하다 잠이 들어야 한다.

제2일:
아이디어가 움직이기 시작한다

첫날과 마찬가지로 의식적인 노력을 들여 생각을 이어간다. 둘째 날은 첫날보다 덜 힘들다. 잡념에 빠지는 시간이 줄면서 주어진 문제에 대해 생각하는 시간이 조금 더 길어진다. 아직도 지루하지만 첫날보다는 분명 덜 지루하다.

둘째 날 오후나 저녁 때쯤 되면, 주어진 문제와 관련된 사항들이 아이디어처럼 머리에 떠오른다. 그러나 이것은 이전에 이미 알고 있는 내용이어서 큰 도움은 되지 않는 경우가 많다. 대부분 대수롭지 않은 아이디어지만, 첫날에 비해서는 더 좋은 아이디어다. 이것은 의식의 깊은 곳에서 아이디어가 나오기 시작하고 있다는 징조다. 이런 상태의 변화는 집중도의 향상을 의미한다. 그리고 첫날에 이어 둘째 날에도 뇌가 문제 해결을 위하여 계속 작용하고 있음을 의미한다. 이렇게 주어진 문제와 관련된 대수롭지 않은 아이디어가 떠오르기 시작하면 고도의 집중 상태를 향하여 제대로 가고 있다고 할 수 있다. 그러나 둘째 날도 큰 진전은 없을 것이다.

경우에 따라 같은 문제를 계속 생각하는 것이 극도로 지루해질 수 있다. 생각의 진전이 전혀 없이 계속 같은 생각만 하므로 답답함을 느끼게 되는데 몰입적 사고를 처음 시도하는 사람들에게는 거의 예외 없이 각자의 인생에서 경험한 어떠한 지루함보다도 크게 다가올 것이다. 이 지루함이 스트레스가 쌓이는 방향으로 가면

안 된다. 마음을 안정시키고 천천히 생각함으로써 평온함을 유지해야 한다. 그러다 그 문제에 대해서 꿈을 꾸게 되면 몰입이 50% 정도 진행되었다고 보면 된다.

이때 주의해야 할 점은 주어진 문제를 집중적으로 생각하는 것을 쉬어서는 안 된다는 것이다. 이틀 시도한 뒤에 친구에게서 전화가 와서 함께 저녁 식사를 하고 술 한잔 마시면 집중도는 바닥으로 떨어져서 처음부터 다시 시작해야 한다. 따라서 집중도가 올라간 상태에서는 약속을 미뤄야 한다. 집중된 상태는 산만한 상태와 달리 자신의 정신적인 수행 능력, 즉 머리를 써서 난도가 높은 문제를 공략할 수 있는 능력이 향상된 상태다. 그리고 이런 일들을 비교적 재미있게 할 수 있는 상태다. 따라서 집중된 상태를 잘 관리하는 습관을 길러야 한다.

경우에 따라서는 몰입에 이르기 위해 위기 상황을 이용할 수도 있다. 위기 상황에서는 집중된 상태로 들어가기가 비교적 쉽기 때문이다. 그러나 장기적인 안목으로 본다면 위기가 닥치지 않은 상황에서 스스로의 노력으로 집중된 상태에 도달할 수 있는 방법을 터득하는 것이 매우 중요하다. 첫날과 마찬가지로 저녁 때 1시간 정도 땀 흘리는 운동을 하고, 잠들기 전까지 계속 그 문제만을 생각한다.

제3일:
생각하는 재미가 솟구친다

셋째 날은 주어진 문제를 생각하기가 훨씬 쉬워진다. 중단 없이 생각할 수 있는 시간이 꽤 길어졌다는 느낌이 든다. 그리고 시간이 흐를수록 이 문제에 집중하여 생각하는 것이 더 이상 힘들지 않고 지루하지도 않다. 또 비교적 단순한 행동을 하면서 주어진 문제에 대한 생각을 유지할 수 있고, 다른 생각을 하다가도 다시 그 생각으로 돌아오기가 수월해진다. 이 상태가 되면 70~80% 정도는 몰입 상태에 들어간 것이다.

문제를 생각하는 것이 재미있다고 느껴지면 90%의 몰입에 이른 것이다. 고지가 머지않았다. 계속 온몸의 힘을 빼고 명상하듯이 문제를 생각한다. 집중된 생각을 하다 보면, 적어도 셋째 날 오후부터는 이 문제와 관련된 아이디어가 떠오를 것이다. 이 아이디어는 전날의 아이디어보다는 더 가치 있는 것이다. 그렇다고 해도 이 아이디어가 새롭거나 대수로운 것은 아니다. 이미 이전에 알고 있었던 것을 이 문제와 관련된다는 생각에서 새삼스럽게 끄집어낸 것에 불과하다. 그러나 이 아이디어는 문제를 해결하는 데 중요한 사실임에는 틀림이 없다.

이제 힘든 과정은 거의 끝났다. 기분이 다소 좋아진 듯한 느낌이 들기 시작한다. 이 정도 수준에 이르면 몰입 상태를 유지하는 것도 한결 쉬워진다. 마치 산의 정상에 오를 때까지는 힘들다가 능선을 따라 걸어갈 때는 발걸음이 가벼워지는 것처럼, 어느새 자동적으로 몰입 상태가 유지된다는 느낌을 받는다. 그러나 이때도 의식적인 노력을 계속해서 이 상태를 유지하는 것이 중요하다.

뇌파가 몰입에 미치는 영향

생각의 속도가 빠른 경우, 다음 표에서 보여주는 것처럼 스트레스를 일으키는 베타파가 나타난다. 이 경우는 단답형 문제처럼 난도가 낮은 문제에 재빨리 응답하거나 대화를 나누는 것처럼 뇌의 빠른 입력과 출력을 요구하는 활동에 적합하다.

육체 활동을 하거나 대화할 때 나타나는 뇌파가 바로 베타파인데, 수면과는 정반대인 각성 상태이다. 이때는 입력에 해당하는 감각 기관과 출력에 해당하는 운동 감각이 활성화되어 있는 반면, 뇌의 정보 처리 능력은 다소 떨어진다. 즉 얕은 기억은 잘 끄집어내지만 깊은 기억은 잘 끄집어내지 못한다. 따라서 문제 해결을 위하여 주어진 문제를 곰곰이

뇌파에 따른 신체적 · 정신적 특징

뇌파		주파수	특징
델타파		0.1~3Hz	깊이 잠들었을 때(수면), 혼수 상태(젖먹이, 유아 및 수면 중인 성인에게 나타남)
세타파		4~7Hz	꾸벅꾸벅 졸거나 멍한 상태. 최면 상태일 때 생기는 뇌파. 잠들기 직전이나 잠이 가볍게 든 상태
알파파	슬로(slow)	8Hz	명상, 무념무상(완전히 긴장이 이완되었을 때)
	미드(mid)	10~12Hz	직감, 번뜩임, 문제 해결(신체는 긴장이 풀려 있으면서도 의식 집중이 이루어지고 있는 상태)
	패스트(fast)	12~13Hz	주의 집중과 약간의 긴장
베타파		14~30Hz	육체 활동을 할 때나 운동할 때 등 보통 일을 할 때 생기는 뇌파. 특히 스트레스받을 때 주로 생긴다.

생각하기에 적합한 상태는 아니다.

문제의 난도가 높은 경우는 명상하듯이 생각의 속도를 충분히 줄여주어야 한다. 이때는 알파파가 나타난다. 눈을 감으면 시각 정보의 입력이 차단되고 생각의 속도가 느려지면서 뇌파가 느려져 알파파 상태가 된다. 빠른 알파파는 약간 긴장한 상태에서 주의 집중이 이루어지는 때이고, 중간 알파파는 신체의 긴장은 풀려 있으면서도 의식 집중이 이루어지고 있는 상태이다. 바로 이 상태가 문제 해결을 위해 천천히 생각하는 때이다. 이 상태에서 뇌파가 더 느려지면 느린 알파파가 되는데, 바로 이 상태가 명상을 하는 등 완전히 긴장이 이완된 상태다.

이 상태에서 뇌파가 더 느려지면 세타파가 나타나는데, 꾸벅꾸벅 졸거나 잠이 들기 직전의 상태다. 이른바 선잠이 든 것인데, 이때 아이디어가 가장 잘 나오는 것으로 알려져 있다. 뇌의 입출력 활동이 활발한 각성 상태와 입출력이 차단된 수면 상태일 때 뇌 활동은 완전히 다른데, 수면 상태일 때 장기 기억[6]이 고도로 활성화된다고 알려져 있다. 선잠에서 아이디어가 잘 나오는 것도 바로 이렇게 고도로 활성화된 뇌를 활용하는 것이다.

몰입 이후에 알게 되는 것들

일단 몰입 상태에 도달하면 조금만 집중력을 높여도 최대의 집중 상태를 경험하게 된다. 이 정도 수준이면 다른 잡념이 완전히 사라지고 오로지 그 문제만 생각할 수 있다. 그리고 문제를 생각하는 것만으로도 쾌감을 느낀다. 잠시 생각이 흐트러지다가도 금세 주어진 문제로 돌아온다. 생각의 흐름이 그 문제에 고정된 것이다.

저녁에는 문제를 생각하다 잠이 들고 새벽이면 그 생각과 함께 잠이 깬다. 그러다 다시 생각을 하면서 잠이 들고, 아침이 오면 역시 그 생각과 함께 잠이 깬다. 이런 상태가 계속되면 주어진 문제가 자신이 의식하는 선명한 현실처럼 느껴지는 반면 주변 현실은 마치 지나가는 차창 밖 풍경처럼 느껴진다.

잠을 통해 확인하는 몰입의 실체

몰입의 90%와 100% 상태는 구별하기가 쉽지 않다. 하지만 잠에서 깨어나는 순간에는 명확히 구별된다. 잠에서 깨어나 몇 초가 경과한 뒤에 문제를 생각하기 시작하면 아직 100%가 아니라는 얘기다. 100% 몰입 상태가 되면 잠에서 깨어날 때, 혹은 잠에서 깨어 의식이 돌아올 때 이미 그 문제를 생각하고 있다. 이런 상태는 깨어나기 전 이미 그 문제를 생각하고 있었다는 것을 의미한다. 잠이 든 내내 그 문제를 생각했는지는 알 수 없지만 잠에서 깨기 직전에 그 문제를 생각한 것은 틀림없다. 이와 같이 잠에서 깨어날 때 그 문제와 함께 의식이 돌아오는 것이 몰입 상태의 전형적인 특징이다. 한 달 동안 몰입을 했다고 하면 한 달 내내 이런 현상을 경험한다. 이런 이유로 몰입 상태에서는 꿈을 꾸지 않는다. 내 개인적인 경우만 봐도 몰입 중에 꿈을 꾸다 깨어난 일은 한 번도 없었다. 그 문제에 대한 꿈을 꾸는 것도 몰입이 50~60% 정도 이루어졌을 때 일어나는 현상이다.

몰입 상태에서 잠이 깰 때의 또 다른 특징은 통상 그 문제에 대한 새로운 아이디어가 떠오르면서 의식이 돌아온다는 것이다. 떠오른 아이디어를 잊어버리지 않기 위해 적어두려고 일어나게 된다. 그러다 보니 새벽에 일어날 때도 전혀 힘이 들거나 졸리지 않다. 몸이 가볍게 저절로 일어나지는 느낌이다.

몰입적 사고를 통한 전형적인 연구 일과

몰입을 알게 된 이후 나의 하루는 매우 단순해졌다. 날마다 똑같은 일상의 반복이다. 모든 행동은 생각을 위한 구도로 배치되어 있으며, 내게 주어진 시간은 온전히 생각에 투자한다. 그러나 이런 생활 패턴은 내가 사용하는 방법일 뿐, 모든 사람에게 맞다고 할 수는 없다. 사람마다 하는 일이 다르고 바이오리듬이 다를 테니 자신에게 알맞은 패턴을 만들어 활용하는 것이 가장 좋다. 다만 각각의 일정에서 어떤 식으로 몰입을 유지하는지에 대해서는 도움을 얻을 수 있을 것이다.

오전 6시: 출근 전 아침 시간

아이디어와 함께 잠이 깨면 떠오른 아이디어를 노트에 기록한다. 세수, 면도, 식사를 하면서도 머릿속에는 계속 그 문제가 맴돌고 있다. 이런 식으로 생각을 붙들고 있으려면 약간의 의도적인 노력이 필요하다. 하지만 명상을 하듯 천천히 생각하기 때문에 식사를 하면서 생각을 해도 음식을 먹거나 소화시키는 데는 전혀 지장이 없다.

오전 7시: 출근하는 도중 차 안

집에서 나와 차를 타러 가는 도중이나 엘리베이터 안에서도 생각은 계속된다. 운전을 하면서도 계속 생각을 유지하는데, 운전처럼 다른 활동을 하면서도 생각을 계속하는 것은 몰입 상태를 유지시켜주기 위함이다. 운전 중에 다른 생각을 하는 것은 위험하지 않은지 반문하는 사람들도 있다. 하지만 다른 활동을 하고 있을 때는 문제를 생각하는 강도가 낮아지기 때문에 일상적인 행동이나 익숙한 기계 조작 등에는 전혀 위험이 따르지 않는다는 것이 내 생각이다. 운전 중에 차가 신호에 걸려 기다리는 동안에는 생각의 강도가 높아지고 집중에 대한 쾌감 또한 증가한다. 이런 기분을 만끽하면서 운전을 하다 보면 신호에 걸려 기다리는 것조차 즐기게 된다.

오전 8시 30분: 사무실에서 보내는 시간

사무실에 가서는 온몸에 힘을 빼고 편안한 의자에 앉아 계속 골똘하게 생각한다. 이때 가끔 앉은 채 선잠이 들기도 한다. 오랫동안 의자에 앉아만 있는 것이 지루하면 가끔 사무실에서 왔다 갔다 걸으면서 생각하고, 그러다가 아이디어가 떠오르면 즉시 노트에 기록한다. 문제 해결에 실마리를 줄 수 있는 책이나 논문을 읽기도 하고, 관련 전문가에게 전화를 걸어 이야기하거나 아예 약속을 잡아 그를 방문하기도 한다.

오후 12시 30분: 점심 식사 시간

점심 식사 시간도 다를 것이 없다. 나는 도시락을 싸가지고 가거나 혼자 식당에 가서 조용한 시간을 갖는다. 배식을 기다리는 동안에도, 식사를 하는 동안에도 생각은 계속된다. 이것은 몰입 상태를 유지하기 위해서지만 이때 귀중한 아이디어가 떠오르는 경우도 많다.

오후 5시 30분: 일과 후 운동 시간

보통 5~6시면 일과가 끝난다. 그러면 옷을 갈아입고 바로 테니스장으로 간다. 약간의 스트레칭으로 준비 운동을 하고, 정해진 파트너와 5분 정도 랠리를 한 뒤에 단식 경기를 한 게임하는데 40분 정도의 시간이 걸린다. 테니스 치는 동안은 문제를 잊고 오로지 테니스에만 집중하려고 노력한다. 이때가 유일하게 의식적으로 문제를 잊는 시간이다.

가끔은 테니스를 치기 직전에 중요한 아이디어가 떠올라서 테니스를 치는 동안에도 문제를 생각하는 경우가 있는데, 이런 경우에는 테니스에 몰두할 수 없게 되고 컨디션 관리에도 방해가 된다.

따라서 운동은 문제를 잊을 수 있을 정도로 재미있고 스스로 몰두할 수 있는 종목이어야 한다. 또 운동을 매일 하다 보면 신체에 무리가 올 수 있으므로 운동 전에 꼭 준비 운동을 하고 운동 뒤에는 반드시 정리 운동을 하는 것이 좋다.

오후 7시: 퇴근 후 저녁 시간

운동이 끝나면 정리 운동을 마친 뒤 바로 집으로 돌아와 샤워를 하는데, 이때 기분이 아주 유쾌하다. 물론 운동이 끝남과 동시에 생각은 다시 시작된다. 저녁 식사를 하고, 30분에서 1시간 정도 가족과 함께 보낸다. 이 시간에는 어쩔 수 없이 집중도가 떨어지는데, 원만한 가정을 꾸리기 위해서는 별 수 없이 양보해야 하는 시간이다. 하지만 이때도 아이디어가 떠오르면 수시로 노트에 적어야 한다.

오후 8시: 저녁 시간 이후

이때쯤이면 몸이 약간 노곤해진다. 소파에 비스듬히 기대앉아서 주어진 문제를 곰곰이 생각한다. 그러다가 대략 8~9시가 되면 졸음이 온다. 이때 침대로 자리를 옮겨 편안하게 눕는다. 낮에 생각하던 문제를 아주 천천히 생각하며 누워 있노라면 으레 잠이 든다. 그러다가 12시에서 새벽 2시 사이에 문제에 대한 생각과 함께 잠에서 깨어난다. 잠자리를 털고 일어나 떠오르는 아이디어를 노트에 적는다. 식구들을 깨우지 않기 위해 조심스럽게 움직이긴 하지만 이때 일어나는 것은 전혀 피곤하거나 귀찮지 않다. 저절로 눈이 떠지면서 몸이 가뿐하게 움직인다. 거실로 나가서 불을 켠다.

오전 1시: 혼자만의 새벽 시간

이때부터 계속해서 아이디어가 떠오른다. 이때가 하루 중 가장 많은 아이디어가 떠오르는 시간이다. 어느 정도 시간이 흘러 정신적인 흥분이 가라앉고 더 이상 아이디어의 진전이 없으면 다시 잠자리에 든다. 잠자리에 들었다가도 다시 아이디어가 떠오르면 주저 없이 누웠다 일어나기를 반복한다. 잠자리에 누웠다가 일어나는 것을 반복하면 옆에서 자던 아내가 깰 수도 있기 때문에 그냥 소파에 이불을 덮고 눕는 일도 많다.

아이디어가 떠오르는 순간은 전혀 예측할 수가 없다. 잠을 자려고 누워 있다가 아이디어가 떠올라 일어나기도 하고, 아이디어가 떠오를 것을 기대하면서 누워 있다가 잠이 들기도 한다. 새벽에 일어나서 생각을 하는 시간은 불규칙한데, 짧으면 30분 정도, 길 때는 2시간 정도 된다. 다시 잠이 들고 아침 6시경에 주어진 문제를 생각하면서 잠에서 깨어난다.

처음 몰입을 시도한 학생의 상담 사례

다음은 몰입을 처음 시도한 학생이 몰입에 들어가는 과정에서 겪은 마음의 상태 변화를 이메일로 보내온 내용과 그에 대한 간략한 상담 내용이다. 이 학생은 여학생으로, 사고하는 훈련도 충분히 받지 않은 상태였지만 몰입을 경험해 보고 싶다는 의지가 강했다. 몰입을 시도한 시기는 학부 4학년 2학기를 마치고 난 겨울방학이었고, 몰입의 주제는 열역학 2법칙인 엔트로피에 대한 개념을 명확히 이해하는 것이었다.

처음 몰입을 시도하는 사람들은 대부분 이 학생과 비슷한 전철을 밟을 것이다. 다음 내용을 참고하면 자신의 상태를 이해하고 올바른 방향을 찾아가는 데 도움이 될 것이다.

몰입 시도 다음 날

"교수님! 어제 나름대로 엔트로피가 증가하는 이유에 대해 계속 생각해 보려 했습니다. 지금은 생각이 막혀서 잘 풀리지 않는 상태입니다.

제 집중을 방해하는 가장 큰 이유는 음악인 것 같습니다. 사실 어제도 교수님을 찾아뵙기 전에 계속 음악을 듣고 있었어요. 평소에도 노래 듣고 따라 부르는 걸 즐겨서 자꾸 머릿속에서 노래가 흐르는 기분입니다. 오늘도 계속 생각하려 하고 있습니다. 그런데 생각이 막히면 어떻게 풀어야 하나요? 일단 아이디어가 떠오르도록 관련된 문제들을 나름대로 해석해 보고 있습니다. 내일은 오늘보다 20% 발전하도록 노력하겠습니다."

몰입 시도 2일 후

"교수님, 답답합니다! 머릿속으로 나름대로 여러 가지 풀이를 해보고 있는데요, 제가 답을 향해서 가고 있는 건지 확신이 없습니다. 그리고 연상되는 문제들을 풀다 보니 문제의 초점에서 벗어나는 것 같습니다. 물론 그것이 아주 관계가 없는 것은 아니지만요.

지금 제가 생각하고 있는 문제는 '끝없는 우주(진공)를 돌아다니는 입자의 운동이 어떻게 될 것인가?' 하는 것입니다. 이 문제를 풀기에는 저의 지식이 너무 미약하다는 생각이 듭니다."

답답함을 느끼는 것은 몰입에 들어가려는 초기에 나타나는 전형적인 증상이다. 또한 문제를 풀기에는 자신의 지식이 미약하다고 느끼고 자신감이 약해지는 것도 몰입 시도 초기의 전형적인 감정이다. 특히 문제를 근본적으로 이해하려고 할 때, 내가 이제까지 많은 공부를 했다고 하면서도 확실하게 아는 것이 하나도 없는 것 같은 느낌을 받곤 한다. 이런 경험은 지식 위주의 교육이 실제 문제를 해결하는 데 별로 도움이 되지 않는다는 것과 자신의 생각에 의하여 지식을 터득하고 이해하는 것이 중요하다는 것을 깨닫게 해준다.

몰입 시도 3일 후

"조금 전에 자다가 갑자기 생각이 나서 일어났습니다. 잘 때도 되도록 노트를 옆에 두고 잡니다. 저는 지금 문제와 친구가 되려고 노력하고 있습니다. 그래서 혼자서 양쪽 입장에서 이야기를 하고 있습니다. 자는 동안 꿈을 꾸기도 하는 것으로 보아 아직 완전한 몰입 단계는 아닌 것 같지만, 그래도 첫날보다는 문제에 대해 생각하는 시간이 길어진 듯합니다. 지금은 '모든 에너지가 결국에는 열에너지로 흩어진다'는 말이 무엇을 의미하는지 이야기를 나누고 있습니다. 왜 하필 '열'로서 흩어지는 건지 아직 이해하지 못하고 있습니다. 이 문제에 대해서는 여태껏 한 번도 생각해 본 적이 없는 것 같습니다."

이 학생처럼 노트를 가까운 곳에 준비해 두고 잠에서 깨어나 사소한 아이디어라도 떠오르면 기록하는 습관을 가져야 한다. 그 문제에 대하여 꿈을 꾸는 것은 50% 정도 몰입에 들어간 단계라고 할 수 있다. 완전한 몰입에 들어가면 꿈을 꾸지 않고 그 문제를 생각하면서 잠이 깬다. 첫날보다는 문제에 대해 생각하는 시간이 길어진 듯하다는 것 역시 40~50% 정도 몰입에 들어간 상태의 전형적인 증상이다.

몰입 시도 4일 후

"교수님! 아까 생각했던 문제를 고민하다가 '열역학적으로 의미 있는 계에서의 에너지 전환, 전달은 결국 입자 간의 충돌에 의해 일어나는 것이기 때문'이 아닐까 하고 나름대로 결론을 지었습니다.

새로 생각하고 있는 문제는 '그러면 그렇게 전달되는 에너지가 질량을 가지고 서로 작용하는 입자를 완전히 떠나는 일이 가능한가?'라는 것입니다. 지금 기분이 조금 묘합니다. 약간 들뜬 것 같기도 하고 초조한 것 같기도 합니다. 제가 얻은 결론이 맞는 것인지 확인하고 싶은 생각이 간절합니다. 시간은 늦었지만 전혀 졸리지도 않습니다. 우선은 잠이 오건 오지 않건 계속 앞서 말씀드린 문제에 대해 생각해 보려 합니다. 지금 가족들이 올라와 있어서 집중도는 좀 떨어진 것 같지만 노력해 보겠습니다."

몰입 시도 5일 후 오전

이제는 자다가 밤중에 일어나도 곧바로 생각을 하는 것이 자연스럽습니다. 그런데 아직까지 기분이 좋은지는 잘 모르겠습니다. 그냥 중간 중간 다른 생각이 나다가도 다시 문제로 돌아오는 것이 한결 쉬워지기는 했지만 기분이 좋아서라기보다는 그냥 습관처럼 그렇게 됩니다. 그냥 차분히 '왜 엔트로피는 증가하는가? 왜 하필 열인가?' 하는 문제를 계속 생각하고 있겠습니다. 제게도 어서 기분 좋은 변화가 있었으면 좋겠습니다.

이와 같이 잠에서 깨어나 바로 그 문제를 생각할 수 있고, 중간 중간 다른 생각이 나다가도 다시 문제로 돌아오는 것이 쉬워지고, 나아가 그것이 습관처럼 되면 80% 정도 몰입에 들어간 것이다.

몰입 시도 5일 후 오후

생각하는 것만으로도 시간이 이렇게 잘 흘러갈 수 있는지 몰랐습니다. 답이 눈에 보일 듯 말 듯합니다. 알았다고 생각하면 또 다른 문제가 나오고……. 지금 '뜨거운 진공'이 존재할 수 있는지 생각해 보고 있습니다. 정말 조금만 더 가면 답이 있을 것 같습니다.

이 상태는 90% 정도 몰입에 도달한 것으로 보인다. 이 학생이 보내온 닷새간의 이메일은 문제의 진전이 없어서 답답해하는 몰입 시도 초기부터 점점 집중도가 올라가는 상황과 나중에는 자신감이 생기는 단계까지를 잘 보여주고 있다. 초기에 답답해하다가 나중에 자신감이 생기는 감정의 변화는 몰입 시도 과정에서 전형적으로 일어난다. 이 학생은 몰입 경험이 전혀 없었는데도 대략 5일에 걸쳐서 몰입의 90% 수준에 도달했다. 이는 매우 진전이 빠른 경우로, 이 학생이 진지한 자세를 가졌기 때문에 짧은 시간 안에 큰 발전이 가능했던 것으로 보인다. 아쉽게도 이 학생은 이 상태까지 경험한 후 개인적인 사정으로 몰입을 중단했다.

몰입의 즐거움과 주의할 점

내가 처음 몰입을 경험한 것은 1990년 2월이었다. 미국 니스트에서 보낸 1년간의 포닥 생활을 두 달 정도 남겨둔 때였다. 당시 가족은 한국에 두고 나 혼자 지냈기 때문에 조용히 생각할 수 있는 시간이 많았다.

최선의 연구 활동이란 무엇인지 오랫동안 고민해 오던 나는 '해결되지 않은 문제를 포기하지 않고 의식이 있는 한 풀릴 때까지 계속해서 생각하는 것'이라는 나름의 결론을 얻어 연구에 매진하고 있었다. 실제로도 실험을 하다가 실험 결과가 잘 해석되지 않을 때는 의식이 깨어 있는 모든 시간을 동원하여 그 실험 결과의 의미만 생각했다. 그러던 어느 날 문득 내가 온통 그 문제만을 생각하고 있다는 것을 깨닫게 되었다. 그야말로 다른 생각은 전혀 없이 오로지 그 실험 결과만을 생각하고 있었던 것이다. 이 상태는 일상의 나와는 확실히 달랐다. 의식의 흐름이 한 가지 문제만을 두고 연속되고 있었던 것이다. 몰입 상태를 경험한 나는 문제를 해결하기 위한 가장 이상적인 상태에 도달했다는 생각에 뛸 듯이 기뻤다. 그것은 바로 내가 바라던 최선의 상태였다. 이 상태를 유지하기만 하면 지적 능력을 최대한 발휘하면서 살아갈 수 있을 것이라는 생각에 흥분을 감출 수가 없었다.

나는 그 상태를 지속하기 위해 의식적인 노력을 계속했다. 동시에 주어진 문제에 대해 멈추지 않고 계속 생각함으로써 이 특별한 몰입 상태의 특징을 파악해 나갔다. 이 상태에서는 두 가지 특징이 있었다. 하나는 생각하고 있는 문제와 관련된 아이디어가 상당히 높은 빈도로 얻어진다는 것이고, 다른 하나는 이 상태가 스트레스보다는 오히려 약간의 쾌감을 준다는 것이다.

그런데 정도가 지나쳤는지 11시에 잠자리에 들었는데 새벽 2시가 되어도 잠이 오지 않았다. 오히려 머리가 아주 맑아져서 문제에 대한 아이디어가 계속 떠올랐다. 당연히 침대에서 일어나 떠오른 아이디어를 적었다. 그리고 다시 누웠는데, 새로운 아이디어가 또 떠올랐다. 그렇게 다시 일어나기를 반복하다 새벽 3시가 되었다. 아이디어도 좋지만, 이제는 그만 잠이 들었으면 좋겠다 싶었다. 그런데 도무지 잠이 오지 않았다. 잠깐 잠이 들었다가도 아침이면 일어나자마자 생각을 이어갔다. 이런 일이 며칠간 계속되자 수면 부족으로 몸이 점점 지쳐갔다. 몸은 지쳤는데 밤마다 머리는 맑아지고 아이디어가 튀어나오고 잠이 오지 않았다.

건강한 몰입을 위해 운동하라

이런 상태가 계속되자 슬슬 걱정이 되기 시작했다. 이러다가 뭔가 잘못되는 것은 아닐까? 혹시 정신이 이상해지면 어떡하지? 그래서 그 문제에 대해 생각하는 것을 의도적으로 중단하기 위해 TV를 켰다. 그런데 뉴스고 드라마고 전혀 눈에 들어오지 않고 머리는 여전히 같은 생각에 사로잡혀 있었다. 어느 순간, 스스로 생각을 멈추거나 조절할 수 없는 상태가 되어버린 것이다. 불안감은 더 커졌다. 그렇지만 설마 하는 생각에 적극적으로 대처하지는 않았다.

그러던 어느 날, 아침에 일어나 식사 준비를 하면서 대중가요 테이프를 틀었다. 그 테이프는 몇 개월 동안 반복해서 들은 것이어서 아주 익숙한 노래들이 연달아 흘러나왔다. 그때도 머릿속의 의식은 한 가지 생각에만 사로잡혀 있었다. 바로 그때 묘한 일이 벌어졌다. 문제에 대한 생각에 사로잡혀 있던 의식이 한순간 잠시 노래에 빠져드는 것이었다. 다시 생각이 이어지고, 잠깐 노래를 듣는 것이 반복되더니, 일순간 노래를 듣는 것이 그 문제에 대한 생각을 완전히 덮어버렸다. 불과 몇 분 만에 일어난 변화였다.

일단 그 상태에서 빠져나오자 그전의 상황이 아주 심각했음을 깨닫게 되었다. 그래서 나는 어떻게 하면 몰입의 장점을 최대한 살리면서 정신 건강을 해치지 않을 수 있을까 고민하기 시작했다. 가장 큰 문제는 잠을 제대로 잘 수 없는 것이었으므로 몸을 지치게 하는 운동을 해보자는 데 생각이 미쳤고, 이때부터 테니스를 치기 시작했다. 예상은 적중했다. 매일 테니스를 규칙적으로 치면서 몰입했더니 잠이 오지 않는 증상이 사라지기 시작했다. 그 후 규칙적인 운동을 병행하니 몰입적 사고를 몇 년을 해도 아무런 이상이 없고, 오히려 몸이 건강해지고 의욕이 넘쳤다. 운동은 몰입 상태에 들어가거나 몰입 상태를 유지하는 데 큰 도움이 되었다. 몰입 상태에서 빠져나와 일상으로 돌아간 뒤에도 규칙적인 운동을 계속했다. 장기간의 몰입 활동을 하면서 얻은 결론 중 하나는 몰입적인 사고를 하는 데 가장 중요한 조건이 바로 규칙적인 운동이라는 점이다.

저명한 과학자나 예술가 들 중에는 젊은 나이에 죽거나 조현병 또는 조울증을 앓은 이들이 많다. 몰입 상태에서는 평소에 그렇게도 갈구하던 아이디어가 봇물 터지듯이 쏟아지고 약간의 쾌감이 동반되어 지치는 줄 모르고 일을 하게 된다. 이런 상태에서는 정신적으로 흥분이 되어 잠을 못 이루게 되는데, 이런 상태가 계속되면 육체적 혹은 정신적으로 문제가 생길 수 있으므로 주의해야 한다.

모차르트의 일대기를 그린 영화 〈아마데우스〉를 보면 악상이 떠오른 모차르트가 잠도 안 자고 계속 곡을 쓰는 장면이 나온다. 이런 모습이야말로 극도의 몰입에 빠져 있는 상태다. 이 영화를 보고 있으면 모차르트가 몰입 상태에서 너무 무리를 해서 요절했으리란 생각이 들곤 한다. 뉴턴이 조현병 증상을 보인 사실도 잘 알려져 있다. 아인슈타인도 고등학교 시절, 심각한 정신 질환의 징조를 느꼈음을 밝힌 적이 있고, 철학자 비트겐슈타인, 화가 반 고흐도 조현병을 앓았다. 영화 〈뷰티풀 마인드〉에 나오는 천재 수학자 존 내시John F. Nash는 뛰어난 업적으로 노벨상을 수상했지만 오랫동안 조현병으로 고생을 해야 했다. 조울증을 앓은 천재들도 많다. 진화론을 제창한 찰스 다윈, 코펜하겐 학파를 이끌면서 양자역학을 확립한 닐스 보어Niels Henrik David Bohr, 시인 윌리엄 블레이크, 로드 바이런, 앨프레드 테니슨, 음악가 로버트 슈만 등이 대표적이다.

일부 호사가들은 이들이 앓았던 조현병이나 조울증이 천재성의 근원이라고 얘기하기도 한다. 하지만 이들은 선천적으로 몰입적 기질을 타고난 것일 뿐, 이들 역시 몰입에 규칙적인 운동을 병행했다면 훨씬 건강하고 왕성한 활동을 펼쳤을지도 모른다.

천천히 생각하기의 중요성

연구나 사업 등과 관련하여 고민이나 걱정이 머리를 떠나지 않는 경우가 종종 있다. 이런 고민이나 걱정이 효과적인 몰입 상태로 발전하여 순간적으로 떠오른 아이디어가 고민하던 문제에 대한 극적인 해결책이 되어 위기를 모면하는 경우도 많다. 그러나 잘못 나아가면 노이로제나 신경쇠약으로 발전한다. 이런 경우는 고민이나 걱정이 효과적인 문제 해결로 연결되지 않고 스트레스와 고통만 주게 된다. 그래서 이런 사람들은 위기 상황에서만 몰입을 하고 절박한 문제가 해결되면 즉시 몰입에서 빠져나와 버린다. 이들은 몰입 자체에 대해 부정적인 생각을 가지고 있는 것이다. 그러나 수년 동안이나 몰입을 경험해 온 나로서는 그런 부정적인 생각을 가진 사람들을 보면 몹시 안타까울 따름이다.

적당한 걱정이나 스트레스는 그 문제에 몰입하게 만들고 몰입된 상태에서 높은 문제 해결력을 보여주지만, 과도한 걱정이나 스트레스는 오히려 위기감을 조성하고 고통스러운 감정을 느끼게 한다. 분명한 것은 걱정이나 스트레스 자체가 문제를 해결하는 것이 아니고 이들이 유도한 몰입 상태가 문제를 해결한다는 것이다. 따라서 문제 해결에 필요한 것은 몰입이지 걱정, 스트레스 또는 위기감이 아니다. 따라서 역기능을 주는 걱정과 스트레스를 최소화하고 순기능을 주는 몰입의 효과를 최대화하기 위해 노력해야 하며 이러한 방법을 터득하는 것이 중요하다.

이를 위해서 내가 추천하는 것은 천천히 생각하기, 즉 슬로 싱킹Slow Thinking이다. 천천히 생각하기는 명상에 가까운 행위이다. 온몸에 힘을 빼고 목을 뒤로 젖혀 편안한 자세로 앉아 명상을 하듯이 마음을 차분히 가라앉힌 다음, 자신이 고민하는 문제를 아주 천천히 생각한다. 몰입도를 자율적으로 올리기 위해서는 천천히 생각하기가 가장 효과적이다. 여기에 문제를 대하는 자신감을 키우면 더 좋은데 이를 위해서는 매일 땀을 흘리는 운동을 규칙적으로 하면 된다.

알파파 상태에서 하는 진정한 몰입

생각을 많이 하면 잠이 안 오고 머리가 아프거나 심한 피로를 느낀다는 사람들이 있다. 이런 양상은 화두 선에서 말하는 '상기上氣'와 비슷한 현상이다. 머리가 아프다면 무엇인가에 긴장을 했거나 스트레스가 발생한다는 뜻이다. 이 경우, 규칙적인 운동을 병행하지 않았거나 생각의 속도가 너무 빨라서 베타파 상태에서 생각했을 가능성이 크다.

규칙적인 운동 못지않게 중요한 것이 주어진 문제를 되도록이면 천천히 생각하는 것이다. 이렇게 하면 스트레스가 안 생기고 몰입적인 사고의 부작용도 거의 나타나지 않는다. 몰입을 시도하다가 머리가 아플 땐 땀을 흘릴 수 있는 규칙적인 운동을 하고 동시에 마음을 더 편안하게 먹으면서 생각의 속도를 늦추어야 한다. 그래야만 알파파가 나오는 상태에서 생각을 할 수 있게 된다. 온몸에 힘을 빼고 명상하듯이 생각을 하면 머리 아플 일이 거의 없다.

선잠은 몰입하고 있다는 바른 신호

온몸의 힘을 빼고 가장 편안한 자세로 앉아 하나의 문제에 집중하여 천천히 생각하다 보면 졸음이 오고 선잠이 들곤 한다. 생각하다가 졸음이 오고 선잠이 든다면 천천히 생각하기를 올바르게 실천하고 있다는 증거로 받아들이면 된다.

생각하는 도중에 선잠이 드는 것은 어떤 면에서는 바람직한 현상이다. 선잠 상태에서는 의식의 깊은 곳까지 문제에 대한 생각이 들어가게 되어 문제와 관련된 깊은 아이디어가 나오는 경우가 많기 때문이다. 선잠 상태는 최면 상태와 비슷하다. 까마득하게 잊어버린 사실을 최면 상태에서는 기억해 내는 것처럼, 선잠 상태에서는 장기 기억이 활성화된다. 선잠이 들었다가 깨면 그 문제에 대한 집중도가 불연속적으로 증가하는 느낌이 든다. 실제로 선잠 상태에서는 주어진 문제에 대한 몰입도는 올라가는 반면, 문제를 정교하게 분석하고 비평하는 능력은 각성 상태보다 현저하게 떨어진다. 선잠 상태에서는 감정의 뇌나 장기 기억의 뇌가 활성화되어 각성 상태에서 집중하고 있던 생각이 선잠 상태에서도 이어지면서 아이디어가 생성되는 것으로 분석할 수 있다. 선잠 상태에서 주어진 문제를 계속 생각하다 보면 그 문제에 대한 강한 애착이 생기게 되고 이러한 상태가 오랜 기간 반복되면 가치관까지 변화하는 것을 느낄 수 있다.

선잠은 몰입 상태뿐만 아니라 몰입에 들어갈 때도 중요한 역할을 한다. 몰입을 시도하는 과정이나 몰입 상태에서 소파에 누워 생각을 하고 있다가 아내와 이야기를 나누면 내가 방금 전에 잠을 자고 있었다고 한다. 나는 잠을 잔 것이 아니고 생각을 하고 있었다고 이야기하지만 아내는 웃으면서 분명히 잠을 자고 있었다고 우긴다.

이런 일은 자주 벌어졌다. 그러던 어느 날, 생각을 하고 있다가 같은 상황이 또 발생했다. 나는 분명히 생각을 하고 있었는데 아내는 내가 잠을 자고 있었다는 것이다. 내가 잠을 잔 것이 아니라 생각을 하고 있었다고 하자, 이번에는 내가 코까지 골면서 잠을 잤다는 것이다. 이 말을 듣고 방금 전 상태의 기억을 차분하게 더듬어 보니 내가 코 고는 소리를 들은 기억이 어렴풋이 떠올랐다. 나는 분명히 생각을 하고 있었지만 잠이 든 상태였던 것이다.

이처럼 자신은 생각을 하고 있었는데 주위 사람들은 잠을 잤다고 하는 것이 어떤 문제에 몰입하다가 경험하는 선잠의 특징이다. 어떤 문제를 오랜 시간 곰곰이 생각하다가 선잠이 들면, 선잠 상태에서도 그 문제를 계속 생각하게 된다. 그러다가 다시 의식이 들어온다. 의식이 들어올 때도 그 문제를 계속 생각하기 때문에 의식의 내용이 선잠이 들기 전과 선잠이 든 후 그리고 다시 의식이 돌아온 후까지 연속되는 것이다. 이러한 의식의 연속 때문에 본인은 계속 생각했다고 믿는다. 선잠 상태의 사고를 무의식이라고 정의한다면 깨어 있을 때의 의식과 선잠 상태의 무의식이 동일한 사고의 내용으로 연속되는 것이다. 이렇게 되면 자기 자신은 선잠 상태와 깨어 있는 상태를 구별하지 못하는 것이 당연한 일이다.

앞서 언급했던 전설적인 천재 수학자 폴 에르되시의 전기를 읽어보면, 그도 항상 몰입 상태에서 연구했음을 알 수 있는 증상이 여러 곳에서 나타난다. 그중 하나가 선잠이다.

에모리 대학의 수학 교수인 로널드 굴드Ronald Gould의 말이다.

"에르되시는 하루 3시간밖에 안 자지만 낮 동안에 잠깐씩 선잠을 잤어요. 하지만 그렇게 선잠을 자면서도 수학을 계속했어요. 어느 날 저녁, 나는 그에게 어떤 증명을 설명하고 있었어요. 그런데 그가 조는 거예요. 그래서 관심 없나 보다 생각하고 설명을 중단했지요. 내가 중단하니까 그가 고개를 쳐들면서 계속하라는 거예요. 이런 식으로 그날 저녁이 지나갔어요. 그가 졸다가 내 말이 중단되면 깨어나고, 졸다가 깨어나고, 뭐 그런 식으로 말이에요. 그런데 정말 놀라운 일은 그다음에 벌어졌어요. 그렇게 졸았는데도 나의 증명을 완벽하게 이해하고 있더군요!"

완벽한 몰입에 이르는 최적의 어시스트

내가 몰입을 하는 동안 선잠을 많이 잔다는 사실은 전화벨이 울려 전화를 받을 때 생기는 분위기의 변화로 알게 되었다. 사무실에서 편안하게 앉아서 몰입을 하다가 갑자기 전화벨이 울려서 전화를 받고 나면 조금 전에 내가 잠이 들었던가 아니면 깨어 있었던가 의아할 때가 많다. 비몽사몽 같은 상태인 것이다. 깨어 있을 때 전화벨이 울리면 그냥 아무렇지도 않게 전화를 받지만, 선잠 상태에서 전화벨이 울리면 소스라치게 놀라는 경우가 많다. 어떤 고요한 무드에 취해 있는데 갑자기 누군가 찬물을 끼얹은 것처럼 분위기가 바뀌는 것이다. 선잠 상태도 경우에 따라 얕고 깊은 정도가 각각 다르지만 전화벨이 울리면 두 번에 한 번은 무드가 갑자기 바뀌는 것 같다. 결과적으로 몰입 상태에 이르면 상당히 많은 시간을 선잠 상태로 보낸다는 얘기가 된다.

선잠 상태에서는 의식은 깨어 있지만 잠이 든 상태가 공존하는 것으로 보인다. 선잠은 완전한 각성 상태도 완전한 수면 상태도 아닌, 각성과 수면의 특징이 공존할 수 있는 특별한 상태인 것이다. 그래서 선잠 상태에서는 옆에서 누가 이야기하는 것이 그대로 들리기도 한다. 그러나 말을 하려고 해도 할 수 없고 몸도 움직여지지 않는다.

몰입을 시도하는 과정에서 계속 주어진 문제를 생각하다 보면 그 문제만을 생각하는 시간의 비율이 증가한다. 이틀째 오후나 저녁 때가 되면 시간의 70~90% 정도를 주어진 문제만 생각하게 된다. 물론 몰입 상태에서는 이 값이 100%이거나 100%에 가깝다. 그런데 몰입의 70~90% 상태에서 주어진 문제를 생각하다 선잠이 들면 선잠 상태에서는 100% 그 문제만 생각하게 된다. 즉 선잠 상태에서 먼저 몰입에 돌입하는 것이다. 하지만 선잠 상태에서 깨어나 의식이 돌아오면 몰입도 깨지고 만다. 각성 상태의 몰입이 선잠 상태의 몰입보다 더 어렵다. 그러나 선잠 상태의 몰입을 수차례 경험하면 각성 상태의 몰입도가 불연속적으로 증가하게 되고, 결국 각성 상태의 몰입이 가능해진다.

선잠 상태에서 몰입을 하는 양상을 보면 각성 상태에서 생각하는 것과는 다른 몇 가지 특징이 있다. 일단 생각이 분석적이거나 비평적이지 못하고 매우 단순하다. 몰입은 하지만 전혀 분석적이지 못하고 단지 주어진 문제만을 계속 생각할 뿐이다. 이럴 때는 고차원적인 머리를 쓰지 않고 맹목적으로 주어진 문제만을 붙들고 있다는 느낌이 든다. 또 가끔은 해결하려는 목표가 핵심에서 약간 벗어나기도 한다. 각성 상태에서 생각하는 것과 비교하면 마치 갑자기 바보가 되어 동일한 문제를 계속 생각하는 것 같은 상태이다.

선잠 상태에서 생각하는 것이 단순해지는 것은 우리 신체에 들어오는 모든 정보를 처리하는 뇌가 활동을 하지 않거나 기능이 현저하게 떨어지기 때문일 것이다. 그런데도 몰입은 오히려 더 쉬워진다. 수면 상태에서는 신체에 들어오는 정보의 입력이 차단되므로 몰입하는 데 영향을 미치는 방해 요소가 없어지는 것이다. 선잠 상태에서 각성 상태보다 더 쉽게 몰입에 이르는 이유는 바로 이 때문이다.

운동과 느긋한 마음가짐의 중요성

나에게서 1년 정도 몰입 지도를 받은 뒤 미국으로 유학을 가서 박사 과정을 밟던 한 학생이 문제가 있다며 이메일로 상담을 청해왔다. 몰입을 시도하면 머리가 아프고 극심한 피로감을 느낀다는 것이다.

첫 번째 이메일

"그동안 몇 명이 함께 해오던 프로젝트를 이제 저 혼자 맡게 되어 나름대로 시간 운영을 하면서 집중할 수 있는 여건을 만들어가고 있습니다. 요즘은 종일 그 문제만을 생각하면서 보내고 있습니다. 어떤 날은 꿈에서도 이 문제를 생각할 정도로 몰입해 있습니다. 그런데 문제는 집중하는 정도는 그전보다 훨씬 높아지고 있는데도 극심한 두통과 피로가 가시지 않는다는 것입니다. 잠을 많이 자도 피곤이 풀리지 않고 머리가 아픕니다. 새로운 아이디어라도 떠오르면 기분이 좋아지곤 하지만, 반대의 경우에는 스트레스를 피할 수가 없습니다. 운동을 충분히 하지 않아서인지, 아니면 프로젝트에 대한 부담감 때문인지 저도 잘 모르겠습니다."

이 학생의 경우는 몰입을 잘못한 전형적인 사례다. 생각에만 지나치게 집착하고 있는 것이다. 나는 주어진 문제에 대한 생각을 조금 더 천천히, 느긋하게 할 것과 땀을 흘릴 수 있는 운동을 규칙적으로 하라는 답장을 보냈다.

오래지 않아 다시 이메일이 왔다. 워낙에 성실하고 열심히 하는 학생인지라, 회신을 준 대로 몰입 태도를 바꿔본 모양이다. 느긋하게 문제에 집중하고 땀을 흘리는 운동을 규칙적으로 실천함으로써 그동안 시달려오던 스트레스를 극복했고, 몰입적인 사고를 통하여 몇 년간 과제로 남아 있던 문제를 해결했다는 내용이었다.

두 번째 이메일

"결론부터 말씀드리면 운동과 마음가짐이 굉장히 중요하다는 것을 느꼈습니다. 프로젝트의 중요성과 주변의 기대 때문에 그간 스트레스가 이만저만이 아니었습니다. 이미 6년째 수행해 오던 프로젝트였고, 저를 포함한 연구원 세 명이 2년 동안이나 실험을 반복해 오고 있었으니까요. 처음에는 육체적으로, 나중에 혼자서 프로젝트를 수행하게 되었을 때는 정신적으로 스트레스가 극심했습니다.

그러다 교수님의 회신을 받고 운동을 해보기로 마음을 먹었습니다. 처음에는 요가를 시작했습니다. 그러나 요가는 큰 도움이 되지 않았습니다. 속도가 느린 운동이기 때문에 여전히 연구에 대한 생각이 머릿속에 가득했습니다. 그래서 이번에는 좀 더 과격한 운동을 해보기로 마음먹고 권투 글러브를 하나 구해서 학교 체육관에 있는 펀칭백을 치기 시작했습니다. 각종 펀치나 킥의 조합이나 스텝 등을 연구하면서 연습하다 보니 잠시 생각을 접고 운동에만 몰두할 수 있었습니다.

땀 흘리는 운동을 하니 기분이 훨씬 좋아지면서 자신감이 생기기 시작했습니다. 그러면서 연구에 대해서도 다시 오기가 생기기 시작했습니다. 자존심이 되살아나면서 더 이상 문제에 쫓기지 말고, 내가 문제를 쫓아가야 한다는 생각으로 바뀌었습니다. 그렇게 두 달 남짓 보내다 보니 그동안 수없이 보아왔지만 보이지 않던 게 보이기 시작했습니다. 사실 문제는 너무 쉬웠습니다. 어떻게 이렇게 쉽고 상식적인 것을 모르고 있었을까 싶어 기가 막힐 정도였습니다. 아직 문제를 완벽하게 해결했다고 할 수는 없지만 문제의 주요한 부분을 해결하게 되었습니다. 제가 조금 더 낙천적이거나 긍정적이었다면 이 모든 과정이 훨씬 수월했을 것이라는 생각이 듭니다.

두 번째 이메일은 땀을 흘릴 수 있는 규칙적인 운동은 고도의 집중 상태인 몰입을 시도하는 과정에 큰 도움이 되고 몰입 상태를 유지하는 데도 필수적이라는 사실을 실증적으로 기술하고 있다. 규칙적인 운동은 자신감을 갖는 데 큰 도움이 된다. 그리고 규칙적인 운동을 하는 것 못지않게 중요한 점이 바로 몰입할 때 스트레스를 받지 않도록 노력하는 것이다. 마음의 여유를 가지고 주어진 문제를 천천히 생각하는 몰입 활동도 자신감을 좌우하는 열쇠가 된다.

몰입 상태에서의 문제 해결력

몰입 상태에 들어가면 이때부터 주어진 문제에 대한 유용한 아이디어가 떠오르기 시작한다. 평소에는 쉽게 떠오르지 않는 기발한 생각들이다. 그리고 문제와 관련된 섬세한 사항까지 아주 명확하게 보인다. 프로 기사들이 바둑을 둘 때는 바둑판 전체가 머리에 떠 있다고 하는데, 이처럼 문제와 관련된 수많은 정보들이 동시에 머리에 떠 있는 느낌이다. 이렇게 되면 문제 해결에 필요한 복잡한 정보들을 뇌에서 동시에 분석할 수 있어서 아이디어가 쉽게 떠오르고 문제 해결력이 상승한다. 이때의 문제 해결력은 평소 자신의 지적 능력과는 명확하게 구별할 수 있을 정도로 크게 상승한다. 평소와는 비교할 수 없는 집중력 때문에 마치 슈퍼맨이라도 된 듯한 느낌이 든다.

몰입 상태가 되었다고 모든 사람이 동일한 문제 해결 능력을 갖는 것은 아니다. 각자가 그때까지 축적한 지식과 사고력 등에 따라 격차가 생긴다. 바둑 1급이 몰입할 때의 능력과 10급이 몰입할 때의 판단 능력은 다를 것이다. 따라서 몰입 상태에서 보다 더 높은 수준의 능력을 발휘하기 위해서는 꾸준히 관련 지식을 쌓고 사고력과 창의력을 개발하는 것이 중요하다.

아이디어가 솟다

아이디어가 나오는 형태도 다양하다. 문제와 직접 관련된 구체적인 해결책이 나오기도 하지만, 내가 어떠한 방향으로 노력을 해야 하고 어떤 문제에 집중해야 한다는 결론을 얻기도 한다. 이 문제를 해결하기 위해서는 어떤 책의 어느 부분을 보아야 한다거나 어떤 논문들을 찾아서 읽어야 하는지, 어떤 전문가를 만나서 상의해야 하는지 등 떠오르는 방법들도 다양하다.

또한 몰입 상태에서는 현재 해결하려고 하는 문제가 아닌, 다른 문제에 대한 답이 얻어지기도 한다. 그래서 어떤 아이디어가 떠오를지는 예측하기 힘들지만 매우 유용하고 가치 있는 아이디어들이 떠오른다는 것만은 분명하다. 평소 관심을 두던 일상적인 문제에 대한 아주 현명하고 지혜로운 해결책이 떠오르기도 한다. 이런 문제들의 상당수는 인생을 어떻게 살아야 하느냐 같은 철학적인 문제여서 명확한 정답과 오답이 있는 것은 아니다. 정답이라기보다는 현명하고 지혜로운 답이라고 표현하는 편이 옳을 것이다. 즉 몰입 상태에서는 무엇이든 상관없이 평소에 자신이 고민했던 문제들에 대한 아주 고차원적인 답들이 떠오르는 것이다.

게다가 생각하는 일 자체가 그리 어렵지 않고 심지어 약간의 즐거움을 준다는 것도 깨닫게 된다. 힘들이지 않고 즐겁게 생각에 몰입할 수 있기 때문에 이 상태를 원하는 기간만큼 오래 지속할 수 있다. 물론 땀을 흘리는 규칙적인 운동을 병행해 주어야 하고 천천히 명상하듯이 생각한다는 전제하에서 가능한 이야기다. 이처럼 원하는 만큼 오랜 시간 동안 몰입이 가능해지면서 문제 해결력도 나날이 높아진다.

우연이 아닌 필연

물론 생각에 잠겼다고 해서 바로 아이디어가 쏟아져 나오는 것은 아니다. 한동안 지루할 정도로 아무런 진전이 없이 같은 생각만 반복하다가 어느 순간 아이디어가 떠오르기 시작한다. 그러다가 다시 답보 상태에 들어가고 다시 아이디어가 떠오르는 상황이 반복된다. 그런데 좋은 아이디어가 떠오를 때는 그 당시 생각하던 것과 전혀 논리적으로 연결이 되지 않은 채 갑자기 그리고 우연히 한순간의 영감에 의해 생기는 듯한 느낌이다. 그래서 그 순간, 운이 좋아서 그 아이디어가 머리에 떠올랐다는 느낌을 받게 된다. 그러나 경험이 쌓이다 보면 우연이나 운에 상관없이 몰입 상태에 돌입하기만 하면 항상 아이디어가 떠오른다는 것을 알게 된다. 몰입을 하는 동안에는 말할 수 없이 기분 좋은 우연이 하루도 예외 없이 일어난다.

초기에는 몰입 상태에서 빠져나왔다가 다시 몰입에 들어가려 할 때마다 이틀을 꼬박 아무것도 못하고 발버둥을 쳐야 했다. 주어진 문제에만 집중하려고 애를 쓰며 불안감을 달랬다. 이제까지는 운이 좋아서 좋은 아이디어들을 얻었는데 이번에도 운이 좋을 수 있을까 하는 걱정 때문이다. 하지만 신기하게도 몰입 상태만 되면 어김없이 좋은 아이디어가 떠올랐다. 수년 동안 이런 경험을 반복하면서 이것은 우연이 아니라 우연처럼 느껴지는 필연이라는 생각이 들었다. 그래서 왜 몰입 상태에 들어가기만 하면 좋은 아이디어가 떠오르는지, 그 사이에 숨겨진 연관성을 찾기 시작했다. 물론 여기에도 몰입이 이용되었다. 몰입 상태에서는 아이디어가 떠오르는 빈도가 평소보다 10배에서 100배까지 높아지기 때문에 아이디어가 생기는 원리를 규명하는 것도 그리 어렵지 않으리란 자신감이 있었던 것이다.

이때부터 아이디어가 불현듯 떠오르면 다시 생각을 역으로 추적하여 어떠한 방식으로 그 아이디어가 떠올랐나를 면밀히 분석하기 시작했다. 물론 논리적으로 전혀 연결되지 않는 경우가 훨씬 많았다. 추적을 거듭할수록 그야말로 밑도 끝도 없이 우연히 떠오른 것이라는 생각만 강해졌다. 하필이면 그 순간에 운 좋게 그 생각이 떠올라서 문제를 해결하거나 돌파구를 찾는 것이다. 아이디어나 영감은 내가 끌어내고자 할 때 곧바로 나오는 것이 아니라 내가 노력을 기울였던 시점과는 상당한 시간차를 두고 예기치 않게 나왔다.

이미 내 안에 있는 아이디어

아이디어가 얻어지는 원리를 추적하던 중 한번은 아주 특별한 경험을 하였다. 책상에 앉아 몰입 상태에서 생각을 하고 있을 때였는데, 한순간 중요한 아이디어가 떠올랐다. 그 아이디어가 매우 중요하다는 것은 알겠는데 내용이 무엇인지는 전혀 모르는 상태에서 아이디어가 아지랑이처럼 희미하게 떠오르는 순간이었다. 바로 그때 열려 있던 사무실 문 앞에 누군가가 나를 만나기 위해 서 있었다. 내가 앉아 있는 위치에서 누군가 문 앞에 서 있다는 것은 알 수 있었지만 그의 얼굴을 식별하려면 고개를 돌려야만 하는 상황이었다. 그런데 만약 내가 그를 향해 고개를 돌려 이야기를 시작하면 아지랑이 같은 그 아이디어를 놓칠 것 같았다. 그래서 나는 고개를 돌리지도 못하고 잔뜩 긴장한 채 아지랑이같이 희미한 그 아이디어를 노트에 적었다. 그러고 나서 고개를 돌리니 기다리던 사람은 보이지 않았다.

나는 지금도 그 당시 문 앞에 서 있던 사람이 누구였는지 모르지만, 이 경험은 아이디어가 얻어지는 원리를 추적하던 나에게 아주 결정적 단서를 주었다. 나는 그 당시 떠올랐던 아이디어가 매우 중요한 것임은 알았지만 그 내용까지는 몰랐다. 어떻게 이러한 것이 가능한가? 이유는 그 아이디어가 순간적으로 만들어진 것이 아니라 이미 내 머릿속에 있었기 때문이다. 내 안에 존재하지만 깨닫지 못한, 아지랑이같이 희미한 의식 저편의 기억을 바로 그 순간에 끌어낸 것이다. 그렇다면 이 아이디어가 생긴 건 언제일까.

몰입적 사고를 오랫동안 경험하면서 내가 알게 된 사실은 아이디어는 잠이 들 때 잘 떠오른다는 것이다. 문제에 대한 생각을 하다가 낮에 잠깐씩 선잠이 드는 경우가 많은데 이때 아이디어가 떠오르는 경우도 많고, 집에서 초저녁에 잠이 들어 새벽에 깰 때는 거의 예외 없이 아이디어와 함께 잠에서 깬다. 그리고 새벽에 일어났을 때 가장 활발하게 아이디어가 떠오른다. 이러한 경험을 하면서 나는 낮에 생각을 하다가 졸리면 졸음을 참기보다는 그대로 편하게 앉아서 머리를 뒤로 기대고 자는 습관이 생겼다. 의자에 앉아 선잠이 들면 아이디어도 잘 떠오르고 정신이 맑아져 컨디션도 좋아지는 것을 경험으로 알았기 때문이다. 그리고 이러한 경험으로 미루어보아 낮에 우연히 떠오른 아이디어는 잠이 들었을 때 떠오른 것이라는 강한 확신이 들었다.

서양 속담에 중대한 문제가 있을 때 잘 풀리지 않으면 잠잘 때 그 문제를 생각하라는 'Sleep on the problem.'이라는 말이 있다. 이러한 속담이 생길 정도라면 자는 동안 문제가 잘 풀린다는 것은 사람들이 자주 겪는 일인 것이다. 또한 위대한 발견들이 꿈에서 혹은 선잠을 자다가 이루어졌다는 일화도 많이 있다.

그런데 낮에 우연히 떠오른 아이디어가 수면 상태에서 얻어진 것이라면 이것이 왜 기억나지 않다가 문득 떠오르는 것인가? 이 현상을 이해하려면 수면에 대한 뇌과학을 참조하여야 한다. 다음 장에서 설명할 뇌과학 지식으로 이러한 현상을 설명할 수 있을 것이다.

당신이 잠든 사이에 문제는 풀린다

모든 동물은 잠을 잔다. 그렇다면 수면의 역할은 무엇인가? 현재 뇌과학에서 가장 유력한 학설은 밤에 수면을 취하는 동안 낮에 경험한 것을 학습하는 것이라고 한다. 낮 동안의 각성 상태에서는 시각, 청각, 촉각 등의 감각 기관을 통해 정보의 입력이 계속 이루어진다. 예를 들어 우리가 눈을 뜨고 있는 한 시각 정보가 계속 입력된다. 정보가 입력되면 뇌에서는 정보를 분석하여 적절한 반응이라는 출력을 한다. 시각이나 후각을 통하여 포식자가 가까이 있다는 것을 알아채면 즉시 도망을 가야 한다. 도망을 가기 위하여 운동 기관을 사용하는 것이 출력이다.

각성 상태에서는 정보의 입출력이 쉴 새 없이 이루어진다. 이때는 뇌가 정보의 입출력을 원활하고 신속하게 처리하기 위하여 최적화되어 있다. 이러한 상태에서는 경험한 것을 장기 기억에 저장하는 학습 활동을 하기에 적합하지 않다. 그러나 수면 상태가 되면 보이지도 들리지도 않고 아무것도 느낄 수 없다. 그리고 우리 몸을 거의 움직일 수 없다. 꿈에서 달리기를 한다고 해도 내가 실제 몸을 움직이는 것은 아니다. 이렇게 정보의 입출력이 차단된다. 이 상태는 낮에 경험한 것들을 학습하기에 아주 좋은 여건을 제공한다.

수면 중에는 낮에 경험한 것을 해마에서 재정리하고 통합한다고 알려져 있다. 즉 해마에서 기존의 다른 기억과 관련성을 검토하고 중요한 경험은 장기 기억으로 보내 기억할 수 있게 하며 중요하지 않은 경험은 잊어버리게 하는 것이다. 그럼 해마는 어떤 기준으로 중요한 정보와 그렇지 않은 정보를 구별하는 것일까? 그 기준은 정보가 입력될 때의 감정의 강도와 정보의 반복 횟수이다. 해마는 정보가 입력될 때 아무런 감정이 없거나 약한 정보는 폐기하고 강한 감정을 가진 정보는 장기 기억으로 보내서 저장한다. 이러한 예는 우리가 어릴 적에 강한 충격을 받은 사건들을 평생 기억하는 데서 쉽게 알 수 있다. 또 해마는 감정의 강도는 약하더라도 정보가 반복해서 입력되면 장기 기억에 저장한다. 이는 왜 반복 학습이 효과적인지를 잘 설명해 준다. 공부가 재미없더라도 반복 학습을 하면 그 내용을 자신의 장기 기억에 저장할 수 있는 것이다.

그러니 몰입 기간에는 오로지 주어진 문제만을 반복하여 생각해야 한다. 그러면 해마는 그 문제를 푸는 것이 매우 중요하다고 받아들여 장기 기억에 저장할 것이다. 몰입 상태에서는 매일 그 문제만을 생각하기 때문에 계속 그 문제가 장기 기억에 저장될 것이고, 결국 신체는 이 문제를 푸는 것을 목숨이 걸린 것만큼이나 중요하게 여기게 된다.

수면의 과학

입출력이 차단된 수면 상태에서는 장기 기억이 활성화된다. 이것은 수면 상태에 가까운 최면 상태에서 놀라운 기억력을 발휘하는 것과 유사하다. 즉 수면 상태는 엄청난 양의 정보를 기억할 수 있는 잠재력을 가지고 있는 것이다.

아이디어가 나온다는 것은 주어진 문제를 해결하는 데 도움이 되는 장기 기억들의 적절한 조합을 찾아내는 활동이다. 아직 내 머릿속에 들어 있지 않은 지식에서 아이디어가 나오는 일은 없다. 아이디어를 얻는다는 것은 내가 가지고 있는 장기 기억에서 주어진 문제 해결에 유용한 것을 검색하여 찾아내는 활동이기 때문이다. 물론 일반 인터넷의 검색 엔진과 같이 단순한 검색과 나열이 아니라, 문제와 관련된 장기 기억들을 통합하고 상호 관련성을 찾아내는 고차원적인 검색이다.

수면 상태에서 장기 기억의 처리 능력은 각성 상태에 비해 비약적으로 상승한다. 문제는 수면 상태에서는 의식이 없다는 것이다. 다시 말하면 수면 상태에서는 고도로 활성화된 장기 기억을 사용할 수 있지만 이를 활용할 의식이 없는 것이다. 문제를 해결하겠다는 명확한 목표 의식은 각성 상태에서만 가능한 것이다. 하지만 각성 상태에서는 장기 기억의 활성화가 이루어지지 않으니 이 얼마나 기막힌 아이러니인가. 그런데 이러한 사실로부터 아이디어가 선잠에서 잘 나오는 이유를 설명할 수 있다. 선잠은 각성 상태와 수면 상태가 교차하는 상태이다. 어떠한 의미에서 의식도 약간 존재하고 활성화된 장기 기억도 약간 존재하는 상태인 것이다. 이렇듯 명확한 목표 의식이 활성화된 장기 기억과 공존하는 상태이므로 아이디어가 잘 나오는 것이다.

몰입적 사고의 위력은 바로 수면 상태에서 고도로 활성화된 장기 기억을 활용한다는 데 있다. 즉 몰입 상태가 되면 잠을 자면서도 주어진 문제를 풀려는 생각을 계속 한다. 이는 몰입 상태에서 깨어나면 항상 그 문제에 대한 생각과 함께 깬다는 사실로 알 수 있다. 반면 몰입을 하지 않으면 수면 상태에서 뇌에게 명확한 목표 의식을 줄 수 없기 때문에 자는 동안에 고도로 활성화된 두뇌를 활용할 수 없다. 그래서 이런저런 꿈을 꾸는 것이다. 몰입적 사고를 하면 수면 중에도 문제 해결에 대한 생각을 계속하게 되고 이것이 고도로 활성화된 장기 기억에 작용하여 놀라운 문제 해결 능력과 수많은 아이디어를 얻을 수 있는 것이다.

그런데 왜 낮에 아이디어가 우연히 떠오를까? 바로, 기억에 필요한 신경 전달 물질인 도파민dopamine, 세로토닌, 노르아드레날린noradrenalin의 양이 수면 중에는 극히 줄어들기 때문이다. 다음 그림은 쥐가 각성과 수면 상태일 때 노르아드레날린의 양이 어떻게 변화하는지를 나타낸 데이터이다. 깨어 있는 상태에서는 노르아드레날린의 분비량이 많은데 서파 수면 상태로 가면서 계속 감소하고, 꿈을 꾸는 렘수면 중에는 거의 바닥이다. 그러다 잠이 깨면 노르아드레날린이 갑자기 증가한다는 것을 보여준다.

자유로이 움직이는 쥐의 청반(Locus Coeruleus)에서의
노르아드레날린 뉴런의 활동

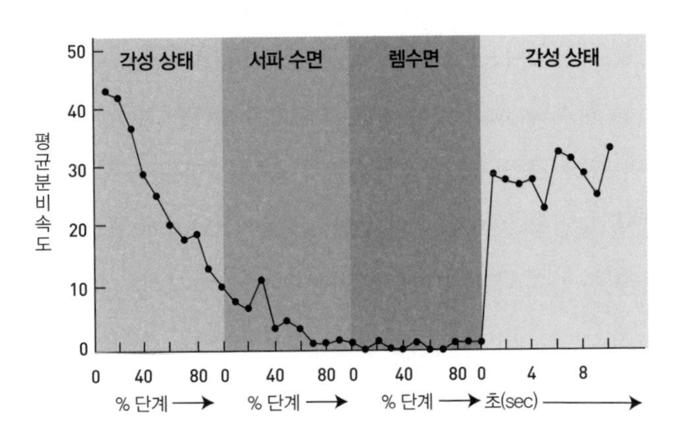

출처: Aston-Jones, G., and Bloom, F.E. The Journal of Nevroscience, 1981, 1, 876-886

이러한 이유로 모든 사람이 렘수면REM, rapid eye movement 중에는 통상 꿈을 꾸는데 아침에 일어나면 전혀 기억을 못하고 깰 때 꾼 꿈만 기억한다고 한다. 그래서 수면 중에 문제 해결에 도움이 되는 많은 아이디어가 떠오르지만 잠에서 깨고 나면 이것을 모두 잊어버리는 것이다. 그러다가 낮에 이 생각이 떠오를 때가 있는데 본인은 그 순간에 우연히 그 생각이 떠올랐다고 믿는다. 많은 사람들이 선잠 상태에서 아이디어가 잘 나오는데 노트에 기록하지 않으면 쉽게 잊어버린다고 이야기한다. 이것도 마찬가지로 선잠 상태에서는 기억에 필요한 신경 전달 물질의 양이 적어 기억을 못하기 때문이다. 이러한 설명이 내가 경험한 몰입 상태에서 수많은 아이디어가 나오고 그 아이디어가 우연히 떠오르는 것처럼 느껴지는 이유에 대하여 뇌과학적 지식을 동원하여 해석한 것이다. 이것은 다음에 소개될 창의성의 중요한 특징인 세렌디피티에도 동일하게 적용될 것으로 생각된다.

세렌디피티와 꿈속에서의 영감

아인슈타인이 맨 처음 상대성 원리에 대한 생각을 떠올린 것은 '우연히'였다. 어느 날 아침 침대에서 일어나 갑자기 그에 대한 아이디어가 떠올랐다는 것이다. 그가 중력 이론에 대한 아이디어에 도달한 것 역시 '문득 떠오른 생각'이었다. 아인슈타인이 중력 이론에 대한 아이디어를 떠올린 순간을 묘사한 글을 보면 무슨 얘긴지 금방 이해가 될 것이다.

"베른의 특허 사무실에 앉아 있는데 문득 어떤 생각이 떠올랐습니다. '만약 어떤 사람이 자유롭게 낙하한다면 그는 자신의 무게를 느끼지 못할 것이다.' 저는 깜짝 놀랐습니다. 이 단순한 생각으로부터 저는 깊은 감명을 받았습니다. 이것이 저를 중력 이론으로 끌고 갔습니다."

창의성의 원천, 세렌디피티

역사적으로 위대한 과학적 발견은 우연한 영감으로 이루어진 경우가 많다. 창의성을 연구하는 사람들 역시 '세렌디피티serendipity'가 창의성의 중요한 특징이라고 얘기하곤 한다. 세렌디피티란 '위대한 발견을 이끄는 핵심적인 아이디어는 통상 우연히 떠오른다'는 개념을 정의하기 위해 생겨난 단어다. 많은 위대한 발견이 운 좋게도 한순간의 생각이나 영감으로 얻어졌다는 얘기다.

베르너 하이젠베르크Werner Karl Heisenberg가 양자역학의 핵심 이론인 '불확정성 원리'를 발견한 것은 열병에 걸려 헬골란트에 요양을 가 있을 때였다. 하이젠베르크 역시 우연히 떠오른 영감이 중요한 역할을 했다고 한다.

"헬골란트에서 에너지가 시간적으로 일정하다는 것을 발견한 것은 내 머릿속에 떠오른 한순간의 영감 덕분이었다. 늦은 밤, 힘들여서 계산을 마쳤는데, 정확히 들어맞는 답을 얻게 되었다. 그날 새벽, 나는 바위 위에 올라가서 해가 솟아오르는 것을 바라보았다. 그리고 행복했다."

최초로 증기 엔진을 개발한 제임스 와트의 경우도 비슷하다. 뉴커먼 증기 기관이 열 손실이 너무 커서 비능률적이란 사실을 주목한 와트는 1695년 5월 어느 맑은 휴일, 글래스고의 초원을 거닐다가 문득 그 해결 방법을 깨닫게 되었다고 한다.

교세라의 이나모리 가즈오 회장도 『카르마 경영』을 통해 다음과 같은 이야기를 전하고 있다.

"나는 인류에게 새로운 지평을 열어준 분야별 연구자들을 많이 만났다. 그런데 놀랍게도 그들 모두가 창조적인 아이디어가 떠오른 것은 신의 계시라도 받은 것처럼 한순간에 이루어졌다고 얘기하는 것이 아닌가. 그 창조의 순간은 잠깐 쉬는 시간에, 때로는 꿈속에서 '우연히' 찾아오는 것이다."

꿈속에서 이루어지는 위대한 발견

역사적으로 유명한 발견이 얻어지는 또 다른 순간은 꿈속에서다. 꿈속에서 문제를 해결한 경우가 의외로 많다. 아인슈타인은 머리맡에 늘 펜과 노트를 두고 자는 습관이 있었다고 한다. 꿈에서 자신이 씨름하고 있는 문제에 대한 유용한 정보를 얻으면 기록하기 위해서였다. 닐스 보어도 꿈에서 진기한 태양계의 모습을 보고 이를 참조하여 원자구조 이론을 완성했는데, 이것이 현대 원자물리학의 기초가 되었다.

에디슨도 선잠 상태에서 연구 작업을 했던 것으로 알려져 있다. 그는 연구 도중 막다른 골목에 다다를 때마다 가수면 상태에 접어들곤 했다. 그는 손에 쇠구슬을 쥔 채 그가 좋아하는 의자에 앉아 꾸벅꾸벅 졸곤 했다. 자신이 알파파 상태로 흐르는 가수면 상태에 빠져 팔이 이완되면 마룻바닥에 있는 냄비에 쇠구슬이 떨어지게 하기 위해서였다. 쇠구슬이 떨어지는 요란한 소리에 잠에서 깨어난 에디슨은 자신이 설계하고 있던 것과 관련된 아이디어를 얻곤 했다.

원소의 주기율표를 발명한 드미트리 멘델레예프Dmitrii Ivanovich Mendeleev도 원자들의 규칙성을 찾으려 오랫동안 노력했으나 실패를 거듭하다, 1869년 어느 날 꿈속에서 주기율표 작성에 필요한 모든 아이디어를 찾았다고 한다. 모차르트 역시 자신이 작곡한 작품들을 모두 꿈에서 얻은 것이라고 이야기한 바 있으며, 괴테도 과학적인 문제의 해결책이나 시의 영감을 꿈에서 얻은 일이 있다고 밝힌 바 있다. 에드거 앨런 포도 유명한 추리소설의 줄거리는 모두 꿈에서 차용한 것이라고 말했다. 또 스위스 박물학자인 장 아가시Jean Louis Agassiz는 아주 생생한 꿈을 연속해서 세 번 꾸었는데, 그 꿈을 통해 자신이 연구하고 있던 물고기 화석의 훼손된 부분을 똑똑히 보고 재현해 냈다. 재봉틀을 발명한 일라이어스 하우Elias Howe는 바늘을 상하로 움직이는 데까지는 성공하였으나 바늘을 어떻게 만들 것인가를 고민하던 중 꿈속에서 바늘 끝에 구멍을 뚫는 아이디어를 얻었다고 한다.

중요한 아이디어는 대부분 수면 중에 얻어지며, 수면 중에 뇌는 각성 상태와는 다른 초능력에 가까운 기능을 가지고 있다는 것을 알 수 있다. 그러나 위대한 발견은 진정한 의미에서 우연히 얻어지는 것이 아니다. 우연한 영감에 의한 위대한 발견 뒤에는 그러한 영감을 얻을 때까지 오랫동안 피나는 노력을 기울인 사람들의 정성이 있었다는 것을 간과해서는 안 된다. 주어진 문제에 대하여 자나 깨나 깊이 몰입해서 생각할 때, 그래서 그 문제를 푸는 의식적인 노력이 수면 중에도 이어져 수면 상태에서 활성화된 뇌를 이용해 문제를 풀어내는 것이다. 그리고 그 아이디어가 꿈에 나타나든지 혹은 낮에 한순간의 영감으로 떠오르는 것이다. 아이디어가 떠오른 순간은 우연처럼 느껴지지만 몰입적인 사고를 한 사람에게만 일어나는 필연적인 결과다.

행복의 절정

몰입은 즐거움과 특별한 감정을 동반하는 놀라운 경험이다. 몰입 상태에 이르면 즐거움과 쾌감이 증폭되어 온몸을 감싸게 되는데, 특히 1주일 이상 몰입 상태가 유지되면 쾌감에 도취되어 있는 듯한 느낌에 사로잡힌다.

무엇보다 주어진 문제를 머릿속에 품고 있기를 몇 주간 지속하다 보면 열애하는 것 같은 감정 상태에 이르게 된다. 평소와는 달리 몸이 약간 들떠 있고, 풀고자 하는 문제와 관련된 문헌을 읽거나 단어만 들어도 흥분 상태가 된다. 물론 문제 해결에 대한 진전이 없고 새로운 아이디어가 떠오르지 않으면 지루함을 느낄 때도 있지만, 그 뒤에 새로운 돌파구나 아이디어가 떠오르면 더욱 격렬한 감동을 느끼게 된다. 이 순간 문제 해결 활동은 흥미진진한 게임이 된다. '이렇게 재미있는 일을 하면서 월급을 받아도 되나', '남부러울 것이 없다는 말을 이럴 때 사용하는구나!' 하는 생각이 절로 든다.

하루하루, 순간순간이 감격으로 채워지고 가슴 깊은 곳에서 무어라 설명하기 어려운 고요한 행복감에 젖는다. 이런 감정은 특히 새벽에 더 잘 나타난다. 새벽에 혼자 일어나서 주어진 문제에 몰입하다 보면 세상은 모두 잠들어 조용한데, 이 광활한 우주에 이 문제와 이 문제를 생각하는 나, 오로지 둘만 존재한다는 느낌이 들곤 한다. 자신이 도달할 수 있는 최대의 집중 상태에서 문제를 해결하기 위하여 최선을 다하고 있다는 충만감이 전해지는 것이다.

이때는 내가 그토록 바라던 최대의 지적 능력이 발휘되어 나 스스로 자아실현을 하고 있다는, 더할 나위 없는 만족감이 든다. 이보다 더 좋을 수 없다는 기분에 평소 능력보다 훨씬 높은 지적 능력이 발휘되어 감격에 가까운 만족감을 얻는다. 태어나서 처음으로 맛보는 행복이 가슴속 깊은 곳에서 가득 밀려온다.

권태 없는 영원한 쾌감

이렇게 행복감이 충만해지면 해결하려는 문제가 대단히 어려워도 해결할 수 있다는 자신감과 확신이 든다. 자신감이 생기는 근거는 알 수 없지만 그 문제를 풀 수 있다는 확신만은 아주 명확하다. 제아무리 복잡하고 머리 아픈 문제라도 머지않아 풀릴 것이라는 생각이 들며, 세상의 어떤 문제도 풀 수 있다는 자신감이 넘쳐난다.

실제로도 이런 자신감과 확신은 문제를 해결하는 데 매우 중요한 역할을 한다. 만약 문제에 대한 자신감이 없거나 다른 일도 많은데 풀리지 않을 문제로 허송세월을 보내고 있다는 생각이 들면 문제 풀기를 포기하고 말 것이다. 자신감과 확신은 문제를 계속 생각할 수 있게 하는 동력이 되는 것이다.

몰입은 종일 주어진 문제만을 생각하는 매우 강도 높은 사고 활동인데도 며칠, 몇 주일, 몇 달이 지나도 아무 부작용이 없다. 피로가 누적되지도 않고 일이 싫증나지도 않는다. 오히려 매일 사기가 더 충천하고 자신감과 의욕이 솟구치는 최상의 컨디션이 유지되는데, 그 생각을 지속하는 한 기분 좋은 이 상태는 무한정 계속된다.

보다 의미 있는 삶으로 이끄는 가치관의 변화

몰입을 몇 주간 계속하면 감정이 고조된다. 새로운 삶을 살고 있다고 느껴져서 이전에 살았던 삶은 매우 시시해 보인다. 인생에서 처음으로 삶다운 삶을 살고 있다고 느껴지는데, '이제까지는 인생을 헛되이 살았다. 하루를 살아도 이렇게 살아야 한다!'는 생각이 절로 든다. 이렇게 천국에 살고 있는 듯한 상태가 일시적인 것이 아니라 몇 주일이고 몇 달이고 계속되니 놀라지 않을 수 없다.

그러나 모든 문제가 생각처럼 간단하게 풀리지는 않는다. 문제를 해결할 수 있다는 확신에 차서 "이 문제는 독 안에 든 쥐다, 도저히 빠져나갈 수 없게 완벽하게 포위했다"라고 중얼거리면서도 주어진 문제를 해결하는 데 1년이 넘기도 한다. 하지만 이런 상태가 되면 풀릴 때까지 포기하지 않고 최대의 지적 능력을 발휘하면서 열정을 가지고 문제를 공략한다. 아무리 어려운 문제라도 시간의 문제이지 결국은 풀 수 있다. 매일 기적같은 깨달음과 아이디어가 나오기 때문이다.

이런 상태에서는 평상시에는 상상할 수도 없을 만큼 난도가 높은 문제들을 해결할 수 있다. 초인적인 능력이 발휘되면서 평소 자신의 능력으로는 엄두를 낼 수 없었던 고차원의 문제들을 해결하게 되는 것이다. 수개월, 혹은 수년 동안의 몰입 이후에 문제에 대한 해결책이 완성되어 모습을 드러내면, 그 일을 내가 해냈다는 것이 도무지 믿기지 않는다. 〈벤허〉의 감독 윌리엄 와일러가 "하나님, 정말로 이 작품을 내가 만들었습니까?"라고 했다는 바로 그 심정이 되는 것이다.

문제를 해결해 가는 오랜 기간 동안 느끼는 감정은 마치 아기를 잉태한 것 같은 느낌이다. 자연스럽게 감사하는 마음이 생기며 결과에 대한 신성함, 거룩함, 성스러운 종교적 감정이 생겨난다. 그 결과가 마치 자신의 분신처럼 느껴지며, 이제 자신은 죽어도 좋지만 이 아이만은 훌륭하게 키워야 한다는 생각이 든다. 결과의 가치에 비하여 자신은 상대적으로 미천하게 느껴지는 것이다. 자신은 별것 아니지만 그 결과만은 나 자신보다 훨씬 더 소중한 가치를 가지고 있어서 사람들에게 알려야 한다는 사명감도 생겨난다. 이를 위해서라면 자신의 자존심도 버리게 된다. 이런 경험은 인생의 가치관을 바꾸기에 충분하다.

가치관을 바꾸는 일은 사람을 바꾸는 일이다. 가치관이 바뀌면 그 효과는 평생 지속된다. 몰입하는 과정에서 자기 일에 대한 가치관이 바뀌면 자신이 하는 일이 여타 다른 일에 비해 훨씬 더 중요한 의미가 있으므로 자기 인생을 송두리째 던질 만한 가치가 있다는 확신이 들게 된다. 죽음과 삶에 대한 깊은 통찰과 더불어 진정으로 의미 있고 행복한 삶은 자신에게 주어진 일에 몰입함으로써 얻는다는 것을 알게 되는 것이다.

이때부터 진정한 의미에서 자신이 가지고 있는 모든 능력을 발휘하기 시작하고, 새로 발견한 생산적 목표를 향해 매진하게 된다. 예전에는 생산적인 목표와 관련 없는 많은 활동이나 목표에 자신의 관심과 에너지를 소모하는 일이 많았는데, 이제는 모든 관심과 에너지를 하나의 명확한 목표에 집중한다. 심지어 신문이나 TV를 보다가 흥분하는 에너지도 아깝다고 느낄 정도가 된다. 그야말로 자신이 가용할 수 있는 모든 에너지를 모아서 주어진 목표를 향해 쏟아붓는다. 그 결과, 높은 성과를 낼 수 있을 뿐만 아니라 지고의 행복감을 느끼게 된다. 이러한 가치관의 변화는 일시적인 효과로 끝나지 않고 남은 인생을 보다 성공적이고 의미 있는 삶으로 이끈다.

몰입을 통해 가치관의 변화를 경험한 사례

이 학생은 고등학교 때부터 대학 시절에 이르기까지 내내 상위권의 성적을 유지한, 매우 성실한 모범생이다. 이 학생의 두드러진 특징 중 하나는 최선의 삶을 추구한다는 것이다. 어떻게 사는 것이 최선의 삶인지에 대해서는 확신이 없었지만 나름대로 생각한 최선의 삶을 추구하고 있었다. 이 학생의 사례가 남다른 의미를 갖는 것은 몰입을 시도하기 전 10개월간 사고력 훈련 과정을 거쳤고, 40일간의 몰입 체험을 통해 결국 가치관의 변화라는 커다란 성과를 거두었다는 것이다.

10월 13일: 몰입 시도 4일째

잠자고 밥 먹는 시간, 수업과 세미나 시간 빼고는 계속 논문 주제에 관련된 자료들을 읽으며 생각에 집중하고 있습니다. 이제 나흘째 접어들었는데, 최대한 종일 생각만 하려고 노력하고 있습니다.

이제 어떤 문제가 다가와도 겁먹지 않을 자신감이 생기고 논리적 사고력이 빠르게 향상되는 것 같은 느낌이 듭니다. 또 생각하는 일이 점점 쉬워지는 것 같기도 합니다. 하지만 아직은 다른 사람과 같이 있으면 생각하는 데 방해가 됩니다.

가끔 생각에 진전이 있거나 서광이 보일 듯할 때는 큰 기쁨을 느끼지만 생각하는 일 자체에 대한 즐거움은 아직 잘 모르겠습니다. 생각하는 것에 익숙해지다 보면 어느 순간 즐거워지지 않을까 하는 기대를 하고 있습니다.

몰입 시도 중반 이후에 나타나는 전형적인 감정들이 엿보인다. 아무도 없는 공간에 혼자 있는 것의 중요성을 언급하는 점, 아직은 생각하는 행위 자체만으로는 즐거움을 얻지 못하고 있는 점 등은 이 학생이 자신의 상태를 객관적으로 잘 파악하고 있음을 말해준다. 몰입적인 사고를 처음 시도하고 있다는 점을 고려하면 매우 훌륭한 수준이다.

10월 18일: 몰입 상태에 들어간 직후

어제 처음으로 생각하는 일 자체에 대해 즐거움을 느꼈습니다. 그 상태에 도달할 때까지는 어떤 자료나 논문도 보지 말고 계속 생각만 하라고 하신 교수님의 조언이 도움이 되었습니다. 명확하지 않은 개념에 부딪쳐도 곧바로 책을 펼치지 않고 서너 시간 정도 시간을 할애해 논리적으로 차근차근 접근해 나가다 보니, 어느 순간 그 개념을 생각하는 것만으로도 기분이 아주 좋았습니다.

생각하다 모르는 것이 있을 때 책이나 논문을 통해 배우려고 하기보다는 혼자서 계속해서 논리적으로 조금씩 생각해야 한다는 것을 배웠습니다.

몰입에 들어가기 직전까지는 주어진 문제에 대하여 오로지 생각만 해야 한다. 관련된 문헌을 검색하고 논문이나 책을 보면 하나로 모아져야 할 집중도가 현저하게 떨어지고 만다. 관련 문헌을 읽는 것이나 남들과 관련 내용을 토론하는 것은 일단 몰입 상태에 들어간 뒤에 해야 한다.

10월 26일

깨어 있는 시간은 오로지 생각을 하고, 졸리면 자라는 말씀이 저에게 큰 도움이 되었습니다. 이제 깨어 있는 한 그 문제만을 생각하는 일이 제법 자연스러워진 것 같습니다.

오늘 새벽, 비몽사몽간에 문제가 풀리는 것을 경험했습니다. 그게 꿈인지 실제인지 제 스스로도 헷갈리지만 분명한 것은 깨어나기 직전에 두뇌가 문제를 풀기 위해 노력을 하고 있었다는 것입니다. 그러고 나서 한 30분 정도, 문제에 대해 생각을 하다 잠이 들었는데 기분이 굉장히 좋았습니다. 제가 잠을 자는 동안에도 뇌가 문제를 풀려고 노력하는 것 같습니다.

잠에서 깰 때 문제에 대한 생각, 혹은 아이디어와 함께 의식이 돌아오는 것은 몰입 상태가 되면 매일 경험하게 된다. 꿈을 꾸지 않고 항상 그 문제에 대한 생각이나 아이디어와 함께 깨는 것이다. 이 상태는 몰입 상태에 들어갔는지에 대한 기준이 되기도 한다.

11월 2일

처음으로 제 스스로 깨달은 것들을 가지고 문제를 풀고 있다는 느낌이 듭니다. 지금 이 느낌은 배운 사실들을 기초로 하여 문제에 접근하던 때와는 분명히 다릅니다. 무엇인가 도전하는 느낌이 들며 흥미도 생기고 재미도 느껴지는 것 같습니다.

공부 방법도 달라졌습니다. 배워야 할 것에 대해 생각을 많이 한 뒤에 책을 보는 것과 그냥 곧바로 책을 보는 것의 차이점을 발견했습니다. 생각의 단계를 거친 뒤 책을 읽으니까 새롭게 생각해야 할 단서들이 걷잡을 수 없을 만큼 쏟아졌습니다. 단서가 너무 많아서 한번에 소화시킬 수 없을 정도입니다.

여기에서는 공부 방법의 차이를 언급하고 있다. 즉 책을 읽고 이해하는 기존의 공부 방식과 책을 읽기 전에 먼저 그와 관련된 생각을 많이 하고 책을 보는 공부 방식이 다르다는 것을 이야기한다. 교육적으로 보아도 후자의 방식이 사고력을 발달시키고 이해의 깊이를 더하며 흥미를 유발시키는 데 도움이 된다.

11월 9일

운동이 몰입의 즐거움을 증폭시켜 준다는 말씀을 체험으로 깨달았습니다. 어제 수영을 했는데 너무 재미있었습니다. 이렇게 유쾌한 시간을 보내고 나니 '지금 내가 하는 연구도 이렇게 재미있게 해야겠구나' 하는 생각이 절로 들었습니다.

이제 연구에 대한 부담을 털어버리고 연구를 나의 인생이자 친구라고 생각하며 즐겁게 하려고 합니다. 실제로도 시간이 지날수록 연구하는 것이 점점 재미있다는 느낌이 듭니다. 평소 즐기던 TV와 컴퓨터 게임도 점점 멀어져 가고 있습니다.

몰입 상태에서는 규칙적으로 하는 운동도 재미가 있고, 생각하는 것도 재미있다. 종일 그리고 매일매일 재미있는 일만 하는 듯한 느낌이 든다. 이 학생 역시 수영과 연구의 즐거움을 동시에 만끽하고 있다고 말한다. 짧은 기간 동안 연구에 대한 자세에서 많은 성장을 이루었음을 알 수 있다.

11월 10일

이제는 다른 사람들과의 대화가 전보다 방해가 덜 되는 것 같습니다. 이전에는 다른 사람들과 나눈 대화가 잡념이 되어 생각을 방해하곤 했었는데, 어느덧 일상의 대화에서 자유로워진 듯한 느낌입니다.

이제는 주말에 사람들을 만나 대화를 해도 수요일이면 방해받지 않고 평소의 몰입 수준을 되찾게 됩니다. 교수님께서 말씀하신 3일의 의미를 알 것 같습니다. 물론 몰입 정도가 약간 떨어지는 느낌이 들긴 하지만 문제에 집중하다 보면 금세 원래 상태로 돌아가는 느낌입니다. 그러다 보니 어느 순간 굉장히 기분이 좋아지고 즐거워지는 느낌이 들었습니다. 무언지 모를 즐거움이 제 주변을 가득 메우고 있습니다.

지속적으로 몰입적인 사고를 하는 기간에는 주말에 사람들을 만나서 몰입 상태에서 벗어나더라도 3일이면 다시 완전한 몰입에 들어간다. 이 학생 역시 그 정도 수준에 도달했음을 느낄 수 있다. 생각하는 즐거움의 강도도 급격하게 상승하고 있다.

11월 22일

방금 관악산 등반을 다녀왔습니다. 교수님의 도움으로 '어떻게 하면 죽을 때 후회하지 않는 삶을 살 수 있을까?'라는 저의 가장 큰 화두가 해결되었습니다. 물론 시간이 지나면 또 어떤 깨달음을 얻을지 모르지만, 현재로서는 명확한 해답을 얻었습니다. 재료공학에 대해 강렬한 호기심을 갖고 깊은 몰입을 통해 나의 능력을 100% 발휘하면서 자발적으로 즐겁게 탐구해 나가는 삶을 살면 죽을 때 분명 후회하지 않을 것이라는 확신입니다. 또한 생각하는 삶이 가장 효율적이면서 바람직한 삶이라는 결론도 얻었습니다. 제 삶의 큰 문제가 해결된 듯한 느낌입니다. 그동안은 어느 정도 올바른 방향으로 생각을 하고 있고, 부분적으로는 다소 해결이 된 것 같았는데 이제서야 완벽하게 결론이 섰습니다.

이 학생은 내가 겪은 몰입 경험과 매우 유사한 체험을

하고 있다. 몰입적인 사고를 통해 생각의 중요성을 깨닫고 삶의 자세와 연구 자세, 가치관의 변화를 경험하게 된 것이다. 이 학생 역시 인생의 마지막 날에 후회하지 않는 삶을 살겠다는 강한 의지를 갖고 있다는 점에서 나와 비슷한 고민을 해온 것이 원인으로 작용했는지도 모르겠다.

여기에서 가장 중요한 점은 이 학생이 자신의 삶의 큰 문제를 해결한 듯한 느낌을 갖게 되었으며 인생의 가치관을 새롭게 정립했다는 것이다. 나 또한 몰입을 통해서 가치관의 변화를 경험했고 그뒤로 빠른 속도로 발전을 이루며 연구에서 다양한 성과를 도출해 냈다. 이런 경험은 인생의 행복으로 이어지기에 더욱 소중하다고 할 수 있다.

고도로 몰입하는 순간 당신은 최고가 된다

고도의 집중 상태에 이르면 처음에는 기분이 그다지 나쁘지 않다고 느끼다가 시간이 지나면서 약간의 쾌감을 느낀다. 몰입 상태가 계속되면서 이 쾌감은 점점 더 증폭되고, 평소에는 도저히 생각하기 힘든 아이디어가 비교적 높은 빈도로 떠오른다. 평소의 자신과 비교하면 문제를 해결하는 능력에 관한 한 완전히 다른 사람이 되어 있는 것이다. 이 상태가 되면 큰 노력 없이도 주어진 문제를 지속적으로 생각하는 것이 가능하다. 조금만 노력해도 오로지 그 생각만 하는 몰입 상태를 지속할 수 있다. 또 놀라운 아이디어가 쏟아지는 특별한 상태를 자신이 원하는 기간만큼 연장할 수 있다.

이러한 몰입과 일상의 몰입을 비교하면 공통점과 차이점이 함께 나타난다. 모든 것을 잊고 오로지 그 문제만 생각한다는 것은 일상의 다른 몰입과 비슷하다. 그러나 이 상태를 원하는 만큼 오랫동안 지속할 수 있다는 점은 분명히 다르다. 테니스나 골프를 칠 때도 몰입을 하지만 그 몰입은 지극히 순간적이다. 그러나 사고에 의한 몰입은 그 문제를 생각하는 한 끝없이 지속된다. 특히 온몸의 힘을 빼고 편안한 자세에서 천천히 생각하기 때문에 지치지 않고 몰입 상태를 유지할 수 있다.

스스로도 믿을 수 없는 뛰어난 영감들

이 상태에서는 아이디어가 나오면 약간의 흥분이 동반되므로 잠자리에 들 때 아이디어가 떠오르기 시작하면 잠을 이루지 못하는 일이 많다. 그러다 보니 무리를 하기 쉬운데, 그렇게 소중하게 느껴지는 아이디어나 영감이 계속 떠오르고 그 문제를 생각하는 것 자체가 쾌감을 유발하므로 여기에서 벗어나기 어렵다. 그러나 이런 상황이 계속되면 육체적으로나 정신적으로 문제가 생길 수 있으므로 아주 위험하다. 그래서 앞에서도 언급했듯이 반드시 땀을 흘리는 규칙적인 운동을 병행해야 한다.

사실 이런 상태는 여러 가지 면에서 일종의 종교적 몰입으로 보이기도 한다. 이 최고 상태peak state에서 뇌의 활동은 놀라울 정도로 향상되어 평소 자신의 능력으로는 생각할 수도 없었던 아이디어들이 떠오른다. 어떻게 내가 이런 생각을 해낼 수 있었을까 하는 의구심이 들 정도의 뛰어난 영감들이다.

전혀 생각지 못했던 새로운 아이디어가 계속 떠오르고 자신감이 차오르기 시작하면 풀리지 않는 문제가 거의 없다. 중요하지만 그동안 아무도 해결하지 못한 문제들을 손쉽게 해결할 수 있다. 물론 이러한 상태에서도 문제가 풀리는 기간은 문제의 난이도에 따라 달라진다. 문제를 푸는 데 필요한 지식이나 정보가 부족하다는 것을 깨달으면 관련된 지식과 정보를 찾아서 학습을 하기도 한다. 이 상태에서는 자신감과 쾌감, 최상의 컨디션이 유지되기 때문에 아무리 오랜 기간이라도 생각을 지속할 수 있다. 심지어 몇 개월 몇 년이고 그 문제에 몰입하여 아무리 난도가 높은 문제라고 하더라도 결국은 해결해 낸다.

아인슈타인 역시 주어진 문제에 대하여 몇 달이고 몇 년이고 생각하고 또 생각했다고 한다. 이 이야기를 들으면 몇 달이고 몇 년이고 풀리지 않는 문제를 계속 생각하는 것은 실천하기 매우 어려운 활동이라고 생각하기 쉽다. 그러나 실제는 다르다. 몰입에 들어가기만 하면 열정에 불을 붙이는 것과 같은 효과가 나타난다. 그 다음은 계속 타기만 하면 된다.

일단 몰입에 들어가면 그 문제를 자신이 해결할 수 있다는 자신감이 너무 커진 나머지 문제를 풀 수 있다는 확신이 든다. 이러한 확고한 신념 때문에 몰입할 수 있는 여건만 주어지면 그 문제가 풀릴 때까지 몇 달이건 몇 년이건 계속 몰입적인 사고를 지속할 수 있게 된다.

오직 문제를 푸는 데 집중한다

나의 몰입 체험 중 가장 오랜 기간 연속해서 몰입 상태를 유지한 것은 몇 개월간이다. 몇 달간 A라는 문제 하나에만 몰입하여 계속 생각하면 어떻게 될까? 이런 몰입 경험을 해보지 못한 사람은 이때 일어나는 감정의 변화를 이해하기 힘들다.

이 상태를 이해하기 위해서 먼저 1주일 동안 A라는 문제만을 생각했다고 가정하자. 일상의 기억은 1주일 전 일이 되어 기억이 희미해지면서 1주일 동안 A라는 문제로 머리가 채워진다. 한 달간 A만을 생각했다고 하자. 일상의 기억은 더욱 희미해지고 한 달간 A라는 문제로 머리가 채워진다. 몇 달간 A만을 생각했다고 하자. 그러면 일상의 기억은 머릿속에서 거의 사라지고 머릿속에는 온통 A와 관련된 생각만 가득하게 된다. 그렇게 되면 A를 제외한 세상의 모든 일에 관심이 없어진다. 머릿속에 오랫동안 인식하지 않으면 기억이 사라질 뿐만 아니라 그것에 대한 중요성과 관심도 없어지는 것이다.

세상에서 오직 이 문제만이 삶의 유일한 관심사가 된다. 이 관심과 호기심의 정도가 너무 커져서 내일 죽는다고 해도 무서울 것이 하나도 없는데, 단지 이 문제를 못 풀고 죽는 것만이 아쉽게 느껴진다. A를 해결하는 것이 내가 이 세상을 사는 이유가 되는 것이다.

이런 상태가 되면 인생이 아주 단순해진다. 이 문제를 생각하는 한 나는 세상에서 가장 행복한 사람이고, 이 문제를 생각할 수 없다면 가장 불행한 사람이라고 느낀다. 사랑하던 두 사람이 부모의 반대에 부딪쳐 자살했다는 뉴스를 들으면 안타까워하며 고개를 갸웃거리는 사람이 있겠지만, 몰입을 경험해 본 사람이라면 이들이 자살하는 이유를 이해할 수 있을 것이다. 이들은 함께 있으면 행복하고 그렇지 않으면 불행하다고 느끼기 때문에 선택의 여지가 없는 것이다. 고도의 몰입 상태에서 느끼는 감정도 바로 연인들의 감정과 비슷하다.

이 상태가 되면 집중하고 있는 문제를 놓지 못한다. 즉 문제 밖으로 빠져나올 수가 없다. 이제는 풀릴 때까지 갈 수밖에 없다. 다른 활동을 하는 것은 세상에서 가장 불행한 일을 선택하는 것이고, 이것을 해결하려는 활동이 세상에서 가장 행복한 일이기 때문이다. 이 상태가 되면 주어진 문제에 대한 호기심이 몹시 강해지고 그것을 빨리 알고 싶은 정도가 심해져서 마음이 아프다. 해결책이 손에 잡힐 듯 말 듯하면서 빠져나가고, 꼬리를 잡았다가 놓친 것 같은 상황이 계속된다.

인간의 능력이 도달할 수 있는 최상의 사고 활동

이 우주에 문제와 나만 존재한다는, 인간이 할 수 있는 최대의 집중된 상태의 감정은 명상이나 선을 하는 사람들이 집중하는 대상에 대해 일체감을 느끼는 상태와 비슷하다. 즉 참선하는 사람들이 말하는 이른바 삼매와 비슷한 상태이다. 이처럼 최대로 집중된 상태는 개인의 문제 해결 능력을 최대화하는 효과가 있다.

이 상태는 몰입에서 흔히 경험하는데 이것이 인간이 도달할 수 있는 최상의 상태는 아니다. 한 단계 더 나아가 세상 모든 일에 관심이 없어지면서 오로지 그 문제를 풀겠다는 생각밖에 없는 상태가 되어야 비로소 최상의 상태에 도달한다.

이 상태는 문제를 풀 수 있다는 자신감, 문제를 풀려는 호기심과 욕망이 최대화된 상태이고 문제가 풀리지 않더라도 절대로 포기할 수 없는 단계이다. 본능적으로 문제를 놓을 수가 없는 것이다. 즉 최대로 집중한 상태에서 얻는 종교적 감정과 오로지 그 문제를 풀겠다는 생각밖에 없는 극단적 프로페셔널리즘이 합쳐져서 높은 시너지 효과를 내는 것이다.

중요한 것은 이 상태에서 우리는 가장 생산적이면서 가장 행복하기도 하다는 거다. 이 두 가지가 양립할 수 있다는 사실만으로도 몰입은 그 가치를 증명하고 있는 셈이다.

그렇다면 이렇게 극도의 몰입을 통하여 과연 무엇을 해결했는지 궁금할 것이다. 다음에는 몰입적 사고에 의하여 해결한 몇 가지 예를 소개해 보겠다.

몰입적 사고에 의한 문제 해결

나는 1년 6개월간 몰입적 사고를 지속하며 '화학 증착에 의한 다이아몬드 생성 원리'에 관한 문제를 연구한 적이 있다. 이 연구는 '하전된 나노입자' 이론으로 발전하여 다이아몬드뿐 아니라 반도체 공정에 사용되는 거의 모든 화학 증착 공정에 적용되는 이론으로 발전하였다. 이제까지 화학 증착으로 만들어지는 박막은 모두 원자나 분자에 의하여 이루어진다고 믿어왔는데, 가시광선의 파장보다 훨씬 작아서 눈에 보이지 않는 '하전된 나노입자'가 생성되고 이들이 박막, 나노선, 나노 튜브 등을 만든다는 사실을 밝혀냈다. 내 안에 깊이 숨어 있던 모든 잠재능력을 원 없이 발휘하여 예전의 방식으로는 평생을 노력해도 해결하지 못할 문제를 해결한 것이다. 이것을 해결하고 처음으로 드는 생각이 '이제 죽어도 여한이 없다. 이제부터의 삶은 보너스 인생이다'라는 것이었다. 내가 항상 추구했던 후회하지 않을 삶을 실현한 것이다.

몰입 상태에서 고양된 자신감 때문이었는지 나는 몰입적인 사고를 하면 이 세상에서 해결하지 못할 문제가 없을 것 같다는 생각이 들었다. 그래서 대학원 시절부터 관심을 갖던 재료 분야에서 수십 년간 해결되지 않은 '액상소결에서의 비정상 입자성장' 문제에 도전했다. 이 문제는 몇 개월의 몰입 끝에 해답을 얻었다. 용기백배한 나는 또 수십 년간 해결되지 않은 '금속의 이차 재결정' 문제에 도전했다. 이 문제 역시 몇 개월간의 몰입 끝에 해결했다.

장기간의 몰입을 경험해 보지 않은 사람은 자신이 가진 잠재력을 모두 동원하면 어느 정도의 문제를 해결할 수 있는지 알지 못한다. 아마 평생을 모르며 살아갈 것이다. 나는 이러한 경험을 통하여 예전의 'Work Hard' 패러다임에서는 평생을 해도 얻을 수 없는 성과를 'Think Hard' 패러다임으로 불과 수개월 만에 얻을 수 있다는 것을 확인할 수 있었다.

몰입적 사고를 오랫동안 하다 보면 사고력이 놀라울 정도로 발달하게 된다. 바둑에 비유하자면 수 읽기가 발달하는 것과 비슷하다. 그래서 다른 사람이 쓴 논문을 읽어도 논문을 쓴 사람보다 그 결과의 의미를 더 잘 알게 된다. 즉 실험을 하지 않았어도 그 실험 결과가 의미하는 것을 읽어내는 데는 직접 실험을 한 사람보다 더 놀라운 직관력을 발휘하게 된다. 이런 양상은 산업 현장에서도 종종 나타난다. 문제의 중심에 있는 사람은 문제를 정확히 읽어내지 못하는 경우가 종종 있지만, 몰입적 사고에 익숙한 사람은 그 일 자체에 대한 지식은 부족해도 문제 해결에 한결 더 가까이 다가갈 수 있다.

고질적인 불량을 해결하다

위기에 봉착한 국내 한 LCD 제조업체로부터 도와달라는 요청을 받은 적이 있었다. 경영진이 제조 공정 불량을 해결하기 위해 해당 분야의 전문가들과 기술 컨설턴트들을 초빙하는 등 갖은 노력을 다했지만 수율은 올라가지 않았고, 결국 모두가 두 손, 두 발을 들고 포기할 수밖에 없는 지경에 이르렀다. 그러던 중 내게 이 문제를 해결해 달라고 도움을 청해 온 것이다. 비록 그 분야의 전공자는 아니지만 내가 지도하는 학생들에게 사고력의 중요성을 보여줄 수 있는 좋은 기회라 생각해 제안을 받아들였다.

가장 치명적인 문제는 제품 불량이 최종 출하 검사 단계에서 실시하는 철저한 필터링 시스템에도 발견되지 않는다는 점이었다.

일명 '진행성 불량'으로 고객이 제품을 사용하는 중에 발생하여 뚜렷한 대안을 세우기 힘들었다.

나는 문제 해결을 위해 해당 실무진에게서 불량 증상과 그동안 축적된 실험 데이터를 받는 한편, 그들 나름대로 검토한 공정 파라미터에 대한 의견을 듣고 몰입에 들어갔다. 약 1주일간의 몰입 결과 실무진들이 의심하고 있는 공정 과정 외에 또 다른 불량 요소가 숨어 있다는 결론을 내렸다. 그것은 반도체 공정에서 수년간 기판에 사용해 온 마커펜marker pen의 오염이었다. 또 펜과 함께 수년간 사용해 온 각종 도구들도 오염되어 있었다.

관리 파라미터를 점차적으로 확대해 나가면서 확인한 결과, 원인은 바로 내가 제시한 것에 있음이 입증되었으며, 그 이후 회사의 제품에는 그러한 불량이 사라지게 되었다. 그리고 그 이후에도 이 회사의 직원들과 열 가지 정도의 문제를 더 해결했다.

문제가 급하고 중요하다고 해서 서둘러 실험만 하려고 하면 오히려 해결이 되지 않는다. 이런 문제는 천천히 그리고 깊게 생각해야 해결할 수 있다. 논리적으로 하나씩 분석하여 조금씩 포위망을 좁혀 나가야 한다. 그런 다음 필요한 실험을 체계적으로 계획해야 한다.

이런 방식으로 제품 불량을 하나하나 해결하는 과정을 지켜본 연구원들은 몰입적 사고를 업무 현장에 적용하기 시작했고 지금까지도 기술 분야에서 효과를 보고 있다. 또 수율과 품질도 정상 궤도에 오르게 되었다. 후에 책임자였던 직원의 이야기를 들어보니 몰입으로 문제를 해결하는 활동을 즐기게 된 후로는 전과 달리 이직하는 직원이 한 명도 없다고 한다.

3장

몰입은 뇌도 춤추게 한다

몰입의 징후

사람들이 흔히 말하는 즐거움이나 행복한 감정은 주로 외부 자극으로부터 얻는다고 생각한다. 그러나 몰입 상태에서는 가만히 앉아서 주어진 문제에 집중만 잘해도 그런 감정 상태에 도달한다. 이런 색다른 경험은 행복을 추구하는 방법에 대한 생각 자체를 바꿔 놓는다. 결국 행복을 느끼는 것은 나이고, 외부 자극은 단지 이 상태를 활성화하는 촉매에 불과하다. 내가 만일 행복을 느끼기 쉬운 상태로 이 기능들을 변화시킨다면 나는 보다 쉽게 행복을 느낄 수 있다는 얘기다. 그렇게 되면 내가 해야 할 일을 하면서도 지고의 행복을 느낄 수 있다. 이것이 어떤 원리에 의하여 가능한가를 이해하면 행복하면서도 높은 경쟁력을 가질 수 있는 삶을 찾을 수 있을 것이다. 행복한 감정뿐만 아니라 다른 모든 감정도 외부 자극에 의해 영향을 받지만 그것을 느끼는 기능은 내 안에 있다. 우리는 세상을 살아가면서 때로는 즐겁고 행복하다고 느끼고 때로는 우울하고 괴롭다고 느낀다. 이런 감정은 대부분 직접적인 원인이 있지만 가끔은 특별한 이유 없이 나타나기도 한다. 이렇게 즐겁거나 우울한 감정이 생기는 근본적인 원인을 알고 그것을 조절하면서 살아갈 수만 있다면 삶이 한결 풍요로워질 것이다.

최근 뇌과학은 우리의 감정이 어떻게 만들어지는가에 대해 분자 수준에서 규명해 냈다. 이와 관련된 뇌과학을 소개하기 전에 먼저 내가 몰입 상태에서 겪은 내용들을 소개하겠다.

몰입 체험을 통해 나타나는 특징적인 징후들

1. 한 가지 문제를 계속 집중하여 생각하려는 노력을 며칠 이상 하면 의식이 그 문제로 꽉 차게 된다.
2. 이 상태가 되면 그 문제를 생각하기만 해도 쾌감을 얻는다.
3. 집중도가 올라가면 쾌감이 증가한다.
4. 규칙적인 운동과 함께 몰입을 계속하는 한 쾌감이 몇 주일이고 몇 달이고 지속된다.
5. 사기와 의욕이 샘솟고 자신감이 생기며 낙천적으로 변한다.

6. 평소와는 달리 창의적인 아이디어를 빠른 속도로 얻는다.
7. 감각이 섬세해지고 하루하루가 감격적이다.
8. 문제 해결에 진전이 없으면 잠시 지루함을 느끼지만 아주 조그마한 진전에도 큰 희열을 느끼고 감동한다.
9. 자신이 하는 일에 신성하고 경건한 종교적 감정을 느낀다.
10. 가치관이 바뀐다.

몰입과 쾌감의 상관관계

몰입 상태에서 주어진 문제를 생각하고 있으면 무엇인가에 도취되어 있는 듯한 느낌을 받는다. 마치 어떤 분위기에 취해 있는 듯한 기분이다. 그러다가 누군가에 의하여 방해를 받으면 기분 좋은 분위기가 깨지는 것 같다. 주말에 가족과 시간을 보내면서 깊이 집중하지 못하다가 월요일 아침에 출근하려고 집을 나설 때면 기분이 좋아서 입을 다물 수가 없을 정도다. 이제 내 사무실에서 어느 누구의 방해도 받지 않고 마음껏 집중할 수 있기 때문이다.

그 외에도 집중도가 올라가면서 쾌감이 증가한다는 것은 몇 가지 경험을 통하여 명백히 확인할 수 있다. 예를 들어 운전을 할 때 정지 신호를 받으면 신호가 바뀔 때까지 운전에 주의를 기울일 필요가 없으므로 문제에 대한 생각에 집중할 수 있다. 그러면 짧은 시간에도 쾌감이 증가하여 교통 체증으로 차가 오래 정체할수록 오히려 기분이 더 좋아진다.

이런 경험이 더욱 생소하고 특별하게 느껴진 것은 몰입 상태에서 얻은 쾌감이 일시적이지 않고 지속적이기 때문이다. 규칙적인 운동과 함께 몰입을 계속하는 한 몇 주일이고 몇 달이고 쾌감이 지속되어 마치 천국에서 살고 있는 느낌이 든다. 예전에는 기분이 좋은 상태가 지속되다 보면 어느 순간 우울한 상태가 오게 마련이고, 우울한 상태를 맞이하더라도 시간이 지나면 다시 좋은 시간이 오게 마련이라고 생각했다. 그것이 감정의 생리적인 현상이라고 막연하게 믿었다. 내리막길이 있으면 오르막길이 있고, 오르막길이 있으면 내리막길이 있듯 인생도 그럴 것이라고 생각했다. 그런데 이런 섭리가 불안감을 가중하기도 했다. 이 쾌감이 끝나면 우울한 기분이 따라올 것이라는 걱정 때문이었다. 그러나 숱한 몰입 체험을 통해 그렇지 않다는 것을 깨닫자 놀라울 정도로 우울함이 남지 않았다. 몰입 상태에서 얻는 쾌감은 우울과 교차되는 감정이 아니라 기복 없이 기분 좋은 상태만 계속 유지되어 더욱 특별했다.

뇌과학으로 본 몰입

몰입은 심리학에서 이야기하는 자아실현 단계에서 자신의 능력을 최대로 발휘하는 최고의 경험peak experience에 해당하며 영적인 감정을 수반한다. 그러나 몰입에 의한 모든 변화가 일시적이거나 자기 암시 같은 다소 초자연적인 현상이라 생각한다면 잘못 이해한 것이다. 몰입은 지극히 과학적인 변화를 보여준다. 우리의 뇌가 그 증거다.

나 또한 몰입을 체험한 뒤에 내 몸 안에서 일어나는 일련의 감정 변화를 이해하고 싶었고, 이런 변화가 어떤 원리로 일어나는지가 궁금했다. 이 궁금증을 해소하기 위하여 나는 뇌과학과 신경과학에 대한 책을 읽기 시작했다.

가장 먼저 만난 것은 오오키 고오스케의 『알고 싶었던 뇌의 비밀』이었다. 이 책을 읽고 나는 어마어마한 흥분에 휩싸였다. 내가 몰입 상태에서 경험한 많은 것들을 뇌과학으로 설명할 수 있다는 것을 알았기 때문이다. 뿐만 아니라 뇌과학적 지식은 우리가 어떻게 살아야 하는지 명확한 가이드를 제공하고 있으며, 행복에 보다 체계적으로 접근하는 방법을 보여준다.

생산적이면서 행복한 삶을 추구하기 위해서는 먼저 자신의 본질을 이해해야 한다. 과거를 잃어버린 기억상실증 환자들이 효과적으로 최적의 삶을 설계하거나 추구할 수 없듯이, 자신의 본질에 대한 이해가 부족한 상태에서는 효과적인 삶을 설계하거나 추구하기 힘들기 때문이다.

20세기 자연과학 발전의 핵심은 물질을 구성하고 있는 기본 단위인 원자에 대한 이해, 즉 원자론에 바탕을 두고 있다. 마찬가지로 각 개인의 행동이나 각 개인이 집단을 이루고 있는 사회의 여러 현상을 이해하려면 각 개별 구성원인 인간의 본질을 이해해야 한다. 뇌과학은 인간의 본질에 대한 핵심적인 결과들을 밝히는 데 지대한 공헌을 하고 있다. 짧은 시간 동안 발전을 거듭한 뇌과학의 눈부신 발전은 그동안 인문학적인 접근으로는 얻을 수 없었던 인간의 본질에 대한 이해의 폭을 확장시킬 것이다.

몸이 희로애락을 결정한다

뇌과학 관련 서적을 보면서 가장 인상적이었던 것이 도파민이라는 신경 전달 물질이었다. 뇌에서 분비되어 그 뇌를 각성시켜 집중과 주의를 유도하고 쾌감을 일으키며, 삶의 의욕을 솟아나게 하고 창조성을 발휘하게 하는 신경 전달 물질이다. 도파민이 관여하고 있는 집중, 쾌감, 의욕, 창조성 등은 몰입 체험 때 나타나는 대표적인 특징이다. 따라서 나는 몰입 체험 때 분명 도파민 분비가 활성화될 것이라는 결론에 다다랐다. 그 외에 몰입 상태의 감정 변화를 이해하기 위해서는 인간의 감정과 관련된 최소한의 뇌과학 지식을 이해할 필요가 있다. 일단 쾌감회로와 도파민, A10 신경, 시냅스[5] 등에 대해 간단하게 알고 넘어가보자.

쾌락의 원천, 뇌 속에 존재하는 쾌감회로

1950년 초 제임스 올즈와 피터 밀너는 쥐의 뇌 작용에 대한 실험을 하던 중 놀라운 발견을 하였다. 그들은 쥐의 뇌에 전극을 심고, 뇌로 통하는 전류를 제어하는 스위치를 쥐에게 스스로 누를 수 있게 하였다. 이 스위치를 누르면 전기 자극이 쾌감을 유발하도록 한 것이다. 쥐는 금세 스위치 누르기를 학습했고, 1시간에 700번 넘게 스위치를 눌러댔다.

심지어는 스위치 이외에 먹이나 물, 짝짓기 등의 다른 강화물을 함께 제시하고 선택하도록 했을 때조차 스위치를 선택할 만큼 집중했으며, 먹기를 포기하고 스위치를 누르다 죽음에 이른 쥐도 있을 정도였다. 이후 다른 연구자가 아편류 약물과 중추신경 자극제인 코카인을 이용한 쾌감의 보상 효과를 연구한 적이 있는데, 이때도 실험 대상 동물들은 전기 자극 때와 똑같은 반응을 보였다.

쾌감회로 실험

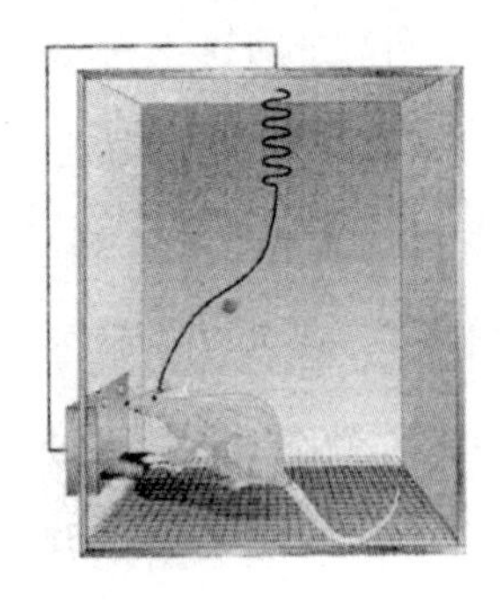

이들 쾌감의 보상 효과는 모두 도파민의 분비 때문인 것으로 알려져 있다. 주로 뇌의 변연계의 측두핵에서 유리되는 도파민이 쾌락에 관여하는데, 전기 자극이 직접적으로 이 부위의 도파민 세포를 활성화시키는 것이다. 코카인 역시 이 부위에서 도파민 과잉 상태를 만들어 쾌감을 유도한다.

운동을 하면 기분이 좋아진다. 이는 근육에 있는 근긴장성 섬유가 뇌의 시상하부와 이어져 있어 이 근육이 자극을 받으면 도파민과 엔도르핀이 분비되기 때문이다. 운동을 하는 도중에 쾌감이나 행복감을 느끼는 것도 이 때문이다. 스포츠 관람 같은 각종 취미 활동에도 도파민 분비에 의한 쾌감이 작용하며, 사랑에 빠질 때도, 식사를 할 때도 도파민이 분비되어 즐거움을 느끼는 것으로 알려져 있다. 결국 우리가 얻는 거의 모든 즐거움과 쾌감의 근원은 도파민이라 할 수 있다.

하지만 도파민과 관련한 부작용도 많다. 도파민 양이 감소하면 주변 환경, 학습, 활동, 대화 등에 집중력이 손상되어 주의력결핍과잉행동장애ADHD가 발생할 수 있으며, 도파민 양이 너무 많아지면 집중력이 지나치게 증대되어 경계심이 높아지고 사소한 것을 의심하고 오해하는 경향이 생긴다. 정도가 심해지면 환상, 환청과 같은 특별한 체험들을 하게 되며, 결국에는 편집증이나 중독, 조현병 등이 나타날 수 있다.

모든 쾌감을 관장하는 A10 신경

뇌간에 있는 A10 신경은 신경 전달 물질인 도파민에 의하여 쾌감과 각성을 일으키기 때문에 '쾌감 신경'으로 알려져 있다. 인간의 사고나 행위에서 발생하는 쾌감은 모두 A10 신경에서 비롯되는 것으로, A10 신경이 자극을 받으면 쾌감을 느끼게 된다. 이 신경은 성욕과 식욕, 체온 조절과 같은 원시적인 생리 욕구에서 운동과 학습, 기억은 물론 지고한 인간 정신을 관장하는 전두연합령까지 연결되어 인간에게 다양한 쾌감을 준다.

인간은 대뇌신피질cerebral neocortex을 가지고 있기 때문에 A10 신경을 통해 쾌감을 얻을 수 있을 뿐 아니라 사고방식에 따라 이 신경을 자유롭게 조절할 수도 있다. 몰입에 의한 쾌감은 바로 이 A10 신경이 몰입적인 사고에 의하여 자극을 받기 때문에 발생하는 것으로 여겨진다. 전두연합령 부근에 있는 신경은 도파민의 자가수용체가 없어서 마이너스 피드백이 없기 때문에 도파민 과잉 상태를 유지할 수 있다고 알려져 있는데, 바로 이 때문에 몰입 상태에서 지속적인 쾌감을 경험할 수 있다.

우리가 경험하는 즐거움과 우울함 등을 포함하는 각종 감정은 우리 뇌에서 분비하는 화학 물질이 작용한 결과이다. 우리는 즐거움이나 쾌감을 주는 이러한 화학 물질의 효과를 약물에 의하여 증폭시킬 수도 있고, 오락이나 스포츠 그리고 취미 활동으로 늘릴 수도 있으며 자신의 업무에 몰입하면서도 증대할 수 있다. 무엇을 택할 것이냐는 전적으로 자신에게 달려 있고 우리가 어떠한 사람이냐에 달려 있는 것이다. 우리가 어떠한 사람이 될 것인가를 결정하는 인자가 다음에 설명할 시냅스이다.

시냅스와 자아

사람의 세포는 대략 50조 개인데 반하여 뇌에 있는 뉴런의 개수는 대략 수천 억 개이고 이들은 수백 조 개의 시냅스 연결을 만들어낸다. 우리가 어떠한 광경을 바라볼 때도 수천만 개의 시냅스가 관여한다. 깨어 있거나 잠들었거나 생각에 잠겨 있거나 아무 생각 없이 있을 때도 신경 전달 물질이 끊임없이 분비되고 있고, 이 모든 순간에 수천 억 개의 시냅스가 활동하고 있다.

이러한 뉴런의 돌기 변화에 따른 시냅스의 생성은 학습에 의하여 이루어진다. 학습에 의하여 변화된 시냅스는 장기 기억을 의미한다. 시냅스 형성은 우리가 살아 있는 한 계속되고 시냅스는 우리 뇌가 새로운 경험을 할 때마다 변화한다.

신경과학자 조지프 르두Joseph LeDoux는 『시냅스와 자아』에서 우리의 사고와 감정, 활동 그리고 기억과 상상은 모두 시냅스에서 일어나는 반응의 결과라고 말한 바 있다. 그런데 이러한 시냅스는 가

소적plastic(고체가 한계 이상의 힘을 받아 성질이 바뀌고 그 힘이 없어져도 본래의 모양으로 돌아가지 않는 성질)이어서 경험이나 학습에 의하여 변화한다. 즉 시냅스는 학습을 통해 얻은 정보를 기록하고 저장하는 것이다. 이렇게 시냅스에 미친 학습의 결과가 한 인간의 인격을 구축하는 데 주된 역할을 한다. 자신의 실체는 자신의 시냅스가 어떻게 배선되느냐에 따라 결정되고 유지되는 것이다.

농구를 연습하면 농구 실력이 향상되는 것은 누구나 경험으로 알고 있다. 이 역시 시냅스의 관점에서 보면 농구와 관련된 시냅스 형성에 주목할 만한 변화가 일어난 것으로 이해할 수 있다. 시냅스는 컴퓨터와 같은 능력을 가지고 있는 동시에 감정을 빚어내는 능력도 갖추고 있기 때문에 농구에 관한 시냅스가 형성되면 두 가지 결과가 나타난다. 하나는 농구 실력이 향상되고, 또 다른 하나는 농구에 대한 재미가 생긴다. 반대로 농구를 그만두고 축구를 하기 시작한다면 축구에 대한 시냅스가 발달하면서 농구에 대한 시냅스는 조금씩 소멸되기 시작한다. 이에 따라서 축구에 대한 실력과 흥미가 증가하고 농구에 대한 실력과 흥미는 감소한다.

이러한 시냅스의 가소성은 어떤 행동이나 생각을 하면 그 결과가 시냅스의 영구적인 변화로 나타나서 인격이 변화한다는 것을 의미한다. 다시 말해서 시냅스의 가소성은 '심은 대로 거둔다'는 인과법칙이 우리 신경계에도 적용된다는 것을 알려준다. 사람이 타고난 천성은 스스로 자신의 시냅스를 바꿈으로써 변화시킬 수 있다는 것이다. 마찬가지로 내가 의도적으로 사고와 운동의 입력을 조절함으로써 나의 시냅스를 바람직한 방향으로 변화시키면 내가 바람직한 방향으로 변화한다는 논리가 성립한다. 이와 같이 '내가 나를 바꿀 수 있다'는 사실은 뇌과학이 우리에게 주는 가장 중요한 메시지다.

어떤 시냅스가 형성되느냐에 따라 인생이 결정된다. 창의력, 문제해결력을 높이는 시냅스가 발달하면 좋을 것이고, 내가 해야 할 일을 재미있게 할 수 있도록 하는 시냅스가 발달해도 좋을 것이다. 그렇게 하기 위해서는 그러한 시냅스를 형성시킬 수 있는 경험이 입력되어야 한다. 입력은 주위 환경에 영향을 받으므로 나를 좋은 환경에 둘 필요가 있다. 그러나 많은 경우 나에게 주어진 환경을 바꾸기는 어렵다. 우리가 가장 쉽게 조절할 수 있는 입력은 나의 생각이다. 생각에 의한 입력은 우리가 선택할 수 있고 노력에 의하여 크게 바꿀 수 있다. 이러한 요인을 고려하여 삶과 교육의 방향을 설정해야 할 것이다.

주어진 문제를 해결하기 위하여 몰입 상태에 들어가면 그 문제와 관련된 사소한 것이라도 의미가 생기고 감동을 준다. 문제 해결을 위해서 최선을 다하면서도 그 과정이 게임을 하듯이 흥분된다. 이러한 감정적 분위기가 더욱 최선을 다하도록 유도하고 능력을 마음껏 발휘하도록 하여 기대 이상의 좋은 결과를 얻게 된다. 기대 이상의 결과에 대한 만족감은 다시 최선을 다하게 만들어 최선과 좋은 결과라는 선순환이 되풀이된다.

몰입 체험을 통하여 경험한 것과 뇌과학에서 이야기하는 것을 종합하면 보다 일반적인 결론에 도달한다. 희로애락의 감정과 행불행의 느낌은 내 몸 속에서 만들어진다는 것이다. 이런 감정은 외부 환경에도 영향을 받지만 내 몸 속에 있는 시냅스가 어떤 형태로 형성되고 배선되어 있느냐에 중대한 영향을 받는다. 똑같은 일을 하더라도 사람에 따라 만족하거나 행복하다고 느낄 수도 있고 만족하지 못하거나 불행하다고 느낄 수도 있는데, 그것은 그 일에 작용하는 시냅스가 어떻게 형성되어 있느냐에 따라 좌우된다는 것이다. 즉 내가 어떤 활동을 하느냐 그리고 무엇을 생각하느냐에 따라 주어진 일에 대한 시냅스의 형성이 영향을 받고 그 결과 주어진 일에 대한 나의 감정이 변화한다.

'마라토너스 하이 marathoner's high'라는 현상이 있다. 마라톤을 하다 보면 지극히 힘든 상태를 경험하게 되는데, 이 고비를 넘기면 다시 충만한 자신감과 힘이 생겨서 계속 달릴 수 있다는 이론이다. 이는 우리 신체의 마이너스 피드백이 극도의 고통을 무마하기 위해 뇌 속에서 엔도르핀을 분비하여 기분을 고양시키는 현상이다. 따라서 마라톤을 여러 차례 하다 보면 보다 쉽게 엔도르핀이 분비되어 기나긴 코스를 완주하는 고통이 점점 견디기 쉬워진다. 이것이 뇌과학의 견지에서 바라본 인내력의 원리이다.

뇌과학에 따르면 스트레스를 느끼면 이 정보가 핵산에 기억된다. 그래서 동일한 스트레스를 느끼면 신체적 스트레스를 해소시키는 부신피질자극호르몬과 정신적 스트레스를 해소시키는 베타엔도르핀이 분비된다. 따라서 동일한 형태의 스트레스가 반복되면 점점 견디기가 수월해지고 결국 인내력이 형성되는 것이다.

인내력은 성공적인 삶을 위해 갖춰야 할 필수 덕목 중 하나다. 몰입을 경험하기 위해서도 상당한 인내력이 필요하다. 몰입에 도달하기까지의 과정 곳곳에는 예상치 못한 숱한 난관이 도사리고 있기 때문이다. 인내력을 형성하는 뇌과학의 메커니즘을 알고 있으면 몰입에 이르는 길이 한결 수월할 것이다.

우리 몸은 목적을 원한다

지구상에 나타난 모든 생명체 중에 현재까지 살아남은 종들은 주어진 환경에서 생존과 번식이라는 진화의 기본 요건을 충족한 것들이다. 생존과 번식은 생명체의 기본적인 목적이고 진화론적인 존재 이유이다. 식물은 독립 영양체이고 동물은 종속 영양체여서 이들의 생존 방식은 근본적으로 다르다. 식물은 땅에 뿌리를 내려 필요한 양분을 흡수하고 광합성을 통해 필요한 영양분을 스스로 만든다. 그러나 동물은 외부에서 먹이를 섭취해야 하기 때문에 식물과 달리 먹이를 찾아 이동한다.

이와 같이 동물은 생존을 위하여 숙명적으로 움직여야 하기 때문에 지각 기능과 운동 기능이 필요하고 뇌가 발달해야 한다. 또한 이러한 움직임은 '어디로 움직일 것이냐'라는 목적 또는 방향성을 필요로 한다. 어떤 동물도 목적 없이 움직이지 않는다. 목적지향은 동물의 본질이다. 우리가 어떤 행동을 하더라도 거기에는 이유가 있는데 그 이유가 바로 그 행동의 목적이 된다.

우리가 하는 모든 행동의 바탕에는 목적지향이 깔려 있기 때문에 일단 명확한 목표를 설정하면 무조건 그것을 추구하는 경향이 있다. 가령 테니스 경기를 한다고 하자. 이때는 상대방을 이기는 것이 설정된 목표이다. 경기를 하다가 공이 라켓에 잘못 맞아 실점을 하면 짜증이 난다. 목표에서 멀어지는 방향이므로 불쾌감이라는 부정적인 보상을 한다. 이러한 부정적인 보상은 나를 각성시켜 경기에 조금 더 집중하도록 유도한다. 집중을 함으로써 수행 능력을 향상시켜 경기에서 실수를 줄이게 된다. 만약 성공적인 플레이를 해서 점수를 따면 짜릿한 쾌감을 경험한다. 이 성공적인 플레이는 작은 목표의 성취이고 큰 목표로 가까이 가는 방향이므로 즐거움이나 쾌감이라는 긍정적인 보상을 한다.

몰입은 산만한 상태에서 높은 집중도로 가는 행위이다. 이것은 엔트로피를 낮추는 행위여서 결코 저절로 이루어질 수 없고 반드시 어떤 힘이 작용해야 한다. 그 힘은 앞서 말한 기대감, 즐거움 혹은 쾌락인 긍정적인 보상이고 위기감, 불쾌감 혹은 고통인 부정적인 보상이다. 이것이 몰입에 들어가기 위한 필수 요소이다. 위기

상황에 쉽게 몰입하는 것은 위기감 때문이고 오락이나 취미 활동에 쉽게 몰입하는 것은 즐거움 때문이다.

긍정적인 보상과 부정적인 보상이 유도하는 목적지향성은 우리 뇌가 작동하는 기본 메커니즘이다. 그러므로 몰입에 들어가려면 반드시 (위기감을 활용하거나, 재미를 활용하거나) 목적지향을 이용하여야 한다. 다른 방법이 없다. 이러한 사실을 고려하면 몰입도를 올리기 위하여 필요한 사항이 무엇인지 명확해진다.

목표 설정이 의미를 만든다

다른 나라끼리 하는 축구 시합보다는 우리나라와 다른 나라가 하는 축구 시합이 더 의미가 있고 흥미롭다. 이는 우리 팀이 이기기를 바라는 목적지향이 있기 때문이다. 우리 팀이 승리하기를 바라는 목표가 명확하고 간절할수록 게임 내용의 의미가 커질 것이다. 즉 축구 경기를 보더라도 어느 한 팀이 이기기를 바라는 목적지향이 있으면 그렇지 않은 경우보다 훨씬 더 의미가 커진다는 것이다. 이것은 목표를 명확하게 설정하면 목표지향 메커니즘에 의하여 시냅스 활성화가 증대된다는 것을 의미한다.

마찬가지로 어떤 일이건 목적이나 목표를 만들고 강화시키면 그 일의 의미가 생겨난다. 어떤 일이 나에게 의미가 있다는 것은 그 일의 결과에 따라 나의 시냅스가 흥분한다는 것이고, 그 결과 어떤 감정이 유도된다는 거다. 임의로 설정된 목표에 가까워지면 즐거움을 얻고 목표와 멀어지면 부정적인 보상인 불쾌감을 얻는다. 이것이 모든 게임의 원리이다. 게임에 들어가면 주어진 목적을 수행하기 위해 집중이 요구되는 노력을 하고, 그 결과에 따라 긍정적인 혹은 부정적인 보상 자극이 반복적으로 출력된다. 이러한 반복된 자극은 게임 수행자를 더욱 각성시켜 설정된 목표를 달성하기 위한 몰입도를 올리고 보다 더 효과적으로 목적을 수행하도록 만든다. 즉 게임에서 설정한 임의의 목표와 이를 추구하는 과정에서 몰입이 유도되는 것이다.

우리 몸에 입력된 정보의 절실성은 입력된 자극의 세기가 클수록, 정보의 입력이 반복될수록 증가한다. 예를 들어 스포츠 경기에 임할 때 반드시 이겨야 한다는 강한 목표를 가지고 있으면 절실성이 증가하여 실수에 대한 부정적인 보상이 크고 성공에 대한 긍정적인 보상이 커진다. 이는 경기에 임하는 모든 활동의 결과로 흥분의 정도, 즉 의미가 커지는 것을 의미한다. 이렇게 되면 목적지향에 대한 신체의 노력은 극대화가 되면서 몰입도가 올라간다. 결과적으로 우리 뇌에서는 이 목표가 대단히 중요하다고 인지한다. 그리고 목표를 이루는 데 성공하기 위한 자구책으로 신체와 뇌는 비상사태에 돌입한다. 이 상태에서는 보통 경기에 대한 집중도가 극대화되고 최대의 능력이 발휘된다. 이른바 최적 경험 optimal experience

을 얻게 되는데, 이 상태가 바로 모든 것을 잊고 오로지 그 경기에 만 열중하는 몰입 상태이다. 몰입은 특별하게 설정한 목표를 추구하는 활동이 극대화된 신체와 뇌의 비상사태이다.

테니스의 예를 보자. 몰입된 상태에서 경기에 임할 때 상대방이 내가 도저히 받을 수 없는 방향으로 공을 보내면 나는 순간적으로 큰일났다는 긴장감과 함께 필사적으로 그곳으로 달려간다. 완전히 비상사태인 것이다. 달려가서 간신히 공을 받아 넘기고는 잠시도 쉴 틈 없이 상대방의 다음 공격에 대비하기 위하여 몸을 재빨리 움직여 제 위치를 잡는다. 더운 여름에 땀을 뻘뻘 흘리며 최선을 다해서 이리지리 뛰어다닌다. 마치 목숨이 걸려 있는 것처럼 경기에 최선을 다하는 것이다.

이러한 사실을 몰입적인 사고에 적용하면 자신이 목표로 설정한 문제가 중요하다고 생각할수록, 또 그 문제를 반복해서 생각할수록 몰입하기가 쉬워진다.

우리가 본질적으로 가지고 있는 목적지향성을 고려하면 몰입도를 올리는 데 빼놓을 수 없는 요소는 바로 뚜렷한 목표와 성취 동기라는 것을 알 수 있다. 우리는 어떤 목표를 정하면 맹목적으로 그 목표를 추구하는 본능적 메커니즘을 가지고 있다. 따라서 목표의식을 강화시켜 성취 동기를 북돋우는 노력이 궁극적으로 자신의 일에 대한 흥미와 수행 능력을 올리는 결과로 이어진다. 어릴 때 꿈을 크게 가져야 하는 이유가 바로 여기에 있다.

「큰 바위 얼굴」이라는 소설에는 바위에 새겨진 형상의 큰 인물이 마을에 나타날 것이라는 이야기가 전해 내려온다. 이 이야기를 들은 어니스트라는 소년은 매일 그 바위를 바라보며 큰 바위 얼굴이 나타나기를 기다리는데, 매일 큰 바위 얼굴을 바라보던 그 소년이 바로 전설의 주인공으로 성장한다는 이야기다. 뇌과학의 목적지향성에 대한 지식이 없었던 소설가 나다니엘 호손은 이러한 삶의 지혜를 이미 오래전에 터득하여 이야기로 전달한 것이다.

〈생각하는 사람〉, 〈지옥의 문〉으로 우리에게 친근한 조각가 오귀스트 로댕은 웅대한 예술성과 기량으로 세계인들에게 사랑받고 있는 인물이다. 그의 작품들은 한결같이 사실성이 넘쳐 생명력이 꿈틀대며 인간의 감정이 고스란히 살아 있는 듯한 느낌을 준다. 하지만 어린 시절 그는 조용하고 눈에 잘 안 띄는 소년이었으며, 국립미술전문학교에 수차례 응시했으나 낙방만 거듭하는 불운의 주인공이기도 했다. 20대에는 경제적인 어려움과 누이의 죽음 등으로 음울한 시기를 보냈으며, 작품 활동도 여의치 않아 실력에 비해 인정받지 못하며 주변을 겉도는 시기를 겪어야 했다. 그러나 그의 가슴속에는 일찍부터 거대한 꿈이 불타고 있었다. 그가 처음으로 자신의 꿈을 드러낸 중학교 때의 일화는 많은 것을 시사해 준다. 어느 날 "넌 커서 뭐가 될래?"라는 선생님의 질문을 받은 로댕은 두 주먹을 불끈 쥐고 큰 소리로 외쳤다.

"제 가슴속은 미켈란젤로나 라파엘로 같은 위대한 예술가가 되겠다는 생각으로 가득 차 있습니다."

지루한 수업 분위기를 전환하기 위해 생각 없이 던진 질문치고는 너무나 진지하고 의지에 찬 대답이었다. 게다가 평소 로댕의 조용한 품성에 비추어볼 때 놀랄 만한 대답이었던 것이다. 그뒤로도 로댕은 종종 자신의 꿈을 얘기하며 의지를 다지곤 했다.

"세상에 태어나서 아무런 발자취도 못 남기고 떠나는 것은 생각만 해도 끔찍해. 나는 반드시 위대한 예술가가 될 거야. 우리나라 최고 미술대학에 최우수 장학생으로 입학하고, 대학을 졸업하면서 출품하는 나의 살롱전 데뷔작은 심사위원들의 만장일치로 최우수 작품으로 선정될 거야. 내가 만들어내는 작품은 모두 전 세계인의 찬사와 존경을 받게 될 거고, 나는 국가적인 영웅으로 칭송을 받을 거야. 사람들은 먼발치에서라도 나를 보았다는 사실에 감격하게 되겠지. 내 작품은 역사에 영원히 남게 될 거고 세월이 흐를수록 명성이 드높아져 내 이름은 마침내 전설이 될 거야."

철없는 시절의 로댕은 다짐을 이루었다. 물론 그 길이 그리 평탄하지만은 않았지만, 결국 자신의 의지를 지켜내고 꿈을 이루는 데 성공했다.

"무엇인가를 진정으로 원하는 사람은 언젠가는 그 목표를 반드시 이루고야 만다." 평생을 조각에 바친 로댕은 꿈에 대한 철학을 완성하며 오랜 소망을 이루었다.

나폴레온 힐의 성공 철학

성공학의 아버지라 불리는 나폴레옹 힐의 성공 철학은 그야말로 우리 몸의 목적지향 메커니즘을 최대로 활용한 것이고 현대의 뇌과학적인 관점에서 보아도 매우 설득력 있는 내용들을 담고 있다. 그는 '상상력'이야말로 잠재의식을 창조적으로 이용할 수 있는 중요한 수단이라고 하였다. 즉 상상력으로 좋은 계획이라는 씨앗을 만들고 그것을 잠재의식이라는 밭에 뿌린 후 신념이라는 물을 주면 새로운 창조가 이루어진다는 것이다. 그의 성공 철학은 다음의 네 가지로 축약할 수 있다.

첫째, 확고한 목적 의식과 강렬한 의욕을 갖는다.
둘째, 명확한 계획을 세우고 착실히 실행해 나간다.
셋째, 주위 사람들의 부정적인 견해는 깨끗이 무시해 버린다.
넷째, 나의 목표와 계획에 찬성하여 항상 용기를 북돋워주는 사람을 친구로 사귄다.

여기서 우리가 배워야 할 점은 목표를 명확하게 설정하는 일은 개인의 의도적인 노력에 따라 얼마든지 가능하다는 것이다. 가령 공부를 할 때 반에서 1등 하는 것을 목표로 설정했다고 치자. 그러면 이렇게 목표를 설정했다는 것만으로도 우리는 공부하는 행위에 의미를 두게 된다.

1등을 하겠다는 목표를 마음속으로 계속 다지다 보면 이에 관련된 시냅스의 수가 증가하고 강화된다. 그러면 평소에 즐기던 TV 시청이나 컴퓨터 게임에 대한 부정적인 감정이 만들어진다. 자신이 설정한 목표에 반하기 때문이다. 목표 추구에 합당한 공부를 하는 행위는 만족감이라는 긍정적인 감정으로 나타난다. 이러한 감정을 경험하다 보면 자신도 모르게 TV 시청이나 컴퓨터 게임의 유혹을 참고 공부하는 시간이 늘어난다.

회사에서 어떤 직무를 수행하는 경우에도 마찬가지다. 매일 규칙적으로 자신의 목표를 명확히 하기 위해 다짐이나 생각을 하는 행위 자체가, 주어진 일에 대한 관심과 흥미를 불러일으킨다. 그뿐만 아니라 성취 결과에도 커다란 차이를 만들어낸다. 목표 의식이 강해질수록 주어진 직무와 관련된 일들이 큰 의미를 갖기 시작하고, 직무를 수행하는 것이 마치 게임을 하는 것처럼 느껴지게 되는 것이다.

모든 오락과 게임의 원리가 맹목적인 목표 추구 활동임을 상기할 필요가 있다. 그래서 항상 언제 어디서나 자신의 일에 대하여 습관적으로 생각하는 사람은 자신의 일에 대한 성취 동기가 높고 좋은 결과를 얻는다. 몰입을 시도하는 초기 단계에서는 바로 이 목표 의식과 성취 동기를 분명히 하는 과정이 전제되어야 한다.

자아실현을 위한 몰입

몰입 상태에서는 자아실현을 하고 있다고 느낀다. 심리학에서 자아실현이란 영적으로 성장하고 자신의 잠재능력을 최대로 발휘하는 상태를 나타낸다. 자아실현에 대한 개념은 카를 융Carl Jung이 처음으로 제안하였고, 칼 로저스Carl Rogers도 언급한 바 있다.

특히 에이브러햄 매슬로Abraham Maslow는 인간의 동기부여 이론으로서 욕구 단계설을 제안했는데, 욕구 5단계 중에서 자아실현을 가장 높은 단계에 두었다. 매슬로는 나중에 3단계를 더 추가했다. 다음 페이지에 등장하는 그림은 이 3단계를 추가한 욕구 단계를 도표로 나타낸 것이다. 흥미로운 것은 초월, 영적 상태가 자아실현보다 더 높은 단계에 있다는 것이다. 이 상태는 다른 사람들의 자아실현을 돕는 단계다.

매슬로에 의하면 인간은 낮은 단계의 기본 욕구가 충족되면 더 높은 단계의 욕구를 추구한다. 생리적인 결핍에 대한 욕구가 충족되면 심리학적인 존재 가치, 또는 성장에 대한 욕구를 추구하게 된다. 그러나 초월, 영적 상태는 특이하게도 아래의 모든 단계를 거치지 않고 어떤 단계에서도 추구할 수 있다.

자아실현이란 사람들이 자신의 능력을 최대로 발휘하고자 하는 본능적인 욕구이다. 매슬로가 언급하는 '자아실현에 성공한 사람들'의 심리적 특징과 '몰입 상태의 사람들'의 심리적 특징은 서로

매슬로의 욕구단계

유사한 점이 많다.

몰입 상태에서 자신의 지적 능력이 최고조로 발휘되는 경험을 하고, 이러한 상태가 오래 지속되어 몰입의 결과가 커다란 성과로 완성되는 것을 경험하는 것은 분명한 자아실현이다. 자아실현에서 이야기하는 최상의 경험이 몰입 상태에서 이루어지는 것이다. 자신이 추구하는 일을 수행하면서 평소 자기의 수준으로는 도저히 얻을 수 없는 성과를 계속해서 얻을 때의 기분은 경험하지 않으면 이해하기 어렵다.

몰입 상태에서 경험하는 자아실현과 종교적 초월의 경험이 모두 같은 심리적 특징을 갖지는 않겠지만, 몰입은 그 어떤 것보다 가치관을 변화시키는 놀라운 경험이 될 것이다.

몰입 상태에서 느끼는 종교적 감정의 실체

몰입에 대한 뇌과학적 접근은 몰입 때에 느끼는 감정을 객관적으로 설명해 준다. 하지만 몰입 과정에서 겪게 되는 감정적 변화는 종교적인 감정과 유사한 점이 있다. 몰입적 사고를 하는 방법이 명상과 거의 비슷하다는 것은 바로 이 때문이다.

나는 명상이나 선(禪)을 해본 적은 없지만 몰입적인 사고 활동을 꾸준히 해오는 동안 나도 모르게 어느새 온몸의 힘을 빼고 편안하게 앉아서 해결해야 할 문제를 천천히 생각하고 있는 나를 발견하게 되었다. 그런 자신의 모습을 들여다보고 있자니 이것이 사람들이 말하는 명상이나 선이 아닐까 하는 생각이 들었다. 그뿐만 아니라 수도자들은 명상을 통하여 행복한 상태나 깨달음의 경지에 이른다고들 하는데, 나 역시 유사한 경험을 했다. 내가 풀고자 하는 문제를 더 깊이 이해하고 해결책을 향하여 한 걸음, 한 걸음 나아가는 것이 내게는 곧 깨달음이었던 것이다.

장기간의 몰입적 사고 후에 느끼는 감정은 사람들이 이야기하는 종교적 감정과 상당히 비슷하다. 하루하루의 삶이 감격적이고 세상 모든 것에 대하여 감사할 뿐만 아니라 주위의 모든 것에 감격하며 천국에 온 듯한 순간을 느낀다. 이렇게 살지 못하고, 이런 진리를 깨닫지 못하는 사람들이 모두 애처롭게 보이는 것이다. 독실한 종교 활동을 하는 사람들에게 이런 생각을 말하자 자신들이 경험하는 종교적 감정과 동일하다며 고개를 갸웃거렸다.

몰입을 통해 알게 된 특별한 감정이 종교적 감정과 비슷한 것만은 틀림없는 것 같다. 경건하게 기도를 하는 사람은 고도로 몰입된 상태에 있을 것이다. 특히 좌선이나 염불선 등의 방법으로 대변되는 화두 선의 수행법은 오직 한 가지만 생각하는 몰입적 사고와 비슷한 부분이 무척 많다. 이러한 종교적 감정은 삶에 대한 긍정적인 생각을 갖게 하고 창의적인 영감을 샘솟게 한다.

아인슈타인도 과학자들이 가질 수 있는 이 같은 종교적 감정에 대하여 자주 언급했다. 그는 "뛰어난 과학적 견해는 모두 깊은 종교적 감정에서 나온다. 또한 나는 이것이야말로 우리 시대의 독창적인 종교 활동이라 믿는다"며 의견을 피력한 바 있다. 과학자들은 보편적인 인과법칙에 따라 행동하며, 그들의 종교적 감정은 조화로운 자연의 법칙에 대한 황홀한 경이감으로 표현된다.

이를 두고 아인슈타인은 "모든 시대의 뛰어난 종교가들이 지녔던 종교적 감정과 아주 유사한 것"이라고 갈파하고 있다. 나아가 그것을 전혀 느끼지 못하는 사람에게 이 '무한한 종교적 감정'을 알려주기가 어렵다는 것까지 종교적 특성과 매우 유사함을 지적하고 있다. 뿐만 아니라 탐구와 사고 활동을 '천국으로 가는 길'이라고 표현한 아인슈타인 역시 고도의 몰입 상태에서 연구에 임했으며, 몰입 상태에서 종교적 감정을 자주 경험했음을 짐작하게 하는 대목이다.

몰입과 화두 선의 공통점

내가 개인적으로 경험한 몰입 상태 또한 화두 선의 삼매 상태와 여러 면에서 유사하다고 느꼈다. 내 나름대로 정리한 화두 선과 몰입의 공통점은 크게 네 가지로 나눌 수 있다.

첫째, 몰입 상태의 아이디어, 영감 혹은 해결책은 화두 선의 깨달음이나 깨우침과 비슷하다. 둘째, 몰입 상태에서 아이디어가 어떤 절차 없이 우연히, 혹은 어느 순간 갑자기 떠오른다고 하여 '세렌디피티'의 특징을 보이는데 화두 선에서는 깊고 묘한 교리를 듣고 단박에 깨우친다는 '돈오' 개념을 사용하고 있다. 셋째, 몰입 상태에서는 자나 깨나 주어진 문제를 생각하고 항상 그 생각과 함께 잠이 들고 잠이 깨는데 화두 선에서는 '동정일여'라 하여 일상생활에서 항상 화두를 놓지 않고, '몽중일여'라 하여 꿈속에서도 화두를 놓지 않으며, '숙면일여'라 하여 깊은 잠 속에서도 화두를 놓지 않는다고 한다. 넷째, 몰입 상태에서는 세수할 때나 식사할 때나 걸어갈 때 의도적으로 몰입 상태를 유지하는데, 화두 선에서는 이 내용을 '밥 먹을 때도 하마 그 마음이 흐트러질세라 소중하니 가꾸는 것'이라고 표현하고 있다.

그뿐만이 아니다. 몰입은 들어가는 과정은 힘들지만 일단 들어선 뒤에 그것을 유지하기는 그리 어렵지 않다. 화두 선에도 이와 비슷한 내용이 있다.

'수행 37문 37답'을 보면 몰입의 의미를 그대로 설명해 놓은 듯한 구절이 있다.

Q. 일을 하거나 잠을 잘 때도 삼매에 들 수 있습니까?

A. 자전거의 페달을 열심히 밟아 속도를 내면 운동 관성이 생겨 페달을 밟지 않아도 저절로 가게 됩니다. 수행도 마찬가지입니다. 수행을 열심히 해서 삼매에 들면 수행을 할 수 없는 상태, 즉 말을 하거나 다른 일에 집중하거나 잠을 잘 때도 삼매

의 관성이 있어 수행이 단절되지 않습니다.

몰입에 들어가기 위해서는 문제의 난도가 높아 조금도 진전이 없어야 하는 데다가 주어진 문제를 해결하고자 하는 절실한 감정도 수반되어야 한다. 또한 극도의 지루함을 견뎌내야 하는 과정이 있으며 열애하듯이 오로지 그 문제에만 집중해서 생각해야 한다. 조계종 포교연구실에서 〈불교신문〉에 기고한 '화두의 의미와 역할'이라는 글을 읽어보면 이와 관련한 내용을 알 수 있다.

"화두는 뚫고 나갈 수 없는 관문이다. 문은 문이되 철벽으로 꽉 막힌 문이다. 조금이라도 흠집을 낼 수도 없다. 그 철문은 파서 구멍을 내지도 못한다. 그렇다고 밑으로도 위로도 갈 수가 없다. 그러나 그 문을 열어야만 우리가 살 수 있는 길이 열리는 그런 문이다. 모든 생각할 수 있는 길이 정지된 지점에서 진정 그것이 무엇일까 하는 화두에 대한 간절한 의심이 배어나온다. 도저히 그것을 알고야 말겠다는 갑갑함, 오매불망 사랑하는 연인을 그리워하는 마음으로 화두를 들어야 그 문 없는 문은 열린다. 그렇게 화두에 온몸과 마음이 쏠려야 한다."

마지막으로 몰입적인 사고를 시도할 때 마음의 부담 없이 긴장을 풀고 천천히 생각하지 않거나 규칙적인 운동을 하지 않으면 두통 같은 부작용이 생기는데 화두 선에도 '상기'라 하여 유사한 부작용이 있다. 이처럼 몰입과 화두 선의 공통점을 정리해 보니 몰입 활동 자체가 일종의 수행은 아닐까 하는 생각이 들 정도다. 몰입의 과정에서 느끼는 즐거움과 감정이 종교적으로 느끼는 지극한 희열과는 다소 차이가 있을지라도 궁극적으로 추구하는 방법과 영감에 대한 접근법은 거의 비슷함을 부인할 수 없다.

활동 위주의 몰입과 사고 위주의 몰입

앞에서 설명한 조건과 방법만 따라간다면 어렵지 않게 몰입에 이를 수 있다. 특히 우리가 관심을 가져야 할 대목은 이 모든 것들을 일상생활에서도 얼마든지 경험하고 시도할 수 있다는 점이다. 몰입의 개념은 사실 무척 단순하다. 사람들은 누구나 일상에서 몰입을 경험한다. 어린이들이 컴퓨터 게임을 하거나 어른들이 월드컵 축구 경기를 시청할 때 모두 완전한 몰입 상태에 빠져 있는 경우가 태반이다. 자신이 좋아하고 즐거워하는 일에는 누구나 쉽게 빠져들어 몰입을 경험한다. 더 나아가 이제 우리는 취미생활이나 놀이에 대한 몰입이 아니라 몰입하기 힘든 일에 대한 몰입을 시도해 볼 것이다.

인간의 활동에는 비교적 쉽게 몰입이 되는 활동도 있고 오랜 시간에 걸쳐 노력해야 몰입할 수 있는 활동도 있다. 비근한 예로 테니스와 바둑, 골프를 비교해서 얘기해 보자. 테니스는 활동 위주의 게임이고, 바둑은 사고 위주의 게임이다. 골프는 대략 그 중간 지점에 위치한다고 할 수 있다.

같은 시간을 투자하여 이 세 가지를 배운다고 할 때 몰입을 경험하기에 가장 쉬운 것은 무엇일까? 단순하게 생각하면 몰입하기 가장 쉬운 것이 테니스, 그 다음이 골프, 그 다음이 바둑일 것 같다. 활동 위주의 몰입이 사고 위주의 몰입보다 더 쉽게 터득될 것이라는 생각에서다. '어떻게 몰입을 시작했느냐'라는 질문에 대한 통계라면 앞의 순서가 어느 정도 맞다. 그러나 몰입의 강도나 중독성은 오히려 정반대로 나타난다. 사고 위주의 게임인 바둑이 몰입도가 가장 강하고 그 다음이 골프, 테니스가 가장 낮다.

연구 활동에서도 비슷한 개념을 적용할 수 있다. 실험을 열심히 수행하면서 몰입에 들어가는 경우를 활동 위주의 몰입이라고 하고, 가만히 의자에 앉아 주어진 문제를 종일 곰곰이 생각하면서 몰입에 들어가는 경우를 사고 위주의 몰입이라고 구분해 보면 그 차이점이 분명하게 드러난다.

활동 위주의 몰입과 사고 위주의 몰입은 완전히 주어진 일에만 몰입하는 고도로 집중된 상태라는 점에서 동일하다. 또 생각이나 의식이 연속적으로 그 문제에만 점유되어 있다는 점에서도 차이가 없다. 이들 몰입 모두 시간의 흐름을 지각하지 못하며, 자신과 문제 사이의 일체감을 경험하게 된다. 또한 몰입 상태에 들어가기 위해서 극복해야 할 어려움을 갖고 있는데, 그 어려움을 이겨내고 몰입에 도달하면 즐거움과 쾌감이 쏟아진다. 몰입의 과정이나 결과에서 겪는 감정적 추이에는 별다른 차이가 없는 것이다.

그러나 차이점도 적지 않다. 활동 위주의 몰입은 사고 위주의 몰입에 비해 난도가 낮고 피드백이 빠르다. 몰입이 쉽게 되는 게임, 도박, 운동 등은 성공과 실패의 결과를 빠르게 알 수 있고, 난이도 면에서도 평범한 개인이 특별한 지식이나 노력 없이도 도전해 볼 만한 것들이 대부분이다. 반면 사고 위주의 몰입은 좀체 피드백을 얻기가 어렵다. 한 문제를 계속해서 생각해도 해결책은 묘연하다. 몰입의 기본 요소라 할 수 있는 피드백도 없는 상태에서 몰입을 시도해야 하는 것이다. 게다가 문제의 난이도와 실력의 균형이 맞지 않으면 상상 이상의 어려움을 겪어야 한다. 또 사고 위주의 몰입은 대부분 풀리지 않는 문제에 대해서 생각하는 것이기 때문에 실력에 비하여 난도가 높은 경우가 많다. 사고 위주의 몰입이 활동 위주의 몰입보다 어려운 것은 바로 이 때문이다. 그러나 이런 난관에 굴하지 않고 생각에 생각을 거듭해야만 몰입에 들어갈 수 있다.

사고 위주의 몰입에 도달하기 위해서는 육체를 사용하지 않고 오로지 생각을 통해서만 길을 찾아야 한다. 사고 위주의 몰입은 어렵기는 하지만 일단 들어가기만 하면 아주 작은 노력만으로도 이 상태를 장기간, 혹은 거의 무제한으로 유지할 수 있다는 장점을 갖고 있다. 육체적 노동에 의한 피로가 거의 없기 때문이다. 축구나 농구 같은 운동을 2시간 이상 계속하는 데는 육체적 한계가 있을 수밖에 없다. 그래서 체력이 소모되는 몰입은 장기간 유지할 수 없다.

소니의 전설이 실천한 몰입

활동 위주의 몰입에도 사고력을 요하는 분야가 있다. 바로 실험이다. 언뜻 보면 실험은 사고 위주의 몰입에 속할 것 같지만 몸을 움직여 그 과정과 결과를 직접 확인하는 분명한 활동 위주의 몰입이다.

소니의 수석 상무였던 텐게 시로天外 伺朗는 2007년 〈문예춘추〉 1월호에 기고한 글에서 소니의 '불타는 집단'에 대하여 언급했다. 그는 소니의 신화를 이룩한 '불타는 집단'의 특징을 다음과 같이 설명했는데 이는 활동 위주의 몰입의 전형이다.

"CD 개발 과정에서 디지털 오디오 기기 기술 규격에 관하여 유럽 기업과 격렬하게 경쟁하고 있었을 때, 원래 3~4년 정도 걸리는 업무용 디지털 기기를 반년 만에 만들어냈다. 당시 개발자들에게

무리한 스케줄을 강요하여 철야 개발이 이어졌는데, 그 과정에서 갑자기 뇌에 스위치가 켜진 것 같이 아이디어가 떠오르기 시작했으며 곤란한 문제여도 굴하지 않고 문제를 해결했다."

평범한 엔지니어가 슈퍼 엔지니어가 된 것 같았고, 이 같은 현상은 워크스테이션 'NEWS' 개발 때에도 나타났다. 소니의 독창적인 제품들은 바로 이들 '불타는 집단'에 의해 잇달아 출시된 것이었다.

교세라 그룹의 창업자인 이나모리 가즈오稲盛 和夫회장은 일본에서 살아 있는 경영의 신으로 존경받는 인물이다. 그는 젊은 시절 자신이 다니던 한 회사에서 몰입적인 연구를 한 것을 다음과 같이 회고하고 있다.

"전후 혼란이 계속 되던 시절, 나는 쇼후공업이라는 망해 가는 회사에 입사하게 되었다. '이런 회사에 있으면 큰일이니까 모두들 그만두자'며 서로 불평하던 동기들이 하나둘 떠나고, 다섯 명의 입사 동기 중 홀로 남은 나는 '어차피 갈 곳도 없다. 매일 불평한다고 해서 뾰족한 수가 생기는 것도 아니고 파인세라믹스 연구에나 몰두해 보자'고 다짐했다."

열악한 기반에서 시작한 연구 활동이었지만, 기간이 길어지면서 가즈오 회장은 새로운 경험을 하게 된다. 연구에 몰두하면서 생활 리듬이 바뀌었고 나중에는 기숙사를 오가는 시간마저 아까워 기숙사에 있던 취사도구를 가져와 연구실에서 먹고 자며 연구에만 몰두했다. 그러다 보니 놀라운 성과들이 쏟아져 나오기 시작했다. 연구를 시작한 지 1년 반만에 그는 '마그네슘 감람석'이라는 새로운 파인세라믹스 합성이라는 쾌거를 이뤄냈다. 이는 일본 최초이자 세계 두 번째의 신재료로, 업계의 판도를 바꿔놓기에 충분한 것이었다.

활동 위주의 몰입을 통해 얻은 뜻밖의 성과들

내가 대학에서 지도한 학생 중 하나가 석사 논문에 대한 연구를 하느라, 한 달 정도 연구실에서 숙식을 하면서 집중적인 연구를 한 적이 있다. 그 과정을 1주일 단위로 간추린 내용을 살펴보면 활동 위주의 몰입의 특징이 나타난다.

첫째 주: 4일 정도 연구실에서 숙식

5월 9일, 처음으로 실험에 들어갔습니다. 토요일에 시작해서 금요일 오전까지는 증착을 하고 금요일 오후는 라만분석을 하는 일정으로 잡았습니다. 다음 토요일은 실험 결과를 분석하는 작업을 하기로 했습니다. 첫째 주 실험 결과를 들고 라만분석을 하는데 결과가 좋지 않았습니다.

둘째 주: 4~5일 정도 연구실에서 숙식

이번 주 실험에서도 저희가 원하는 결과를 얻을 수 없었습니다.

셋째 주

실험 결과를 들고 라만분석을 하는데, 저희가 원하는 결과가 나왔습니다. 라만분석을 보고 있자니 마치 로또 번호라도 맞춘 듯한 기분이 들었습니다. 첨가 가스량이 적은 것부터 차례로 분석을 했는데, 첨가량이 증가하면서 마음속으로 그리던 그래프가 그대로 완성되어가는 것이었습니다. 정말 기뻤습니다. 그때의 기분은 세상 무엇과도 바꾸고 싶지 않았습니다.

종합

실험 준비에서 결과가 나오기까지 약 한 달 동안 주말도, 공휴일도 없이 이 실험에만 '올인'했습니다. 누가 시켜서 한 것도 아니었습니다. 단지 제가 너무 하고 싶었고, 실제로 기대했던 실험 결과를 얻을 수 있을지 궁금했기 때문이었습니다.

출퇴근 시간이 지하철로 1시간 20분 정도 걸립니다. 라만분석에 성공하던 전날 밤에도 이 문제를 생각하면서 퇴근길에 올랐습니다. 그런데 평소와 다르게 여러 가지 아이디어가 떠오르는 것이었습니다. 2주가 넘도록 연구실에서 먹고 자며 몰두했지만 도무지 풀리지 않던 실마리들이 하나둘 풀리는 듯했습니다.

그리고 그 아이디어를 바탕으로 한 명확한 실험 계획까지 떠올랐습니다. 평소에는 출퇴근 시간이 마냥 지루하고 길게만 느껴졌는데, 그날 퇴근 시간은 한 30분 지났을까 싶을 정도로 굉장히 짧게 느껴졌습니다.

평소에는 집에 도착하자마자 TV부터 켜는데, 그날은 TV를 켜기도 싫었습니다. 밤도 늦고 피곤한데도 잠이 오지 않았습니다. 머릿속에 떠오른 아이디어를 놓치고 싶지 않았던 것입니다. 노트를 펼쳐놓고 생각을 정리하고 나니 그제야 마음이 편안해졌습니다.

석·박사 과정 중에는 골치 아픈 문제에 직면하여 집중적으로 연구 활동을 하다가 몰입을 체험하는 경우가 적지 않다. 이런 체험을 하게 된 학생들은 희열에 사로잡힌다. 그 순간이야말로 자기 인생의 하이라이트라고 생각하고 영웅담을 늘어놓기도 한다. 이들 대부분은 이 특별한 체험이 인생의 전성기나 중요한 순간에 우연히 얻어진 것이라고 생각한다. 이런 체험을 의도적으로 구현하거나 이런 상태를 원하는 만큼 오래 유지할 수 있다는 생각은 미처 하지 못한다. 그러나 이 특별한 체험은 얼마든지 반복할 수도, 연장할 수도 있다. 물론 이러한 몰입 상태를 오랫동안 유지하려면 몰입하는 동안 신체나 정신적인 무리가 누적되어서는 안 된다. 특히 활동 위주의 몰입은 신체적인 무리를 수반하는 경향이 있어서 장기간 유지하기가 힘들다. 그럴 때는 활동 위주의 몰입에 사고 위주의 몰입을 도입하면 효과를 거둘 수 있다. 마음의 산책을 하듯이 생각의 속도를 늦추고 매일 규칙적으로 운동을 하기만 하면 아무리 오랜 기간을 유지해도 지치거나 부작용이 나타나지 않기 때문에, 그만큼 활동 위주의 몰입을 반복하거나 연장할 수 있는 길이 넓어진다.

능동적인 몰입과 수동적인 몰입

문제 해결을 위하여 몰입을 할 때는 접근 방식이나 자세도 매우 중요하다. 사업을 하다가 부도에 쫓기는 것과 같은 위기 상황에서 스트레스를 느끼며 몰입하기보다는 열애하듯, 보다 능동적으로 주어진 문제를 해결하고자 노력해야 효율을 높일 수 있다. 자신이 해결하려는 문제와 친구가 되려고 하면서 긍정적이고 낙천적인 자세를 가지고 문제를 공략하는 몰입 활동을 추구해야 한다. 이처럼 긍정적인 자세를 갖는 것은 의학적으로도 베타엔도르핀을 분비하여 스트레스를 줄이고 행복감을 증가시킨다고 한다.

즐거움을 원동력으로 하는 능동적인 몰입

우리가 일상에서 가장 쉽게 경험할 수 있는 몰입 경험은 사랑에 빠지는 것이다. 한창 열애에 빠져 상대에게 애를 태우다 보면 그 사람 생각만 하기에도 하루가 짧다. 짝사랑이건 두 사람이 서로 열애에 빠져 있을 때건 마찬가지다. 특히 연애 초기, 열정에 사로잡혀 있을 때는 밥을 먹을 때나 잠을 잘 때, 일을 할 때도 언제나 그 사람 생각뿐이다. 공부를 하려고 책을 펼쳐 들어도 사랑하는 사람의 얼굴이 앞을 가려 아무것도 보이지 않는다. 이렇게 극단적인 몰입이야말로 사랑의 본질이기도 하다. '열애는 곧 몰입'이라는 등식을 성립시켜도 전혀 어색하지 않을 정도다. 이럴 때는 오매불망 밤낮으로 연인에 대한 생각만 머릿속에 가득 차 있다. 바로 이런 몰입이 능동적인 몰입이다.

능동적인 몰입이란 이처럼 즐거움에 의해 빠져드는 몰입을 가리킨다. 오래전, 친구 중 하나가 지금은 그의 아내가 된 여성과 한창 사랑에 빠져 있을 때 심각한 얼굴로 상담을 청해왔다.

"난 말야, 요즘 온통 그녀 생각뿐이야. 그녀를 생각하는 것만으로도 행복하니 달리 설명이 필요 없겠지? 그런데 문제는 밤낮으로 그녀만 생각하다 보니 실제로 그녀를 만났다 헤어져도 내가 진짜 그녀를 만난 것인지, 아니면 나 혼자 상상을 한 것인지 헷갈릴 때가 있어. 좀 문제가 있는 것 같지?"

그때는 나로서도 명확한 해답을 내리지 못했다. 하지만 시간이 지나 돌이켜보니 그 친구는 전형적인 몰입 상태에 빠져 있었던 것이다. "한순간도 당신을 잊어본 적이 없어요"라고 고백하는 연인들이야말로 정말로 강력한 의미의 몰입에 도달해 있는 것이다.

위기 상황의 스트레스에서 시작되는 수동적인 몰입

일상에서 경험할 수 있는 또 다른 형태의 몰입은 위기 상황에 처했을 때 다가온다. 사업을 하는 사람이 부도에 쫓기거나 박사 학위 등의 연구 과정에서 반드시 해결해야 하는 문제가 좀처럼 해결되지 않는 경우 등이 좋은 예가 될 수 있다. 이럴 때 우리는 위기 상황이라는 스트레스에 의해 수동적으로 몰입에 들어간다. 걱정이 되어 그 문제가 머릿속에서 떠나지 않고 이러한 고민 상태가 몇 날, 몇 주, 심지어 몇 달간 지속된다.

수동적인 몰입에서도 몰입에 의한 문제 해결 효과가 나타나는 경우가 많다. '궁하면 통한다'고, 일촉즉발의 순간에 생각하지도 못했던 참신한 아이디어가 떠오르거나 돌파구를 찾아내 고민하던 문제를 극적으로 해결하는 경우는 생각보다 자주 일어난다.

기업가들 중에는 이런 위기 상황과 그에 대처하기 위한 몰입적인 사고를 게임처럼 즐기는 사람도 있다. 수십 년간 사업을 해온 어느 기업가가 "회사가 잘 돌아가면 사업하는 재미는 오히려 떨어지고 부도에 쫓기는 등 약간의 위기 상황을 경험해야 사업하는 재미가 있다"라고 말하는 것을 들었다. 위기 상황이라고 해서 언제나 고통만 주는 것이 아니라, 아이러니컬하게도 몰입의 즐거움을 동반한다는 사실을 극명하게 보여주는 예라 할 수 있다. 사람들이 모험과 스릴을 즐기는 원리와도 비슷한 것이다.

그러나 이와 같이 위기 상황에서 스트레스를 동반하는 수동적인 몰입은 몰입 과정에서 겪은 괴로운 기억 때문에 위기 상황이 아니면 다시는 그 같은 상황을 반복하지 않으려 하는 속성이 있다. 그뿐만 아니라 심각한 스트레스를 받는 상황에서 몰입을 하게 되면 정신 건강에 악영향을 미치는 경우도 많다.

물론 위기 상황이라고 해서 모든 사람이 똑같이 반응하는 것은 아니다. 문제에 대처하는 방식은 사람에 따라 다르다. 주어진 상황에서 걱정만 하는 사람이 있는가 하면, 문제를 해결하기 위하여 차분하고 냉철하게 문제를 분석하고 해결책을 집중적으로 생각하는 사람도 있다. 문제를 해결할 확률은 당연히 후자의 경우가 훨씬 높다. 문제 해결을 위해 필요한 것은 집중적인 노력이지 단순한 걱정이 아니기 때문이다.

수동적인 몰입을 능동적인 몰입으로 전환하는 방법

쫓기는 사슴의 몰입과 쫓는 사자의 몰입은 분명히 다르다. 열애에 빠진 사람이 하는 몰입과 부도에 쫓기면서 사업을 하는 사람의 몰입은 극단적으로 다른 것이다. 전자는 어떤 일을 하는 것이 좋아서 미친 듯이 돌진하는 능동적인 몰입이며, 후자는 그 일을 하지 않으면 큰일 나는 위기 상황에서 일어나는 수동적인 몰입이다. 통상 취미 활동에서는 주로 능동적인 몰입을 하지만 직장에서 직무를 수행할 때는 주로 위기 상황에 의한 수동적인 몰입을 하게 된다. 학생들이 시험 공부를 하면서 경험하는 몰입도 대표적인 수동적 몰입이다.

여기서 우리가 주목할 점은 의도적인 노력을 통해 수동적인 몰입을 능동적인 몰입으로 바꿀 수 있다는 것이다. 몰입에 들어간다는 것은 산만한 상태를 벗어나 고도의 집중 상태로 접어든다는 것을 뜻한다. 그러나 집중도를 올리는 것은 결코 쉬운 일이 아니며 많은 시간과 노력이 필요하다. 문제는 집중도를 필요한 수준까지 올리는 데 허용된 시간이다. 충분한 시간이 주어지면 집중 상태로 가기가 비교적 쉬워 능동적인 몰입을 할 수 있지만, 허용된 시간이 부족할 때는 상황이 달라진다. 단시간에 집중 상태로 들어가는 일 자체가 쉬운 일이 아니다 보니 위기감이 엄습할 때나 몰입이 가능해지고 전반적으로 수동적인 몰입의 양상을 띠게 된다.

등산을 예로 들어보자. 어떤 산의 정상에 올라가는 데 평균 3시간이 걸린다고 하자. 이 산을 2시간 만에 올라가야 한다면 힘이 들 것이다. 이 산을 1시간 만에 올라가야 한다면 이번에는 힘든 것을 지나 고통스러울 것이다. 만약 이 산을 30분 만에 올라가야 한다면 그야말로 지옥의 산행이 될 것이다. 그러나 4~5시간에 걸쳐 천천히 산책한다는 기분으로 올라간다면 등산은 즐거운 놀이로 변한다. 몰입도 마찬가지다. 충분한 시간을 가지고 천천히 들어가려고 하면 수반되는 고통을 최소화할 수 있다. 몰입이 자율적으로 구현되면 더할 수 없는 기쁨을 느끼지만, 사자에게 쫓기는 것 같은 위기 상황에서 구현될 때는 지옥에 빠진 듯 고통스럽다.

충분한 시간을 두고 자율적으로 문제에 대한 몰입도를 올리는 방법이 바로 '천천히 생각하기'다. 천천히 생각하기에 의해 몰입에 들어가는 것은 마음의 산책을 하는 것과 같아 심리적인 부담이 없고 습관이 되면 오히려 즐겁게 실천할 수 있다. 천천히 생각하기는 자율적으로 몰입도를 올리는 데 가장 중요한 요소이다. 6장 몰입에 이르는 다섯 단계에서 자세히 다루겠다.

『18시간 몰입의 법칙』에 이런 말이 나온다. 근무태도가 불성실하다는 이유로 일곱 번이나 직장에서 쫓겨난 사람이 있었다. 출근할 때는 습관처럼 신문을 읽었고 퇴근하면 친구들과 이곳저곳을 배회했다. 식사할 때는 무의미한 잡담을 나누었고 혼자 있을 때는 쓸데없는 생각에 빠져 있었다. 그런 그가 인생을 변화시킬 결심을 했다. "꿈을 실현시킬 수 있는 사업을 하자. 하루 중 10시간은 온 힘을 기울여서 직접 일을 하자. 잠자는 시간을 뺀 나머지 8시간은 머릿속으로 일을 하자. 직접 일하는 시간을 18시간까지 점차 늘려 가자. 무의미한 만남은 갖지 말자. 무의미한 활동 역시 하지 말자. 언제나 지금 하고 있는 일만 생각하자. 그렇게 스스로를 깨어 있는 동안 한 가지 일에 완벽하게 몰입하는 사람으로 변화시키자. 잠잘 때도 일에 관련된 꿈을 꾸자!"

그 후로 그는 초일류 기업 GE를 설립하고 1,093개의 특허를 등록한 20세기 최고의 발명가가 되었다. 그의 18시간 몰입의 법칙은 많은 사람들의 인생을 성공으로 이끌었다.

죽음을 통해 다시 보는 능동적인 몰입

죽음에 대하여 생각하는 것만큼 거부감을 주는 것도 없지만 이보다 더 삶의 의미를 생각하게 하는 것도 없다. 이 거북하고 달갑지 않은 문제를 직시하여 통찰할 때 성숙한 삶을 찾을 수 있다.

칙센트미하이 역시 천재와 평범한 사람의 차이를 죽음을 바라보는 통찰에서 찾았다. 역시 사람들은 위기에 처한 경우에만 최선을 다하고, 위기가 사라지면 최선을 다하려는 동기도 사라진다. 그러나 천재들은 위기 상황뿐 아니라 평소에도 무엇인가를 부단히 추구하고 최선을 다한다. 마치 이들에게 일은 생계 수단이 아닌 삶의 목적으로 보인다. 그러면 왜 이들은 평상시에도 위기 의식을 갖고 최선을 다하는가? 이와 관련하여 칙센트미하이는 다양한 분야에서 위대한 업적을 이룬 사람들과의 인터뷰를 통해, 이들이 최선을 다하려는 공통적인 동기를 찾아냈는데 그것은 다름 아닌 죽음에 대한 공포였다. 이들은 다가올 죽음을 항상 의식하면서 최선의 삶을 살 것을 다짐했던 것이다.

기요르기 팔루디György Faludy는 일곱 살에 시인이 되고자 결심한 이유를 물었을 때 이렇게 대답했다. "죽는 것이 두려웠기 때문이죠." 거의 평생을 몰입 상태로 보내면서 불가사의할 정도로 많은 업적을 낸 전설적인 방랑 수학자 에르되시 역시 어릴 때 죽음의 의미를 깨달았다. "아이들은 자기가 죽는다는 생각을 안 해요. 나도 네 살 때까지는 그랬지요. 그런데 어느 날 어머니와 함께 가다가 그 생각이 잘못되었다는 것을 알았어요. 나는 울기 시작했습니다. 내가 죽는다는 것을 깨달았던 거지요. 그때 이후 나는 늘 좀더 젊어지려고 노력했습니다." 톨스토이는 『인생의 길』에서 "죽음을 망각한 생활과 죽음이 시시각각으로 다가옴을 의식한 생활은 두 개가 서로 완전히 다른 상태이다. 전자는 동물의 상태에 가깝고, 후자는 신의 상태에 가깝다"라고 하였다.

내가 몰입을 하게 된 동기 역시 죽을 때 후회하지 않는 삶, 즉 최선의 삶을 살아야 한다는 생각을 진지하게 하면서부터였다.

죽음에 대한 통찰만큼 최선의 삶을 추구하는 데 중요한 역할을 하는 것은 없다. 그래서일까, 몽테뉴는 "철학을 공부하는 것은 죽기를 공부하는 것"이라는 일갈을 남겼다. 우리가 불멸의 생을 산다면, 혹은 영생을 얻는다면 죽음에 대해서 걱정할 필요가 없다. 그렇지만 그렇게 되면 삶의 의미도 없어진다는 데 문제가 있다. 죽음이라는 개념이 없다면 삶이라는 개념도 성립할 수 없고 우리는 그저 무생물과 다를 게 없는 상황이 된다. 삶을 돌아보는 여유가 있어야 죽음에 대한 통찰도 가능한데, 삶에 쫓기다 보면 다가오는 죽음에 대하여 깊은 성찰의 시간을 가질 여유도 없기 때문이다. 그렇다면 우리의 삶의 가치는 얼마나 될까? 젊음의 가치는 또 얼마나 될까?

사고 실험을 한번 해보자. 수천억의 재산을 가지고 있는 일흔의 재벌이 어떤 젊은이에게 서로의 인생을 완전히 바꾸자고 제안한다면 이 젊은이는 어떤 반응을 보일까? 대부분의 젊은이는 이 제안을 거절할 것이다. 이런 간단한 계산만 해봐도 우리의 인생은 몇천억, 아니 그 이상의 가치를 가지고 있다고 할 수 있다. 동시에 돈과 물질은 인생에서 그렇게 중요한 요소가 아니라는 것도 알 수 있다. 이미 우리는 수억의 돈보다 소중한 인생의 가치를 인식하고 있으니 그 가치에 걸맞은 삶을 살아야 한다.

오늘 하루, 나는 얼마나 가치 있는 시간을 보냈는가? 오늘 하루 내가 한 일들은 어떤 의미를 가지고 있으며, 각각의 활동은 얼마나 가치 있는 것이었나? 이런 일상이 반복된다면 인생의 마지막 순간, 나는 자신의 삶에 대하여 만족할 수 있겠는가? 이 질문이 바로 스스로 몰입을 선택하는 중요한 동기가 된다.

죽음에 대한 통찰은 자기 스스로 죽음의 의미를 가슴 깊이 사무치게 느껴야 한다. 나는 과거 영겁의 세월 동안 세상에 없었고, 앞으로 다가올 영겁의 세월 동안에도 세상에 없을 것이다. 지금 잠깐 존재하는 것뿐이다. 그것도 광활한 우주 가운데 한낱 티끌에 불과한 지구라는 혹성에서 말이다. 이런 식으로 나의 존재와 삶에 대하여 생각하다 보면 나는 언젠가는 반드시 죽는다는 것을 깨닫게 된다.

반드시 죽는다는 점에서 나는 사형수와 같고 시한부 인생을 사는 것이다. 다만 사형 집행일이 언제인지 모른 채 살고 있을 뿐이다. 교통사고로 오늘 당장 죽을지, 암 선고를 받아서 몇 달 후에 죽을지, 아니면 운이 좋아 한 30~40년을 더 살고 죽을지 모른다. 하지만 분명한 것은 머지않아 죽는다는 거다.

우리 인생은 죽음을 향해 질주한다. 결국 우리는 태어나자마자 죽기 시작한다. 이 숙명을 어떻게 받아들여야 하는가? 이 숙명적인 죽음에 대하여 내가 할 수 있는 것은 무엇인가? 죽음에 대하여 내가 저항할 수 있는 것은 무엇인가? 그러다가 중요한 사실을 깨닫게 되었다. 죽음에 대하여 내가 저항할 수 있는 방법을 발견한 것이다. 내가 살아 있는 시간이 유일한 기회이고 이 삶의 기회를 잘 보내느냐 그렇지 못하느냐는 나한테 달려 있다. 서서히 다가오는 죽음에 대하여 내가 할 수 있는 최선은 살아 있는 동안 가장 삶다운 삶을 사는 것이다. 죽음과 크게 다르지 않은, 살아도 산 것 같지 않은, 죽지 못해서 살아가는 삶이 아니라 죽음과 가장 반대되는 삶을 살아야 하는 것이다. 하루하루가 생동감 넘치고 삶의 희열로 꽉 찬, 그리고 작지만 내가 가진 모든 능력을 최대로 발휘하는 그러한 삶을 살아야 하는 것이다. 왜냐하면 살아 있음이 나의 유일한 기회이기 때문이다.

4장

교육과 몰입

생각의 힘을 기르는 학습법

중학교 3학년 때 형에게 들은 이야기 하나가 나의 공부 방법을 완전히 바꿔놓았다. '아이템플'이라는 문제은행이 있는데, 여기에서 수학 문제를 만들어 입시를 준비하는 학교 등에 판매한다는 것이다. 이런 방식은 일본에서부터 유행해 우리가 사용하는 문제집이나 참고서에 있는 많은 문제들이 이 문제은행을 보고 만들어졌다고 했다. 당시 나에게는 실로 놀라운 얘기였다. 수학 문제 하나하나가 전문가들이 노력을 기울여서 만든 것이고, 매우 비싼 값에 판매된다니 생각할수록 신기하고 새로웠다.

이 이야기에 감흥을 받은 나는 다소 엉뚱한 생각을 하게 되었다. 평소 아무 생각 없이 접하던 문제들이 누군가가 많은 노력을 기울여 만든 것이라니 그만큼 가치가 있다는 생각을 하게 된 것이다. 그런데 이 문제를 해답과 함께 판매하는 바람에 가치가 떨어졌으니, 내가 해답을 안 보고 풀어내면 마치 그 문제의 가치에 해당하는 이득을 보게 된다는 생각이 들었다. 반대로 문제가 어렵다고 해서 중도에 포기하고 해답을 보면 그 문제의 효용가치가 사라지므로 그만큼 손해를 보게 된다는 생각이 강하게 나를 사로잡았다.

그 일을 계기로 나는 문제가 풀리지 않더라도 가능하면 해답을 보지 않고 해결하는 습관을 기르게 되었다. 전혀 모르는 문제가 나오더라도 적어도 5~10분 정도는 스스로 풀어보려 노력했다. 물론 문제는 이 시간 안에 풀리는 경우도 있고, 풀리지 않은 경우도 있었지만 이런 경험은 내게 색다른 즐거움을 가져다주었다.

처음에 문제를 대하고 막막하게 느껴질 때는 스트레스가 생기다가 조금 더 생각을 하면 실마리가 드러나는데, 이렇게 공부를 하니까 마치 게임에 도전하는 것처럼 재미가 샘솟는 것이었다. 내가 중도에 포기하고 해답을 보면 게임에서 진다. 따라서 게임에 지지 않으려면 포기하지 않고 계속 생각해야 하는 것이다.

가끔 도저히 풀리지 않는 문제가 나오면 해답을 보곤 했는데, 그럴 때면 문제와의 게임에서 패배자가 된 것 같은 느낌이 들고, 조금만 더 도전해 볼걸 하는 후회를 하게 되었다. 이런 경험이 쌓이자 나중에는 아무리 어려운 문제를 풀어도 해답을 보는 경우가 없었다. 그러다 보니 어려운 문제와 마주치면 10~20분씩 생각하는 것은 기본이고, 몇 시간 동안 문제와 씨름하는 것이 습관이 되었다. 몇 시간 동안 씨름해도 풀리지 않는 문제는 머리에 담고 다니면서 수시로 도전하곤 했다.

모르는 문제에 대하여 몇 시간 동안 생각하거나 며칠 동안 생각하는 것은 더 이상 어려운 일이 아니었다. 또 문제를 풀려고 온갖 생각을 동원하는 과정에서 수학 실력이 빠른 속도로 향상되었다. 그뿐만 아니라 수많은 문제와 씨름하면서 미지의 문제에 대하여 체계적으로 접근하는 방법이 습득되고, 그런 경험이 쌓이면서 점점 더 미지의 문제에 대하여 능숙하게 대처할 수 있게 되었다. 이렇게 며칠이 걸려야 풀리는 어려운 문제를 계속 생각하는 동안 논리적인 사고력이 연마되고 있었던 것이다. 그리고 이런 공부 습관이 나중에 몰입적인 사고를 하는 데 기반이 되었음은 두말할 필요가 없다.

오래 생각하면 결국에는 풀린다

어려운 문제를 풀려면 장기전에 돌입해야 한다. 이를 위해서는 우선 마음의 준비를 해야 한다. 쉽게 풀리지 않는다고 스트레스를 받으면 자기만 손해고, 문제 푸는 데 오히려 방해만 된다. 문제가 쉽게 풀릴 것 같지 않으면 우선 마음을 편하게 가지려고 노력해야 한다. 시간에 쫓기지 말고 문제가 풀릴 때까지 평생이라도 생각하겠다는 여유를 가져야 한다. 이럴 때는 생각의 속도를 느리게 하는 것이 문제를 해결하거나 아이디어를 얻는 데 유리하고, 문제와 오랜 시간을 씨름할 경우에도 쉽게 지치지 않는다.

연구하는 사람들 사이에서도 풀리지 않는 문제와 씨름하는 시간이 자신을 가장 효과적으로 발전시키는 순간으로 여겨진다. 자신의 사고력과 창의력, 연구 능력을 이보다 더 고양시키는 방법은 없다는 것을 터득한 것이다. 따라서 중·고등학교 시절에 이런 습관을 갖게 된다면 나중에 연구 활동을 하는 데 엄청나게 유리할 것이다.

문제를 처음 대했을 때 도무지 어떻게 접근해야 할지 모르고 난감하게 느껴지는 경우, 포기하지 않고 계속 생각하면 고도의 창의적인 두뇌가 활동을 시작한다. 그리고 자신의 두뇌 능력의 한계까지 계속 쓰게 된다. 자신이 풀 수 없을 것 같은 문제를 풀려고 매달릴 때 비로소 자신의 두뇌가 최대로 가동되고 최대의 능력이 발휘되는 것이다. 그러나 배우기만 하고 모르는 문제를 스스로의 힘으로 풀어본 경험이 없는 학생은 사고력이 발달하기가 어렵다. 이미 배운 문제만 풀 수 있고 배우지 않은 문제가 주어지면 배우지 않았기 때문에 풀지 못할 것이라고 생각한다. 이런 식의 학습에 길들여지면 배우지 않은 문제를 푸는 것은 자신의 능력 밖이라고 단정해버린다. 이것은 스스로 자신의 한계를 규정짓는 일이다. 이러한 패러다임으로는 사고력이나 창의력을 발달시키기가 어렵다. 결국 자신이 가지고 있는 무한한 잠재력을 깨우지 못하고 평생을 보내게 된다.

어떤 문제는 1주일 이상을 끙끙대면서 풀고 난 뒤 허망하게 느껴질 때가 있다. 이 문제가 과연 내가 그렇게 오랜 기간을 끙끙대면서 풀 만한 가치가 있었는가에 대한 회의 때문이다. 이런 문제는 논리적 접근을 요구하기보다 난도를 높이기 위하여 특별한 방법을 사용해야 풀리도록 만들어진 것들로, 엄청난 시행착오를 거쳐야만 풀 수 있다.

이런 경험이 반복되면서 나는 문제의 난도는 높지만 오랜 시간 동안 생각할 가치가 있는 문제를 찾게 되었다. 그러다가 발견한 방법이 앞으로 배울 단원의 내용을 공부하지 않은 채 그 단원의 문제를 바로 푸는 것이다. 이런 경우 문제의 난도가 급격히 올라간다. 이때는 보통 용어의 정의 등을 모르기 때문에 아주 쉬운 보기 문제 같은 것을 한두 개 풀면서 용어의 정의 등을 파악한다. 그러고는 바로 그 단원의 어려운 문제로 들어간다. 이런 방식으로 미리 공부하지 않은 단원의 문제를 풀다 보면, 그 단원에 소개되는 학습 내용을 처음 만든 사람의 입장에서 그 문제에 접근하는 효과를 누릴 수 있다. 이런 교육 방법은 이미 오래전에 미국의 저명한 교육학자 존 듀이John Dewey가 제안한 것이다. 그는 이런 교육 방법이 흥미나 동기부여에 탁월한 효과가 있다고 강조했다.

이런 경험은 여러 가지로 유익하다. 오랜 시간을 포기하지 않고 생각하면 아무도 해결하지 못한 문제도 풀 수 있다는 자신감이 생긴다. 또한 앞으로 배울 내용과 개념을 완전히 파악하여 강의를 통해 설명을 듣는 것보다 스스로 생각해 볼 기회를 먼저 갖는 것이 훨씬 더 효과적일 때가 많다.

초등학생이 미적분을 푼다고 모두 천재는 아니다. 해결 과정을 가르쳐주면 누구나 정답을 맞출 수 있다. '진짜 천재'는 자기 스스로 생각해서 그 방법을 찾아낸 사람이다. 항상 스스로 생각하는 것이 중요하다.

창의성과 창의적 노력의 차이

교육에서 가장 중요한 것이 바로 창의성이라고 하면서도 어떻게 해야 창의성을 발달시킬 수 있는지에 대한 실질적인 도움을 받기 어렵다. 여기에 창의성을 개발할 수 있는 학습법을 소개한다.

창의성은 새로운 것을 착안해 내는 능력을 일컫는다. 그런데 새로운 것이라도 유용성이나 효용성이 있어야 한다. 아무리 생각이 기발하다고 해도 실제로 쓰임이 없으면 의미가 없다. 어떻게 학습하는 것이 창의성을 발달시킬 수 있는가는 대단히 중요한 문제이다. 그러나 애석하게도 창의성을 발달시키기 위해서는 창의적인 노력을 많이 해야 한다는 원론적인 조언이 대답의 전부다. 우리는 창의성과 창의적인 노력을 너무 어렵게 생각하는 경향이 있다. 나는 여기에서 좀 더 포괄적으로 창의성과 창의적인 노력을 이야기해 보겠다.

먼저 창의적인 노력을 어떻게 정의해야 하는가? 어떤 사람이 아무도 해결책이나 아이디어를 구하지 못한 문제를 해결했다면 그 사람은 창의적이고 창의적인 노력을 했다고 할 수 있다. 그런데 문제의 난도를 조금 더 높이자 동일한 사람이 그 문제를 해결하지 못했다. 동일한 사람인데도 창의적인 결과가 나오지 않은 것이다. 그렇다면 이번에는 창의적인 노력을 하지 않았다고 할 것인가?

아인슈타인은 몇 달이고 몇 년이고 생각하고 또 생각하는데 그러한 과정에서 99번은 틀리고 100번째가 되어서야 비로소 맞는 답을 얻어낸다고 하였다. 그런데 99번 틀린 경우는 창의적인 노력이 아니고 100번째 맞는 답을 얻어냈을 때만 창의적인 노력을 한 것이라고 보아야 하는가? 결과만 가지고 창의적인 노력을 구분 짓는 것은 잘못이다. 창의적인 노력은 해결책을 모르는 상태에서 해결책을 얻으려고 노력하는 활동이다. 물론 실력 때문에 문제가 해결될 수도 있고 해결되지 않을 수도 있다. 그러나 문제가 해결되지 않은 경우라도 그 활동은 개인의 창의적인 노력이라고 보아야 한다.

자신의 능력을 넘어서는 높은 수준의 문제를 풀려고 노력하는 활동은 적어도 개인의 입장에서는 창의적인 노력이다. 자신의 능력보다 문제가 쉬우면 해결할 것이고 문제가 너무 어려우면 해결하지 못할 것이다. 그러나 자신의 한계를 뛰어넘는 문제를 풀려고 노력하는 활동은 비록 가시적인 결과를 도출해 내지 못한다 하더라도 큰 의미가 있다. 이렇게 난도가 높은 문제를 풀기 위해서는 평소보다 훨씬 더 강도 높은 사고 체계를 가동해야 하기 때문이다. 모르는 문제에 대해 생각하는 과정에서 창의력이 발휘된다.

하지만 두뇌를 많이 사용할 필요가 없는 문제, 처음 대했을 때부터 전혀 어려움 없이 해결책이 쉽게 떠오르는 문제를 푸는 활동은 창의성 발달에는 아무 도움이 안 된다. 이러한 경우는 창의적인 노력을 했다고 볼 수 없는 것이다.

스스로 풀 수 없는 문제를 해결하려고 노력하는 활동을 창의적인 노력으로 인정해 주어야 몇 번의 시행착오 끝에 창의적인 결과가 나오고 창의성이 발달한다. 즉 미지의 문제를 해결하려는 노력 자체를 창의적인 활동으로 인정해 주어야 창의성을 발달시킬 토양이 제공되는 것이다. 바로 이런 토양에서 아무도 해결하지 못한 문제를 해결하는 남다른 능력이 길러진다.

몰입하면
정말 공부를 잘할까?

천재적인 과학자들이 위대한 업적을 성취하는 데 타고난 지적 재능보다 몰입적인 사고가 더 중요한 역할을 한 것처럼, 평범한 사람들에게는 일상 속에서 몰입에 이르는 것이 더욱 중요한 의미를 갖는다. 몰입적인 사고는 지적인 능력을 빠른 속도로 향상시킬 뿐 아니라 학습 속도를 증진시키고, 업무의 효율성을 증대시킨다. 학생들이 몰입적인 사고를 하면서 수학 문제 푸는 것을 훈련하면 빠른 속도로 수학 실력이 향상될 것이고, 직장인들이 몰입적인 사고를 하면서 일을 하면 업무 효율성을 극대화할 수 있다.

학생들이 공부하면서 몰입하는 경우는 주로 시험이 닥쳤거나 시험 기간 중이다. 이런 경우의 몰입은 통상 위기 상황에 의하여 유도된다. 가장 힘들고 괴로울 때가 시험은 다가오는데 좀처럼 공부에 몰입이 안 되고 마음이 산만한 상태로 있을 때다. 이때는 시험에 대하여 걱정은 하는데 몰입도가 낮아 공부는 안 되고 괴로운 시간을 보낸다. 그러다가 위기감이 고조되어 몰입도가 올라가면 공부에 집중하기 시작하고 공부에 대한 거부감도 감소한다. 이는 몰입의 즐거움이 작용하기 때문이다.

시험 공부를 목적으로 몰입도를 올렸다고 하더라도 일단 몰입도가 올라간 상태에서는 무엇을 해도 재미있다. 친구랑 잡담을 해도 재미있고, 시시한 TV 프로를 보거나 따분한 소설을 읽어도 재미있다. 몰입도가 올라가면 학습 효과도 상승하지만, 다른 무엇을 해도 재미를 느낄 수 있는 잠재능력이 올라가는 것이다. 물론 학습 활동이 아닌 활동은 몰입도를 떨어뜨리기 때문에 다시 몰입도를 올리려면 괴로운 시간을 가져야 한다.

몰입도가 높은 상태는 방학 중에 종종 겪게 되는 몰입도가 낮은 권태와는 대조적이다. 방학 중에는 긴장이 풀려서 늘어지게 되고 통상 늦잠을 많이 잔다. 침대에 늦은 아침까지 누워 있는데 컨디션이 좋거나 마음이 편한 것은 아니다. 단지 일어나는 것이 귀찮아서 계속 누워 있는 것이다. 이런 상태에서는 TV도 재미 없고 소설 읽기도 재미가 없다. 이렇게 몰입도가 낮으면 놀아도 재미가 없어서 무엇인가 화끈하고 자극적인 것을 찾게 된다. 예를 들어 가상의 위기 상황을 만들어 몰입도를 올리기 위해 놀이공원을 가거나 공포영화로 스릴을 얻고자 한다.

공부를 할 때도 천천히 생각하기는 자율적으로 몰입도를 올리는 가장 좋은 방법이다. 먼저 온몸에 힘을 빼고 의자에 편하게 앉는다. 그리고 10분 정도 아무것도 하지 말고 눈을 감은 채 자신이 공부하려는 내용을 천천히 생각한다. 즉 뇌파가 알파파가 되도록 유도하는 것이다.

10분 정도 천천히 생각하기가 끝났으면 비교적 난도가 낮은 내용부터 시작하는데, 천천히 진도를 나가서 내용을 충분히 소화해야 몰입도가 조금씩 증가한다. 온몸에 힘을 빼고 의자에 편안히 앉아서 알파파를 유지한 채 천천히 생각하듯이 공부를 하면, 의외로 몰입도를 쉽게 올릴 수 있고 오랜 시간을 지치지 않고 학습할 수 있다. 공부를 하다가 졸리면 의자에 앉은 상태에서 그대로 목을 뒤로 기대고 잠을 잔다. 몰입도를 올리려고 노력하는 과정에는 몰입을 방해하는 요소를 경계해야 한다. 예를 들어 어느 정도 몰입도를 올렸다가도 인터넷을 하거나 TV 등을 보면 몰입도가 현저히 떨어진다.

고도의 몰입 상태에서의 학습효과

고도의 몰입 상태에서 책이나 논문을 읽으면 그 내용에 대하여 파악하고 이해하는 정도와 속도가 평소와는 비교할 수 없을 정도로 깊고 빨라진다. 그리고 그 내용과 관련하여 예전에 불완전하게 알고 있었던 지식들이 보다 확실하게 이해되는 터득된 지식으로 대체된다. 또 이미 알고 있는 지식에 새로운 깨달음이 계속 더해지면서 주변의 다른 지식과 어떤 관련성을 갖고 있는지 깨닫게 되는 경험을 하게 된다. 지식의 편린들이 한데 엮이며 보다 확장해서 적용할 수 있게 되는 것이다.

고도의 몰입 상태에서는 평소보다 많은 양의 책과 논문들을 읽어도 비교적 짧은 시간에 많은 지식을 터득하게 된다. 개인적으로 나도 몰입 상태에서 몇 년간 깨우친 지식과 개념이 대학과 대학원 전 과정에서 깨우친 양보다 훨씬 많다. 더 재미있는 것은 이때 깨달은 지식 중에는 책에는 구체적으로 설명되어 있지 않은 내용도 많다는 점이다. 이들 지식은 기존의 지식에서 내가 문제를 풀기 위하여 변형한 형태이거나 수학의 따름정리 같은 것으로, 성립하는 것은 명백한데 교과서 등에는 언급되어 있지 않은 것들이다. 이런 것들은 책에도 없고 남들이 전혀 알지 못하는 것으로, 관련된 문제를 해결할 때 강력한 도구가 된다. 이러한 도구를 사용하여 문제의 해답을 쉽게 끄집어내면 남다른 통찰력이 돋보일 수밖에 없다.

초보자를 위한 사고력 훈련법

초보자들이 사고력 훈련을 할 때는 비교적 쉬운 문제를 활용하는 것이 좋다. 사고력 훈련이 충분하지 않은 초보자들이 너무 어려운 문제를 만나게 되면 스트레스가 쌓여서 집중력이 흐트러지고 학습의 리듬이 깨질 수 있기 때문이다.

예를 들어 난도가 낮은 문제는 문제를 읽는 것만으로 풀리기도 하고 연필을 들고 몇 차례 시행착오를 하다 보면 풀리는 경우도 많다. 그러나 이런 방식으로 공부하면 두뇌 활동을 거의 하지 않게 되므로 학습 효과도 적고 사고력 발달도 기대하기 어렵다.

이 경우, 두뇌 활동을 늘리고 사고력을 발달시키기 위해서는 먼저 문제를 충분히 읽어서 완전히 이해한 후 문제를 덮고 연필도 책상 위에 놓아둔다. 그리고 가만히 앉아서 생각만 한다. 생각만으로 이 문제를 푸는 방법에 대해 대략적인 구상을 하는데, 이렇게 문제를 덮고 나면 생각을 해야 하는 양이 늘어나서 머리를 쓸 수밖에 없다. 책을 덮었기 때문에 문제를 다시 볼 수도 없으니 문제의 난도는 높아질 수밖에 없다. 물론 문제가 제대로 기억나지 않는 부분은 책을 펼쳐 다시 보면 된다.

이와 같이 문제를 읽은 후 덮어두고 생각만으로 풀려고 하면 문제를 푸는 데 소요되는 시간이 길어진다. 하지만 문제의 난도 자체는 그리 높지 않으므로 스트레스가 크게 작용하지는 않는다. 문제를 푸는 전략이나 구상이 떠오를 때까지 계속 생각한다. 전략이나 구상이 떠오르면 그 다음은 단순한 계산 작업인 경우가 많다. 따라서 전략이나 구상이 떠오르면 다시 책을 펼쳐놓고 문제를 보면서 구체적인 수치를 적용하고 계산을 해서 답을 얻어낸다. 이 단순 계산 과정은 고도의 두뇌 활동을 요구하지는 않지만 이 과정을 생략하면 실제 시험에서 계산 실수가 많아지므로 직접 훈련해 보는 것이 좋다.

초보자들이 이런 방식으로 공부를 하다 보면 은근한 두통을 느끼게 될 것이다. 이는 두뇌를 사용하면서 자신도 모르게 긴장을 했다는 뜻이다. 이때도 천천히 생각하는 것이 좋다. 천천히 생각하면 지치지도 않을뿐더러 더 깊은 집중이 이루어져 생각하는 것을 쉽게 즐길 수 있기 때문이다. 물론 쉬운 문제를 천천히 생각하면 빨리 생각하는 경우보다 문제를 푸는 시간은 더 걸린다. 그러나 천천히 생각하는 훈련을 충분히 하는 것이 더 높은 단계로 발전하기 위하여 바람직하다.

천재성을 일깨우는 생각의 힘

손가락으로 셈을 하는 어린이들에게 손가락을 사용하지 말고 셈을 해보라고 하면, 문제의 난도가 급격히 올라가면서 아이들은 더 수준 높은 사고를 해야 한다. 이러한 방식으로 아이가 싫증을 느끼지 않고 재미를 유지할 수 있도록 난도를 조절하여 문제 푸는 훈련을 시키면 아이의 사고력은 놀라운 속도로 발전한다. 또한 적절한 칭찬을 던져주면서 난이도를 조절해 나가면 아이는 문제를 또 내달라고 조를 정도로 재미를 느낀다.

이렇게 어릴 때부터 난이도를 조절하면서 수준 높은 사고를 훈련하는 것이 바로 영재교육이다. 사고력을 향상시키는 교육, 그리고 사고의 즐거움을 경험하게 하는 것은 빠를수록 좋다. 반대로 단순한 주입식 교육에 의한 선행학습은 아무리 어릴 때 시작해도 결코 영재교육이 될 수 없음을 기억하라.

대부분의 사람들은 초등학교에서 대학, 또는 대학원까지 대략 20년 동안 비슷비슷한 학습을 한다. 이처럼 학습을 통해서 지식의 경지에 이를 수도 있다. 하지만 이런 식의 학습은 독창적이고 유용하다는 평가를 받기가 힘들다. 요즘처럼 인터넷이 발달된 사회에서는 거의 모든 지식이 공개되어 있고, 누구나 쉽게 접근할 수 있기 때문이다.

그 가치를 높게 인정받을 수 있는 것은 사고력, 창의력, 문제 해결 능력이다. 이러한 능력은 아무리 발달시켜도 부족할 만큼 중요하다. 따라서 20년간의 학습 기간 동안, 미지의 문제를 스스로 생각해서 해결하는 훈련을 통해 문제 해결의 경지에 이른다면 더 이상 바람직한 학습 방법은 없을 것이다.

하지만 안타깝게도 현재의 입시 위주 교육은 지식 습득을 위한 교육에서 벗어나지 못하고 있다. 시험을 잘 보기 위해서 책이나 노트에 있는 내용을 암기한다. 그런데 막상 사회에 나가서 일을 하면 너무나 복합적이고 다양하고 예측하기 어려운 문제들을 해결해야 한다. 학교에서 배운 내용을 그대로 적용할 수 있는 경우는 거의 없고, 자신이 갖고 있는 지식과 원리를 다양한 상황에서 응용해야 한다. 따라서 사고력으로 무장되어 있지 않은 단순한 지식은 효용 가치가 급격히 떨어지고 만다.

게다가 실제 상황에서는 책이나 노트를 보고 지식을 활용할 수 있고, 도서관의 문헌 정보나 인터넷 등을 활용해 효율을 높일 수도 있다. 시험을 칠 때와는 달리, 사회에서는 필요한 정보를 최대한 동원해서 참고하고 사용하는 것이 정당하고 당연한 일이다. 따라서 책에 있는 내용을 머리에 모두 암기하는 것 자체는 별로 유리할 것이 없다. 아무도 해결하지 못한 중요한 문제들은 단순 지식으로는 풀리지 않기 때문이다. 이러한 문제를 해결하려면 이미 습득한 기본 원리를 응용한 수준 높은 사고력이나 창의력이 빛을 발휘해야 한다.

수학 천재를 만든 지독한 의지와 근면성

역사적으로 뛰어난 과학자 중에는 독학으로 새로운 분야를 개척한 이들이 많다. 어떤 내용을 남에게 배우지 않고 스스로 깨우치려면 자연스럽게 생각을 많이 해야 한다. 이런 점에서 보면 독학도 영재교육의 한 방법이 될 수 있다.

예를 들어 뉴턴은 미적분 등 수많은 수학적 업적을 이룩했지만 중학교 때까지 수학은 구경조차 해보지 못했다. 『프린키피아의 천재』를 보면 그가 어떻게 혼자서 기하학을 터득했는지 알 수 있다. 그는 데카르트의 『기하학』을 구입하여 혼자서 읽는 동안 수없는 난관에 봉착해야 했다. 두세 장, 서너 장을 넘어갈 때마다 이해할 수 없는 구절들이 앞을 가로막았기 때문이다. 이때마다 그는 지독한 의지와 근면성을 발휘했다. 그는 주저 없이 책장을 맨 앞으로 넘겼고, 되돌아가 다시 처음부터 시작하여 조금씩 진행해 나갔다. 이런 식으로 계속하여 그는 어느 누구의 도움이나 가르침을 받지 않고 전체 내용에 정통하게 되었다.

1분밖에 생각할 줄 모르는 사람은 1분 걸려서 해결할 수 있는 문제밖에 못 푼다. 60분 생각할 수 있는 사람은 그보다 60배나 난도가 높은 문제를 해결할 수 있으며, 10시간 생각하는 사람은 그보다 600배나 난도가 높은 문제를 해결할 수 있다. 하루에 열 시간씩 10일을 생각하는 사람은 6,000배의 난도까지, 100일을 생각하는 사람은 6만 배의 난도까지 해결할 수 있다.

보통 사람이 해결할 수 있는 문제보다 수십 배 혹은 수백 배 어려운 문제를 해결하는 사람을 영재라 하고, 수천 배 혹은 수만 배 어려운 문제를 해결하는 사람을 천재라고 한다면, 앞에서도 언급한 것처럼 천재와 보통 사람 사이의 지적 능력 차이는 질보다는 양의 문제이다. 풀리지 않는 문제를 오랜 시간 생각하여 스스로 해결하는 것이 최선의 학습 방법이라고 한다면 영재교육은 아이들에게 난도가 높은 문제를 내주고 오랜 시간을 생각하여 스스로 해결하도록 유도하는 교육일 것이다.

교육의 효과는 보통 10년이나 20년 이상 시간이 지난 뒤에 나타나기 때문에 어떤 방식의 교육이 좋았는지 나빴는지를 추적해서 알아내기란 쉽지 않다. 그러나 동일한 교사가 여러 명의 뛰어난 인물을 배출한 경우 손쉽게 교육 방식의 효과를 짐작할 수 있다.

영재교육의 선구자

고등학교 교사로서 제자 중에 뛰어난 과학자를 가장 많이 배출한 라즐로 라츠László Latz가 바로 그런 인물이다. 부다페스트 루터교의 수학 교사인 라츠는 남다른 교육 방식을 갖고 있었다. 라츠가 아이들에게 영향을 미친 중요한 요인은 두 가지였다. 첫째, 그는 아이들의 재능을 알아보고 믿고 배려했으며, 둘째, 특별한 과제를 주고 다른 아이들보다 더 훈련을 시키면서 관심을 보였다.

또 교내 수학 잡지에 한 달에 한 번씩 새로운 문제를 출제해 아이들에게 지적인 자극을 제공했다. 이 문제들은 고등학생들이 한 달 동안 몰입하여 풀어야 할 정도로 어려웠다. 아이들은 이 문제를 풀기 위해 경쟁적으로 몰입적인 사고를 해야 했다. 이러한 경험은 아이들에게 어려운 문제를 가지고 지속적으로 사고하는 습관을 만들어주는 동시에 깊고 날카롭게 생각하는 사고력을 발달시켜주었다. 이 아이들이 훗날 과학자나 수학자로 대성한 것은 당연한 결과일지도 모른다.

1963년에 노벨 물리학상을 수상한 유진 위그너Eugune P. Wigner는 라즐로 라츠 선생 덕분에 수학에 대한 관심을 갖게 되었다고 밝힌 바 있다. "라츠 선생님만큼 학생들에게 문제 의식을 일깨워준 분은 없을 겁니다"라고 말하며 그의 인생을 바꾼 선생님으로 라츠를 손꼽았다. 오늘날의 컴퓨터 이론을 최초로 탄생시킨 수학자 존 폰 노이만John Von Neuman 원자폭탄의 아버지라 불리는 물리학자 실라드 레오Szilárd Leó와 수소폭탄의 아버지라 불리는 에드워드 텔러Edward Teller 역시 라츠의 가르침을 받았다. 전설적인 수학자 폴 에르되시도 라츠에게 직접 배우지는 않았지만, 라츠가 교내 수학 잡지에 매달 출제한 문제를 풀었다고 하니, 라츠의 교육 방식은 영재교육의 표본으로 주목할 가치가 있다.

노벨상 수상자들의 물리 선생님, 베이더

성공적인 영재교육으로 알려진 또 다른 예는 물리학자 리처드 파인만과 줄리안 스윙거의 고등학교 물리 교사였던 베이더Abram Bader다. 베이더는 재미있고 도전적인 물리 문제로 스윙거에게 최소작용원리least action principle를 제시하였고, 몇 년 뒤 파인만에게도 같은 문제를 제시하였다. 파인만과 스윙거 모두 나중에 최소작용원리와 관련된 업적으로 노벨상을 수상한 점을 보면 베이더의 영향력이 적잖은 힘을 발휘했음을 짐작할 수 있다. 파인만은 베이더에 대해 다음과 같이 회고한다.

> 어느 날 수업 끝에 베이더 선생님이 나를 불렀다. 그러고는 '네가 수업 시간에 지루해하는 것처럼 보이니 재미있는 문제를 하나 내주마' 하면서 문제 하나를 내주었다. 나는 그 문제에 완전히 매료되었고, 지금까지도 계속 그 문제에 매료되어 있다. 그 문제가 바로 최소작용원리다.

파인만은 전형적인 몰입적 사고로 물리학의 난제들을 해결한 과학자이다. 그는 자신의 이러한 성향이 어릴 때의 사고 훈련과 사고하는 습관에서 비롯된 것임을 부인하지 않는다. 파인만은 베이더의 특별한 교육 방법을 충실히 따른 결과, 노벨상이라는 엄청난 성과에 이르게 된 것이다.

이 이야기는 재능이 뛰어난 학생에게 난도가 높은 문제를 제시하여 지속적으로 깊은 사고를 하도록 유도하는 것이, 창의력과 사고력을 발전시키는 데 얼마나 큰 영향을 미치는가를 잘 보여준다.

몰입적 사고를 실천하는 유대인 영재교육

역사적으로 성공적인 영재교육으로 평가되는 라츠와 베이더의 예를 간직한 학교의 배경을 조사해 보면 한 가지 공통점을 발견할 수 있다.

그것은 헝가리 부다페스트에서 라츠가 가르쳤던 학교와 미국 뉴욕에서 베이더가 가르쳤던 학교 모두 유대인 학교라는 것이다. 영재교육에 관심을 갖고 자료를 추적하던 중 나는 유대인 교육의 특징을 파악하게 되었다.

유대인들의 교육이야말로 어릴 적부터 사고하는 습관을 갖게 하고 끊임없이 사고하도록 유도하여 결국에는 몰입적 사고를 할 수 있는 사람으로 만드는 가장 이상적인 교육이었다.

노벨상을 휩쓰는 유대인들

전 세계 유대인은 약 1,500만 명이라고 한다. 미국에 690만 명, 이스라엘에 670만 명이 살고 있으며, 나머지는 세계 각지에 퍼져 있다. 서울과 서울 근교의 인구를 합한 것보다 적은 인구다. 그런데 노벨상 수상자 가운데 유대인은 몇 명이나 될까? 노벨상이 제정된 1901년부터 현재까지 유대인 노벨상 수상자는 무려 900명에 이른다. 이는 노벨상 전체 수상자의 23%를 차지하는 숫자다. 수상 분야는 주로 물리, 화학, 의학·생리, 경제학으로, 상대적으로 평화상과 문학상의 비율은 낮다. 과학과 경제학 분야만 고려하면 전체의 삼분의 일이 넘는 숫자니 실로 놀랄 만한 일이다.

그뿐만 아니다. 미국 아이비리그 대학 교수의 20%가 유대계이고 미국 100대 부호 중 20%가 유대계라고 한다. 정재계 유력 인사들도 만만치 않은데, 전 연방준비제도 이사회 의장이었던 앨런 그린스펀, 골드만삭스 회장직을 그만두고 미 재무장관직을 수행한 로버트 루빈과 헨리 폴슨, 그리고 하버드 대학 총장을 역임했던 로렌스 서머스 전 재무장관, 구글의 창시자 중 한 사람인 세르게이 브린, 마이클 블룸버그 뉴욕시장과 매들린 올브라이트 전 미국 국무장관 등 헤아릴 수 없이 많은 사람들이 유대계다. 미국의 학계, 재정경제계, 정치계 등을 유대인이 주름잡고 있다고 보면 된다. 이 정도면 유대인들이 집단적으로 영재교육을 한다고 생각하는 것도 무리가 아니다. '유대인 교육이 바로 영재교육'이라는 등식이 성립되는 것이다.

유대인 교육의 일곱 가지 특징

유대인 사회에는 '랍비'로 불리는 지도자가 있다. 랍비는 유대인 중에서 가장 영예로운 위치이며 모든 사람이 랍비가 되기를 소망한다. 랍비에게 요구되는 가장 중요한 덕목은 바로 머리가 뛰어나야 한다는 것이다. 일단 랍비로 선정된 사람은 다시 그 구성원들에게 가르침을 계획하고 전달하게 되는데, 지도자와 구성원들 사이에 이렇게 상호 피드백을 주고받는 동안 상승작용이 일어나 유대인 전체가 점점 더 머리가 뛰어난 집단으로 바뀌어가는 것이다.

유대인들에게 일어나는 이러한 선순환은 이들의 교육적 특징에 잘 드러나 있다. 유대인 자녀 교육의 특징은 머리가 뛰어난 랍비들이 지혜를 모아 『구약성서』에 기반을 두고 오랜 기간에 걸쳐 발전시켜왔다는 것이다. 유대인의 자녀 교육만큼 체계적이고 표준화되어 있는 체계는 세계 어느 나라에도 없다. 유대인 자녀 교육은 일곱 가지 측면에서 특징지을 수 있다.

1. 자녀 교육은 부모의 의무이다

특히 종교적 가르침에 근거하여 유대인 어머니들은 여성이야말로 최초의 교육자이며, 자녀들을 가르치는 의무는 당연히 여성의 몫이라는 자부심을 가지고 있다. 영어의 'Jewish Mother(유대인 어머니)'란 말이 가지고 있는 몇 가지 의미 중에 하나는 '자녀들에게 배움의 필요성을 지겹도록 강조하는 극성스러운 어머니'란 뜻이라고 한다. 이 말처럼 유대인 부모들의 뛰어난 교육열을 잘 드러내는 말도 없을 성싶다.

2. 부모는 자녀의 신세를 지지 않는다

부모는 끝까지 부모 역할을 해야 한다고 믿는다. 늙거나 병이 들어도 자녀에게 신세지는 것을 싫어한다고 한다. 부모에게 받은 만큼 자녀들에게 베풀라고 가르치되, 그 대가로 자녀에게 신세를 지는 것은 수치로 여긴다. 부모는 주기만 하고 자녀는 받기만 하는 것이다. 부모가 이만큼 해주었으니 자녀도 그만큼 부모에게 보답해야 한다고 생각하는 우리의 사고방식과는 전혀 다르다.

이런 식의 사고방식은 교육의 관점이나 방식도 크게 바꾸어놓는다. 우리나라 부모들이 자녀 교육을 위해서 희생을 감수하는 배경에는 순수하게 자녀가 잘되기를 바라는 마음도 있지만, 부모가 나이 들면 자녀가 부모를 책임지는 전통에 은근히 기대하는 마음도 있다. 우리나라에서 자녀의 출세는 곧 부모의 호강을 의미한다. 그러다 보니 높은 교육열의 장기적인 목표는 출세이고, 단기 목표는 명문대 진학에 집중되어 있다. 사고력 향상을 위한 교육 방식 같은 건 관심도 없다. 바로 이런 태도가 우리가 유대인들 못지않은 높은 교육열을 가지고 있으면서도 과학 분야에서는 단 한 사람의 노벨상 수상자도 배출하지 못한 결과를 초래한 것이다.

3. 몸보다 머리를 써서 살도록 가르친다

유대인들은 어릴 때부터 유대인답게 사는 것은 몸보다 머리를 써서 사는 것이라고 가르친다. 어릴 때부터 체계적으로 생각하는 것이 좋은 것임을 강조하고 각인시킨다. 이 아이들은 머리가 좋게 태어났다기보다는 머리가 좋아지도록 교육받는다. 아이들이 항상 머리를 사용하도록 유도하는 교육 체계라 할 수 있다. 또한 그들은 이러한 메시지를 유대인의 성전인 『탈무드』 속에 이야기 형태로 엮어서 전달한다.

유대인들은 아이에게 학문을 가르치는 것이 목적이 아니라, 학문을 배우고 자기 것으로 만드는 방법을 가르치는 것이 교육이라고 믿는다. 따라서 주입식 교육이 아닌, 원리를 터득하고 사고력과 응용력을 길러주는 교육법을 사용한다. 이와 같이 유대인 자녀들은 최대한 머리를 활용하는 환경에서 자라고 있다. 주입식 교육을 터부시하는 유대인 교육에서는 심지어 구구단도 외우지 않는다고 한다.

4. 생각을 유도하기 위해 계속 질문한다

교사가 일방적으로 수업을 진행하기보다는 대화식, 질문식, 토론식 교육을 주로 한다. 『탈무드』는 "교사는 혼자만 알고 떠들어대서는 안 된다. 만약에 아이가 잠자코 듣기만 한다면 앵무새들을 길러내는 것에 다름없기 때문이다. 교사가 이야기하면 아이는 반드시 그것에 대한 질문을 해야 한다. 어떤 문제에 대해서건 교사와 아이 사이에 주고받는 말이 많이 오가면 교육 효과는 그만큼 커지게 마련"이라고 가르치고 있다.

유대인 교육의 핵심인 대화법은 교사나 부모에게 상당한 인내와 끈기를 요구한다. 예를 들어 아이가 장난감 가게에서 인형을 사달라고 조르면 부모는 몇 시간이 걸리건 왜 사줄 수 없는지 아이에게 설명하고 동시에 부모도 아이의 말을 귀담아 듣는다. 학교 수업에서도 선생님의 설명이 끝나면 아이들은 끊임없이 질문하고 대화한다. 이렇게 교육받은 아이들은 끊임없이 질문하고 대화하는 것이 습관화된다.

5. 배움은 꿀처럼 달콤하다는 것을 반복 체험시킨다

아이가 공부하는 것이나 학교에 가는 것에 싫증내지 않도록 하려면, 배움이 달콤한 꿀과 같다는 지혜를 터득하도록 해야 한다. 그래서 유대인 초등학교 교사는 1학년 어린이들 앞에서 히브리어의 알파벳 22자를 벌꿀이 묻은 손가락으로 써나간다. 그런 뒤 "이제부터 너희들이 배우는 것은 모두 여기 쓴 22자에서 출발하며, 더구나 그것은 벌꿀처럼 달고 맛있는 것"이라고 가르친다. 또 신입생 모두에게 케이크를 주는 학교도 있다. 새하얀 설탕으로 뒤덮인 맛있는 케이크 위에는 히브리어 알파벳이 설탕으로 씌어 있다. 어린이들은 교사에게 이끌려 설탕의 알파벳을 손가락으로 더듬어가면서 단맛을 맛보게 된다. 이 역시 '배움이란 꿀처럼 달다'는 사실을 가르치는 좋은 방법이다.

6. 유대인으로서의 정체성을 교육한다

유대인들은 아이들에게 '선택된 민족'이라는 자부심과 긍지를 심어주고 기회가 있을 때마다 자기 민족의 위인들에 대해 이야기한다.이들이 민족적 자부심을 느끼는 것이 당연할 정도로 각 분야에서 뛰어난 업적을 낸 유대인들이 많다. 물리학자들뿐만 아니라 사상가, 경제학자를 비롯해 예술, 문화 분야에 이르기까지 수많은 유대인들이 거의 모든 분야에서 다양한 업적을 남겼고, 지금도 왕성하게 활동하고 있다.

물론 민족적 우월감과 더불어 그들이 겪어온 고난의 역사도 중요한 교육 내용의 하나다. 이들은 자녀들에게 아우슈비츠 수용소에서 죽어간 동포의 비참한 모습을 그대로 보여준다. 그렇게 비참한 일이 두 번 다시 반복되어서는 안 된다는 역사적인 교훈을 심어주는 것이다.

오랜 세월 나라를 잃은 채 어려움을 겪으며 살아야 했던 유대인들에게 민족적 우월감은 그들의 정체성을 지탱하고 명맥을 유지하는 힘이 되었을 것이고, 민족적 긍지와 함께 뿌리 깊은 자신감을 제공했을 것이다. 자신감은 내적인 목표의 기준을 높여주는 중요한 요소다. 즉 꿈과 인생의 목표를 높게 설정하는 것이다. 높고 확고한 인생의 목표를 설정하는 것은 우리 신체의 목표지향 메커니즘을 가장 잘 활용하는 방법이다.

또 어린 시절에 처절한 고난의 역사를 인식하는 것은 사람을 정신적으로 성숙하게 하는 큰 역할을 한다. 이런 교육을 통해 얻은 생각의 깊이와 정신적인 성숙은 평생 동안 자신을 나태하거나 방탕한 길로 접어들지 않게 하고, 작은 성취에 만족하거나 주저앉지 않게 하며 인생의 높은 목표를 향해 부단히 노력하게 만드는 요소가 된다. 이러한 의미에서 유대인들의 정체성에 대한 조기 교육은 민족적 우월감과 고통의 역사에 대한 인식이 절묘하게 조화를 이루며 인생의 목표를 높이는 상승작용을 하는 것으로 보인다.

7. 성전을 통해 교육철학을 전수한다

모든 유대인 어머니는 『탈무드』나 『타라』 같은 성전을 통하여 아이들에게 동일한 교육철학과 방법으로 가르친다. 뛰어난 랍비들의 지혜를 축적하여 이상적인 자녀 교육의 틀을 만들고 이것을 이야기 형식으로 엮어 대대로 전수한다. 이러한 시스템 역시 유대인들만의 독특한 특징이다. 이처럼 사고력을 중시하는 경향은 가정이나 어머니들에게만 국한된 것이 아니다. 학교나 교사 집단 전체가 동일한 철학을 가지고 사고력을 중시하는 교육을 시행하고 있다.

사고력을 높이는 질문식 교육법

사각형의 넓이를 학습한 후, 삼각형의 넓이를 배우려는 초등학교 4학년 학생이 있다. 기존의 수업에서는 삼각형이 사각형의 절반이므로 넓이는 '(밑변×높이)÷2'라는 공식을 가르쳐준다. 그리고 밑면과 높이가 무엇인지 설명하고, 비슷한 문제를 복습하게 하여 삼각형 넓이를 구하는 법을 익힌다. 그런데 이러한 교육은 삼각형의 넓이를 구하는 지식은 알려주지만, 사고력을 높여주지는 않는다. 그럼 사고력을 키우기 위해서는 어떻게 가르쳐야 할까. 열쇠는 '질문식 교육'에 있다.

질문식 교육은 공식을 일체 설명해 주지 않고, 아이 스스로 해결하도록 먼저 문제를 제시하는 방식의 교육법이다.

문제가 주어지면 아이는 자신이 이전에 배운 모든 지식을 총동원하여 스스로 해결하려고 노력한다. 이때 뇌 속에서 여러 지식들이 끄집어내지고 통합되는 활발한 사고 활동이 일어나며, 이 과정에서 아이는 지식을 습득함과 동시에 사고력을 훈련하게 된다. 질문식 교육이 효과적으로 적용되기 위해서는 첫째, 아이의 수준에 따라 난이도가 적절한 문제를 내주어야 하고 둘째, 내용 습득에 도움이 되는 핵심적인 질문을 만들어야 하며 셋째, 가르치는 사람이 그 분야에 대한 깊이 있는 지식을 갖추어야 함을 알아두자.

가벼운 질문으로 시작하자

질문식 교육이라도 시작은 아이의 수준을 점검하는 정도의 가벼운 질문으로 하는 것이 좋다. 5~10분 생각하면 풀릴 만한 질문이 적당하다. 삼각형의 넓이를 가르치는 것을 예로 든다면 첫 과제는 밑변이 5cm이고 높이가 5cm인 직각이등변 삼각형(그림 1) 넓이 구하기 문제가 좋다. 사각형의 넓이를 공부했기 때문에 오래 걸리지 않아 정사각형의 절반이 정답이라는 걸 알

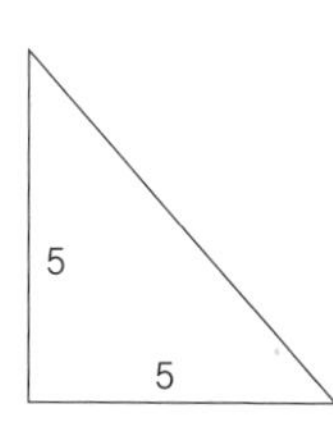

| 그림 1 |

게 된다. 이 단계에서는 무엇보다 아이가 주어진 질문에 답을 구하기 위해 열심히 생각하는 분위기를 조성하는 게 중요하다.

곰곰이 생각하자

질문의 난도를 높인다. 만약 아이가 풀지 못하더라도 그 내용을 배우기 전에 충분히 생각하는 것만으로도 사고력은 향상된다. 난도는 높지만 아이가 충분한 시간을 가지고 생각할 필요가 있는 문제라면 1~2주 전에 미리 과제로 내주면 좋다. 삼각형의 넓이를 구하는 경우에는 밑변이 8cm이고 높이가 5cm인 예각삼각형(그림 2) 문제가 좋다. 이 단계에서는 문제를 오래 생각하도록 격려하고 적당한 힌트를 주는 것이 효과적이다.

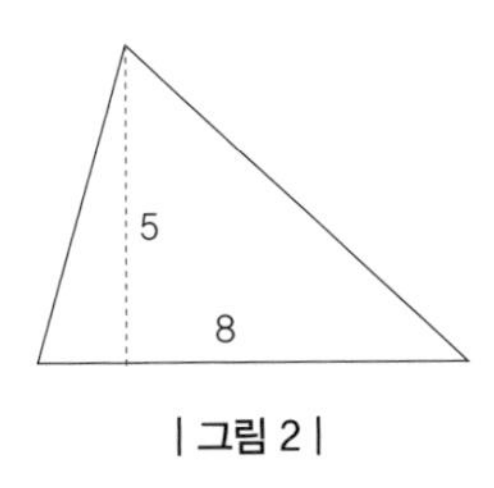

| 그림 2 |

난도가 높은 문제로 사고력을 훈련하자

난도가 낮은 문제는 학습에 대한 거부감을 줄여주고 흥미를 자극하는 효과가 있다. 난도가 높은 문제는 도전 정신

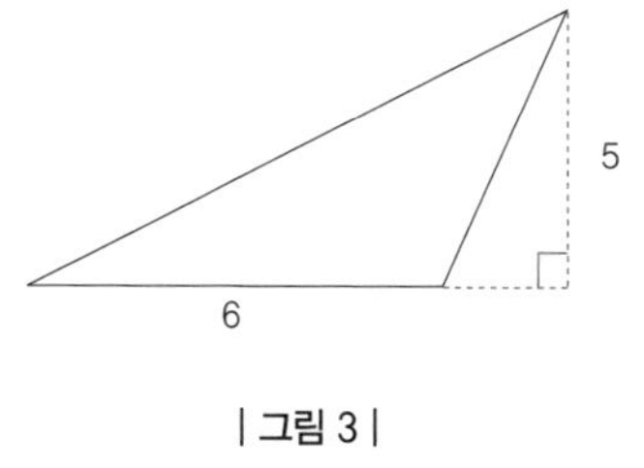

| 그림 3 |

을 자극하고 지속적으로 깊게 생각하는 것의 필요성을 인식하게 한다. 삼각형의 넓이를 예로 든다면 밑변이 6cm이고 높이가 5cm인 둔각삼각형(그림 3) 넓이 구하기 문제가 좋다. 이때도 적당한 힌트를 주면서 의욕을 북돋는다. 만약 문제를 풀지 못하는 경우라도 그 문제에 대해 시간을 들여 힘들게 고민했기 때문에 문제의 핵심을 훨씬 많이 파악하고 궁금증도 커진 상태라 이때 풀이법을 설명해 주면 아주 쉽게 이해할 수 있다. 공식 암기가 아닌 풀이 개념을 확실하게 파악는 것이다. 사고 훈련이 충분히 된 아이는 스트레스를 만들지 않고 편안한 상태를 유지하면서 천천히 문제의 핵심을 생각하며 해결책에 접근한다. 이는 마치 수영을 능숙하게 하는 사람이 최소한의 몸놀림만으로 빠른 속도를 내며 장시간 수영을 즐기는 것과 비슷하다.

사고를 못하는 초보자라도 질문식 교육을 받으면 효율적으로 사고하는 법을 터득하고 효율적으로 문제의 핵심만 뽑아 해결할 수 있게 된다. 마치 지적인 게임을 하듯 공부를 즐기게 되는 것이다. 명심하라. 질문식 수업에서 가르치는 사람은 안내자일 뿐 정답을 말해서는 안 된다. '생각하고' '풀이하는 것'은 오로지 아이의 몫이다. 또 공부를 즐길 수 있는 기회이자 권리인 것이다.

시카고 대학 수학과의 세계적인 위상을 높이는 데 로버트 무어Robert lee Moore의 교육법이 한몫했다. 무어는 학생들이 수학책에 기술된 정리와 증명을 해설하는 강의를 그대로 듣거나 책에 나온 대로 문제를 푸는 기존의 소극적인 방식의 공부를 거부했다. 그는 학생들이 자신의 힘으로 주어진 정리의 증명을 발견하고 개념을 정의하는 등 '스스로 하는' 경험을 통한 수학 교육을 추구했다. 강의 역시 설명이나 배경지식 없이 곧바로 처음 보는 문제를 학생들 스스로 증명하도록 했다. 무어는 이런 수업 방식을 통해 학생들의 창의적인 수학 능력을 개발하고, 올바른 논리적 추론 방식으로 아이디어를 엄밀하게 표현하는 능력을 개발하고자 했다. 무어의 이런 급진적 수학 교육법은 진정으로 즐기는 창의적인 수학자를 양성하는 데 지대한 영향을 끼쳤고, 결국 무어의 가르침을 받은 학생들이 뛰어난 수학자로 성장하면서 무어의 교육법 역시 주목받게 되었다. 이것이 바로 사고력과 창의력을 높이는 교육이다. 무어의 수학 교수법은 앞서 말한 질문식 수업 방식과 상당 부분 일치한다.

5장

직장생활과 몰입

생각과 몰입이 최고의 경쟁력이다

온 힘을 다해 열심히 일하자는 Work Hard 패러다임은 오랫동안 우리의 의식을 지배해 왔다. 일을 제대로 이해하고 있느냐보다 얼마나 더 오랜 시간 힘들게 일했느냐가 안정된 직장과 경제적인 보상을 주는 성공의 표본이 되었던 것이다. 사람들은 열심히 일하고 공부함으로써 가난에서 벗어나려 하고, 불안한 미래에 대비해 왔다. 일이 보다 나은 미래를 위한 수단이었다. 이러한 패러다임에서 성공은 충분한 부의 축적을 위한 포석이 된다. 그런데 과연 부자가 되면 행복할까. 돈을 많이 버는 것이 행복의 충분조건은 아닐 수 있다. 돈이 풍족하면 삶을 더 편하게 해주지만 행복한 삶을 보장하지는 않는다. 반면 행복은 몰입하려는 노력을 통해 얻을 수 있다. 돈을 버는 것을 목표로 삼았다 하더라도 몰입하여 그 방법을 찾아 일했다면 그 과정에서 행복을 경험할 수 있다.

몰입으로 이어지는 Think Hard의 패러다임에서는 학습이나 일을 하는 과정 자체에서 즐거움을 얻는다. 마치 테니스나 골프를 치면서 느끼는 즐거움이 긍정적인 보상이 되어 그 운동을 하는 행위가 목적이 되는 것처럼, 일을 해내는 행위 자체가 목적이 된다.

Think Hard의 패러다임에서는 보장되지 않은 미래의 행복을 위해 현실을 희생하는 것이 아니라 현재를 행복하게 살고자 한다. 그 과정에서 일의 성과가 좋아지고 스스로의 능력도 빠르게 키울 수 있다. 그러므로 미래의 행복을 담보로 현재를 저당 잡히는 것이 아니라, 행복을 누리면서도 그 결과가 보다 확실한 미래의 성공을 보장하는 것이다.

본능은 원하지 않는데 억지로 일을 하는 Work Hard의 패러다임은 본능이 원하고 스스로가 좋아서 하려는 Think Hard의 패러다임의 효율을 절대 넘어설 수 없다. 일이 삶의 수단이 되는 것이 아닌 그 자체가 삶의 목적이 되어야 보다 의미 있고 제대로 사는 것 같은 삶을 살게 된다.

깊이 생각하지 않고 주어진 일을 밤새워 하면 자신이 발전하기보다는 소모된다는 느낌을 더 강하게 갖는다. 점차 시간이 지나면서 일에 대한 열정과 호기심은 식어버린다. 회사를 위하여 열심히 일했지만 이제 회사는 더 이상 자신을 필요로 하지 않아 급기야 쫓겨나진 않을까 걱정하게 된다. 그러나 자나 깨나 자신의 일을 분석적으로 생각하면서 일하는 Think Hard의 패러다임에서는 자신의 능력은 점점 더 빠른 속도로 키우고 동시에 열정과 호기심도 강해진다. 마침내 회사에서 온갖 문제를 해결해 내는 능력 있는 사람으로 평가받는다. 이쯤 되면 회사 속에서 행여 당신이 다른 회사로 자리를 옮길까봐 걱정하는 상황이 벌어지게 된다. 생각만으로도 최고의 나를 만드는 이 자연스러운 과정이 더욱 매력적으로 와닿지 않는가?

몰입에 빠진 기업들

우리가 존경할 만한 기업가나 기업은 대부분 사고의 힘과 몰입의 중요성을 깨닫고 이를 경영에 도입한다. 세계에서도 그 가치를 인정받고 있는 대기업은 대부분 사고의 힘과 몰입의 중요성을 깨닫고 이를 경영의 최일선에서부터 실천하려는 회사들이다. 이는 실질적인 경영 성과에 곧바로 이어져 더욱 빛을 발하고 있다.

단지 직원들에게 생각하라는 요구만 해서는 직원들 스스로 생각을 구체적으로 할 수 없다. 구체적이고 특별한 제도적 장치가 필요하다. 다음의 기업들은 이러한 제도적 장치를 잘 갖추고 있다.

마이크로소프트의 Think Week

사고 위주의 몰입 개념을 가장 잘 적용하고 있는 회사는 마이크로소프트다. 마이크로소프트는 연구원 모두가 혼자 사무실을 쓰도록 배려한다. 일정한 근무 시간만 지키면 출퇴근도 자유롭다. 그 대신 팀장은 각자 일의 영역을 정확하게 정리해 준다. 자율성을 극대화하되 몰입할 수 있는 가장 이상적인 직장 환경을 제공하는 것이다. 빌 게이츠가 1년에 두 번 외딴 별장에서 마이크로소프트가 나아갈 방향에 대해 집중적으로 생각하는 사고 주간think week을 갖는일화는 〈월스트리트 저널〉을 통해 이미 잘 알려진 사실이다. 더욱 놀라운 것은 이 회사의 임원 모두가 마찬가지로 한 해에 두 차례씩 사고 주간을 갖는다는 것이었다.

마이크로소프트는 사내 전산망에 임원 각자가 회사와 관련하여 해결해야 할 중요한 문제들을 올려서 직원 모두에게 공유한다. 사고 주간에 들어갈 사람은 이 문제 중에 하나를 선택해서 사고 주간 동안 집중적으로 생각하는데, 그 기간 동안 생각한 결론을 다시 사내 인터넷에 올리면 임원진 모두가 그것을 읽고 평가한다. 마이크로소프트의 생각하는 습관이 오늘날 마이크로소프트를 세계에서 손꼽히는 창조적 기업으로 만든 것이다.

IBM의 Think smart

전 세계 IT업계에서 가장 경쟁력 있는 회사인 IBM 역시 'Think

smart'가 경영 철학이다. 바로 생각의 중요성을 강조한 것인데, 이는 IBM의 전설적인 인물 토머스 왓슨 회장의 경영 이념을 그대로 반영한 것이다. 심지어 우리가 알고 있는 '싱크패드Thinkpad'라는 노트북 이름까지 IBM의 이러한 경영 철학을 본떠서 붙인 이름이다. 사원 훈련을 위해 제시하는 방법들 역시 모두 '생각'을 중심으로 구성되어 있다. 이를 요약하면 '생각할 재료를 읽어라, 생각할 재료를 들어라, 막연한 생각을 수정하고 정리하기 위해 토론하라, 상대방이나 대상의 상황을 관찰하라, 읽고 듣고 토론하고 관찰한 내용을 생각하라' 등이다. 그리고 이들 내용은 실제 업무 현장 전반에서 철저하게 지켜지고 있기에 더욱 의미가 깊다.

3M이 준비한 생각하는 시간

3M은 세계를 통틀어 100년간 꾸준히 성공해 온 몇 안 되는 기업으로, 지구상에서 가장 많은 판매 상품을 구비한 기업이라는 색다른 타이틀을 갖고 있다. 오늘날 3M이 소비자의 사랑을 받는 많은 제품을 갖게 된 것은, 소비자들의 사소한 불편까지 해결한다는 목표로 끊임없이 아이디어 상품을 개발했기 때문이다.

이 회사는 모든 직원들이 생각할 수밖에 없는 구조를 만들어놓았다. 최근 4년 동안 개발한 신제품의 매출이 그해 매출액의 30%에 미치지 못하면 팀의 리더가 퇴출되는 시스템을 도입해 혁신의 바람을 불러일으킨 것. 사정이 이렇고 보니 당연히 생각하고 연구하여 창조적이고 실용성 있는 제품을 만들어낼 수밖에 없다.

물론 여기에는 적절한 배려가 뒤따른다. 3M은 업무 시간의 15%를 자유로운 연구 수행을 위해 안배하여 생각할 시간을 준다. 그리고 이 생각하는 시간이 바로 3M의 경쟁력이 되었다.

샐러리맨의 천국 미라이 공업

70세 정년, 종신 고용, 연간 140일의 휴가에 개인휴가, 별도 3년간 육아 휴직 보장, 5년마다 전 직원 해외 여행 등 이른바 '유토피아 경영'으로 일본 젊은이들에게 '꿈의 직장'이라 불리는 곳이 있다. 바로 미라이 공업이다. 더욱 놀라운 것은 이 회사가 동종 업계 시장 점유율 1위라는 거다. 어떻게 이런 결과가 가능할까.

미라이 공업이 높은 경쟁력을 갖는 이유는 새로운 아이디어 제품에 대한 특허와 1만 8,000종의 아이디어 상품 때문이다. 이 회사의 슬로건은 '항상 생각한다'이다. 직원들에게 단순히 생각하라고 시킨다고 해서 생각하는 직원은 별로 없다. 그래서 슬로건에서 그치는 것이 아니고 늘 사원에게 쪽지로 아이디어를 모집하여 그것이 상사에 대한 욕이나 월급에 대한 불만이 아니라면 무조건 500엔을 지급한다고 한다. 돈을 받는 직원들로서도 아무 아이디어나 제출할 수는 없다. 처음에는 별로 가치 없는 아이디어를 내다가도 몇 년 지나면서 아무도 생각할 수 없는 아이디어를 내는 머리로 발전하는 것이다.

직장에서 몰입을 적용하는 방법

중대한 업무를 촉박하게 끝내야 하는 비상사태에서는 모든 것을 잊고 업무에 몰입하는 경우가 종종 있다. 이것이 바로 전형적으로 위기에 의해 경험하는 수동적인 몰입이다. 이런 수동적인 몰입은 스트레스를 동반하기 때문에 몰입에 대한 부정적인 인상을 갖게 되고 급한 상황이 아니면 몰입을 하려고 하지 않는다. 따라서 수동적인 몰입보다는 능동적인 몰입을 추구하는 것이 장기적으로 유리하고 바람직하다.

능동적인 몰입을 하려면 무엇보다도 업무를 자율적으로 하는 습관부터 길러야 한다. 업무 수행에서 자율성을 주는 정도는 회사마다 다르고 그 성과 또한 개인마다 다르다. 자율성을 확대하는 방향으로 나아가되 직원의 몰입도를 올리기 위해서 회사나 직원 모두의 노력이 필요하다.

하나의 일에 집중하라

몰입도를 올리기 위해서는 한 번에 한 가지 일을 하는 것이 훨씬 유리하다. 한 번에 몇 가지 일을 동시에 하는 것을 가급적 피하길 권한다.

예를 들어 의대 교수는 강의도 하고 환자도 보고 연구도 한다. 이렇게 세 가지 다른 일을 하루에 모두 수행하면 몰입도를 올리기가 어렵다. 그런데 세 그룹으로 나누어 한 그룹은 강의만 하고 다른 그룹은 환자만 보고 또 다른 그룹은 연구만 한다고 하자. 즉 각 그룹이 1년에 4개월은 강의만 연속하고, 4개월은 환자만 보고, 나머지 4개월은 연구만 하는 방식을 돌아가면서 진행한다면 몰입도를 올리는 데 훨씬 유리할 것이다. 물론 개인에 따라 이러한 방식이 세 종류의 업무를 동시에 하는 것보다 더 지루할 수도 있다. 하지만 연속해서 몰입했던 한 가지 업무는 놀랄 만큼 명확하게 이해하고 오랫동안 각인될 것이다.

회의는 짧게

직장에서 몰입도를 낮추는 대표적인 장애물은 간섭interruption이다. 각종 회의 및 잡무가 여기에 속한다. 업무에 대한 집중도를 올렸다가도 회의 한 번 하고 나면 집중력은 온데간데없다. 잦은 회의가 오히려 업무의 효율성을 떨어뜨릴 수 있다는 점을 고려하여 회의 일정을 조정해야 한다. 또한 일정 시간의 확보를 위해 집중도를 떨어뜨리는 잡무를 조정한다. 잡무 처리 시간과 중요한 업무 처리 시간을 분리하여 중요한 업무를 처리할 수 있는 시간을 확보하면 몰입도를 올릴 수 있다. 정보의 차단도 중요하다. 동료들과 잡담을 나누는 대신에 업무에 대해서 계속 생각하는 게 낫다. 그러면 실제 업무를 할 때 쉽게 몰입이 되어 능률적으로 일할 수 있다.

주어진 문제에 대하여 충분한 지식과 배경을 공부하는 방법도 전한다. 연구 활동을 본격적으로 시작하기 전에 문제 해결을 위하여 충분한 기간 동안 집중적으로 생각한 다음 연구 활동에 매진한다. 연구 활동에만 매진하면 할 수 있다는 자신감이 생기면서 뒤이어 일이 재미있어지고 결과가 궁금해진다. 새로운 아이디어도 떠오르게 된다. 이런 적극적인 몰입을 활용하면 업무 효율성을 최대화할 수 있다.

직장에서 몰입을 적용하는 구체적인 방법으로 다음의 세 가지를 추천한다.

사고 공간thinking room 운영

마이크로소프트사Microsoft社 같이 모든 연구원에게 독립된 사무실을 줄 수 없는 상황이라면 각 부서에 집중적 사고를 위한 공간, 이른바 사고의 방을 따로 만들어 운영하면 좋다. 부서에 중요한 문제가 있으면 가장 관련이 많은 사람이 그 방에 들어가 일정한 기간 동안 그 문제를 해결하기 위하여 집중적으로 생각만 하는 것이다. 생각하는 기간은 짧게는 몇 시간, 길게는 몇 주일까지도 될 수 있다. 사고의 방이 운영되면 자연적으로 생각하는 분위기가 조성되어 집중적으로 생각만 하는 체험을 하는 장점이 있다. 이러한 사고의 체험은 맡은 문제를 해결하는 확률을 올려줄 뿐 아니라 직원들의 사고력 증진, 자신의 직무에 대한 애착으로 발전할 것이다.

사고 주간 도입

사고 주간 프로그램은 이미 마이크로소프트가 그 효과를 입증했으므로 소수의 임원들부터 시작하여 효과를 확인하면서 계속 확대해 나가도 좋다. 사고 주간에 완전 몰입에 들어가서 여러 아이디어가 쏟아진다면 기간을 더 연장해 주는 것도 좋은 방법이다. 이 시기에는 회사가 노력과 생각을 집중해야 할 문제들을 찾아내, 그 문제들에 대해 최소 1주일간 생각을 집중하게 되므로 사고 공간 운영보다 더 적극적으로 몰입을 적용하는 셈이다.

몰입 전임자의 선정

경영 컨설턴트이며 리더십 전문가인 존 맥스웰John C. Maxwell의

『생각의 법칙 10+1』이라는 책을 보면 재미있는 이야기가 눈에 띈다. 갓 회사에 들어간 젊은 간부가 사장과 함께 회사를 둘러보다가 큼지막한 사무실에 안락한 의자가 하나 놓여 있고 한 여성이 거기에 앉아 창밖을 내다보고 있는 모습을 보게 되었다. 널찍한 공간이 비어있어 의아한 그는 사장에게 물었다.

"사장님, 이곳은 왜 비어 있나요?"

"아니, 사용하고 있는데?"

"아, 그래요? 사무 집기가 하나도 없기에 저는 빈 사무실인 줄 알았습니다. 그런데 저 분은 누구십니까?"

"저 방 주인이지. 우리 회사 부사장 중 한 명이라네."

이야기를 나눌수록 알 수 없는 노릇이었다.

"아, 네. 그런데 부사장님께선 주로 무슨 일을 하시나요?"

사장은 빙그레 웃으며 대답했다.

"생각을 한다네."

"저렇게 앉아서 생각하는 게 일이라고요? 그런 일이라면 저도 해보고 싶은데요?"

"그녀가 지난번 제출한 아이디어 덕에 우리 회사가 2,000만 달러를 벌었다네. 자네도 꾸준히 그런 일을 할 수 있다면 언젠가 한번 도전해 보게나."

몰입 전임자라는 말 자체가 생소할지도 모른다. 우선 몰입해서 생각하는 것을 좋아하고 그것을 통해 문제를 잘 해결하는 사람을 골라서 몰입 전임자로 선정한 다음, 다른 업무를 경감해 주고 1년 중 몇 달을 사고의 방에서 집중적으로 생각만 하게 한다. 물론 생각하다가 문제 해결을 위해 필요하면 자료도 찾고 외출도 할 수 있다. 이 방식이 몰입적인 사고를 가장 적극적으로 경영에 반영하는 몰입 전담자 제도이다. 이런 방식으로 주어진 문제를 해결하거나 새로운 아이디어를 추구하는 것은 시도해 본 사람이라면 누구나 그 효과를 인정할 수밖에 없을 것이다.

6장

몰입에 이르는 다섯 단계

제1단계

생각하기 연습

20분 생각하기

방법 풀리지 않는 문제를 20분간 생각한다.
하루에 5번, 2주 이상 연습한다.

의미 몰입 준비 단계로 생각하는 습관을 들인다.

목표 자신의 능력에 대해 자신감을 갖는다.

마라톤은 거의 모든 사람에게 좋은 운동이고, 보통의 체력을 지닌 거의 모든 사람이 할 수 있는 운동이다. 하지만 적절한 준비나 훈련 없이 처음부터 42.195km를 완주할 수 있는 사람은 거의 없다. 마라톤을 하기 위해서는 가벼운 운동화와 운동복을 마련하는 일에서 시작해 준비 운동이나 걷기부터 해야 하며, 1km를 달리는 연습을 반복하면서 점차 달리는 거리를 늘려야 한다.

이렇게 본격적인 운동에 들어가기 전에 반드시 몸을 움직여 워밍업을 해야 하는 것처럼, 몰입을 시도할 때도 초기 몰입 단계의 워밍업이 필요하다. 일단 10분이고, 20분이고 차분히 앉아서 생각에 집중할 수 있는 능력을 기르는 것이 급선무다. 오랜 시간 생각하는 몰입 또한 마라톤과 마찬가지로 한번에 되는 것이 아니기 때문이다.

먼저 충분한 사고 훈련을 하고 나서야 몰입을 할 수 있다. 채 10분도 생각하지 못하는 사람이 바로 몰입을 할 수는 없다. 몰입의 준비 단계로 20분 동안 한 문제에 대해서만 생각하는 연습을 충분히 해야 한다. 생각할 문제를 선정한 다음 20분간 오직 그 문제만을 생각하는데, 하루에 20분간 생각하는 연습을 다섯 번 이상 한다. 생각할 문제는 논리적으로 접근할 수 있는 문제가 좋다. 학생에게는 수학 또는 물리 문제가 좋을 것이고, 일반인에게는 자신의 업무와 관련된 해결되지 않은 문제가 좋을 것이다. 몰입 기초 연습이므로 처음에 봤을 때는 어떻게 풀어야 할지 방법이 전혀 떠오르지 않지만 10분에서 20분 정도 생각을 하면 해결할 수 있는 정도의 문제가 좋다.

자신의 수준을 정확히 알아서 문제를 선정해 줄 수 있는 사람이 주위에 있다면 그 사람에게 문제를 받는 것이 가장 효율적이다. 그렇지 않은 경우는 본인이 적절한 문제를 선택해야 하는 어려움이 발생한다. 이런 경우 문제의 난이도를 선택하기 어려워서 20분 안에 풀지 못하는 경우도 많을 것이다. 그러나 여기서 중요한 점은 문제를 푸는 것보다 20분간 생각하는 훈련을 하는 것임을 기억하자. 문제가 풀리지 않더라도 낙담하지 말고 20분간 문제를 풀기 위해 생각하는 연습을 많이 하면 된다. 그러는 동안에 자신의 사고력과 몰입하기 위한 기초 체력이 단련되는 것이다.

생각하기 연습 핵심 포인트

몰입 2단계로 넘어가기 위해서는 생각만으로 문제를 푸는 체험을 반드시 해야 한다. 일반적으로 대부분의 학생들은 어떻게 풀어야 할지 모르는 수학 문제에 부딪히면 자신은 아무리 노력해도 그 문제를 풀 수 없을 것이라고 단정한다. 그리고 이렇게 어려운 문제는 푸는 법을 배워서 터득해야만 풀 수 있다고 생각한다.

그러나 당장 해결할 수 없는 문제라도 포기하지 않고 계속 생각해서 풀려고 연습하면 처음에는 실패하겠지만, 어느 순간 아이디어가 떠올라 생각만으로 문제를 푸는 경험을 하게 된다. 절대 풀 수 없을 것 같던 문제를 얼마 동안의 생각만으로 해결하는 경험은 놀라운 감정을 가져다준다. 이러한 경험을 몇 번 하면 이제 자신을 믿게 되고, 자신감을 가지고 생각하기를 실천할 수 있다. 단언하건대 누구든지 자신의 수준에 적절한 문제를 가지고 연습을 하면 이런 경험을 할 수 있다.

이런 경험을 반복하다 보면 아무리 어려운 문제라도 논리적인 사고를 통해 풀 수 있다는 사실을 믿게 된다. 그리고 문제 푸는 즐거움을 경험하게 되고 이 경험이 나중에는 말할 수 없는 희열로 발전한다. 이처럼 새로운 패러다임을 정립하는 것이야말로 몰입의 첫 단계에서 터득해야 할 가장 중요한 사항이고, 몰입의 다음 단계로 넘어가기 전에 필수적으로 갖추어야 할 워밍업이다. 1단계만 실천해도 문제 해결에 대한 엄청난 패러다임의 변화가 일어난다.

직장에서도 마찬가지다. 업무를 수행하다 어떻게 해결해야 할지 막막한 문제에 맞닥뜨리면 자신은 절대 그 문제를 해결할 수 없다고 단정하는 것이 보통이다. 이런 경우에도 포기하지 말고 그 문제에 대해서 20분 동안 생각하는 연습을 계속 해라. 어느 순간 그 문제를 풀 수 있는 아이디어가 떠오르는 경험을 하게 될 것이다. 1단계를 실천하는 것은 모든 사람에게 도움이 될 것이다.

현실에서는 모두들 깊은 생각을 하지 않고 바쁘게만 살아간다. 이는 마치 속기바둑을 두듯이 생을 살아가는 것과 같다. 생각할 시간이 충분한데 이것을 거의 사용하지 않고 쉽게 판단하는 것이다. 선택과 집중을 하여 중요한 문제는 장고바둑을 두듯이 오랜 시간 충분히 생각한 후 판단해야 한다. 장고바둑을 두면 속기바둑에 비해 승률이 더 올라가고, 바둑 실력이 빠른 속도로 향상되며 재미가 배가된다. 마찬가지로 살아가면서 중요한 문제를 선택하여 집중적으로 생각하면 그렇지 않은 삶에 비해 일의 수행 능력이 향상되고, 빠른 속도로 실력이 향상되며 일이 재미있어진다.

20분 생각하기를 규칙적으로 연습할 수 있는 시간은 출퇴근 시간이다. 보통 출퇴근할 때 버스나 지하철에서 신문을 보거나 휴대전화로 게임을 하거나, 아니면 그저 머릿속에 생각나는 이런저런 것들을 따라가며 시간을 보낸다. 그런데 이 시간에 자신이 현재 해결해야 할 문제에 대해서 20분간 골똘하게 생각하면 출퇴근 시간이 소모되는 시간에서 가장 생산적인 시간으로 바뀌게 된다. 매일 20분씩 생각하는 연습을 하면 규칙적으로 생각하는 습관을 기르기에도 좋다. 주어진 문제에 대하여 20분간 생각하는 것이 습관화되고 이 정도 집중이 어렵지 않게 느껴진다면 그 다음은 난도가 더 높은 문제를 가지고 더 오랜 시간 동안 생각하는 훈련을 한다.

우리는 머리를 잠시도 비워두지 않는다. 항상 무엇인가를 생각한다. 사람은 1시간에 2,000가지를 생각하고 하루 24시간 대략 5만 가지를 생각한다고 한다. 그래서 '오만가지 생각'이라는 말이 생겼다. 그러나 이는 상념에 해당하는 '생각나기'이다. 이것은 내가 내 뇌의 주인이 되는 것이 아니고 의도치 않은 상념이 자리를 차지하고 있는 것이다. 이보다는 명확한 목표를 세우고 문제에 대한 해결을 향한 체계적인 사고를 하는 '생각하기'를 해야 두뇌를 활용할 수 있고 지고의 즐거움을 얻을 수 있다.

제2단계

천천히 생각하기

2시간 생각하기

방법 풀리지 않는 문제를 2시간 동안 생각한다.
하루에 한 번, 2주 동안 연습한다.

의미 힘들이지 않고 오래도록 생각하는 방법을 터득하는 과정

목표 생각하는 것이 전혀 힘들지 않고 종일이라도 생각할 수 있는 상태에 도달한다.

이제는 10km 뛰는 연습을 할 차례다. 20분 생각하기 연습을 충분히 하였으면 30분, 40분 정도는 쉽게 생각할 수 있다. 몰입 2단계는 한 문제를 2시간 동안 생각하는 것이다. 20분 생각하기는 누

구든 쉽게 실천할 수 있지만, 2시간 생각하기는 연습 없이는 어렵다. 20분 생각하기 연습을 충분히 해야 2시간 생각하기를 할 수 있다. 2단계에 도전하는 사람들은 이미 생각에 의해 문제가 풀리는 경험을 충분히 했을 것이다. 생각하는 시간이 길어지면 그에 비례하여 어려운 문제를 풀 수 있다.

이제 좀 더 어려운 문제를 선정하여 그 문제만 2시간 동안 생각하자. 처음에는 2시간 동안 한 가지 문제를 생각하는 것이 어려울 것이다. 한 문제를 2시간 동안 생각하기 위해서는 강한 인내력이 필요하고 문제가 풀리지 않아서 스트레스가 쌓일 수도 있기 때문이다. 2시간 동안 한 문제를 생각하기 위해서는 생각의 모드를 바꿔야 한다. 이제까지 풀리지 않는 문제가 있으면 그것을 풀기 위해서 머리를 쥐어짰을 것이다. 그렇게 하면 스트레스가 쌓여서 생각을 오래 유지할 수가 없다. 오랜 시간 동안 생각을 하기 위해서는 천천히 생각하는 법을 터득해야 한다.

수영을 잘하는 사람은 온몸의 힘을 빼고 필요한 근육을 효과적으로 사용하여 움직이므로 속도도 빠르고 오랜 시간 수영을 해도 지치지 않는다. 테니스나 골프, 피아노도 마찬가지다. 손이나 팔에 힘이 들어가면 제대로 되지 않는다. 이처럼 능숙한 사람들은 온몸의 힘을 빼고 필요한 부분만 집중하는 법을 안다. 이렇게 하는 것이 지치지도 않고 기량을 더 높일 수 있는 최선의 방법이라는 것을 아는 것이다.

생각하는 것도 마찬가지다. 잔뜩 긴장한 채 생각을 하면 머리가 곧 피곤해지고 문제를 푸는 기량은 오히려 떨어진다. 천천히 생각하기Slow Thinking를 하려면 우선 조용히 명상을 한다고 생각하면 좋다.

온몸의 힘을 빼고 안락한 의자에 편안하게 앉는다. 목까지 받칠 수 있는 의자를 준비해야 머리를 뒤로 젖히고 편안하게 기댈 수 있다. 그렇지 않으면 머리를 목으로 지탱해야 하는 부담이 있다. 앉은 채 가장 편안한 자세를 취하는데, 허리를 60도 이상 눕혀서는 안 된다. 눈을 감고 몸의 안락함을 유지한다. 여기까지는 명상을 하는 것과 다를 바가 없다. 안락한 상태가 만들어지면 이제 천천히 주어진 문제를 생각하기 시작한다. 마치 마음의 산책을 하듯이 천천히 걸어간다는 느낌으로 생각을 하는 것이다. 이렇게 천천히 생각하는 방법을 터득하면 아무리 오래 생각해도 지치지 않는다. 오히려 천천히 생각할수록 아이디어가 더 잘 떠오른다.

몰입 1단계에서 2단계로 넘어가기 위해서 문제를 생각만으로 푸는 경험을 충분히 해야 하는 것처럼 2단계에서 3단계로 넘어가기 위해서는 꼭 천천히 생각하는 법을 터득해야 한다. 천천히 생각하는 법을 터득해서 이제는 생각하는 것이 전혀 힘들지 않고 종일이라도 생각할 수 있다는 상태가 되면 몰입 3단계로 넘어갈 준비가 된 것이다.

천천히 생각하기 핵심 포인트

바쁜 일상에서 천천히 생각하기를 실천하기 가장 쉬운 때가 밤에 잠자리에 들 때이다. 잠자리에 기분 좋게 편안하게 누워서 자신이 해결하려고 하는 문제를 천천히 생각하다가 잠이 들면 된다. 이때 아이디어가 떠오르면 잠을 설칠 수도 있는데, 이럴 때는 억지로 자려고 하지 말고 일어나서 떠오르는 아이디어를 적는다. 아이디어보다도 잠을 자는 것이 더 중요한 상황에서는 차라리 아이디어가 쉽게 떠오를 수 없는 난도가 아주 높은 문제를 선택해서 생각하면 도움이 된다.

아침에 잠에서 깰 때도 천천히 생각하기를 실천하기에 좋다. 잠은 깼는데 일어나기에는 아직 이른 시간일 때 누운 채로 생각하는데, 이 상태는 선잠 상태와 거의 비슷하다. 이때는 어제 잠들기 직전까지 생각하던 문제를 계속해서 생각한다. 이때도 아이디어가 떠오르면 즉시 일어나서 기록한다.

식사 후 공원을 산책하면서 생각하는 것도 좋은 방법이다. 산책을 하면 기분이 상쾌해지고 한 가지 생각에 집중하기가 쉽다. 천천히 걸으면서 생각을 하면 생각의 속도도 느려지는 느낌을 받는다. 느리게 걸을수록 생각 또한 느려진다. 이를 통해서 천천히 생각하는 것이 어떻게 하는 것인지에 대한 감을 잡을 수 있을 것이다. 어떤 문제를 생각하려고 할 때 집중이 잘 안 되면 러닝머신 위에서 천천히 걸으면서 생각하는 것이 효과적이다. 러닝머신은 주위의 장면이 변화하지 않으므로 산책보다 오히려 집중이 더 잘 된다.

천천히 생각하기가 익숙해지면 자신이 하는 학습이나 일반 업무에 그대로 적용할 수 있다. 즉 온몸에 힘을 빼고 편안한 의자에 앉아 업무를 보는 것이다. 나는 수업 준비를 하거나 논문을 읽거나 쓰는 일이 주된 업무인데 모두 이러한 자세로 한다. 주로 높이가 낮은 의자에 앉아 내 무릎 위에 노트북 컴퓨터를 올려놓고 일을 한다. 그런 식으로 일을 하면 집중도도 높고 오랜 시간이 지나도 지치지 않는다. 그리고 일이 싫증나지도 않고 스트레스도 쌓이지 않는다. 다만 가끔 졸린 것이 문제인데, 선잠은 좋은 것이라고 믿고 있기 때문에 나는 졸리면 그 자리에서 목을 뒤로 기댄 채 선잠을 자고 깨면 계속 일을 한다.

특별한 경우에 예전처럼 긴장된 자세로 책상에 앉아서 업무를 보아야 할 때가 있는데 분명히 집중도가 떨어지고 금방 지치게 된다. 그리고 이 상태에서 오랜 시간 일을 하면 스트레스가 쌓인다. 똑바로 앉아서 긴장감을 유지한 채 업무를 보는 것과 온몸에 힘을 빼고 편안한 자세로 업무를 보는 것의 차이는 골프 연습을 할 때 힘을 잔뜩 주면서 하는 것과 힘을 빼고 하는 것의 차이와 아주 유사한 증상을 보인다.

천천히 생각하는 법을 훈련하기 위해서는 앞에서 언급한 것과 같이 난도가 낮은 문제가 더 유리하다. 다음은 초등학교 4학년 수학 문제이다. 이 문제들을 천천히 읽고 문제를 완전히 이해한 다음 문제를 덮는다. 그리고 천천히 생각한다. 이 문제들은 어렵지는 않지만 각 문제당 10분 정도 시간을 갖고 충분히 생각한다는 마음으로 천천히, 머릿속으로 푼다. 머리에 아무런 부담이 없을 정도로 일부러라도 천천히 생각하면서 풀어야 한다.

> 문제1: 오늘은 수요일이고 오늘부터 100일 후가 방학하는 날이라면, 방학하는 날은 무슨 요일인가?
>
> 문제2: 어떤 수에 42를 곱해야 할 것을 잘못해서 42를 더하였더니, 61이 되었다. 바르게 계산하면 그 값은 얼마인가?
>
> 문제3: 현재 시각은 정각 5시다. 이때 시침과 분침이 이루는 각 중에서 크기가 작은 쪽 각의 크기가 몇 도인가?

온몸의 힘을 빼고 안락하고 편안한 자세로 앉아서 비교적 난도가 낮은 문제를 읽은 뒤 눈을 감고, 혹은 책을 덮고 가능한 한 천천히 생각하면서 푸는 훈련을 반복하다 보면 천천히 문제에 집중하여 생각하는 방법을 터득하게 된다. 천천히 생각하면 스트레스 없이 집중이 잘될 뿐만 아니라 오히려 마음이 편하고 기분이 좋아진다는 것을 경험할 수 있을 것이다.

제3단계
최상의 컨디션 유지

종일 생각하기

방법 좋아하는 운동을 규칙적으로 매일 1시간씩 한다.
풀리지 않는 문제를 매일 2시간 동안 생각하고 일요일에는
종일 생각한다.

의미 며칠이고 생각할 수 있는 최상의 컨디션 유지 과정

목표 자신의 능력을 최대한 발휘하기 위해 규칙적인 운동이
필수임을 깨닫고 습관으로 만든다.

몰입 훈련이 3단계에 이르면 하프 코스 등의 단축 마라톤을 통해 풀코스 완주를 준비해야 한다. 몰입은 이미 70% 수준에 이르렀

으며, 직장인이든 학생이든 일상생활에서 충분히 활용하고 성과를 얻을 수 있을 정도로 익숙해졌다. 집중하는 시간이 길어지면서 문제의 난도도 자연스럽게 높아진다. 이때부터는 컨디션 관리가 매우 중요하다. 정신 작용을 극대화하는 몰입 과정에서 몸이나 정신에 문제가 생길 수 있기 때문이다. 몰입을 할 때 반드시 규칙적인 운동을 병행해야 하는 이유가 여기에 있다.

이 단계에서는 좋아하는 운동을 선택하여 매일 규칙적으로 1시간씩 운동하는데, 이때 주의할 사항은 운동 자체가 목표가 아니라 최상의 컨디션을 유지하기 위한 수단이라는 점이다. 운동에 빠져서 2시간 또는 3시간 이상 무리하게 몸을 움직이는 것은 오히려 문제에 대한 몰입도를 떨어뜨릴 수 있다. 매일 규칙적인 운동을 하면서 주중에는 2단계에서 하던 2시간 생각하기를 계속한다. 그리고 주말에는 토요일과 일요일 중 하루를 선택하여 종일 한 가지 문제만을 생각하는 데 도전한다. 규칙적인 운동을 꾸준히 하면 몸과 마음이 최상의 상태가 되어 종일 한 문제만을 생각할 수 있게 된다.

최상의 컨디션 유지 핵심 포인트

규칙적인 운동은 삶과 일에 대한 의욕을 만들어주는 중요한 원동력이다. 평소에 운동을 즐기지 않던 사람도 땀 흘릴 수 있는 운동을 매일 규칙적으로, 하루에 1시간을 넘지 않게 한 달 정도 하다 보면 삶과 일에 대한 의욕이 저절로 상승하는 것을 경험할 것이다.

평소에 운동을 전혀 하지 않았던 나는 몰입적 사고 과정에서 나타난 불면증을 해소하기 위해 매일 1시간 이내로 테니스 치기를 7년 넘게 해왔다. 몰입 상태에 있지 않은 기간에도 테니스는 매일 규칙적으로 계속했다. 규칙적인 운동의 효과는 정말로 놀라웠다. 규칙적인 운동을 통해 충전된 삶과 일에 대한 의욕과 사기는 직장에서 월급을 두 배로 올려주는 것 이상의 효과가 있다는 것을 알게 되었다. 만약 월급을 두 배로 올려준다면 만족감과 삶의 의욕은 서너 달쯤 상승 리듬이 유지될 것이다. 그러나 그 효과는 이내 시들해지고 만다. 하지만 규칙적인 운동을 통해 충전한 사기는 점점 더 커지고 소멸되지 않는다.

의욕이 샘솟고 사기가 충전되어 최상의 컨디션을 유지하는 일은 행복한 삶을 위해서나 성공하는 삶을 위해서나 매우 중요하다. 최상의 컨디션에 있을 때의 나와 보통의 컨디션 혹은 컨디션이 나쁜 상태의 나는 완전히 다른 사람이다. 추구하는 목표나 그 목표를 추구하려는 자세와 의욕을 보면 쉽게 알 수 있다. 최상의 컨디션을 유지하고 있을 때는 추구하는 삶의 목표가 명확하고 건전하다. 그러나 컨디션이 좋지 않은 상태에서는 크고 건전한 목표 따위는 까마득히 잊고 될 대로 되라는 식으로 살게 된다.

최상의 컨디션을 장기간 계속 유지하면 자연스레 성공하는 삶의 방향으로 가게 된다. 반면에 나쁜 컨디션을 장기간 계속 유지하는 사람은 삶이 점점 더 어려워지는 방향을 향하게 된다. 최상의 컨디션을 유지하는 삶을, 정확한 방향을 알고 이를 향해 꾸준히 항해하는 배에 비유한다면 컨디션이 좋지 않은 상태의 삶은 방향을 잃고 바람과 파도에 따라 이리저리 표류하는 배와 같다.

컨디션이 좋은 상태에 있으면 자신의 의지대로 삶을 살아가지만 컨디션이 좋지 않은 상태가 계속되면 자신의 의지대로 살아가는 힘이 약해진다. 또 해야 할 일을 하지 못하고 하지 말아야 할 일을 하게 되는 경향이 있다. 자신이 원해서 비만이 된 사람은 없을 것이다. 끝없는 나락으로 타락한 사람도 자신이 이성적으로 원해서 그렇게 된 사람은 없을 것이다.

독감에 걸리거나 심하게 아파본 사람은 컨디션이 나쁠 때는 높은 이상이고 뭐고 생각할 여유가 없으며, 자신도 모르게 자신의 모든 생각이 당장의 괴로움을 해소하는 데만 집중되어 있음을 느껴봤을 것이다. 이는 매슬로의 욕구단계설에서 기본적인 욕구가 만족되지 않으면 더 고차원의 단계에 진입할 수 없다는 이야기와 맥락을 같이한다.

몰입적인 사고를 실천하기 위해서는 자신의 잠재능력을 최대로 발휘하고 의미 있는 인생을 살고자 하는 굳은 의지와 삶에 대한 자신감이 있어야 한다. 몰입적인 사고는 눈에 보이는 좋은 결과가 당장 나오기보다는 자신의 사고력과 창의성, 일을 즐길 수 있는 인프라를 갖추는 효과가 크기 때문이다. 최상의 컨디션을 유지하면 사고의 질이 향상될 뿐만 아니라 삶에 대한 자신감이 생겨서 보다 높은 뜻을 품고 자신의 능력을 최대로 발휘하는 몰입적인 사고를 실천하게 된다.

일상 속에서 최상의 컨디션을 유지하는 훈련

천천히 생각하기를 실천하여 명상에 의한 효과, 즉 마음이 차분해지고 행복감을 느끼는 상태를 얻으며 규칙적인 운동으로 의욕과 자신감이 넘치는 최상의 컨디션을 유지하는 것은 행복과 성공을 동시에 거머쥘 수 있는 가장 좋은 방법이다. 이러한 상태가 생활 기반이 되어야 비로소 최대의 능력, 혹은 최선의 삶을 추구하려는 자신감이 생긴다. 이는 바로 최선의 삶을 실현할 수 있는 몰입 상태에 들어갈 수 있는 첩경이다.

최상의 컨디션은 뇌와 신체가 집중된 상태와 관련된 것으로 보인다. 자신이 빠져들 수 있고 땀을 흘리는 운동에 의하여 뇌와 신체가 집중된 상태가 만들어지는 것이다. 몰입은 고도로 집중된 상태를 만드는 것이므로 운동으로 이미 어느 정도 집중된 상태가 만들어지면 몰입 상태로 들어가기가 한결 수월한 것으로 이해할 수 있다. 또한 몰입 상태에 들어가서도 자신이 원할 때 몰입 상태에서 빠져나오기가 쉬워진다. 그러다 앞에서도 언급한 바 있지만 전혀 운동을 하지 않고 몰입 상태에 들어가면 이 상태에서 빠져나오는 것조차 자신의 의지대로 되지 않는 경향이 있어 육체적으로나 정신적으로 건강을 해칠 수 있어 주의가 필요하다.

물론 진정한 의미의 최상의 컨디션은 완전한 몰입에 들어갔을 때 얻을 수 있다. 그러나 완전한 몰입에 들어가지 않더라도 누구나 마음만 먹으면 비교적 쉽게 실천할 수 있는 규칙적인 운동, 명상의 효과를 주는 천천히 생각하기를 병행함으로써 자신의 업무에 관한 좋은 아이디어도 얻고 일상의 삶에서 얻을 수 있는 최상의 컨디션도 유지할 수 있다.

제4단계
두뇌 활동의 극대화

7일간 생각하기

방법	풀리지 않는 문제를 7일간 생각한다.
의미	고도의 몰입 체험
목표	종일 그 문제만을 생각하게 되어, 문제에 대한 생각과 함께 잠들고 문제에 대한 생각과 함께 잠에서 깬다.

1단계 생각하기 훈련을 충분히 하여 스스로의 사고력에 자신감이 생기고, 2단계 천천히 생각하기를 습득하여 종일 생각해도 힘들지 않게 되며, 3단계 규칙적인 운동을 습관으로 만들어 매일 최

상의 컨디션을 유지하게 되면 이제 드디어 몰입을 경험하기 위한 조건이 모두 구비된 것이다. 이제 몰입도 100%에 이르는 풀코스 마라톤을 시도할 차례다. 1단계부터 3단계까지가 몸에 밴 듯 익숙해지면 3일 만에 몰입에 다다르는 것도 가능하지만, 처음 하는 경우는 1주일 정도 여유롭게 시간을 잡고 도전하는 것이 좋다. 1주일 동안 오로지 한 문제에 대해서만 생각한다. 학생은 방학 때, 직장인은 휴가를 이용하면 1주일이라는 시간을 따로 낼 수 있을 것이다. 몰입을 시도하기 전에 준비해야 할 사항들은 2장에서 설명한 부분을 참고한다.

두뇌 활동의 극대화 핵심 포인트

이제 어떤 문제에 대해서 몰입을 할지 정해야 한다. 이 정도 상태에 이르면 무엇인가 큰 의미를 가진 문제를 해결해 보고 싶은 의욕과 자신감이 생긴다. 천천히 생각하기 훈련을 많이 해서 자신이 맡은 업무나 공부하고 있는 분야에 대한 사고력과 창의력이 고도로 발달하여, 어떤 문제라도 지치지 않고 오랜 기간 생각할 수 있는 상태가 되면, 난도가 높더라도 중요한 문제에 도전하는 것이 바람직하다. 남들도 모두 풀 수 있는 쉬운 문제는 아무리 많이 해결해도 별다른 발전을 느낄 수 없기 때문이다.

천천히 생각하기의 진정한 위력을 맛보기 위해서라도 중요하고 난도가 높은 문제에 도전해야 한다. 해결한다면 인생이 바뀔 수도 있는 중대한 문제에 도전을 해야 긴장도 되고 극도로 진지한 자세로 자신의 최대 능력을 발휘할 수 있다. 주식을 산 사람들이 주가지수는 물론 국제유가, 세계 경제 등에 관심을 갖고 그 결과에 울고 웃는 이유는 돈을 걸었기 때문이다. 천원을 투자한 사람과 천만원을 투자한 사람의 관심과 열정은 분명 다를 것이다. 그런데 우리의 인생이 걸린 문제를 해결하는 상황이라면? 그때의 몰입은 두뇌활동의 극대화는 물론, 자아실현과도 직결된다.

일상 속에서 두뇌활동의 극대화 훈련

난도 높은 문제를 선정하였으면 이제 그 문제만을 7일간 생각하는 데 도전한다. 난도가 높기 때문에 며칠을 생각해도 진전이 없을 것이다. 최선을 다해서 그 문제를 해결하려고 생각에 몰입해도 전혀 진전이 없는 문제를 푸는 것은 여간 어려운 일이 아니다. 그러나 천천히 생각하기의 경험을 많이 쌓아 오래 생각할 수 있는 저력을 갖추고 있으면 마음만 굳게 먹으면 7일간 생각을 할 수 있다. 이럴 때 우리 뇌에서는 많은 변화가 일어난다. 겉으로 보기에는 문제 해결에 전혀 진전이 없어 보이지만 계속해서 그 문제에 대해 생각하면 그 문제를 풀겠다는 생각과 의지가 계속 뇌에 입력된다. 그리고 내부에서 조금씩 변화가 일어난다. 이런 상태에서 3일 정도의 시간이 지나면 뇌는 비상 체제로 전환한다. 아마도 이 문제를 해결하지 못하면 목숨이 위태롭다고 판단하고 신체에 비상사태를 선언하는 것 같다. 이 상태가 완전한 몰입이다. 의식 속에 일체의 다른 생각이 없이 오로지 그 문제만 생각하는 상태가 되는 것이다. 몰입을 시도한 후 빠르면 3일째에 몰입을 체험할 수 있다. 3일째 체험을 하지 못하더라도 포기하지 말고 7일 동안 계속 도전하자. 처음 도전하는 사람은 시행착오를 겪기 때문에 한번에 성공하기는 어려울 것이다. 그러나 포기하지 말고 1년에 한두 차례 사고 주간을 만들어 도전하기 바란다.

몰입적 사고를 하려면 열심히 생각하기think hard를 실천하되 천천히 생각하기slow thinking의 방법을 사용하여야 한다. 천천히 생각하기의 방법으로 계속 생각하면keep thinking 깊은 생각deep thinking으로 바뀌고 여기서 계속 나아가 몰입도가 올라가면 생각하는 재미fun thinking를 경험하게 된다.

제5단계

가치관의 변화

페이스 유지하기

방법　한 달 이상의 지속적인 몰입 체험

의미　몰입 체험을 통한 변화

목표　최상의 삶에 대한 깨달음

이 단계는 마라톤으로 치면 풀코스를 완주한 뒤 달라진 자신의 모습을 확인하는 과정이라고 할 수 있다. 몸과 마음이 풀코스 마라톤에 적응되었으니 이제는 언제든 마음만 먹으면 반복해서 마라톤을 할 수 있다. 필요한 만큼, 또 자신이 원하는 만큼 페이스를 조절할 수도 있다. 이 단계에 이르면 사소한 문제 하나하나를 해결하는 수준을 넘어서 해당 분야에 대한 깊은 이해로 사고가 확장되고 가치관이 변화한다. 인생에 대한 통찰력이 생기고 성공과 행복을 찾아내고 유연하게 받아들일 수 있는 경지에 이르게 된다.

사람은 자신이 하는 일이 세상에서 가장 중요하다는 믿음이 있어야 자신을 송두리째 던져서 그 문제에 몰입하게 된다. 그런 믿음이 없으면 어떤 일을 하건 엉덩이는 뒤로 뺀 채 고개만 내밀고 적당히 하는 시늉만 하게 된다. 이런 경우는 자신의 능력의 극히 일부만 사용하고 일에서 재미를 느끼기도 어렵다. 즉 몰입하기 힘들다는 얘기가 된다.

이창호는 바둑이 세상에서 가장 중요한 일이라고 생각하여 바둑에 자신의 인생을 던진 사람이고, 타이거 우즈는 골프가 세상에서 제일 중요하다고 생각하여 골프에 자신의 인생을 던진 사람이다. 이렇게 자신이 하는 일이 세상에서 제일 중요하다는 믿음은 지극히 주관적인 것이지만, 자신의 능력을 최대로 발휘하기 위해서는 반드시 필요한 가치관이다.

가치관의 변화 핵심 포인트

사람의 가치관은 하루 아침에 형성되는 것이 아니다. 오랜 경험을 통하여 서서히 형성되고 쉽사리 바뀌지도 않는다. 그러나 몰입을 장기간 경험하면 새로운 가치관이 형성된다. 이러한 가치관의 변화는 몰입 상태에서 자주 경험하는 선잠이 커다란 역할을 하는 것으로 생각된다.

사람은 경험하지 않으면 믿지 않는다. 몰입을 한 달 이상 체험하면 자신의 일이 점점 더 숭고해진다. 몰입의 결과로 얻은 아이디어들이 모여서 하나의 작품이 완성되어가는 과정은 마치 자신이 아이를 잉태한 것과 같은 느낌, 신성한 기분까지 들게 한다. 그뿐만 아니라 인생에서 진정으로 의미 있는 활동이 무엇이고 의미 없고 부질없는 활동이 무엇인지 명확하게 구분할 수 있다. 몰입 상태에서 세상을 보는 눈과 평상시에 세상을 보는 눈은 분명히 다르다. 몰입을 장기간 체험하면서 세상을 보는 눈이 달라지고 가치관이 변화한다.

여태껏 낭비하고 빈껍데기 같은 삶을 살아왔다면 이제부터는 세상을 보는 관점과 가치관을 새롭게 정비하고 보다 의미 있는 삶을 선택하게 된다. 몰입은 이렇게 사람의 가치관을 바꿔 인생의 참된 의미와 가치를 되새기게 해줄 것이다.

당신도 몰입할 수 있다

몰입은 적어도 3일 이상 일상의 모든 것을 잊고 오로지 풀어야 할 문제만을 생각해야 들어갈 수 있는 고도의 정신 활동이다. 따라서 사전에 충분한 사고 훈련과 강한 의지가 있어야만 몰입에 들어갈 수 있다. 이 장에서는 초보자도 꾸준히 실천한다면 몰입에 이를 수 있는 다섯 단계를 소개하고자 한다. 1단계부터 차례대로 실천해 나가면 궁극적으로 몰입을 체험할 수 있을 것이다. 또한 마지막 몰입까지 가지 않고 각각의 단계만 습득해도 학생이라면 학습 능력을, 직장인이라면 업무 능력을 향상시킬 수 있을 것이다.

1단계 생각하기 연습을 마스터하면 문제 해결력이 비약적으로 상승하고, 2단계 천천히 생각하기를 마스터하면 스트레스에서 해방되어 즐겁고 자발적으로 공부하고 일할 수 있다. 3단계인 최상의 컨디션 유지 단계를 마스터하면 자신감에 차서 일관된 목표를 가지고 살아갈 수 있다. 그러고 나면 4단계 몰입에 들어갈 준비를 마친 것이고, 몰입을 지속적으로 경험하면 5단계인 인생에 대한 여러 깨달음을 얻게 될 것이다.

처음부터 마지막 단계인 몰입을 목표로 할 필요는 없다. 우선 자신이 지금 실천할 수 있는 단계부터 꾸준히 연습해 보자. 그리고 발전하는 자신의 모습을 살펴보자. 어느 순간 더 높은 단계인 몰입에 도전해 보고 싶은 마음이 들 것이다. 바쁜 일상을 살아가는 사람들 모두가 내가 체험한 극단적인 몰입을 경험하기는 쉽지 않을 것이다. 그러나 이런 몰입 체험이 내 인생에서 가장 생산적이고 행복했던 경험이라는 명백한 사실만은 변함이 없다. 학교나 직장에 다닌다면 몰입도가 낮을 수밖에 없지만 가장 깊이 몰입하는 방향을 의식하면서 살아가면 체계적으로 몰입도를 올릴 수 있고, 몰입도가 올라감에 따라 자신의 지적 능력을 발휘할 수 있으며, 일에 대한 재미도 느낄 수 있다.

몰입에 이르는 다섯 단계는 이러한 순서로 몰입도를 올리는 방법이다. 단계가 높을수록 몰입도가 높으며 더 높은 단계를 습득할수록 더 재미있고 효율적으로 일할 수 있다. 중요한 점은 이 다섯 단계를 실천하면 선순환을 탈 수 있다는 것이다. 직장에서의 악순환은 일을 잘해야 한다는 부담 때문에 스트레스를 받아서 일하기가 싫어지고, 그러면 일의 능률이 떨어져서 성과가 낮아지고, 결국 상사에게 꾸지람을 받아 또 스트레스를 받으니 일하기가 점점 더 싫어지는 것이다. 이러한 악순환의 고리에 빠지면 직장생활은 점점 권태에 빠지게 된다. 몰입에 이르는 다섯 단계를 습득하면 이런 악순환에서 벗어날 수 있다. 2단계를 습득하면 일을 하면서 스트레스를 받지 않고 오히려 게임을 할 때처럼 재미있게 할 수 있고 1단계와 3단계를 습득하면 사고력과 집중도가 올라가고 몸이 최상의 컨디션이 되어 자신의 능력을 제대로 발휘할 수 있게 된다. 자연히 성과도 좋아져서 일이 더 재미있고 보람도 느낄 수 있다. 이것이 일에서의 선순환이다. 공부도 마찬가지이다. 공부하는 것이 스트레스가 아니라 즐거운 활동으로 바뀐다. 몰입에 이르는 다섯 단계는 당신의 생활을 긍정적인 에너지가 넘치는 시간으로 차근차근 바꿔줄 것이다.

소망하고 추구하는 것을 이루는 몰입적 사고

'어떻게 살아야 할까'라는 문제를 화두로 1주일간 몰입을 한 적이 있다. 많은 생각이 떠올랐지만 결국 단순한 두 가지 결론을 내렸다. 하나는 '행복하게 살자'는 것이고 다른 하나는 '해야 할 일을 최선을 다해 잘하자'라는 거다. 사람들은 해야 할 일을 그저 생활을 유지하기 위한 수단으로 삼는데 그러면 일도 삶도 재미가 없어진다. 일 자체가 이루고 싶은 목적이 되어야 능률도 오르고 성공할 확률도 높아지는 것이다. 공부도 마찬가지다. 공부 자체를 즐겨야 상위 1%도 되고 천재도 될 수 있다. 지금 해야 하는 일, 해야 하는 공부를 세상에서 가장 숭고한 목표

로 만들어라. 그러면 삶을 채우고 있는 모든 순간이 행복해질 것이다. 내가 이 책에서 말하려던 것이 이것이다. 해야 할 일을 즐기며 행복하게 사는 방법. 나는 그 해답을 '몰입'에서 찾았다.

마감일이 정해진 꼭 해야 할 일이 있다고 하자. 주위 사람들의 기대가 크면 부담도 커지고 자신의 능력보다 일의 수준이 높다면 의욕은 사그라질 것이다. 하지만 생각을 바꿔보자. 기대가 크고 수준이 높을수록 당신의 실력을 인정받을 수 있는 확실한 기회가 된다. 몰입은 기대와 부담을 즐기고, 창의적인 아이디어를 떠오르게 하여 해야 할 일을 즐거운 일이 되도록 만든다. 내적인 몰입으로 사회적인 성과까지 얻을 수 있는 것이다. 이것이야말로 몰입의 탁월함이다.

IBM 한국보고서에 의하면 초일류 기업일수록 무형자산의 비율이 높다. 2005년 말을 기준으로 무형자산의 비율을 비교하면 GE가 93.4%, 마이크로소프트가 87.5%, IBM이 84.3%, 인텔이 73.8% 삼성전자가 63.8%, LG전자가 58.2%이고 금융업을 제외한 국내 상장기업은 평균적으로 33.6%다. 이것은 국내기업이 국제경쟁력을 가지고 발전하려면 우수한 인재를 확보하는 것이 급선무임을 명확히 보여준다. 무형자산의 핵심은 우수한 인재이기 때문이다.

GE 전 회장이었던 잭 웰치는 "내 시간의 75%는 핵심 인재를 찾고 배치하고 보상하는데 썼다"고 했다. 또한 마이크로소프트 창업자인 빌 게이츠는 "핵심 인재 20명이 없었다면 오늘날의 마이크로 소프트도 없다"고 말했다.

한 명의 인재를 얻는 것이 많은 재화를 얻는 것보다 가치 있는 일이 되었다. 세계 초일류 기업들은 우수한 인재를 채용하기 위해 거의 전쟁을 방불케 하는 작전을 펼치고 있다. 인재가 곧 기업의 경쟁력이기 때문이다. 다가올 미래 역시 다르지 않다. 지금 이 시대가 필요로 하는 것은 사고력과 창의력을 가진 열정적인 인재다. 몰입은 그것을 가능하게 한다. 생각 자체는 눈에 보이지 않는 허상이지만 집중할수록 눈에 보이는 성과가 되어 나온다. 누구나 할 수 있는 생각을 자신만의 참신한 아이디어로 만드는 것은 이제 당신이 얼마나 몰입하느냐에 달려 있다. 생각하는 습관을 들이고 몰입에 이르는 단계를 하나씩 실천한다면 누구든 성공과 행복을 동시에 거머쥘 수 있을 것이다.

2부

최고의 삶을 선사하는 몰입 활용법

7장

어떻게
살 것인가?

인생의 깊이를 더하는 몇 가지 질문

몰입에 대한 이야기를 시작하기 전에 먼저 삶에서 중요한 몇 가지 문제들에 대해 생각하는 시간을 가져보자. 그 과정에서 몰입이 인생에 얼마나 지대한 영향을 미치는지 이해할 수 있을 것이다. 나는 삶의 중요한 문제들에 대한 답을 찾다가 몰입을 체험하기도 했지만, 보다 명확한 답을 찾은 것은 몰입 중에 얻은 깨달음을 통해서였다.

이 장에서는 삶의 중요한 문제들과 관련하여 몇 가지 질문을 던질 것이다. 가치 있는 삶을 살기 위해 한 번은 꼭 짚고 넘어가야 하는 문제들인 만큼 충분한 시간을 갖고 생각하기 바란다.

긍정심리학과 몰입 분야의 석학인 칙센트미하이 교수의 연구 과정을 우선 살펴보자. 그는 원래 창의성에 관심을 갖고 이에 관한 연구를 했다. 이때 과연 어떤 요인이 창의성을 발휘될 수 있도록 하는지 알아내기 위해 다양한 분야에서 창의적인 업적을 이룬 사람들과 인터뷰를 했다. 그 결과 그들에게서 한 가지 공통점을 발견했는데, 그것은 바로 그들이 자신의 일을 할 때 몰입을 한다는 사실이었다.

이때부터 칙센트미하이 교수는 몰입이라는 현상에 관심을 갖고 집중적으로 연구하기 시작해 관련 이론들을 확립했다. 이 과정에서 창의적인 업적을 낸 사람들은 공통적으로 위기감에 의한 수동적인 몰입이 아닌 능동적인 몰입을 한다는 사실을 알아냈다. 더 나아가 이들이 능동적으로 몰입을 하는 이유에도 공통점이 있다는 것을 발견했다. 첫 번째 질문은 다음과 같다.

왜 이들은 능동적으로 몰입했을까?

만약 당신이 능동적으로 몰입을 하지 못하는 사람이라면, 어쩌면 '몰입의 동기'가 부족하기 때문일 수도 있다. 이런 사람일수록 창의적인 업적을 낸 이들이 능동적으로 몰입하는 이유를 이해하는 것이 중요하다.

무엇이 뉴턴으로 하여금 내내 만유인력에 대한 생각만 하도록 하고, 아인슈타인으로 하여금 몇 달이고 몇 년이고 생각하고 또 생각하게 했을까? 무엇이 문학가나 예술가들로 하여금 생활고를 무릅쓰면서까지 보다 나은 작품을 완성하기 위해 그토록 안간힘을 쓰게 했을까? 분명한 것은 이들이 먹고살기 위해, 혹은 생존을 위해 이러한 노력을 한 것이 아니라는 점이다.

그렇다면 왜 그들은 생존에 필요한 것 이상의 노력을 했을까? 능동적으로 몰입한 이유는 분명 최선을 유도하는 자신만의 무언가가 있었기 때문이다.

삶에서 다른 어떤 것보다도 더 강력하게 최선을 유도하는 공통적인 요인은 과연 무엇일까? 이 질문의 답은 스티브 잡스가 스탠퍼드 대학 졸업 축사에서 찾을 수 있다.

열일곱 살 때 이런 경구를 읽은 적이 있습니다. "하루하루를 인생의 마지막 날처럼 산다면, 언젠가는 바른 길에 서 있을 것이다." 이 글에 감명받은 저는 그 후 지난 33년 동안 매일 아침 거울을 보면서 자신에게 묻곤 했습니다. 오늘이 내 인생의 마지막 날이라면, 지금 하려고 하는 일을 할 것인가? '아니요!'라는 답이 계속 나온다면, 다른 것을 해야 한다는 걸 깨달았습니다. 인생의 중요한 순간마다 '곧 죽을지도 모른다'는 사실을 명심하는 것이 저에게는 가장 중요한 도구가 됩니다. 왜냐고요? 외부의 기대, 각종 자부심과 자만심, 수치스러움과 실패에 대한 두려움은 '죽음'을 직면해서는 모두 떨어져 나가고, 오직 진실로 중요한 것들만이 남기 때문입니다.

칙센트미하이 교수에 의하면 위대한 업적을 남긴 사람들이 능동적으로 몰입할 수 있었던 공통적인 이유는 바로 '삶의 유한함' 혹은 '죽음에 대한 두려움' 때문이었다고 한다. 옛날 수사修士들은 일부러 책상 위에 해골을 올려놓고 글을 썼다고 한다. 자신이 죽은 뒤에 읽혀도 한 점 부끄럼 없는 글을 쓰기 위해 매 순간 죽음을 의식했던 것이다.

독일의 소설가 토마스 만은 "죽음이 없었다면 이 지구상에는 시인이 매우 귀했을 것"이라고 말했다. 인간이 예술을 창조하는 여러 이유 중 하나는 죽음의 공포와 관련이 있다. 미켈란젤로는 "죽음이 그의 끌을 가지고 조각하지 않았다면 내 안에 아무런 사상이 없었다"고 말했다. 예술을 창조하는 동기는 여러 충동들이 한데 모여 생겨나는데, 그중 하나는 바로 자신이 죽은 뒤에도 오래도록 살아남을 무언가를 창조하고자 하는 욕구다.

죽음을 의식하지 않을 때는 생존 자체만을 위한 삶에 그치지만 죽음을 의식하면 후회 없는 삶을 추구하게 된다. 그 두 가지 삶은 큰 차이가 있다. 생존을 위한 삶은 필요한 만큼의 노력을 하는 데 그치지만, 후회 없는 삶은 최대한의 노력을 하게 한다. 생존을 위한 삶은 수동적인 삶에 머물지만, 후회 없는 삶은 능동적이고 적극적인 삶으로 이끈다. 그 차이는 시간이 갈수록 커진다.

레너드 쉴레인은 그의 책 『자연의 선택, 지나 사피엔스』에서 인류는 두뇌가 발달했기 때문에 죽음을 인식하기 시작했고, 죽음에 대한 통찰이 인류의 창조적 폭발creative explosion[1]에 불을 댕겼다고 밝혔다. 결국 죽음에 관한 통찰이 인류의 문명을 낳은 셈이다. 그렇다면 문명은 죽음이라는 공포의 도전을 받은 인간이 이를 극복하고자 하는 과정에서 당장 생존에 필요한 노력 이상을 추구하면서 만들어진 것이라고 볼 수 있다. 그리고 이것이 인간을 동물의 상태에서 벗어날 수 있도록 한 주된 요인이다. 이는 죽음을 망각한 생활은 동물의 상태에 가깝다는 톨스토이의 통찰과 일맥상통한다.

죽음에 관한 통찰은 평소에 잊기 쉬운 삶의 한시성에 대한 의식의 비중을 높여준다. 죽음이 시시각각으로 다가옴을 의식하면 하루하루가 더없이 소중하게 느껴진다. 그러면 '이 소중한 하루하루를 어떻게 살 것인가?'라는 문제가 삶의 중심에 자리 잡게 된다.

어떻게 살 것인가

누구나 살면서 종종 어떻게 살 것인가에 대해 생각하는 시간을 갖는다. 인생에서 빼놓을 수 없는 중요한 문제이기 때문이다. 나 역시 이 문제에 대해 오랜 시간 심각하게 고민해 왔다. 한 번밖에 없는 인생을 어떻게 살아야 나중에 후회가 없을지 도무지 알 수 없었다. 나는 종교적인 성향을 가진 사람은 아니지만 이 물음에 대한 답을 절실하게 원하다 보니 나도 모르게 절대자를 찾게 되었다. 만약 전지전능한 절대자가 정말로 존재한다면 제발 내 앞에 나타나 "이렇게 살아라. 그러면 죽을 때 후회하지 않을 것이다"라고 말해주길 그야말로 간절히 바랐다. 그렇게만 된다면 설령 그 길이 아무리 험난하다 해도 기필코 가리라 마음먹었다.

'어떻게 살 것인가?'에 관해 명확한 답을 찾기는 쉽지 않지만, 시간 날 때마다 고민할 가치가 있다. 그래서 자신의 내면 깊은 곳에서 확신할 수 있는 명확한 답을 찾아야 한다. 이 문제에 대해 명확한 답을 찾은 사람과 그렇지 않은 사람은 삶에 대한 자세나 방식에서 분명한 차이를 보이기 때문이다.

어떻게 살 것인지에 대해 명확한 답을 찾지 못하면 한마디로 '어정쩡한 삶'을 살게 된다. 어떻게 살아야 할지 모르는데 어떻게 확신에 찬 삶을 살 수 있겠는가? 그저 주변에서 좋다고 하면 이것저것 따라 하면서 우유부단하고 줏대 없는 삶을 살 뿐이다. 마치 인생이라는 항해를 하는데 등대가 없는 것과 같다. 파도가 치면 이리 밀리고, 바람이 불면 저리 쏠린다. 나름대로 열심히 살고 바쁘게 보내기는 하는데 시간이 지나면 남는 게 없다. 나이가 든 뒤에 '이렇게 사는 게 아니었는데!' 하고 뒤늦게 후회해도 이미 지나간 세월을 돌이킬 수는 없는 일이다.

반대로 '어떻게 살 것인가?'라는 질문에 마주하고 오랜 시간 고민한 끝에 확실한 답을 얻으면 인생이라는 항해에서 방향을 잡아 줄 등대를 만난 것과 같다. 옆에서 누가 뭐라고 하든 흔들리지 않고 자신이 가고자 하는 길을 묵묵히 갈 수 있다. 때때로 파도가 치고 바람이 불면 배가 뒤로 밀리기도 하지만, 잠잠해지면 다시 그 등대를 향해 앞으로 나아간다. 그리고 시간이 지날수록 자신이 추구하는 삶의 완성도가 높아져서 결국 찬란한 빛을 발하게 된다.

사람은 본능적으로 안이한 삶을 추구하기 때문에 별 생각 없이 지내다 보면 의미 없는 삶에 매몰될 수 있다. 그러나 삶의 한시성을 염두에 두고 '어떻게 살 것인가?'라는 질문에 대해 지속적으로 고민한다면 끊임없이 자신의 삶을 돌아보고, 나태해진 삶을 경계하게 된다. 설사 확실한 답을 얻지 못해도 '적어도 이렇게 사는 것은 아니다'라는 생각이 들어, 지금의 안이한 삶에서 벗어나 더 나아지고자 치열하게 노력하게 된다.

세속적인 삶의 함정

물질적이고 세속적인 것들만 추구하면서 바쁘게 살다 보면 진정한 삶의 본질을 간과하기 쉽다. 그리고 점점 삶에서 진실로 중요한 것과 그렇지 않은 것을 가려내기가 어려워진다. '어떻게 살 것인가?'의 답을 찾기 위한 방편으로 세속적인 것들이 모두 해결되었다고 가정해 보자. 가령 충분히 많은 돈을 벌고 꿈에 그리던 이상형과 결혼해서 아이도 낳고, 또 이 아이들이 건강하고 똑똑하게 자라 주위 사람들의 부러움을 한 몸에 받으며 살고 있다고 하자. 그러면 인생의 모든 문제가 해결되었다고 볼 수 있을까? 그렇다고 해서 하루하루가 천국 같고 더할 나위 없이 좋기만 할까?

필요한 것만 채우는 것이 삶의 전부는 아니다. 물질적이고 세속적인 바람들을 이루었다는 것은 살아가는 데 불편함이 어느 정도 해소되었다는 것을 의미할 뿐 삶의 본질적인 문제가 해결된 것은 아니다. 즉, 물질적이고 세속적인 문제의 해결은 삶의 필요조건이지 충분조건은 아닌 것이다.

사람은 누구나 머지않은 미래에 반드시 죽는다. 그런데 억울한 것은 서서히 다가오는 죽음에 대항해 우리가 할 수 있는 일이 하나도 없다. 아무리 발버둥 쳐도 죽음을 향해 흐르는 시간을 멈출 수가 없다. 특별히 잘못한 것도 없는데 누구나 언젠가는 죽어야 한다. 이것은 누구에게 하소연할 수도 없는 문제다. 인간은 모두 죽음 앞에 무력하다.

서서히 다가오는, 혹은 갑자기 닥친 죽음에 맞서 싸울 수 있는 방법은 없지만 주어진 삶을 어떻게 사느냐는 자기 자신에게 달려 있다. 따라서 이 질문에 대한 답은 살아도 산 것 같지 않은 삶, 그래서 죽음과 크게 다르지 않은 삶을 사는 것이 아니라 죽음과 가장 반대되는, 가장 삶다운 삶을 사는 것이다. 그렇다면 과연 어떻게 살아야 가장 삶다운 삶을 살고 인생의 말년에 후회하지 않을 것인가?

인생의 말년에 후회가 드는 이유는 무엇일까?

이 질문에 대한 명확한 답을 찾지 못한 채 살아가다 보면 인생의 말년에 후회할 일이 생길지도 모른다. 그때 가서 아무리 쓰라린 후회를 해도 소용없다. 더 이상 만회할 기회가 없기 때문이다. 지금이라도 늦지 않았으니 인생의 말년에 후회한다면 그 이유는 무엇일지 생각해봐야 한다. 그래야만 후회 없는 삶을 살 수 있다.

후회와 좌절의 차이

가슴을 쓰리게 하는 감정 중에 후회와 좌절이 있는데, 이 두 감정은 분명 차이가 있다. 좌절은 열심히 노력했지만 좋지 않은 결과를 얻었을 때 생기는 감정이다. 그리고 후회는 노력만 하면 충분히 잘할 수 있었는데 그렇게 하지 않아서 마음에 들지 않는 결과가 나왔거나 그 결과로 인해 불이익을 받았을 때 생기는 감정이다. 한마디로 좌절은 결과, 후회는 과정에 치중하는 것이다.

좌절이 잦아지면 '노력해도 소용없다'는 고정관념이 생겨 결국 노력 자체를 하지 않게 된다. 노력에 대한 보상이 없기 때문이다. 세상사를 가만히 살펴보면 과정은 자신의 영향력 안에 있지만 결과는 자신의 영향력을 벗어나는 경우가 많다. 영향력을 벗어난 것에 대해서는 큰 의미를 둘 필요가 없다. 좌절은 백해무익하므로 어떠한 상황에서도 좌절하지 않는 능력을 키우는 데 중점을 둬야 한다. 그래야만 실패를 견디는 맷집이 좋아져 패기로 다시 도전하고자 하는 마음도 생긴다.

반면 과정에 치중하는 후회의 감정은 최선을 다하도록 유도하기 때문에 유익하다. 따라서 후회의 감정은 이왕이면 어릴 때부터 많이 경험해서 발달시킬수록 좋다. 왜냐하면 어린 시절 후회의 쓰라림을 경험해 보지 않은 사람은 살아가면서 후회할 짓을 많이 하게 되기 때문이다. 어른이 된 후 후회할 일을 저지르게 되면 삶에 치명적일 수 있다. 예를 들어 후회할 결혼이나 후회할 이혼을 하는 경우가 있다. 또 직장에서 사소한 일에 사표를 집어던지고 나중에 '내가 왜 그 좋은 직장을 그만두었을까?'라고 후회할 수도 있다.

죽음보다 더 두려운 후회의 감정

그렇다면 후회의 감정은 어떻게 긍정적으로 발달시킬 수 있을까? 후회는 최선을 다하려고 결심했는데 그것을 실천하지 못했을 때 생긴다. 따라서 매일 아침 두 주먹을 불끈 쥐고 '오늘 하루 최선을 다해야지!'라고 결심을 해야 한다. 그런데 최선을 실천하기가 좀처럼 쉽지 않으므로 하루를 마감하면서 십중팔구 후회를 하게 된다. 중요한 것은 아침에 최선을 다하려는 굳은 결심을 하지 않으면 나중에 후회의 감정도 생기지 않는다는 것이다.

최선에 대한 굳은 결의를 자주 하다 보면 후회의 감정이 발달하고 후회의 쓰라림이 커진다. 그러다 보면 점차 후회의 감정을 무서워하게 되고 세상에서 가장 무서운 것이 후회라는 것을 알게 된다. 그러면 후회할 일을 좀처럼 하지 않게 된다. 그리고 후회하지 않는 삶을 사는 것이 세상에서 가장 중요한 문제가 된다.

후회는 결심한 목표를 달성하지 못한 것에 대한 내적인 처벌이기도 하지만, 시간이 경과한 후 뒤늦게 깨닫는 강한 아쉬움도 포함한다. 후회라는 것은 지나간 과거를 대상으로 하기 때문에 다시 돌이킬 수 없다는 점에서 심각한 문제다. 죽음보다 더 두려운 것이 있다면 그것은 별 생각 없이 살다가 죽음을 앞두고 지난날을 후회하는 상황일 것이다.

후회는 무엇을 했다거나 그렇지 못했다거나 하는 것과 상관이 없다. 국회의원, 장관, 혹은 대통령을 했다고 해서 인생의 말년에 후회를 하지 않는 것은 아니다. 후회는 결과의 문제가 아니라 과정의 문제이다. 자기 능력의 한계를 넘지 못한 것에 대해 후회하는 경우는 없다. 만약 자신의 모든 능력을 마음껏 발휘하면서 살았다면 인생의 마지막 날에 후회할 이유는 없다. 자기 능력의 5퍼센트도 채 사용하지 못하고 세상을 떠나기 때문에 후회를 하는 것이다. 장작이 겨우 5퍼센트만 타고 나머지는 태우지도 못한 채 폐기된다면 너무 아깝지 않은가?

해야 할 일을 즐기는 행복한 삶

'어떻게 살아야 할 것인가?' 이 질문에 대해 생각하다 보면 항상 떠오르는 답이 하나 있다. 바로 행복하게 살아야 한다는 것이다. 지극히 당연한 이야기지만 한 번밖에 없는 삶을 불행하게 산다면 너무 억울한 일이다. 행복한 삶을 사는 것이야말로 인생에서 가장 기본적인 목표가 되어야 한다. 나는 오랜 기간 몰입을 체험하면서 행복하게 살 수 있는 방법을 터득한 듯한 느낌을 받았다. 마치 남들이 풀지 못한 행복의 방정식을 푼 듯한 기분이었다.

사실 내가 깨달은 행복의 비법은 그리 특별한 것이 아니다. 그것은 바로 '내가 좋아하는 일을 함으로써 행복을 추구하지 말고, 내가 해야 할 일을 좋아함으로써 행복을 추구하라'는 것이다. 이는 이미 오래전 미국의 사상가 랄프 왈도 에머슨이 한 이야기와도 일맥상통한다. 이 말의 의미를 깊이 음미해 볼 필요가 있다. 사람들은 흔히 "행복해지려면 정말로 좋아하는 일을 하라"고 조언한다. 그러나 현실적으로 자신이 좋아하는 일만 할 수 있는 여건이 되는 사람은 극히 드물다. 설령 좋아하는 일을 하면서 행복을 추구한다 해도 이를 통해 누릴 수 있는 행복은 매우 제한적이다. 오히려 자기가 좋아하는 일만 하면서 행복을 추구하다 보면 삶이 점점 더 힘들어지는 경우가 많다.

반면 해야 할 일을 좋아하고 그 일을 하면서 행복을 찾는다면 누릴 수 있는 행복은 무제한이 된다. 이는 자신의 역량을 키워주고 더욱 성공적인 삶으로 이끈다. 삶이 곧 천국이 되는 것이다.

어떻게 하면 해야 할 일을 즐길 수 있을까?

해야 할 일을 즐길 줄 아는 것은 매우 중요하다. 물론 그것은 하루아침에 되는 것이 아니라 어릴 때부터 훈련을 해야 한다. 유대인의 교육 방식 중에 '배움은 꿀처럼 달다는 것을 반복해서 체험시킨다'는 것이 있는데, 이는 유대인 지도자인 랍비들이 삶에 대한 깊은 통찰을 통해서 정립한 교육 철학이다. 어릴 때부터 공부를 즐길 수 있도록 가르치는 교육 방식은 성적이나 효율성뿐만 아니라 어른이 된 후 행복하고 성공적인 삶을 사는 데에도 매우 중요하다.

어려서부터 재미있게 공부해 온 아이가 어른이 되어 회사에 취직을 했다고 하자. 어떤 업무가 주어지든 그는 일단 '어떻게 하면 이 일을 즐기면서 멋지게 해낼 수 있을까?'를 궁리할 것이다. 마치 요리사가 '어떻게 하면 똑같은 재료로 보다 맛있는 요리를 만들 수 있을까?'에 대해 고민하는 것과 같다.

다음 글은 칙센트미하이의 『몰입의 즐거움』에 소개된 제트엔진을 발명한 프랭크 위틀의 이야기다.

> 난 문제를 푸는 게 너무 좋다. 고장 난 식기세척기건 말을 안 듣는 자동차건 신경 구조건 간에 말이다. 지금은 머리카락 세포의 구조를 연구하고 있는데 아주 흥미진진하다. 나는 문제의 유형을 따지지 않는다. 문제를 푼다는 것 자체가 즐겁다. 문제를 푸는 것처럼 재미난 일이 또 있을까? 인생에서 이처럼 흥미진진한 일이 또 있을까?

그처럼만 살 수 있다면 분명 행복하고도 성공적인 삶을 살 수 있을 것이다. 취미 활동이라고 해서 모두 즐겁기만 한 것은 아니다. 한여름, 햇볕이 쨍쨍 내리쬐는 운동장에서 땀을 뻘뻘 흘리며 테니스를 치는 것은 결코 쉬운 일이 아니다. 만약 찌는 듯한 더위에 강제로 테니스를 치게 된다면 그야말로 지옥이 따로 없을 것이다. 그런데 간혹 땡볕에서 혼신을 다해 테니스를 즐기는 사람들을 볼 수 있다. 그들이 그토록 고통스러운 땡볕에서도 테니스를 즐길 수 있는 이유는 누가 시켜서 하는 것이 아니라 스스로 원해서 하기 때문이다.

해야 할 일을 즐겁게 하기 위해 가장 중요한 것은 그 행위가 수동적이 아니고 능동적이어야 한다는 것이다. 이러한 관점에서 항상 자기 자신을 돌아볼 필요가 있다. 내가 현재 공부나 업무를 수동적으로 하고 있지는 않은가? 내가 일에 쫓기고 있지는 않은가? 만약 수동적인 상황이라면 의도적인 노력으로 보다 능동적인 상황을 만들어야 한다. 쫓기는 상황이면 쫓는 상황으로 전환해야 한다. 이러한 방향으로 조금만 노력해도 큰 효과를 볼 수 있다.

바쁘게 일하다가도 할 일이 없어지면 금세 무료함을 느끼고 TV를 보거나 컴퓨터 게임 등을 하는 사람이 있다. 이처럼 시간의 여유가 생길 때 무료함을 느끼는 것은 시험을 보지 않으면 스스로 공부를 하지 않으며, 누군가 강제로 시키지 않으면 자발적으로 업무를 수행하지 않는다는 것과 같은 맥락이다. 즉, 강제적인 상황으로만 공부나 업무를 하는 것이다. 이렇게 자유 시간이 주어졌을 때 심심하다고 생각하는 사람은 구조적으로 수동적일 수밖에 없다.

어떻게 하면 능동적이 될까?

이 질문은 아주 중요한 만큼 조금 어렵더라도 과학 법칙을 빌려 체계적으로 짚고 넘어갈 필요가 있다. 아인슈타인이 모든 법칙의 제1법칙이라고 말한 '엔트로피 법칙[2]'에 대한 설명은 아주 다양한데, 그중 하나가 '어떤 일이 일어나려면 반드시 그것을 일으키는 구동력driving force[3]이 있어야 한다'는 것이다. 예를 들어 물이 위에서 아래로 흐르는 것은 위치에너지의 차이 때문인데, 바로 그 차이가 물이 아래로 흐르게 하는 구동력이다. 말하자면 구동력은 어떤 일을 일으키는 요인이라고 할 수 있다.

엔트로피 법칙은 자연현상뿐 아니라 우리 눈앞에 펼쳐지는 그 어떤 현상에도 적용 가능하다. 우리의 모든 행위에도 엔트로피 법칙을 적용할 수 있는데, 어떤 일을 할 때 그 일을 하게끔 하는 동기부여 또는 이유가 바로 구동력[4]이 된다. 집안이 저절로 어지럽혀질 수는 있지만, 저절로 정돈되는 경우는 없다. 반드시 누군가 정돈하려는 노력을 해야 한다. 마찬가지로 의식이 저절로 산만해질 수는 있지만 저절로 집중되는 경우는 없다. 반드시 집중하기 위한 노력을 해야 한다.

구동력이 무엇이냐에 따라 그 사람의 행위가 수동적이거나 능동적이 된다. 예를 들어 공부를 하는 이유가 단지 시험을 잘 보기 위해서라면 그 행위는 수동적이라고 볼 수 있다. 마찬가지로 그저 월급을 받기 위해 주어진 업무를 수행한다면 수동적인 행위에 불과하다. 그 행위를 하지 않으면 불이익을 받는다는 위기감 때문에 움직이는 행위는 수동적인 것이다. 만약 자신이 당장 주어진 일만 하고 그 이상의 노력은 하고 있지 않다면 수동적인 삶을 살고 있다고 보면 된다. 자발적으로 일을 하기 위해서는 사람을 능동적으로 만드는 구동력이 반드시 필요하다. 몰입은 이러한 구동력을 통해 더 능동적이고 더 생산적인 존재로 거듭나게끔 한다.

성공하는 삶의 조건

'어떻게 살 것인가?', '어떻게 사는 것이 죽음과 가장 반대되는 삶인가?', '어떻게 살아야 후회 없는 삶을 살 수 있는가?'에 대한 공통적인 답은 '능력의 한계를 발휘하고 그 한계를 넓혀가는 삶을 사는 것'이다. 즉, '자아실현'을 하는 삶이다. 생존만을 위한 삶은 최소의 구동력을 유도하지만 자아실현을 하는 삶은 최대의 구동력을 이끌어낸다. 물론 자아실현을 하는 삶은 생존을 위한 삶과 역행해서는 안 되고, 현재의 삶을 더 발전시키고 행복하게 하는 방향으로 나아가야 한다.

자아실현은 삶에서 행복보다도 더 궁극적인 문제다. 행복도 일종의 결핍 욕구이기 때문에 어느 정도 충족이 되면 추구하는 정도가 현저히 낮아진다. 배가 고픈 사람은 늘 먹을 것을 원하지만 배가 고프지 않으면 먹는 문제가 삶에서 차지하는 비중이 현저히 줄어든다. 마찬가지로 행복하지 않은 사람은 늘 행복을 추구하지만, 행복을 통제할 수 있으면 더 이상 행복을 삶의 궁극적인 목표로 삼지 않는다. 마음만 먹으면 언제든지 행복할 수 있는데 이를 굳이 인생의 목표로 삼을 이유가 없기 때문이다. 따라서 행복을 통제할 수 있을 때 삶에 대한 자신감이 생기고 비로소 삶에서 정말로 중요한 것들을 추구할 수 있다.

'능력의 한계를 발휘하고 그 한계를 넓혀가는 삶'을 실천하는 방법을 조금 더 구체적으로 접근해 보자. 가능하면 혼신의 힘을 다해 노력한 결과의 가치가 높을수록, 소위 부가가치가 높을수록 좋다. 그런 것들은 대체로 창의성을 요한다. 누구나 할 수 있는 일은 쉬운 만큼 희소성이 떨어지는 데 반해, 아무도 해결하지 못하는 일은 높은 창의성을 요구하지만 그만큼 희소성도 높다. 즉, 머리를 써야 희소성도 높이고 경쟁력도 높일 수 있는 것이다.

능력의 한계까지 발휘하는 건 두뇌가동률을 최대로 올린다는 의미이다. 사실 인간의 뇌는 슈퍼컴퓨터 이상의 성능을 가지고 있어 무한한 창의성을 발휘할 수 있다. 그런데 우리는 이 슈퍼컴퓨터를 활용하거나 성능을 향상시키려는 노력을 좀처럼 하지 않는다.

어떻게 지적 능력을 100퍼센트 발휘할 수 있을까?

자신의 지적 능력을 100퍼센트 발휘하면서 사는 법을 모르면 몰입을 실천하기는 더욱 어렵다. 두뇌를 창의적으로 사용하는 법을 모른다는 것은, 다시 말하면 인생을 발전시키는 법을 모른다는 것을 의미한다. 자신의 두뇌를 최대로 활용할 줄 아는 것은 후회 없는 삶, 그리고 가치 있는 삶을 추구하는 데 있어 대단히 중요하다.

자신의 지적 능력을 거의 100퍼센트에 가깝게 발휘했던 사람들로 뉴턴과 아인슈타인을 꼽을 수 있다. 뉴턴이 만유인력의 법칙을 발견하기까지 내내 그 생각만 했다는 것은 역으로 그 문제를 오랫동안 풀지 못했다는 것을 의미한다. 아인슈타인 또한 몇 달이고 몇 년이고 생각하고 또 생각했다는 것은 오랫동안 문제를 못 풀었다는 것을 의미한다. 이들은 삶의 대부분을 이러한 상태에서 보냈는데, 이것이 바로 창조를 잉태하는 모습이고 지적 능력을 100퍼센트 발휘하는 모습이다. 즉, 뉴턴과 아인슈타인처럼 답이 보이지 않아도 포기하지 않고 계속해서 문제를 풀기 위해 생각하는 것이 지적 능력을 100퍼센트 발휘하는 방법이다.

만약 처음부터 답이 뻔히 보이는 쉬운 문제를 해결하려고 한다면 우리의 두뇌는 10~20퍼센트 정도만 가동될 것이다. 그러다 문제가 조금 더 어려워지면 두뇌 가동률은 40~50퍼센트로 올라갈 것이고, 문제가 더 어려워지면 80~90퍼센트로 올라갈 것이다. 문제가 주어졌을 때 바로 답이 보이면 자신의 능력을 100퍼센트 발휘할 기회를 잃고 만다. 능력을 100퍼센트 발휘하려면 주어진 문제의 난이도가 자신의 능력을 넘어서야 한다.

자신의 능력을 넘어선 문제임에도 불구하고 포기하지 않고 계속 생각하면 우리 뇌는 보다 더 날카롭게 생각하려 노력한다. 그래야 문제가 풀리기 때문이다. 이러한 노력을 지속하면 머리가 좋아진다. 여기서 주목해야 할 사실은 두뇌는 선천적으로 타고나는 것이 아니라 후천적인 노력에 의하여 얼마든지 발달할 수 있다는 것이다.

흔히 아인슈타인을 '20세기의 천재'라고 말하지만 정작 아인슈타인 자신은 다음과 같이 말한다.

> 나는 머리가 좋은 것이 아니다. 문제가 있을 때 다른 사람보다 좀 더 오래 생각할 뿐이다. 어려운 문제에 부딪힐 때도 많았지만 다행히 신은 나에게 민감한 코와 노새 같은 끈기를 주셨다.

지적 능력의 한계를 발휘하는 것은 후회 없는 삶뿐만 아니라 성공적인 삶을 위해서도 필요하다. 어려운 문제에 도전하지 않으면 조금 더 날카롭게 생각할 기회를 잃고 만다. 그러면 머리는 점점 더 무뎌진다. 아무리 힘들어도 포기하지 않고 꾸준히 노력한 끝에 문제를 풀어내는 것이 바로 '자신의 지적 능력의 한계를 발휘하고 그 한계를 넓혀가는 삶'을 사는 것이다.

시간을 어떻게 보내느냐에 따라 자신의 가치를 더 올릴 수도 있고 떨어뜨릴 수도 있다. 자신을 필요로 하는 곳이 점점 많아져 여기저기서 스카우트 제의가 쏟아지는 사람이 될 수도 있고, 자신이 다니는 회사에서조차 필요 없다고 정리해고되는 사람이 될 수도 있다. 일단 지능이 우수해지면 문제해결능력 또한 점점 더 향상되어 나의 가치가 올라갈 뿐 아니라 내가 몸담은 직장에도 기여를 많이 하게 된다. 문제해결을 위한 생각을 많이 할수록 나도 좋고 직장도 좋기 때문에 서로 윈윈win-win 하는 것이다.

1만 시간의 법칙

다음 페이지의 〈그림 1〉은 생각하는 정도에 따라 시간이 지나면서 문제해결능력이 증가 혹은 감소하는 것을 보여준다. 좀처럼 생각을 하지 않으면서 살아가면 1번 직선처럼 머리가 점점 둔해져서 문제해결력이 떨어진다. 나름대로 생각을 하면서 살아가면 2번 직선처럼 머리가 점점 더 날카로워져 문제해결력이 증가한다. 생각을 더 많이 하면 3번 직선처럼 기울기는 더 가팔라진다.

뉴턴처럼 내내 그 생각만 하거나 아인슈타인처럼 몇 달이고 몇 년이고 생각하고 또 생각하면 4번 직선처럼 문제해결능력이 매우 가파르게 올라간다. 이런 식으로 계속 생각하면 나중에는 어떻게 될까? 말 그대로 천재가 된다. 즉, 뉴

| 그림 1 | 생각하는 정도에 따른 문제해결력의 시간 변화

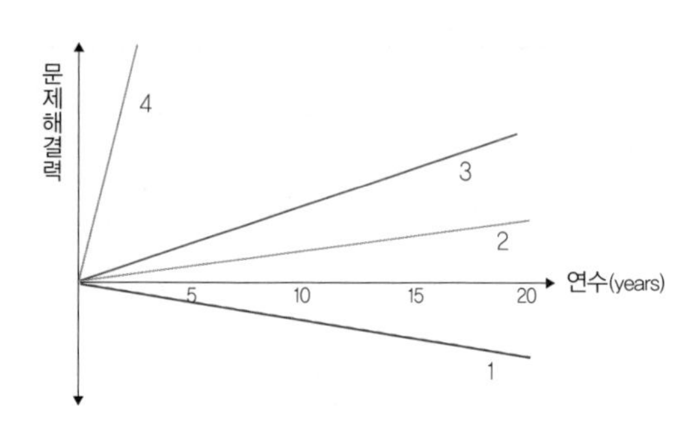

턴이나 아인슈타인 역시 선천적으로 우수한 머리를 가지고 태어난 것이 아니라 끊임없이 생각한 결과 천재가 된 것이다. 이러한 사실은 미국의 유명한 천재연구자 윈 웽거Win Wenger 박사와 앤더스 에릭슨Anders Ericsson 박사의 주장이 뒷받침해 준다. 다음은 윈 웽거 박사의 이야기다.

> 천재는 보통 사람과 다른 게 없다. 다만 몰입함으로써 자신에게 숨어 있는 재능을 인지하는 보통 사람일 뿐이다. 몰입하고 또 몰입하면 어떤 문제도 풀리기 마련이고, 그런 과정을 되풀이함으로써 결국 자신도 모르게 천재가 되는 것이다.

| 그림 2 | 바이올리니스트의 누적 연습시간과 실력의 관계

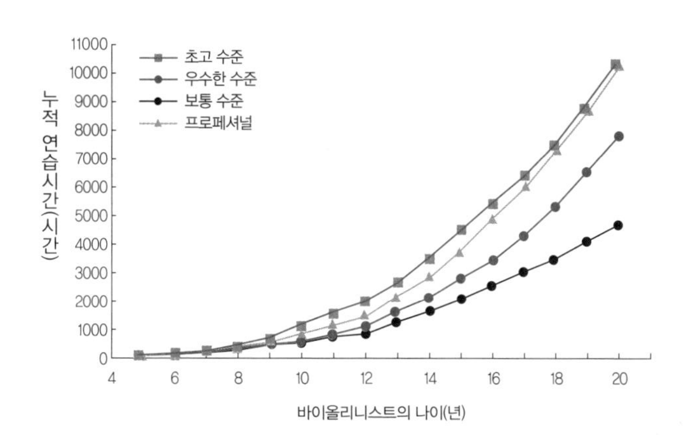

에릭슨 박사는 독일 베를린의 한 음악아카데미 바이올리니스트들이 어릴 때부터 연습한 누적 시간과 그 결과 나타난 실력의 관계를 조사하여 〈그림 2〉와 같은 결과를 얻었다. 20대 초반 바이올리니스트 중에서 최고 수준은 누적 연습시간이 1만 시간이었고, 우수한 수준은 7,500시간, 보통 수준은 5,000시간이었다. 연습시간과 실력이 거의 완전한 상관관계를 이룬다는 것을 입증해 보인 것이다. 이러한 결과를 바탕으로 에릭슨 박사는 어떤 분야의 진정한 전문가가 되려면 1만 시간을 투자해야 한다는 '1만 시간의 법칙'을 주

장했다. 이 법칙은 말콤 글래드웰Malcolm Gladwell의 『아웃라이어』에 소개되어 널리 알려졌다.

에릭슨 박사는 철저히 조사한 자료에 근거하여 모차르트가 후천적인 천재임을 증명한 것으로도 유명하다. 모차르트의 아버지는 모차르트가 2세 때부터 음악을 시켰다고 한다. 그리고 3세 때부터는 바이올린을 연습시켰다고 한다. 여기서 2세는 우리 나이로 대략 4세 전후이다. 그러면 모차르트가 1만 시간의 연습을 한 나이는 과연 몇 살였을까? 모차르트 아버지는 모차르트가 2세 때부터 매주 35시간씩 연습을 시켜 8세 때 이미 1만 시간이 되었다고 한다. 사람들이 모차르트를 음악의 신동이라고 부를 때 그는 우리 나이로 열 살 무렵에 이미 1만 시간의 연습을 해낸 정상급 베테랑이 되어 있었다.

몰입으로 얻은 축복받은 삶

가장 축복받은 삶이란 자신이 진정으로 좋아하는 일을 하면서 능력의 한계를 발휘하고 이 한계를 넓혀가는 삶이라고 할 수 있다. 그런데 많은 사람들이 '진정으로 좋아하는 일'의 의미를 잘 모른 채 살아간다. "살아가면서 자신이 꼭 하고 싶은 진정으로 좋아하는 일이 무엇이냐?"고 물으면 의외로 선뜻 대답하는 사람이 별로 없다.

각 분야의 세계 정상에 있는 사람들이라고 해서 태어나면서부터 그 일을 진정으로 좋아한 것은 아니다. 누구나 처음에는 혹독한 훈련 중에 숱한 눈물을 흘리고, 포기하려 하고, 회의를 느끼고 방황한다. 이러한 장벽을 넘어 삶의 다른 모든 것을 포기하고 오로지 그것만을 위하여 혼신의 힘을 다할 때, 그래서 그것이 바로 자신의 삶이라고 느껴질 때 자신의 일에 강한 애착이 생긴다. 자신이 노력하는 과정이 마치 아이를 잉태하는 것처럼 느껴지고 그 결과는 자신의 분신처럼 느껴진다. 그제야 비로소 자신의 일이 소중하고 심지어 신성하게 느껴진다. 자기 일에 대한 소명의식은 바로 이러한 과정을 통해 형성된다. 이처럼 '진정으로 좋아하는 일'은 스스로 노력해서 만들어가는 것이다. 몰입은 자신의 일을 좋아할 수 있게 만들어주는 효과적인 방법이다.

간혹 축복받은 삶을, 부모로부터 많은 유산을 물려받아 물질적으로 풍요롭고 안락한 삶을 사는 것이라고 생각하는 사람도 있다. 그렇게 단지 불편하지 않은 삶을 사는 것만으로 축복받았다고 할 수 있을까? 그렇게 살면 인생의 마지막 순간에 아무런 후회가 없을까? 절대 그렇지 않다.

축복받은 삶은 내가 가진 능력을 마음껏 발휘해서 뒤돌아보면 한 치의 후회가 없는 삶이다. 자신의 능력으로는 도저히 불가능해 보이는 목표에 도전하고 마침내 그것을 성취했을 때 희열을 느끼면서 발전하는, 하루하루 감동하는 삶이다.

물론 도전을 하다 보면 필연적으로 실패와 좌절도 경험하기 마련이다. 그러나 뼈아픈 실패를 경험하다 보면 삶의 깊이가 더해져 나날이 성장하고 성숙해 가는 자신을 발견할 수 있다. 그 결과 다른 사람의 인생에도 좋은 영향을 미치고, 인생의 마지막 날에 "한 치의 후회도 없는 가장 삶다운 삶, 최선의 삶을 살았다"고 자신 있게 이야기할 수 있게 된다. 나는 몰입을 통해 그런 삶을 경험했다.

최선의 삶을 산 사람은 죽음을 두려움 없이 자신 있게 맞이할 수 있다. 더 나아가 죽음을 오히려 영원한 안식처로 느낄 수도 있다. 다음 시는 이러한 상황을 잘 묘사해 준다.

별들이 빛나는 드넓은 하늘 아래,
묘를 파서 나를 눕혀주오.
즐겁게 살았고 또 기꺼이 죽노니,
나 주저 않고 누우리.

그대가 나를 위해 새겨줄 묘비명은
여기 그가 누워 있노라. 그토록 갈망하던 곳에
선원이 집으로 돌아왔네, 거친 항해에서
사냥꾼이 집으로 돌아왔네, 거친 들판에서

— 로버트 루이스 스티븐슨의 「진혼곡」

8장

몰입을 알면 인생이 잘 풀린다

한계 돌파를 이끄는 몰입의 힘

몰입은 한마디로 여러 가지 활동에 분산된 관심과 에너지를 중요한 한곳에 모아서 집중하는 것이다. 가장 흔하게 몰입을 경험하는 경우는 학교에서 시험을 볼 때다. 특히 수학시험을 볼 때 시험지를 받아 들고 열심히 풀다 보면 어느새 종료 시간이 다 되어 당황했던 경험이 누구나 있을 것이다. 시험지를 받아 든 순간부터 제출할 때까지 문제를 푸는 데 몰입한 나머지 시간의 흐름을 인식하지 못하는 것이다. 이처럼 우리는 중대한 순간 혹은 위기 상황에 몰입을 경험한다.

몰입을 가장 쉽게 경험하는 경우는 죽음에 직면했을 때다. 이런 상황은 전쟁터에서 자주 발생하므로 전투를 하는 동안 병사들이 몰입을 쉽게 경험하리라는 추측을 해볼 수 있다. 다음은 어느 전쟁 다큐멘터리에서 소개된 한 병사의 이야기다.

> 총탄이 빗발치는 전투 속에서
> 조국도 잊고, 부모도 잊고, 전우도 잊고,
> 오로지 적과 나만을 생각할 때 비로소 나는 군인이 된다.

프로선수들도 경기 중에 고도의 몰입을 경험하는데, 스포츠에서의 몰입을 '더존the zone'이라고 부른다. 축구 황제 펠레는 한 인터뷰에서 축구 경기에 완전히 몰입했던 순간을 다음과 같이 이야기했다.

> 한참을 뛰었는데도 온몸이 고요하게 변하는 걸 느꼈어요. 황홀경이라고 할까? 공을 몰고 상대팀 어느 선수가, 아니 그 팀의 모든 선수들이 한꺼번에 방어해도 뚫고 나갈 수 있다는 확신이 드는 거예요.

세계적인 카레이서 아일톤 세나도 1988년 그랑프리 경주에서 우승한 후 다음과 같이 이야기했다.

경주 도중 갑자기 남들을 앞서나가기 시작했어요. 내 의지가 아니라 본능에 따라 무의식적으로 운전하고 있는 느낌이었죠. 분명히 내 한계를 넘어섰는데도 전혀 힘이 안 들었어요.

몰입은 과학이나 기술 분야뿐 아니라 창의적 능력을 발휘해야 하는 모든 분야에서 그 위력을 발휘한다. 로버트 루트번스타인의 『생각의 탄생』에 소개된 내용을 보면 세계적인 성악가 루치아노 파바로티도 피아노 앞에서 노래를 부르는 것보다 머릿속으로 음악을 생각하는 경우가 더 많았다고 한다. 프랑스의 조각가 루이스 부르주아도 다음과 같은 이야기를 했다.

나는 오랫동안 깊이 생각했다. 그러고 나서 내가 말해야 할 것이 무엇이며, 또 그것을 어떻게 번역할 것인가를 고민했다.

스페인의 천재 화가 파블로 피카소도 이와 비슷한 이야기를 했다.

당신들은 보고 있어도 보고 있지 않다. 그저 보지만 말고 생각하라. 표면적인 것 배후에 숨어 있는 놀라운 속성을 찾으라.

그런가 하면 스포츠 분야의 코치들은 어떻게 훈련을 시켜야 선수들의 기량을 올릴 수 있을지에 대한 생각에 몰입한다. 다음은 2005년 10월 31일자 한겨레 신문에 〈금메달 비결 '검 휘두른 건 손 아닌 머리'〉라는 제목으로 실린 기사의 일부다.

> "천재란 강렬한 인내자다. 단 하나밖에 없는 최선의 방법을 생각하고 또 생각한다. 결코 중도에서 생각을 멈추지 않는다."(이성우 펜싱 여자플뢰레 국가대표팀 코치)
>
> 생각하는 펜싱. 바로 그것이었다. 10월 14일 독일 라이프치히에서 날아온 낭보. 한국 여자플뢰레팀의 세계대회 단체전 금메달 쾌거의 배경에는 바로 '싱킹thinking'이 있었다.

이처럼 문제를 설정하고 계속 생각하다 보면 평소에 보이지 않던 것들이 보이기 시작하는데, 이것이 몰입적 사고가 위력을 발휘하는 이유다.

몰입도와 몰입강도

뇌과학의 관점에서 보면 어떤 활동에 대한 몰입도가 높다는 것은 그 활동과 관련해 활성화된 시냅스의 수가 많다는 것을 의미한다. 주어진 활동에 숙련될수록 시냅스가 많아지므로 숙련도가 높아지면 몰입도 또한 높일 수 있다.

집중하고자 하는 주제에 대한 생각이 의식에서 차지하는 비중을 백분율로 나타내면 산만한 상태에서 이 생각 저 생각이 아무런 방향 없이 떠오르는 상태를 몰입도 0퍼센트라고 했을 때, 목표로 하는 활동에 의식이 100퍼센트 점유되어 있는 상태를 몰입도 100퍼센트라고 할 수 있다. 이것을 측정 가능한 방식으로 정의하면 100분의 시간 동안 의식이 순전히 그 생각으로만 점유된 시간의 합이 70분이라고 했을 때 몰입도를 70퍼센트라고 할 수 있다.

어떤 주제에 대해 생각할 때 그 범위는 아주 넓을 수도 있고, 아주 좁은 영역으로 한정될 수도 있다. 여기서 몰입강도의 개념을 도입할 필요가 있다. 몰입강도란 몰입도를 생각하는 주제의 범위로 나눈 값이다. 따라서 몰입강도는 몰입도에 비례하고, 생각하는 주제의 범위에 반비례한다. 한마디로 생각하는 주제의 범위가 좁아질수록 몰입강도는 더욱 높아진다.

몰입의 효과를 보려면 몰입도를 올리는 것도 중요하지만, 몰입강도를 올리는 것이 더 중요하다. 돋보기로 햇빛을 모으면 종이를 태울 수 있는데, 이때 햇빛을 모으는 초점의 면적이 좁을수록 효과가 강력하다. 몰입하는 대상의 범위를 좁혀서 몰입강도를 올리는 것은 이 초점의 면적을 줄이는 것과 같다. 즉, 몰입하는 대상이 적을수록 문제를 해결할 확률이 더욱 올라가는 것이다.

가령 시험공부 할 때를 한번 생각해 보자. 하루에 여러 과목을 공부하면 어지간해서는 몰입강도를 올리기 어렵다. 몰입강도를 올리려면 일정 기간 동안 한 과목만 집중적으로 공부해야 한다. 고시 공부를 하는 사람들이 보통 이런 방식을 택한다. 한 과목을 끝낼 때까지 몇 개월 동안 그 과목에만 매달리는 것이다. 직장에서 업무를 할 때도 마찬가지다. 여러 가지 업무를 동시에 하는 것보다 한 가지 업무를 집중적으로 하는 편이 몰입강도도 올리고 몰입의 효과도 볼 수 있는 방법이다.

연속된 시간을 확보하라

세계적인 경영학자 피터 드러커는 "효과적인 지식근로자는 자기가 맡은 일보다 사용할 수 있는 시간을 먼저 고려한다"고 말했다. 그런 다음 자신이 통제할 수 있는 시간을 묶어서 방해받지 않는 연속된 시간을 확보한다는 것이다. 어떤 일을 할 때 높은 몰입도를 유지하기 위해서는 다른 것에 방해받지 않는 연속된 시간을 확보하는 것이 무엇보다 중요하다. 이와 같이 한 번에 한 가지 일에만 매달릴 수 있는 시간을 확보하는 것은 몰입의 개념을 업무나 학습에 적용하기 위한 조건의 핵심이다.

그러면 왜 몰입도가 올라가야 효과적일까? 몰입도를 올린다는 것은 주어진 문제에 대한 의식의 비중을 높이는 것을 말한다. 이를 우리 뇌의 시냅스를 통해 살펴보자.

시냅스는 컴퓨터의 기능을 가지고 있는 동시에 감정을 만드는 역할을 한다. 가령 야구를 할 때 몰입도가 낮으면 시냅스가 적게 활성화되어 마치 성능이 낮은 컴퓨터로 계산을 하는 것과 같다. 따라서 투수가 던진 공의 속도와 방향에 대한 계산 결과가 불완전하고 부정확할 수밖에 없다. 공이 자신도 모르는 사이에 금방 지나가 버린다. 적은 양의 시냅스가 작동하기 때문에 자극이 적게 발생해 재미도 별로 없고 지루하게만 느껴질 뿐이다.

반면 몰입도가 높아 보다 많은 양의 시냅스가 활성화되면 성능이 좋은 컴퓨터로 계산을 하는 것과 마찬가지로 결과도 보다 완전하고 정확해진다. 투수가 던진 공이 천천히 오는 것처럼 느껴지고, 야구공이 축구공만큼이나 크게 보인다. 그래서 야구방망이로 공을 정확하게 맞힐 수 있다. 많은 양의 시냅스가 작용하여 자극이 커지기 때문에 성공하면 엄청난 희열을 느끼고, 실패하면 큰 아쉬움을 남긴 채 야구를 즐기게 된다.

작가가 글을 쓸 때도 마찬가지다. 관련된 시냅스가 활성화되어야 적절한 표현, 소재, 아이디어, 구성 등이 필요할 때 즉시 떠오른다. 예술가들이 창작활동을 할 때도 관련 시냅스가 활성화되어야 기량이 올라간다. 난도가 높은 문제를 해결하고 아이디어를 내려고 할 때도 마찬가지다. 관련 시냅스가 활성화되어 있다는 것은 관련 내용이 의식과 의식 근처에 있어 의식에서 차지하는 비중이 높다는 것을 의미한다.

장기 기억과 작업 기억

우리가 어릴 때부터 습득한 모든 지식과 경험의 정보는 장기 기억이라고 하는 어마어마한 크기의 데이터베이스에 저장되어 있다. 우리가 발휘하는 모든 능력이나 기량은 전부 장기 기억의 데이터베이스에서 인출된 것이다.

물론 장기 기억에 저장되어 있다고 해서 어느 때고 필요한 기억들을 끄집어낼 수 있는 것은 아니다. 필요한 장기 기억들을 의식과 의식 근처로 끌어올릴 때 비로소 기량을 올릴 수 있다. 문제는 그때그때 필요한 정보를 인출해서 사용하기가 쉽지 않다는 것이다. 어떤 정보는 아무리 끄집어내려고 애써도 인출이 안 되기도 하고, 또 어떤 정보는 인출하는 데 상당한 시간과 노력을 필요로 하기도 한다. 예를 들어 길을 가다가 우연히 학창시절 같은 반이었던 동창을 만났는데 이름이 기억나지 않는 경우가 있다. 이는 장기 기억에는 분명히 저장되어 있지만 인출이 안 되는 것이다.

필요로 하는 정보를 장기 기억에서 의식과 의식 가까운 곳으로 끌어올려 바로 사용할 수 있는 상태로 만드는 것이 몰입도를 올리는 과정이라고 할 수 있다. 어떤 정보가 의식과 의식 근처에 있어서 언제든지 사용할 수 있는 기억을 작업 기억[7]이라 하는데, 그 용량은 대단히 작다. 장기 기억을 큰 호수에 비유한다면 작업 기억은 조그만 물웅덩이에 비유할 수 있다. 컴퓨터에 비유하면 장기 기억은 하드디스크, 작업 기억은 캐시메모리cache memory에 해당한다. 한마디로 장기 기억은 잠재능력, 작업 기억은 순간의 능력이라고 할 수 있다.

인간이 동물과 달리 언어구사 능력을 갖고 있는 이유는 작업 기억의 용량이 상대적으로 크기 때문이다. 우리가 의식하지 않아도 자연스럽게 말을 이어갈 수 있는 이유는 관련된 정보들이 자동적으로 의식의 근처로 떠오르기 때문이다.

몰입의 진입장벽

몰입도를 높이는 것은 마치 가파른 산을 오르는 것처럼 힘들고 괴롭다. 특히 창작활동의 경우 높은 몰입도를 요구하기 때문에 화가들도 몰입도가 낮은 상태에서는 그림에 손을 댈 수가 없다고 한다. 일상에서 창작의 세계로 들어가기까지는 대기권을 통과하는 것과 같은 진통을 겪게 된다.

다음은 양자역학 분야의 세계적인 석학 프리만 다이슨이 몰입의 진입장벽에 대해 한 이야기다.

글쎄요, 일종의 투쟁이라고나 할까요. 시작한다는 것은 엄청나게 힘듭니다. 첫 페이지를 쓰기 위해 1주일 동안 죽어라고 매달리기도 하죠. 정말 피와 눈물과 땀이라고밖에 달리 표현할 길이 없군요. 무언가 훌륭한 결과가 나오리라는 희망을 갖고 자신을 계속해서 밀어붙여야 하고, 자연스러운 몰입이 시작될 때까지 견뎌야 합니다. 나 자신을 밀어붙이고 강요하지 않으면 아무 일도 일어나지 않을지도 모릅니다. 일단 몰입에 들어가면 좋은 시간을 가질 수 있지만 거기 도착하기 위해서는 높은 장벽을 넘어가야 합니다. 그 전까지는 그저 순수한 고통일 따름입니다.

일단 몰입도가 올라가면 그 다음부터는 높은 산에 올라가 산등성이를 타는 것처럼 일이 쉬워진다. 그런데 만약 힘들게 몰입도를 올리고 있는 와중에 방해 요인이 생기면 올라가던 몰입도가 다시 내려가게 된다. 이는 힘들게 산에 오르다가 다시 내려가는 것과 같다. 그러면 내려간 지점부터 다시 올라가야 하기 때문에 산의 정상에 오르기가 더욱 힘들어진다.

간섭이 많으면 아무리 발버둥을 쳐도 몰입도를 올리기 힘들다. 마치 정상 정복을 목표로 산에 오르내리기를 반복하는 것과 같다. 이런 상황이 만성이 되면 일을 제대로 하는 것도 아니고, 그렇다고 아예 안 하는 것도 아닌 최악의 상태에 빠진다. 일을 한다고 앉아 있기는 하는데 이렇다 할 성과가 없는 것이다. 이런 상태에 있는 사람은 자신의 일을 좀처럼 즐기지 못하고 다른 곳에서 재미를 찾게 된다. 높은 몰입도를 추구하려면 '하려면 제대로 하고 그렇지 않으면 그만두겠다'는 마음으로 확실한 태도를 취하는 것이 좋다.

몰입도와 일의 효율성

몰입도는 눈으로 확인할 수 없기 때문에 객관적으로 측정하기가 쉽지 않다. 다음의 그래프를 통해 시간에 따른 몰입도를 살펴보자.

〈그림 3〉에서는 8시간의 하루 일과시간 동안 낮은 몰입도, 중간 몰입도, 높은 몰입도를 동일하게 유지하는 세 가지 경우를 보여준다. 이때 시간에 따른 몰입도의 기울기가 클수록 가파른 산을 오르

| 그림 3 | 동일한 몰입도를 유지하는 경우

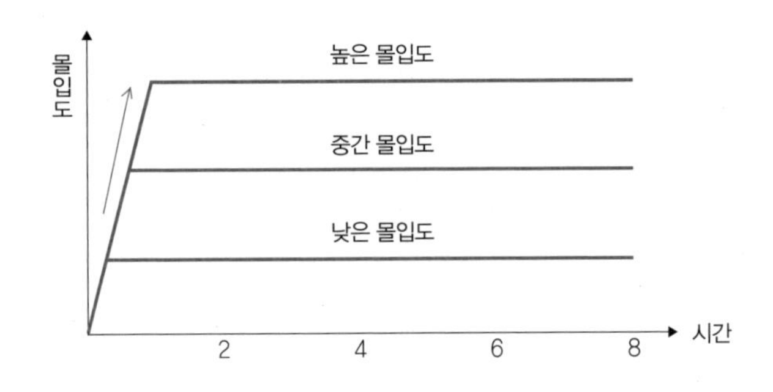

| 그림 4 | 몰입도가 오르내리기를 반복하는 경우

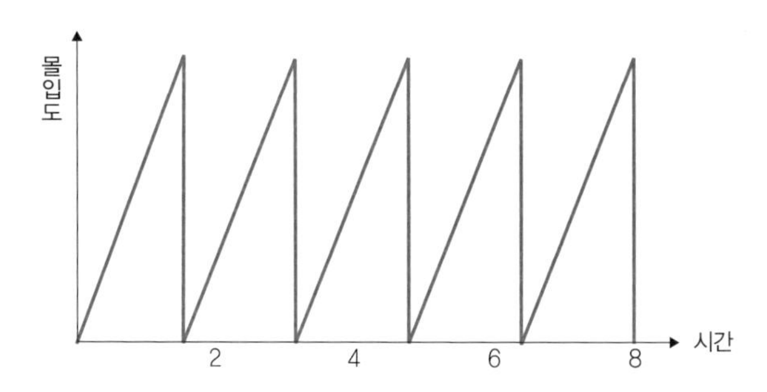

| 그림 5 | 높은 몰입도를 유지하는 경우

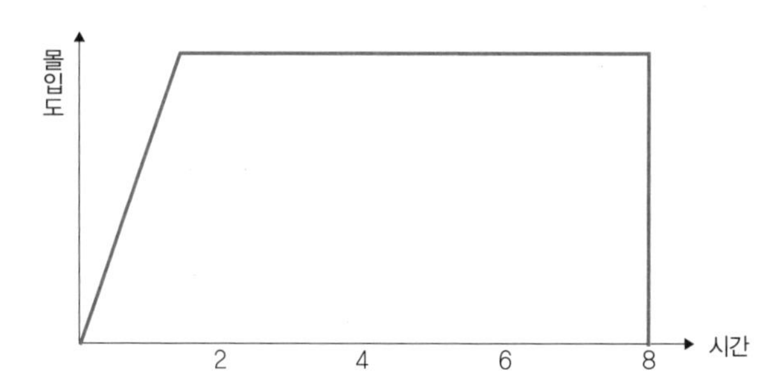

는 것처럼 힘든 상태를 나타낸다. 몰입도가 높은 상태를 만들려면 힘든 시간을 가장 오랫동안 견뎌야 하는 것이다.

반면 낮은 몰입도는 상대적으로 쉽게 형성되므로 처음에 조금만 힘든 시간을 보내면 된다. 몰입도의 축과 시간의 축에 의하여 만들어지는 면적이 업무의 양과 질을 고려한 기량을 나타낸다고 하면 당연히 높은 몰입도를 유지할 때 업무의 기량도 높아진다. 뿐만 아니라 몰입도가 높은 만큼 일에 대한 흥미도 더 커진다.

〈그림 4〉는 하루 일과 동안 잦은 방해로 몰입도가 오르내리기를 반복하는 경우를 나타낸다. 반면 〈그림 5〉는 하루 일과 시간 동안 높은 몰입도를 방해받지 않고 계속 그 상태를 유지하는 경우를 나타낸다. 〈그림 5〉의 경우 진입장벽을 넘어 몰입도를 올리는 괴로운 과정을 처음에 한 번만 겪으면 되지만, 〈그림 4〉의 경우에는 무려 다섯 번이나 이 과정을 되풀이하게 된다. 그렇게 되면 하루의 상당 시간을 괴로움 속에 보내게 되고 일이 지긋지긋하게 느껴진다. 이는 하루에 산을 다섯 번씩 오르내렸지만 막상 정상에서 보내는 시간은 없는 것과 같다. 일은 하고 있지만 높은 기량을 발휘하며 즐길 수 있는 시간은 거의 없는 것이다.

종종 지루함을 덜기 위해 하던 일을 잠시 미뤄두고 다른 일을 하거나, 영어 단어를 외우다가 수학 문제를 푸는 식으로 하던 일을 수시로 바꾸는 경우가 있는데, 이러한 행동은 몰입도를 떨어뜨리므로 주의해야 한다. 물론 높은 몰입도를 요구하지 않는 일이라면 그런 식으로 바꿔가며 해도 큰 상관이 없다. 그러나 높은 몰입도가 필요한 일이라면 한 번에 몰아서 끊김 없이 지속적으로 해야지, 시간을 쪼개서 조금씩 나눠서 하는 것은 대단히 비효율적이다.

예를 들어 같은 1시간이라도 연속된 60분과 10분, 20분씩 쪼갠 시간은 질적으로 차이가 있다. 연속되는 60분 동안에는 몰입도를 올릴 수 있어 난도가 높더라도 의미 있고 희소가치가 있는 일을 할 수 있지만, 10분이나 20분 단위로 부스러기처럼 잘게 쪼갠 시간 동안에는 몰입도를 올릴 수 없기 때문에 충분히 생각해야 하는 일은 불가능하고 단순한 일을 하는 게 고작이다. 따라서 유용하게 쓸 수 있는 연속적인 시간이 잘게 쪼개져 흐지부지 소모되지 않도록 시간 관리에 특별한 주의를 기울여야 한다.

몰입도를 손쉽게 올리는 방법

감기에 걸리면 괴롭다. 그런데 감기라는 질병에 대해 잘 몰랐던 옛날에는 지금보다 훨씬 더 괴로운 시간을 보냈을 것이다. 가벼운 감기일지라도 어떻게 해야 그 증상이 호전되는지 모르고, 언제 그 병이 나을지도 모르는 암담한 상황이었을 테니까. 심지어 '이러다 죽는 것 아닌가!' 하는 생각까지 들었을지도 모른다. 이유를 모르는 괴로움에 시달리다 보면 우울증에 걸릴 수도 있고 삶에 대한 회의를 느낄 수도 있다. 아주 큰 문제를 일으킬 수도 있는 불안한 상태가 되는 것이다.

하지만 누구나 감기에 대해 잘 이해하고 있는 요즘 세상에 감기로 인해 우울증에 걸리거나 인생에 회의를 느낄 사람은 없다. 그저 얼마간 힘들 것을 예상하고, 감기의 증상이 완화되도록 약을 먹거나 쉬는 등 옛날보다 훨씬 더 효율적이고 현명하게 대처한다. 이와 마찬가지로 몰입도의 개념을 잘 이해하면 보다 효율적이고 현명하게 업무나 학습에 대처할 수 있다.

괴로운 최선과 즐거운 최선

몰입도에 따라 기량과 성과뿐 아니라 심리상태도 크게 변화한다. 몰입도가 낮을 때는 자신감이 없고 걱정이나 근심 등 각종 불안감이 엄습하고, 해결할 수 없는 문제를 가지고 괜히 고생만 하고 아까운 시간만 허비하고 있다는 생각이 든다. 반대로 몰입도가 올라가면 이러한 부정적 감정이 감소하고 의욕과 자신감이 생기기 시작한다. 그리고 자신도 모르게 근심이나 걱정이 사라진다. 따라서 동일하게 최선을 다하더라도 몰입도가 낮을 때는 기량이 낮아 성과가 나타나지 않기 때문에 '괴로운 최선'이 되고, 몰입도가 중간이 되면 '견딜 만한 최선'이 되고, 몰입도가 높을 때는 높은 기량이 발휘되어 성과도 높고 즐거운 자극이 반복되기 때문에 '즐거운 최선'이 된다.

학생 시절 시험공부를 할 때 몰입도가 높아지는 경험을 한 번쯤 해봤을 것이다. 공부에 몰입이 되지 않을 때에는 하기도 싫고, 공부를 해도 내용이 머릿속에 잘 들어오지 않을뿐더러 근심과 걱정이 떠나지 않는다. 이 귀중한 시간에 시험에 나오지 않을 부분을 쓸데없이 공부하는 것은 아닌지 의심이 들거나 지금 하는 노력이 어쩌면 헛수고로 돌아갈 수도 있다는 생각이 들면서 사기가 극도로 저하된다. 이처럼 몰입도가 낮은 상태에서 높은 상태로 끌어올리려고 노력할 때는 온갖 부정적인 감정이 지배하게 된다. 그러다가 시험날이 코앞으로 다가오면 '이러다가 큰일 나겠다!'는 위기감이 엄습하면서 자신도 모르게 몰입의 장벽을 넘게 된다.

몰입의 장벽을 극복하면 공부하는 내용도 머릿속에 쏙쏙 들어오고, 공부가 힘들기보다는 오히려 재미있게 느껴질 뿐 아니라 자신도 모르게 근심이나 걱정이 의식에서 사라진다. 이러한 변화는 몰입도가 올라가면서 나타나는 전형적인 현상으로 몰입도가 올라가면서 우리 뇌에 도파민과 같은 긍정적 화학물질의 분비가 촉진되기 때문에 발생한다.

몰입도가 낮을 때에는 노력을 해도 기량이 발휘되지 않고 목표로 했던 계획이 제대로 이루어지지 않는 것이 당연하다. 그러므로 자신을 탓하거나 괜한 짜증을 낼 필요 없다. 자신이 정신을 차리지 않아서가 아니라 단지 몰입도가 낮아서 그런 것뿐이다. 오히려 몰입도가 낮은 상태에서 바동거리면서 고생하는 자신을 위로하고 마음을 편히 갖기 위해 노력해야 한다. 이러한 노력을 지속하다 보면 몰입도는 반드시 올라가게 되어 있고, 결국에는 편안한 마음으로 기량을 발휘할 수 있게 된다.

몰입을 위한 준비

시험을 앞둔 아이들이 공부가 손에 잡히지 않아 힘든 시간을 보내는 것을 자주 볼 수 있다. 어서 공부를 해야 하는데, 시작도 못하고 안절부절못한다. 그러면서 괜히 냉장고를 열어보기도 하고 TV를 보거나 인터넷을 하는 등 자꾸 딴짓을 한다. 몰입도가 낮아 공부에 집중이 안 되기 때문에 이런 행동들을 하는 것이다. 이때 아이들은 자신이 몰입도를 올리기 힘들어서 무의식적으로 공부를 피하고 있다는 사실을 깨닫지 못한다. 몰입도를 올려야 공부도 잘되고 공부하는 것도 덜 힘든데 그 사실을 모르는 것이다. 이런 경우 내가 우리 아이에게 썼던 방법을 소개한다.

학교 시험이 1주일 앞으로 다가왔는데 아이가 공부를 시작하지 못하고 안절부절못하는 모습이 보였다. 내가 물었다. "공부가 잘 안 되니?" 아이가 대답했다. "공부하는 것이 지긋지긋해요." 나는 이렇게 이야기해 주었다. "공부가 재미없는 것이 아니고, 지금 너의 몰입도가 낮아서 그래. 몰입도만 올리면 공부 자체는 힘들지 않고 오히려 재미있게 할 수 있어. 누구나 몰입의 장벽을 넘을 때는 산에 올라가는 것처럼 힘이 들게 마련이야. 그러니 힘들더라도 꾹 참고 1시간 정도 엉덩이를 책상 앞 의자에서 떼지 말고 아주 쉬운 공부부터 시작해봐라." 그러자 아이는 책상 앞에 앉아서 공부를 하기 시작했다. 이것은 아이가 스스로 한 것이 아니라 내가 시킨 것이라서 어느 정도는 강제적인 것이었다.

처음에는 아이가 짜증을 내기도 하고 힘들어하는 기색이 표정과 행동에서 역력히 나타났다. 그러다 공부를 시작한 지 1시간 정도 지나자 발동이 걸렸는지 차분하게 앉아서 공부를 했다. 이때 아이에게 다시 물었다. "지금은 어떠니? 아직도 공부하기가 힘드니?" 그러자 조금 전까지만 해도 아주 힘들어하던 아이가 "지금은 할 만해요"라고 대답했다. 그리고 표정도 많이 밝아진 것을 알 수 있었다. 나는 "조금 전에 네가 힘들었던 이유는 공부에 대한 몰입도가 낮았기 때문이었어. 지금은 몰입도가 어느 정도 올라갔기 때문에 상대적으로 공부하기가 쉬운 거야"라고 일러주었다.

이처럼 아이에게 몰입도의 원리를 이해시키면, 아이는 공부 자체가 재미없는 게 아니라 몰입도가 낮은 상태에서 높은 몰입도를 요구하는 공부를 할 때 힘이 들고 재미가 없다는 것을 이해하게 된다. 아이가 스스로 몰입도가 낮은 상태에서 몰입도를 올리는 과정을 반복적으로 의식하게 되면 몰입도의 원리를 더욱 명확히 이해하게 되고, 스스로 몰입도를 통제하기도 한층 쉬워진다.

공부나 업무는 몰입도만 올리면 힘을 들이지 않고도 충분히 할 수 있다. 대개 학습에 대한 몰입도를 올리기 위해서는 워밍업을 하듯이 아주 쉬운 것부터 시작해서 대략 30분~1시간 정도를 견디면 된다. 이때 몰입도를 올리기 위해서는 어느 정도 힘든 시간을 보내야 한다는 사실을 인식해야 한다. 자신의 기량을 올리기 위해 바동거릴 때 비로소 몰입도가 올라간다. 다시 말해 힘들고 지루하게 여겨지는 시간은 몰입도를 올리기 위한 필요조건인 것이다.

직장인이나 학생들은 흔히 월요병이라는 것을 앓는다. 주중에는 몰입도가 높았다가도 주말에 가족과 함께 시간을 보내거나 취미활동을 하다 보면 몰입도가 바닥으로 떨어지게 된다. 그런 상태에서 월요일에 출근을 하면 일이 영 손에 잡히지 않는다. 몰입도가 몹시 떨어진 상태라서 업무 효율은 극히 낮고 심하면 아예 업무를 진행하지 못하는 경우까지 있다. 해야 할 일은 산더미같이 쌓여 있는데 일이 손에 잡히지 않아서 괴로운 시간을 보내게 된다. 심한 경우 자신의 업무뿐만 아니라 삶 자체에 심각한 회의까지 느끼게 된다.

괴로운 시간을 보낸다는 것은 업무 몰입도를 올리기 위해 안간힘을 쓴다는 것을 의미한다. 그런데 그 과정에서 업무와 관련된 장기 기억들이 의식과 의식 근처로 끄집어내져 자신도 모르게 업무 몰입도가 올라간다. 그래서 월요일 오후나 화요일부터는 일이 손에 잡히기 시작하고 자연히 효율성도 높아진다. 일단 업무 몰입도가 올라가면 기량이 좋아져 일을 비교적 순조롭게 할 수 있게 될 뿐 아니라 일하는 것도 상대적으로 덜 지루하고 경우에 따라서는 재미도 느끼게 된다. 그러다가 주말이 되면 다시 업무 몰입도가 떨어지고 앞에서 말한 과정이 반복된다. 월요병은 높은 몰입도를 요구하는 일일수록 그 정도가 심하다.

월요병 증상을 줄이고 싶다면 다음과 같이 해보자. 어느 장소에 있든 자신의 일에 대한 생각의 끈을 놓지 않는 것이다. 꼭 책상 앞에 앉아 있어야만 몰입도를 올릴 수 있는 것은 아니다. 그러다 보면 일과 관련된 장기 기억이 활성화되어서 의식 근처로 오게 된다. 일요일 저녁부터 월요일에 출근해서 업무를 어떻게 처리할지 차분하게 생각하다가 잠이 들고, 월요일 아침에 일어나서도 그 생각을 유지하고, 출근하면서 또 그에 대한 생각을 계속하다 보면 업무 몰입도가 올라가기 때문에 월요병 증상이 눈에 띄게 줄거나 아예 없어진다.

참선을 하는 사람들이 삼매 상태에 들어가기 위해 수행하는 방법과 유사하다. 그러나 많은 사람들이 강한 몰입을 필요로 하지 않을 뿐 아니라 그렇게 할 시간적 여유도 없다. 빠른 속도로 몰입도를 올려서 업무를 처리하고 또 다른 업무로 전환해야 한다. 따라서 일상에서 필요로 하는 것은 주로 약한 몰입이다.

빠른 속도로 몰입도를 올리기 위해서는 빠른 속도로 관련 시냅스를 활성화시켜야 한다. 이때 활동을 하는 것이 생각을 하는 것보다 유리하다. 활동에 의한 몰입이 사고에 의한 몰입보다 쉬운 이유가 여기에 있다. 아무리 생생하게 상상을 해도 실제 상황보다 더 생생할 수는 없다. 더 생생하다는 것은 관련 문제에 대해 보다 많은 시냅스를 활성화시킨다는 의미다. 또한 생생하게 상상하여 관련된 시냅스를 활성화시키려면 많은 노력이 필요하지만, 실제 상황을 경험하면 별다른 노력 없이 쉽게 관련된 시냅스가 활성화된다. 따라서 단순히 생각만 하기보다 관련 시냅스를 활성화시키는 활동을 포함시키면 보다 쉽게 몰입도를 올릴 수 있다. 이를 위한 7가지 방법을 소개한다.

첫째, 관련된 내용에 대해 동료나 부하직원, 혹은 상사와 가볍게 대화를 나누거나 토론을 한다. 대화할 상대가 없으면 혼자 중얼거리면서 자기 자신과 대화를 나눈다.

둘째, 걸으면서 생각하거나 대화를 하면 몰입이 잘 된다. 산책할 수 있는 상황이 아니면 실내에서라도 왔다 갔다 하면서 생각하거나 중얼거리면 된다. 러닝머신에서 천천히 걸으면서 생각하거나 중얼거려도 좋다. 경험에 의하면 산책보다 러닝머신에서 천천히 걸을 때 몰입이 더 잘 된다. 주위의 풍경 변화에 대한 자극이 없기 때문이다.

셋째, 관련된 내용의 mp3와 같은 소리파일을 듣거나 동영상을 보면 쉽게 몰입도가 올라간다. 예를 들어 학생의 경우 수업시간의 강의를 녹음했다가 그것을 들으면서 공부를 시작하면 몰입도를 한결 쉽게 올릴 수 있다.

넷째, 주어진 문제를 생각하다가 졸릴 경우 10~20분 선잠을 자고 나면 몰입도가 불연속적으로 올라간다.

다섯째, 직장에서의 업무수행에 대한 부담, 스트레스 및 위기감을 몰입도를 올리는 데 활용한다. 수동적인 몰입을 하는 경우는 전적으로 위기감이 몰입의 구동력이 된다. 예를 들어 몰입하는 데 100이라는 구동력이 필요하다고 하자. 몰입을 통 못하다가 업무마감 하루 전에 위기감이 고조되어 몰입하는 사람은 위기감이 100이라는 구동력을 만들었다고 볼 수 있다. 그런데 업무마감 1주일 전에 몰입을 하려고 하면 위기감이 적어 70 정도의 구동력만 만들어진다. 구동력이 작아 몰입이 안 되는 것이다. 이 경우에는 몰입하기에 부족한 30이라는 구동력을 능동적인 구동력으로 보충하면 된다.

능동적인 몰입을 추구하는 입장에서는 직장에서의 부담이나 위기감이 커다란 도움이 된다. 왜냐하면 이러한 것이 없다면 100퍼센트 능동적인 구동력을 만들어 주어야 하는데 이는 결코 쉽지 않은 일이기 때문이다. 업무와 관련된 부담이나 위기감에 의하여 주어지는 구동력이 70이라면 30만큼의 능동적인 구동력만 추가로 만들어주면 몰입이 된다. 따라서 능동적인 몰입을 추구하게 되면 직장에서의 부담이나 위기감이 오히려 고맙게 느껴지게 된다. 반면 은퇴를 한 후에는 이러한 부담이나 위기감이 없기 때문에 몰입하기가 훨씬 더 어려워진다.

여섯째, 산만할수록 몰입도를 올리기가 어렵고 몰입도가 높을수록 몰입도를 올리기가 쉽다. 산만한 상태에서 업무나 공부를 시작할 경우 가급적 쉽고 피드백이 빠를수록 좋다. 예를 들면 이미 내용의 절반 이상을 알고 있는 것으로 시작을 하는 것이다. 그러다가 몰입도가 어느 정도 올라가면 목표로 하던 것으로 옮겨가면 된다.

일곱째, 규칙적인 운동은 몰입할 수 있는 인프라를 제공한다. 의욕이 높을수록 몰입에 대한 진입장벽이 낮아진다. 반면 스트레스가 높고 컨디션이 나쁠수록 몰입에 대한 진입장벽이 높아진다.

지금까지 소개한 약한 몰입을 올리는 방법은 주로 '각성에 의한 집중'이라고 할 수 있다. 보다 효율적이고 선택적인 집중을 위해서는 '이완에 의한 집중'이 유리한데 이는 충분한 훈련이 필요하다.

9장

목표 달성을 이끄는 몰입 효과

외적 위기상황과 내적 위기감

무엇이든지 원리를 알면 활용하기가 쉽듯이 몰입도 그 원리를 알면 보다 쉽게 할 수 있다. 원래 몰입의 진화론적인 기능은 생사가 걸린 비상사태에서 발동되어 생존 확률을 높이는 것이지만, 꼭 목숨이 걸린 위기상황이 아니어도 얼마든지 가능하다.

예를 들어 놀이공원에서 롤러코스터를 탈 때나 번지점프를 할 때는 현실이 아닌 가상의 위기상황이 연출되지만 그 순간 몰입이 유도되고 몰입의 즐거움을 누릴 수 있다. 또 가상의 위기상황마저 필요 없을 때도 있다. 전자오락, 테니스, 골프 같은 활동을 할 때에도 몰입이 쉽게 유도되는데 이런 활동들은 위기상황과는 거리가 멀다.

위기상황이 아닌 취미활동을 할 때에도 몰입이 유도되는 이유는 무엇일까? 이는 전쟁과 같은 위기상황이든 테니스, 골프, 전자오락과 같은 취미활동이든 상관없이 우리 뇌가 중요성을 인식하는 공통적인 기제가 있다는 것을 의미한다. 우리 뇌는 단지 주어진 활동에 빠져 있는 상태에서 입력되는 자극을 감지하고, 그것에 기초해서 상황의 중요성을 판단하는 속성을 갖고 있는 것이다.

내적 위기감이 두려움을 유발한다

어린아이들은 전자오락을 할 때 실수로 점수를 잃게 되면 쉽게 깜짝깜짝 놀란다. 그리고 점수가 내려갈 때마다 가슴이 철렁 내려앉을 정도로 위기의식을 느끼는데 이런 자극은 곧바로 아이의 뇌에 입력된다.

한편 실수는 실패의 감정을 만들어서 후회나 짜증을 유발시킨다. 이런 부정적인 감정은 더욱 분발하게끔 하고, 그 결과 아이는 혼신의 힘을 다해 게임에 임하게 된다. 그러면 뇌는 반복적으로 입력되는 강한 자극을 감지하고 아이가 목숨을 건 전투를 하고 있는 것으로 착각한다. 그리고 신체에 비상사태를 선포하여 '몰입'을 유도하는 것이다.

몰입을 유도하기 위해서는 뇌가 위기상황 혹은 중대한 상황이라고 인식하게끔 해야 한다. 실제로 위기상황이 아니어도 상관없다. 그저 뇌가 위기감을 느끼면 되는 것이다. 아이는 전자오락을 하고 있을 뿐인데 뇌는 목숨을 건 전투를 하는 것으로 간주해서 몰입을 발동시킨다는 사실을 통해 우리 뇌는 쉽게 속는다는 것을 알 수 있다. 우리 뇌가 느끼는 위기감은 한마디로 '내적 위기감[8]'이라고 할 수 있다.

이처럼 가상의 위기감 역시 내적 위기감을 만드는데, 스포츠 경기나 전자오락을 할 때의 몰입은 대부분 내적 위기감에 의해 만들어지는 것이다. 이러한 개념은 몰입의 원리를 이해하는 데 있어 매우 중요하다. 또 몰입이 내적 위기감에 의해 유도된다면 내적 위기감이 어떻게 만들어지는지 이해하는 것도 중요하다.

위기감이나 공포심은 우리 뇌의 편도체에서 만들어진다. 원래 쥐는 고양이 앞에서 본능적으로 공포심을 느껴 바싹 얼게 되어 있는데 편도체를 제거한 쥐는 고양이를 전혀 무서워하지 않는다. 뇌가 내적 위기감을 느끼는 기능을 할 수 없어졌기 때문이다. 실험결과는 오히려 쥐가 잠자는 고양이 등에 올라타 귀를 물어뜯었다고 보고하고 있다. 따라서 우리 감정에 더 큰 영향을 미치는 것은 외적 위기상황보다는 내적 위기감이라는 것을 알 수 있다.

반대로 외적으로는 전혀 위기상황이 아닌데 내적으로 위기감이

나 공포심을 느끼는 경우도 있다. 대인 공포증, 고소 공포증, 폐소 공포증과 같은 다양한 공포증이 여기에 해당한다. 공포심을 인지하는 편도체의 본래 기능은 포식자로부터 멀리 도망가서 생존 확률을 올리는 것이다. 그런데 이 기능이 잘못 발달할 경우 공포증과 같은 부작용을 야기한다. 이런 공포증을 고치기 어려운 이유는 공포증을 앓고 있는 사람에게 전혀 무서워할 필요가 없다고 아무리 설명해도 효과가 없기 때문이다. 이와 같은 사실은 공포증이 만들어질 때 이성적인 판단을 하는 전두엽을 거치지 않고 감정의 폐루프closed loop를 형성해서 스스로 증폭되면서 강력해진다는 뇌과학의 연구 결과와 일치한다.

감정의 회로가 이성적인 판단을 담당하는 전두엽을 거치지 않고 폐루프를 형성할 수 있다는 것은 우리 뇌를 쉽게 속일 수 있다는 것을 의미한다. 우리 뇌가 잘 속는다는 것은 영화나 드라마에 몰입하면 슬픈 장면이 나올 때 눈물이 흐르는 사실로도 알 수 있다. 이는 우리 뇌가 순간적으로 현실과 가상현실을 구별하지 못하기 때문에 나타나는 현상이다. 실제 위기상황이 아니어도 내적 위기감을 임의로 만들 수 있는 것이다.

외적 상황과 내적 상황은 서로 일치해야 정상이다. 그러려면 외적 위기상황이 내적 위기감을 유도해야 한다. 그런데 실제로는 서로 조화를 이루지 못하는 경우도 많다. 외적 위기상황이지만 내적 위기감을 느끼지 못하는 경우도 있고, 실제 위기상황이 아닌데 내적 위기감이 유도되는 경우도 있다. 외적 위기상황과 내적 위기감이 일치하지 않을 때 우리의 의식에 영향을 미치는 것은 내적 위기감이다. 즉, 우리의 의식은 내적 위기감에 따라 좌우된다.

외적 중요성과 내적 중요성

사자에게 쫓기는 얼룩말은 위기감 때문에 몰입을 하지만, 쫓는 사자는 '상황의 중요성' 때문에 몰입을 한다. 수컷이 암컷에게 몰입해 구애를 하는 상황을 설명할 때에도 위기감보다 더 폭넓은 의미를 갖는 '상황의 중요성'에 무게를 두고 접근하는 것이 좋다. 몰입은 한마디로 외적 중요성보다는 내적 중요성[9]에 의해 유도된다고 할 수 있다.

내적 중요성은 실제로 뇌에서 느끼는 중요성을 말한다. 가치관이나 진정으로 좋아하는 것 등은 내적 중요성의 문제다. 몰입을 시도하거나 가치관을 바꾸거나 해야 할 일을 진정으로 좋아하기 위해서는 바로 이 내적 중요성이 커야 한다.

내가 해야 할 일에 대한 내적 중요성이 커지면 그 일에서 의미와 보람을 찾게 되고, 재미를 느끼기도 쉽다. 내적 중요성을 한층 더 올리면 그 일을 하고 싶어서 안달이 나고, 그 일이야말로 자신이 진정으로 원하는 일이 된다. 내면 깊은 곳에서 굉장히 중요하고 의미가 있다고 느껴져야 자신의 인생을 걸고 그 일에 몰입할 수 있는 것이다.

마찬가지로 공부에 대한 내적 중요성을 올리면 공부할 수 있는 기회가 주어진 것만도 다행으로 여기고 공부에 흥미를 느끼기 쉽다. 내적 중요성이 더 커지면 공부를 하고 싶어서 못 견디게 되고, 책을 펴 들면 쉽게 몰입하게 된다. 내가 해야 할 일, 내가 해야 할 공부, 내가 사랑해야 할 사람에 대한 내적 중요성을 올려 원하는 대로 할 수 있다면 행복한 삶을 정복하는 길에 한발 가까이 다가설 수 있을 것이다.

그렇다면 내적 중요성은 어떻게 만들어질까? 내적 중요성이 우리 몸에서 만들어지는 원리를 이해하기 위해 먼저 우리 뇌에서 장기 기억이 어떻게 만들어지는지 알아보자.

우리가 세상을 보는 것은 눈이라는 렌즈를 통해 비디오 녹화를 하는 것과 같다. 사람의 눈으로 볼 때의 해상도는 HDTV의 해상도보다 훨씬 더 높다. 엄청난 양의 정보가 우리의 눈을 통해 입력되는 것이다. 이와 동시에 귀로는 소리를 녹음한다. 대화 소리나 라디오에서 나오는 음악뿐만 아니라 각종 소음도 녹음한다. 또한 코로는 각종 냄새의 정보를 받아들이고, 몸으로는 온갖 촉각 정보를 받아들인다. 걷거나 뛸 때 발바닥은 끊임없이 촉각 정보를 받아들이고, 뇌는 이 정보를 처리한다. 그래서 우리가 자연스럽게 걷거나 뛸 수 있는 것이다. 걸음마를 배우는 아기는 이러한 정보 처리가 미숙하기 때문에 뒤뚱뒤뚱 걷는다. 로봇이 뒤뚱뒤뚱 부자연스럽게 걷는 이유도 마찬가지다.

우리 뇌에는 하루에도 엄청나게 방대한 양의 정보가 입력된다. 그 정보를 모두 저장한다면 뇌는 금방 포화상태가 되어 더 이상 정보를 저장할 수 없게 될 것이다. 그렇다면 뇌는 이 문제를 어떻게 해결할까?

밤에 잠이 들면 우리 뇌의 해마라고 하는 부위에서는 종일 입력된 정보를 선별하는 작업이 이루어진다. 생존에 필요 없거나 중요하지 않다고 판단되는 정보는 폐기처분하고, 중요하다고 판단되는 정보는 장기 기억으로 보내는 것이다. 그렇다면 해마는 무엇을 기준으로 정보의 중요도를 가려낼까? 대단히 중요한 이 문제가 현대 뇌과학에 의해 밝혀졌는데, 다음의 두 가지를 기준으로 한다.

먼저 그 정보가 입력될 당시 자극의 세기를 기준으로 한다. 자극의 세기가 크면 해마는 정보가 중요하다고 판단해 장기 기억으로 보내고, 자극의 세기가 작으면 별로 중요하지 않은 정보라고 판단해 폐기한다. 여기서 자극의 세기가 세다는 것은 정보가 들어올 때 놀라거나 즐거워하는 경우를 말한다. 어렸을 때 겪은 일이라도 아주 충격적인 사건은 어른이 되어서까지 생생하게 기억한다. 이는 해마가 그 당시의 경험을 굉장히 중요하다고 판단해 장기 기억에 높은 비중을 두고 저장했기 때문이다.

평상시에 공부를 하지 않다가 시험을 앞두고 갑자기 영어단어를 외우려고 하면 잘 외워지지 않는다. 자극의 세기가 강하지 않기 때문이다. 하지만 평소에 반복해서 외우면 잘 외워진다. 반복이 해마가 중요한 정보라고 판단하는 두 번째 기준이다.

자극의 세기가 강하지 않더라도 정보가 반복적으로 입력되면 해마는 중요한 정보라고 판단해서 장기 기억으로 보낸다. 이 사실은 콜롬비아 대학교의 신경과학자 에릭 캔델Eric Richard Kandel에 의해 발견되었다. 그는 바다에 사는 민달팽이를 이용한 연구를 통해 자극이 세거나 반복적인 활동이 뉴런 간의 연결을 강화시켜 시냅스를 변형 혹은 증가시킴으로써 장기 기억을 형성하며 이러한 작용이 해마에서 일어난다는 사실을 밝혀냈다. 그리고 그 공로로 2000년 노벨생리의학상을 수상했다.

앞에서 살펴본 바와 같이 해마가 뇌에 들어온 정보를 장기 기억으로 보낼지의 여부를 판단하는 것이 바로 내적 중요성이다. 이로써 우리는 삶을 정복하고 행복해지는 데 꼭 필요한 내적 중요성을 올리는 방법을 알게 되었다. 어떤 것에 대한 내적 중요성을 올리려면 그 정보가 입력될 때 자극의 세기를 증가시키거나 그 정보를 반복해서 입력시키면 되는 것이다. 정보를 반복해서 입력시키는 것은 누구나 쉽게 할 수 있다. 단순히 그것에 관한 생각이나 경험을 반복하는 것만으로도 충분하기 때문이다. 특히 주어진 문제를 해결하기 위해서 자나 깨나 생각하는 몰입은 극단적으로 정보를 반복해서 입력하는 행위라고 할 수 있다.

내적 중요성을 보다 효과적으로 올리기 위해서는 반복도 중요하지만 자극의 세기를 증가시켜야 한다. 그렇다면 자극의 세기는 어떻게 올릴 수 있을까? 특히 내가 해야 할 학습이나 업무에서 자극의 세기를 올리려면 어떻게 해야 할까? 대단히 중요한 이 문제의 답은 의외로 간단하다. 단지 목표만 설정하면 되는 것이다. '왜 목표를 설정하면 자극의 세기가 커질까?' 이 문제는 몰입을 이해하는 데 핵심이 된다.

목표를 정하면 몸이 저절로 변할 수 있다

우리는 다세포동물이다. 즉, 우리 몸을 구성하고 있는 세포 하나하나는 모두 생명체다. 다세포동물은 단세포 동물이나 군체와 달리 공생공사共生共死, 즉 함께 살고 함께 죽는 방식을 택한다. 내가 죽으면 나를 이루고 있는 모든 세포가 동시에 죽는 것이다. 이러한 생존방식이 유리했는지 지구상의 엄청나게 많은 생물이 다세포 생물로 진화했다. 함께 살고 함께 죽는 조직의 특징은 그 구성원들이 철저한 위계질서에 따라 분업하고 협력한다는 것이다. 전쟁터에서 각 부대원들이 부대장의 명령에 절대적으로 복종하는 것과 같다.

우리를 구성하는 세포의 수는 대략 100조 개이고, 각 세포의 크기는 대략 10마이크로미터 정도다. 이러한 세포가 모여 하나의 공동운명체를 이루고 있는 것이다. 그런데 유전적으로는 동일한 세포가 각기 같은 일을 하는 것이 아니라 분업을 한다. 어떤 세포는 눈, 어떤 세포는 귀, 어떤 세포는 입, 어떤 세포는 손, 어떤 세포는 발과 같은 기관에 소속되어 자신이 맡은 역할을 충실히 수행하는 것이다. 이렇게 많은 세포가 원활하게 협력하려면 기본적으로 두 가지를 갖추어야 한다.

먼저 세포 간의 정보를 교환하는 통신시스템이 발달해야 한다. 이 통신시스템의 핵심이 뉴런neuron이고, 이 뉴런이 진화해서 뇌가 되었다고 보면 된다. 독립적인 뇌 없이 신경만 있는 하등동물들도 많다. 다세포동물의 세포 간 정보전달은 신경전달물질과 호르몬이 맡는데 신경전달물질은 신경을 통해, 호르몬은 혈액을 통해 정보를 전달한다.

그다음으로 세포 간의 위계질서가 확립되어야 한다. 세포들이 각각 제멋대로 움직인다면 생존에 치명적일 것이다. 가령 눈을 통해 포식자가 가까이 다가오고 있다는 정보가 들어왔는데, 발이 뛸 생각을 하지 않는다면 꼼짝없이 잡아먹히고 말 것이다. 100조 개의 엄청난 개별 생명체로 구성된 공동 생명체가 생존하기 위해서는 하나의 명령에 따라 일사불란하게 움직여야 하므로 세포 간에, 혹은 몸의 각 기관 간에 철저한 위계질서와 상호 협력관계가 필요하다. 그런데 우리 몸에서 뇌의 전두연합령을 제외하고는 어느 기관도 종합적인 상황 판단을 하지 못한다. 따라서 뇌의 전두연합령이 위계체제의 사령탑 역할을 한다. 이곳에서 종합적인 상황 판단을 하고 그것을 근거로 어떤 목표를 설정하면 우리 몸의 다른 부분은 맹목적으로 그 목표를 추구하는 것이다. 이것이 바로 우리가 목표지향성을 가질 수밖에 없는 진화론적 이유다.

아기는 거울 뉴런mirror neurons[10]이 발달해 있기 때문에 어른들이 하는 행동을 무조건 따라 하려고 한다. 그렇다고 아기가 처음부터 어른처럼 서서 걸을 수는 없지만 어른처럼 서서 걷는 것을 목표로 설정하고 끊임없이 이 목표를 추구한다. 걸음마를 배우는 과정에서 수도 없이 넘어지기도 하지만 목표지향성 때문에 중도에 포기하지 않는다. 그러다 몇 걸음을 걷는 데 성공하면 좋아서 어쩔 줄을 모른다. 아기 입장에서는 목표를 달성한 것이기 때문이다. 이 작은 성공의 보상으로 즐거움을 느끼고 나면 아기는 더 열심히 시도하고, 이 과정을 통해 목표 달성을 성공적으로 이끌어줄 시냅스가 활발하게 형성된다. 걸음을 조정하는 시냅스가 충분히 형성되었을 때 비로소 아기는 넘어지지 않고 잘 걷게 된다.

여기서 주목할 점은, 시냅스는 원하는 방향으로 발달한다는 것이다. 즉, 목표를 세우고 노력하면 그 목표를 달성할 수 있는 방향으로 시냅스가 형성되는 것이다.

또 다른 예로 뇌졸중[11]을 들 수 있다. 뇌졸중은 뇌세포에 손상을 입었을 때 걸리는 병으로 발병하면 손상된 뇌세포가 조정을 담당했던 신체 부위가 마비된다. 이러한 증상은 해당 신체 부위의 운동을 기억하고 담당했던 시냅스가 작용하지 않기 때문에 나타나는 것이다. 한번 손상된 뇌세포는 재생되지 않는다. 그러면 어떻게 재활치료가 가능할까? 뇌세포는 재생되지 않지만 새로운 시냅스는 더 생성될 수 있으므로 손상된 세포의 주변 세포에 그 운동을 담당하는 시냅스가 형성되고 발달하면 마비된 부분을 사용할 수 있다. 이 과정은 어린아이가 걸음마를 배우면서 시냅스가 형성되는 과정과 흡사하다.

왜 목표가 생기면 노력하게 될까?

우리 몸은 도대체 어떤 원리에 의해 목표만 설정하면 그것을 맹목적으로 추구하도록 만들어졌을까? 그 원리를 이해할 필요가 있다.

간단한 예를 들어보자. 내가 책상에 널려 있는 종이 몇 장을 구겨서 3미터 정도의 거리에 있는 휴지통에 던져 넣으려고 한다고 치자. 이때 나의 목표는 그 종이를 휴지통에 골인시키는 것이 된다. 그런데 골인을 목표로 신중하게 던졌지만 빗나가 휴지통 옆에 떨어졌다고 하자. 그러면 나는 짜증이 난다. 이것은 목표에서 벗어난 실수를 한 것에 대한 내적인 처벌이다. 반면 종이를 잘 던져 골인에 성공하면 나는 짜릿한 희열을 느낀다. 이것은 목표를 성공적으로 달성한 것에 대한 내적인 보상이다. 이처럼 나는 단지 종이를 휴지통에 던져 넣는다는 목표를 임의로 만들었을 뿐이지만, 그 순간부터 종이를 던지는 행위는 '성공'과 '실패'로 갈린다.

일단 목표를 설정하면 '성공' 혹은 '실패'라는 커다란 자극이 만들어지면서 그것을 추구하는 행위에 의미가 생긴다. 다시 말해 나의 행위에 커다란 자극과 의미를 만들어 그 행위에 대한 내적 중요성을 올리기 위해서는 명확한 목표를 설정하면 되는 것이다.

내가 만약 종이뭉치를 휴지통에 던져 넣는 행위를 계속 반복한다고 하자. 그리고 종이뭉치를 휴지통에 꼭 넣고야 말겠다는 절실한 마음도 갖기 시작했다고 하자. 목적지향성을 늘이기 위해서 동료와 내기를 걸고 경쟁하는 거라고 생각해도 좋다. 그러면 성공과 실패라는 자극의 세기는 더욱 커지게 된다. 내가 목표지향에 진지하게 임할수록 자극의 크기는 더 커진다. 그리고 이것을 반복하면 자극은 더욱더 커진다. 이와 같이 커다란 자극이 반복적으로 입력되면 내 몸에서 감지하는 내적 중요성은 계속 증가한다. 그러면 내 몸에서는 '도대체 얼마나 중요한 일이기에 이렇게 큰 자극이 계속적으로 들어오나?', '목숨을 건 전투를 하나 보다!' 하고 생각할 것이다. 그 결과 생존을 위해 비상사태를 선포하고 모든 것을 잊고 오로지 종이를 던지는 행위에 몰입하도록 유도하게 된다.

이 예는 임의로 설정한 목표지향이 몰입을 유도해 나의 능력을 최대한 이끌어내도록 한다는 것을 보여준다. 이성적으로 어떤 일에 몰입하기는 어렵지만, 진화론적 본능인 목표지향을 이용하면 보다 쉽게 몰입할 수 있다. 자신이 해야 할 학습이나 업무에서도 명확한 목표를 설정하고 이 목표지향을 반복해서 강화시키면 그것에 대한 내적 중요성이 올라가고, 결과적으로 몰입도를 올릴 수 있는 것이다.

누구나 쉽게 몰입하는 전자오락이나 스포츠 경기는 임의의 목표를 설정하고 그것을 맹목적으로 추구하는 목표지향 활동에 불과하다. 만약 외계인이 지구에 와서 월드컵 축구경기 장면을 목격한다면 이해하기 힘들 것이다. 우리의 목표지향 메커니즘을 이해하지 못하면 선수들이 혼신의 힘을 다해 여기저기 뛰어다니고 관중들이 열광하는 행동을 이해할 수 없기 때문이다.

목표 설정이 가져오는 놀라운 효과

다음에 나오는 우리 뇌의 목표지향 메커니즘 사례를 살펴보면 이를 실제 상황에 어떻게 활용할 수 있을지 보다 쉽게 이해할 수 있을 것이다.

우리 둘째 아이가 고등학교에 다닐 때의 일이다. 아이는 노래 부르는 것을 좋아해서 교내 합창반 동아리에 들었는데, 2학년이 되면서 합창반 부장이 되었다. 그러다 2학기가 되자 학교 축제기간에 합창반의 공연이 있어서 준비할 게 많다고 했다. 평소 어떤 일이든 하기로 마음먹었으면 열심히 하고 그렇지 않으면 안 하는 게 낫다는 철학을 가지고 있던 나는 아이에게 3학년이 되면 공부에만 전념해야 할 테니 마지막 기회라 생각하고 한번 열심히 해보라고 했다. 그런데 이 생각이 미처 예상치 못한 상황을 만들었다. 아이가 한 달 이상을 공연 준비에만 전념하는 것이었다.

그전까지 30명 정도 되는 반에서 3등 안을 유지하던 성적은 기말고사 때 말도 못하게 떨어져버렸다. 엉뚱한 활동에 힘을 쏟다가 벌어진 결과였다. 내신으로는 도저히 원하는 대학에 들어갈 수 없는 상황이었다. 아이도 성적이 많이 떨어진 것에 반성하는 듯했다. 나는 이번 성적이 너무 나빠서 내신으로는 원하는 대학에 들어가지 못할 테니, 앞으로 1년 남은 수능 시험에 총력을 기울이라고 했다. 아이도 그렇게 하겠다고 대답했다.

나는 아이에게 수능 시험에서 전국 수석을 목표로 하라고 제안했다. 내 말에, 아이는 매일 밤을 새가며 공부만 하라는 뜻인 줄 알고 놀라는 기색이었다. 나는 공부는 무리하지 말고 평소처럼 하되, 전국 수석의 목표만은 조금도 흔들리지 말고 굳게 다짐하라고 일렀다. 그리고 하루에도 몇 번씩 이 목표를 생각하라고 했다.

전국 수석의 목표를 다짐한 이후에도 아이는 예전과 같이 TV를 보기도 하고, 컴퓨터 게임을 하기도 했다. 이럴 때 아이에게 "그렇게 해서 전국 수석을 할 수 있겠냐!"고 야단을 쳐서는 절대 안 된다. 그러면 아이는 "아빠가 나에게 놀지 못하게 하고 공부만 시키려고 전국 수석을 목표로 하라고 했구나!"라고 받아들이고, 그 목표를 진정으로 가슴 깊이 생각하지 않게 된다. 그 결과 목표지향 메커니즘도 작동하지 않게 된다.

야단을 치는 대신 나는 매일 출근길에 아이를 학교에 데려다 주며 10분 정도 이야기하는 시간을 가졌다. 출근길에 아이와 함께 이야기하는 것은 그 목표를 상기시키기 위해서였다. "요즘 컨디션은 어떠냐?", "잠은 부족하지 않게 충분히 자라!", "공부하느라 힘들지 않느냐?" 등의 격려를 하면서도 전국 수석을 하겠다는 목표는 어떤 상황에서도 포기하지 말라고 재차 당부하며, 전국 수석을 해서 기자와 인터뷰할 때 할 말도 미리 준비해 두라고 했다. 이때 중요한 것은 아이에게 부담을 주지 않는 것이다. 전국 수석이라는 목표를 생각하는 것이 아이에게 부담 없는 즐거운 상상이 되도록 해야 한다.

그렇게 한 달 정도 지나자 목표지향 메커니즘의 효과가 조금씩 나타나기 시작했다. 아이가 TV를 보고 컴퓨터 게임을 하는 빈도를 조금씩 줄이기 시작하더니 한 달가량 지나자 완전히 중단했다. 아이의 공부에 대한 태도가 점차 바뀌면서 오히려 밤늦은 시간까지 공부를 하려고 했다. 내가 밤늦게까지 공부하지 말고 잠을 자라고 하니, 아이는 불평을 하기까지 했다. 자기 반 친구는 새벽 2시까지 공부한다는 것이었다. 나는 남들이 어떻게 공부하든 우리 집에서는 절대로 밤 12시 이후에 공부를 할 수 없다고 단호하게 말했다. 만약 공부하는 시간이 부족해서 아쉬우면 낮에 깨어 있을 때 더 열심히 하라고 했다. 그렇게 한 것은 내가 '무리한 최선'의 부작용을 너무 잘 알고 있었기 때문이었다.

내가 관리한 것은 아이에게 12시 이후에 공부를 못하게 하는 것과 30분 이상 땀 흘리는 운동을 하게 하는 것이었다. 아이가 운동을 하지 않는 것 같으면, 오늘은 왜 운동을 하지 않느냐고 물었다. 그러면 아이는 하굣길에 학교에서 집까지 뛰어왔기 때문에 운동을 한 셈이라고 했다.

아이의 변화는 목적지향 메커니즘의 작용으로 이해할 수 있다. 전국 수석이라는 목표를 가슴 깊이 새겨서 강화시키면 그 목표와 멀어지는 행동은 불쾌감을 주게 된다. 반대로 그 목표에 가까워지는 행동은 쾌감을 주게 된다. 이런 기제는 본인이 의식하지 못하는 상태에서 내적으로 일어난다.

전국 수석을 목표로 한 아이는 TV를 보다가도 '별로 재미도 없는데 내가 왜 이렇게 귀중한 시간을 허비했지?'라는 생각을 하게 된다. TV를 보는 행동에 깊은 회의를 느끼는 것이다. 전자오락도 마찬가지다. '전자오락을 하면서 얻는 것이 무엇인가?', '내가 이 귀중한 시간에 이것을 할 가치가 있는가?'라는 생각을 하면서 강력한 회의가 들게 된다. 그런 행동은 모두 자신의 목표에서 멀어지는 행동이기 때문이다. 반면 공부를 열심히 하는 행동은 자신의 목표에 가까워지는 행동이기 때문에 공부를 하면서 평소에 느끼지 못했던 뿌듯함을 느끼게 된다. 그러면서 공부를 열심히 하는 자신이 자랑스럽고 대견하게 느껴진다. 목표 달성을 향한 긍정적인 변화가 내면 깊은 곳에서 일어나는 것이다. 마음속에 새긴 목표의식이 강력할수록 그에 가까워지려는 행동은 더욱 힘을 받는다. 공부를 하는 것이 평생의 소원이고 가장 고귀한 행위처럼 느껴지는 것이다.

시간이 지나면서 아이가 스스로 혼신의 힘을 다해서 공부하는 것이 눈에 보였다. 부모의 성화에 못 이겨 수동적인 자세로 억지로 끌려가는 게 아니라 마음 깊은 곳에서 우러나와 진심으로 열심히 하는 모습이었다. 그리고 그것이 바로 내가 아이에게 원하던 것이었다. 명확한 목표를 세우고 1년 정도 스스로 최선을 다하는 경험은 인생에서 대단히 중요한 역할을 한다. 어쩌면 대학입시의 당락보다 이러한 경험이 더 중요할지도 모른다.

대학입시 결과가 어떻게 될지 장담할 수 없는 상황이었지만 당시 아이가 최선을 다하고 있는 것만은 분명했다. 나는 아이의 변화를 지켜보면서 아주 바람직하게 잘하고 있다고 칭찬하고 격려하기만 했다.

물론 최선을 다했음에도 불구하고 대학입시는 불확실성이 많기 때문에 좋지 않은 결과가 나올 수 있다. 아이도 이에 대해 걱정했다. 이때부터 아이에게 가르쳐준 것은 결과에 집착하기보다 과정에 최선을 다해야 한다는 사실이었다. 그리고 최선을 다하는 것은 자신이 충분히 할 수 있는 일이지만 대학입시 결과는 자신의 영향력 밖에 있다는 사실도 확실히 알게 했다. 그래서 아이에게 이런 조언을 해 주었다.

"입시와 같이 중요한 상황에서 네가 할 수 있는 것은 최선뿐이다. 아빠가 보니까 너는 분명히 최선을 다하고 있다. 네가 최선을 다하는 것과 상관없이 대학입시 결과가 나쁘게 나올 수도 있다. 그러나 대학입시 결과보다도 이렇게 최선을 다하는 과정이 더 중요한 것이다. 그러니 대학입시 결과에 집착할 필요가 없다. 혹시 결과가 만족스럽지 않게 나오더라도 조금도 후회하거나 실망하지 말거라."

나는 아이에게 대학입시라는 기회를 이용해 절대적인 최선과 절대적인 만족을 체험하게 하고 싶었다. 수능 시험 결과, 아이는 비록 전국 수석은 하지 못했지만 자기 학교에서는 수석을 했다. 그리고 자신이 원하는 대학에 무난히 합격했다. 조금 더 일찍 이런 방법을 사용했으면 분명 더 좋은 결과가 나왔을 것이다.

목표에 대한 다짐이나 결심이 단 한 번에 그치는 것은 그다지 효과가 없다. 목표지향에 대한 시냅스를 강력하게 형성시키려면 자나 깨나 그 목표를 생각하고 그에 대한 다짐과 결심을 끊임없이 반복해야 한다. 수시로 "조금 더 잘해야지!", "최선을 다해야지!", 혹은 "최선의 삶을 살아야지!"라고 다짐하는 습관을 들이면 좋다. 성공적인 삶을 위해서 이보다 더 좋은 습관은 없다. 그 목표에 대해 진지하고 절실한 마음을 가질수록 유리하다.

올바른 목표를 세워라

"간절히 바라면 이루어진다"는 말이 있다. 그런데 이 말의 뜻을 잘 이해해야 한다. 주변에 간절히 바랐더니 정말로 이루어지는 것을 경험했다는 사람들이 있다. 예를 들면 어떤 사람은 자신이 사는 아파트의 주차 사정이 아주 좋지 않은데, 간절히 바라면 항상 기적처럼 주차 공간이 생긴다고 말한다. 이와 비슷한 이야기를 하는 사람들이 의외로 많다. 그러나 그런 일은 간절히 바란다고 해서 이루어지는 것이 아니다. 설령 기적적으로 느껴지는 일이 일어나더라도 우연이라고 보는 것이 합리적이다.

냉철하게 통계를 내보면 쉽게 확인할 수 있다. 열 가지를 간절히 바랐을 때 이루어진 경우와 이루어지지 않은 경우를 비교해 보자. 그러면 간절한 바람이 이루어진 경우는 우연이라는 것을 알게 될 것이다. 그럼에도 우연을 기적처럼 믿는 이유는 우리의 믿음이 객관적인 통계보다는 주관적인 감정에 기반을 두기 때문이다. 바람이 이루어지지 않은 경우는 관심 밖의 일이라 기억하지 않고, 이루어진 경우만 강하게 기억하는 것이다. 이는 점쟁이가 신통하게 잘 맞힌다고 이야기하는 것과 마찬가지다.

스스로 운명을 바꿀 수 있는 부분에 집중적으로 노력을 해야 효과가 있지 그렇지 않은 부분에 노력을 기울이는 것은 소모적일 뿐이다. 노력을 통해 바꿀 수 있는 것은 우리가 영향을 미칠 수 있는 범위에 한해서다. 그 범위를 잘 이해해야 한다. 스스로의 노력으로 바꿀 수 있는 것과 그렇지 않은 것을 구별해야 하는 것이다. 자신의 영향력 밖에 있거나 자신의 노력으로 이룰 수 없는 꿈이나 목표를 설정하면 목표지향 메커니즘이 작동될 수 없기 때문에 효과가 없다.

예를 들어 복권을 산 후 1등에 당첨되는 것을 명확한 목표로 설정하고 생생하게 상상해서 그 목표를 강화시킨다고 해서 그것이 이루어질 리가 없다. 한낱 허황된 꿈에 불과한 것이다. 또 짝사랑하는 이성을 연인으로 만들기 위해 목표를 설정하고, 밤낮 그 이성에 대해 생각한다고 해도 효과는 거의 없을 것이다. 다만 그것이 상대방에게 호감을 사려는 구체적인 노력으로 연결된다면 효과가 나타날 수는 있다. 오히려 이런 목표를 세우고 몰입하다 보면 스토커가 될 가능성도 있다.

시간적으로 여유가 있다면 다소 무모하게 느껴지더라도 목표를 높게 잡을수록 좋다. 목표에 가까워지는 것 자체가 나를 발전시키기 때문이다. 목표를 강화시키기 위해 끊임없이 노력하는 과정 자체가 큰 효과를 발휘한다. 어렸을 때나 청소년기에 꿈을 원대하고 크게 가지라고 하는 것도 모두 그런 이유 때문이다.

반면 매일매일 추구해야 하는 목표는 너무 높지 않게, 어렵지 않게, 성공 가능한 범위 내에서 설정하는 것이 중요하다. 목표를 너무 높게 설정해서 매일 실패를 경험하거나 실패하는 횟수가 많아지면 좌절감에 빠질 수 있기 때문이다.

흔히 살을 빼겠다는 목표를 세울 때 매일매일 달성해야 할 목표량을 너무 높게 잡아서 좌절을 반복하게 되는 경우가 많다. 고도비만인 사람들 중에는, 처음에는 비만 정도가 심하지 않았는데 살을 빼려는 목표를 너무 높게 잡았다가 실패한 경우가 많다고 한다. 이와 같이 목표 설정을 잘못하면 좌절감만 커져서 급기야 자포자기하거나 아예 목표를 설정하는 것 자체를 꺼리게 된다.

성공 체험을 많이 해봐야 긍정적인 감정도 생기고, 이것이 보상으로 작용해 지속적으로 목표를 추구할 수 있는 힘도 생긴다. 이 힘을 증가시키기 위해서는 작은 성공에도 크게 기뻐하는 것이 좋다. 반대로 실패를 경험했을 때는 좌절의 부정적 감정을 최소화시키는 것이 좋다. 긍정적 감정과 부정적 감정에 대해 우리는 대단히 수동적이다. 따라서 매일매일 추구하는 목표는 성공 가능성이 높되, 그 방향이 중장기적으로 추구하는 목표와 일치해야 한다.

천재성은
몰입도가 좌우한다

의도적인 노력에 의한 목표지향이 과연 얼마나 계속될 수 있을까? 그리고 얼마만큼의 구동력을 만들어낼 수 있을까? 도저히 불가능해 보이는 문제에 도전할 때 내가 할 수 있는 궁극의 최선은 어떤 상태일까?

나는 지금까지 최선에 대한 패러다임의 변화를 크게 세 번 경험했다. 돌이켜보면 최선을 다하는 방법이 서툴수록 효율도 낮고 고통스러웠다. 그러다 올바른 최선의 패러다임으로 바꿔 탈 때마다 비약적인 발전을 했다.

중고등학생 시절, 나는 잠을 줄이는 것이 최선이라고 생각했다.

그러나 그것은 무리한 최선이었고, 오랜 기간 실천하면서 많은 부작용이 나타났다. 그런 시행착오를 겪으면서 나는 무리하지 않는 최선의 중요성을 처음으로 실감했다. 무리가 없는 최선, 그래서 오랜 기간 아무 탈 없이 지속적으로 실천할 수 있는 최선, 이것이 첫 번째 패러다임의 변화다. 그 후로는 밤 11시까지만 공부하고 잠을 충분히 잤다. 이 무리하지 않는 최선은 아무리 지속해도 별다른 부작용을 일으키지 않았다. 나는 무리하지 않는 최선을 실천해 대학 입시와 대학원 입시에 합격하고 박사학위도 받았다.

그러다 포닥 시절, 세계적인 석학들은 많은 시간을 생각하면서 보낸다는 사실을 알게 되었고, 반면 나는 머리를 전혀 쓰지 않으면서 연구를 하고 있다는 사실을 깨달았다. 그러면서 '의식이 있는 한 생각의 끈을 놓지 않겠다!'고 결심하고 이것을 실천하면서 몰입을 체험했다. 이것이 두 번째 패러다임의 변화다. 이 우주에 오직 그 문제와 나만 존재한다는, 인간이 체험할 수 있는 최대의 집중 상태를 경험하고 '이것이 최선이구나!'라고 생각했다. 그런데 그것 역시 최선은 아니었다.

하루 이틀 최선을 다한다고 해서 어느 분야에서 수십 년 동안 해결되지 못한 문제를 풀 수 있는 것은 아니다. 그런 상태를 몇 달 간, 심지어 몇 년간 지속해야 하는 것이다. 그러면 상상도 할 수 없는 열정이 더해진다. 인간이 할 수 있는 최대의 집중 상태와 최대의 열정이 결합될 때 비로소 궁극의 최선이 발휘되는 것이다. 나는 몇 달간 몰입을 지속하면서 이러한 궁극의 최선을 경험했다. 이것이 세 번째 최선에 대한 패러다임의 변화다.

일생을 살면서 궁극의 최선을 이끄는 고도의 몰입 상태를 한 번도 경험해 보지 못한다는 것은 안타까운 일이다. 자신이 무엇을 해결할 수 있는지, 어떤 잠재력을 갖고 있는지 모르는 채 살아가는 것이기 때문이다.

누구나 어릴 때는 훌륭한 과학자, 법률가, 의사, 예술가, 정치가 등 커서 이루고 싶은 꿈이나 소망을 품는다. 그리고 이런 소망들은 단순한 바람이 반복되면서 강화된다.

예를 들어 내가 커서 훌륭한 과학자가 되겠다는 다짐을 하루에 10분씩 600번을 반복했다고 하면 거의 2년을 매일같이 이 바람이 이루어지기를 소망한 셈이다. 이 바람의 시간을 합산하면 100시간이 된다. 이는 나중에 강력한 소망으로 바뀌어 기필코 그렇게 되리라는 결심과 다짐으로 굳어질 것이다. 이런 한결같은 소망은 뇌에 강력한 목표지향의 시냅스를 만들어 아이의 성장과정에서, 또 어른이 되어 세상을 살아갈 때에도 인생에 적지 않은 영향을 미친다.

가령 내가 어떤 문제에 1주일 동안 몰입을 했다고 하자. 1주일 동안 자나 깨나 그 문제를 해결하기 위해 그것에 대한 생각만 하고 관련된 문헌만 읽는다면 얼마의 시간이 걸릴까? 적어도 하루에 15시간 이상은 그것에 대한 생각을 하게 된다. 그렇게 1주일이 지나면 100시간이 넘는다. 1주일만 몰입해도 주어진 문제를 풀겠다는 목표지향을 만든 시간이 어린 시절에 소망을 형성하는 만큼의 시간이 되는 것이다.

그렇다면 1주일이 아니라 몇 달간 몰입을 실천하면 어떻게 될까? 몇 개월 동안 계속해서 그 문제에 대해서만 생각하면 머릿속이 온통 그 문제로 가득 채워진다. 그리고 일상의 기억은 금세 잊혀져 기억이 가물가물해진다. 기억에서 사라지면 관심도 없어진다. 이런 상태가 되면 '내가 세상을 사는 이유가 그 문제를 해결하는 것'이 된다. 사람이 품을 수 있는 최대한의 소망과 열정이 만들어지는 것이다. 이런 정서적 상태가 고도의 몰입 상태와 결합되어 몇 달간, 심지어 몇 년간 지속되면 어떤 어려운 문제라도 풀 수 있다. 그것이 뉴턴이 발견한 만유인력이 되었건 아인슈타인이 발견한 상대성 원리가 되었건 간에 말이다. 다시 말해 천재성은 타고나는 것이 아니라 고도의 몰입과 함께 이러한 정서적 상태를 만들 수 있느냐, 그렇지 않느냐에 따라 결정되는 것이다.

잘못된 몰입을 경계하라

몰입은 마치 목숨을 건 전투를 하는 것처럼 치열한 행위다, 그 행위가 생산적이건 소모적이건 파괴적이건 간에. 예컨대 컴퓨터 게임에 몰입하는 아이도 그 순간만큼은 그 어느 때보다 진지하고 치열하다. 단지 생산적이지 않다는 게 문제가 될 뿐이다.

몰입 상태에서 느끼는 치열함은, 삶을 무료하게 여기던 사람에게는 생생하게 살아 있다는 느낌을 맛보게 한다. 그전에는 살아도 사는 것 같지가 않았는데, 살아 있다는 생생한 느낌을 받으니 그보다 더 좋을 수가 없는 것이다. 이런 효과 때문에 사람들은 도박, 불류 같은 파멸적인 몰입이나 약물중독에 빠져들기도 한다. 오토바이 폭주족들이 위험하기 짝이 없는 질주를 하는 이유도 몰입의 즐거움 때문이다. 속도에 취하면 최고의 스릴에 취해 더 바랄 게 없는 상태가 된다.

오토바이 질주처럼 목숨을 담보로 한 취미활동은 위기감과 절박함을 만들어 쉽게 몰입을 유도하지만 결코 바람직하지 않다. 그런 식의 자극을 좇다 보면 불의의 사고를 당할 수도 있고, 청소년이라면 비행으로 이어질 수도 있다.

범죄자들도 범죄행위를 저지르면서 몰입의 즐거움을 느낀다고 한다. 한밤중의 절도보다 더 짜릿한 것이 없다던 범죄자의 고백처럼 몰입의 쾌감은 범죄마저 즐길 정도로 마약 같은 중독성이 있다.

주식투자를 하는 사람들 중에도 몰입을 하는 경우가 많다. 큰돈을 가지고 주식투자를 하다 보면 하루에 수억 원을 벌기도 하고 잃기도 한다. 이런 결과는 대단히 큰 자극이 된다. 특히 돈에 몰입하기 시작하면 돈에 대한 내적 중요성이 극도로 올라가 이를 목숨보다 소중히 여기게 된다. 가족에 대한 생각보다 돈에 대한 생각을 많이 하다 보면 가족보다 돈을 더 중요하게 여기게 되기도 한다. 그런데 주가가 올라 돈을 벌 때에는 더없이 기쁘겠지만, 주가가 폭락해 큰돈을 잃을 경우 그 상처는 이루 말할 수 없고 여러 가지 후유증에 시달리기도 한다. 잠을 자다가 갑자기 깨기도 하고, 스트레스로 몸의 저항력이 약해져 암이나 각종 질병에 걸리는 사람도 있다. 심지어 큰돈을 잃었지만 걱정하지 않고 살 수 있을 만큼 충분한 재산이 남아 있음에도 불구하고 자살을 하는 사람도 있다. 이성적으로 괜찮다고 아무리 자신을 타일러도 회복하기 어렵다. 돈에 대한 내적 중요성이 오랜 기간 굳어져 이성적으로 조절할 수 없는 상태이기 때문이다.

온갖 부작용을 없애기 위해서는 자신의 영향력을 벗어난 결과에 몰입하지 말고 자신의 영향력 안에 있는 의사결정 과정에 몰입해야 한다. 투자의 귀재로 알려진 워런 버핏은 돈에 몰입하기보다 어느 회사에 투자할 것인지에 대한 판단에 몰입했을 것으로 보인다. 그가 돈에 더 몰입하는 사람이었다면 재산의 99퍼센트를 사회에 기부할 리가 없지 않은가.

10장

천천히 생각하기: 슬로 싱킹

힘 빼고
천천히 생각하기

나는 수영을 잘 못한다. 몇 번인가 배우려고 시도해 봤지만 번번히 실패하고 말았다. 한번은 수영을 잘하는 친구에게 "얼마나 오랫동안 밖으로 나오지 않고 물속에서 수영을 할 수 있냐?"고 물었더니 "배고플 때까지!"라고 대답했다. 수영을 하는 데 힘이 들 이유가 없다는 것이었다. 그저 물에 떠 있기도 어려운 나로서는 믿기 힘든 이야기였다.

수영을 잘하는 사람은 수영을 할 때 필요한 신체 부위만 사용하고 나머지 부위는 힘을 뺀다고 한다. 힘 조절이 수영을 잘하는 요령인 것이다. 힘 조절을 잘하면 당연히 힘도 들지 않고 쉽게 지치지도 않는다. 반면 수영을 못하는 사람은 온몸을 긴장한 상태에서 쉴 새 없이 움직이기 때문에 금세 지친다. 뿐만 아니라 정작 수영을 하는 데 필요한 부분은 제대로 사용하지 않아 속도도 나지 않는다.

생각하는 것도 마찬가지다. 누가 나보고 얼마나 오랫동안 생각할 수 있냐고 묻는다면 나 역시 "배고플 때까지!"라고 대답할 것이다. 내게 세상에서 생각하기처럼 쉬운 것은 없다. 손가락 하나 까딱하기 싫을 때도 생각만은 얼마든지 할 수 있는데, 다 생각하는 요령을 터득한 덕분이다.

머리로는 생각하고, 몸은 휴식 취하기

생각하기에 서툰 사람은 문제를 풀 때 필요한 뇌 부위보다 불필요한 부위를 더 많이 사용한다. 생각만 하면 골치가 아프다거나 머리에 쥐가 난다는 사람을 종종 볼 수 있는데, 불필요한 뇌 부위를 사용하기 때문에 이런 고통이 따르는 것이다. 불필요한 곳까지 잔뜩 긴장하는 바람에 쉽게 지치고 기량도 떨어져서 생각하던 문제의 결론을 내리지 못하거나 해답을 찾지 못하기 일쑤다. 그러다 보면 생각하기가 점점 부담스러워지고 심하면 아예 생각하는 것 자체를 싫어하게 된다.

수영을 할 때 집중적으로 움직여야 할 부위가 있듯이 문제해결을 위해 생각을 할 때도 뇌 어딘가에 분명 필요한 부위가 있다. 물론 이 부분은 신체의 아주 일부분이다. 이 부위의 가동률은 최대로 올리고 문제를 푸는 것과 관련이 없는 나머지 부위는 힘을 빼거나 이완을 시켜주는 것이 효율적이다. 과연 왜 그럴까?

신체의 대부분을 이완한 채 생각하면 실질적으로는 휴식을 취하는 상태에 가깝다. 그러나 이 상태에서도 두뇌의 특정 부위는 풀가동할 수 있으므로 문제를 푸는 데에는 전혀 지장이 없다. 이러한 방식으로 생각하는 것이 천천히 생각하기, 즉 '슬로 싱킹'이다. 슬로 싱킹은, 머리로는 무언가에 집중하면서 신체는 휴식을 하는 방식으로 오랜 시간 해도 지치지 않으며 휴식을 취하는 것과 같은 효과를 거둘 수 있다.

능력을 최대한 발휘하면서 한계를 넓혀가는 삶을 실천하기 위해 가장 중요한 것은 무리해서도 안 되고 그 때문에 건강을 해쳐서도 안 된다는 것이다. 그런데 슬로 싱킹을 하면 몸에 무리를 주지 않고 지적 능력의 한계를 지속적으로 발휘할 수 있다. 부담 없이 높은 몰입도를 오랜 기간 유지할 수 있는 것이다. 심지어 사람이 할 수 있는 최대의 집중 상태를 원하는 기간만큼 연장시킬 수 있다. 슬로 싱킹이 중요한 이유가 바로 여기에 있다.

슬로 싱킹은 몸을 이완시켜 편안함과 안락함 속에서 주어진 문제에 대한 몰입도를 100퍼센트 유지하는 방법으로서도 유용하지만, 산만한 상태에서 몰입도를 올릴 때도 유리하다. 이러한 개념은 무언가에 집중하려면 온 신경을 곤두세우고 잔뜩 긴장을 해야 한다고 생각하는 우리의 상식과 어긋난다. 그래서 슬로 싱킹이 일반 사람들에게 낯설고 이해하기 어려울뿐더러 실천하기는 더더욱 어려운 것이다.

집중의 두 가지 방식

왜 슬로 싱킹을 하면 집중이 잘 될까? 집중을 할 수 있는 방식에는 두 가지가 있다. 하나는 각성에 의한 집중이고, 다른 하나는 이완에 의한 집중이다. 이 중 이완에 의한 집중이 슬로 싱킹에 해당한다.

각성에 의한 집중은 신체 전체가 집중하는 것이고, 이완에 의한 집중은 신체의 일부가 선택적으로 집중하는 것이라고 할 수 있다. 상황에 따라 각성에 의한 집중이 유리할 때도 있고 이완에 의한 집중이 유리할 때도 있다.

신체 전체가 집중하면 예측할 수 없는 상황에서 민첩하게 대처하는 데 유리하다. 대표적인 예로 운동할 때를 들 수 있다. 가령 테니스나 배드민턴을 칠 때에는 상대의 공격 패턴이 매번 바뀌므로 그에 따라 민첩하게 움직여야 한다. 공이 어디로 올지 예측할 수 없는 상황에서 모든 가능성에 대해 즉각 대응할 수 있는 상태로 대기하고 있어야 하는 것이다. 마찬가지로 게임을 할 때도 긴장의 고삐를 늦추지 말고 높은 각성도를 유지하면서 바싹 긴장하고 있어야 한다.

한편 같은 운동이라도 신체 전체가 집중할 필요 없는 경우도 있다. 골프가 대표적인 예다. 골프는 고도의 집중을 요하기는 하지만 공을 주고받는 상대가 있는 게 아니라서 예기치 않은 상황에 민첩하게 대응할 일은 그다지 많지 않다. 오히려 골프를 칠 때 가장 중요한 것은 몸 전체의 힘을 빼는 것이다. 힘을 잔뜩 주고 스윙 연습을 하면 공도 제대로 맞지 않을 뿐 아니라 금방 지쳐서 오래 하기도 어렵다. 그러나 힘을 빼고 스윙을 하면 공을 정확하면서도 멀리 보낼 수 있다. 또한 연습을 오래 해도 좀처럼 지치지 않고 골프의 즐거움을 만끽할 수 있다. 이처럼 필요한 부분에만 집중하고 나머지 부분의 힘은 빼는 것이 이완에 의한 집중이다.

기량을 필요로 하는 거의 모든 활동에서는 적절하게 힘을 빼는 것이 도움이 된다. 테니스나 배드민턴을 칠 때 각성에 의한 집중을 해야 하지만 이완에 의한 집중을 해야 하는 부분도 있다. 바로 어깨 힘을 빼야 하는 것이다. 과연 운동만 그럴까? 음악을 하는 사람들의 이야기를 들어보면 악기를 연주하거나 지휘를 할 때도 마찬가지라고 한다. 힘을 빼고 해야 쉽게 지치지 않고 기량도 올라가며 재미도 느낄 수 있다는 것이다. 기량이 올라갈수록 필요 없는 부위는 힘을 빼고 필요한 부분에만 힘을 주는 선택적 집중을 하게 된다. 그 편이 훨씬 더 효율적이기 때문이다.

천천히 생각하기 노하우

슬로 싱킹은 위기상황에 쫓길 때의 수동적인 몰입이 아니라, 위기가 닥치기 전에 능동적으로 몰입을 유도할 수 있는 가장 좋은 방법이다. 또 의식의 엔트로피를 낮춰 몰입의 장벽을 넘을 수 있는 가장 쉬운 길이기도 하다. 슬로 싱킹은 편안한 의자에 앉아 온몸에 힘을 빼고 오직 해결하려는 문제에만 집중하여 명상을 하듯이 생각하는 것이다.

슬로 싱킹을 하다 보면 잠이 드는 경우가 많다. 이때 앉은 채로 선잠을 자게 되는데 보통 10~20분 정도 지나면 깨게 된다. 만약 30분 이상 깊은 잠이 들면 수면이 부족하다고 보면 된다. 슬로 싱킹을 하다가 선잠을 자고 나면 집중도가 올라가고 아이디어도 잘 떠오른다. 선잠은 슬로 싱킹을 돕는 중요한 요소 중 하나다.

슬로 싱킹에 적합한 자세

명상이나 참선을 많이 하는 사람들의 이야기를 들어보면 가부좌의 자세가 매우 중요하다고 한다. 그런데 올바른 가부좌 자세를 배우기까지는 최소 몇 년이 걸린다.

슬로 싱킹은 가부좌 대신 편안한 의자에 앉아서 하는 것이 좋다. 이때 의자를 아주 신중하게 선택할 필요가 있는데, 그 이유는 의자가 불편하면 자세를 자꾸 바꾸게 되어 집중에 방해가 되기 때문이다. 무엇보다 편안하게 앉을 수 있어야 하고, 특히 머리를 뒤로 기댈 때 목을 받쳐줄 수 있어야 한다. 온몸에 힘을 빼려고 해도 머리를 받칠 곳이 없으면 목은 긴장하게 마련이다. 몇 시간을 앉아서 생각에 집중해도 불편하지 않거나, 머리를 뒤로 젖힌 채 선잠을 자도 불편한 데가 없으면 적당한 의자라고 할 수 있다. 만약 의자 등받이가 높아서 목을 받칠 수 없는 상태라면, 목 베개를 사용하면 된다.

슬로 싱킹의 방법을 이해해도 처음 시도할 때는 실천하기가 쉽지 않다. 학생들에게 적당한 문제를 주고 슬로 싱킹을 해보라고 하면 의외로 어떻게 해야 온몸에 힘을 빼고 천천히 생각할 수 있는지 잘 모르겠다는 학생이 많다. 학생들이 전형적으로 하는 실수가 두 가지 있다.

첫째, 잡념을 없애려고 애쓰는 것이다. 절대 잡념과 싸워서는 안 된다. 잡념을 쫓기 위해 의식적으로 애를 쓰다 보면 에너지도 많이 소모되고 집중도 오히려 안 되기 때문이다. 몰입도가 낮은 상태에서 잡념이 생기는 것은 아주 자연스러운 현상이므로 자연스럽게 받아들여야 한다. 그저 잡념을 떠올리고 있다는 사실이 의식되면 그것에 신경 쓰지 말고 다시 주어진 문제를 생각하면 된다. 따라서 주어진 문제와 관련된 내용을 눈에 잘 띄는 곳에 붙여놓거나 문제의 핵심 단어를 메모지에 써서 여기저기 붙여 놓으면 도움이 된다. 손바닥에 적는 것도 좋은 방법이다.

둘째, 주어진 문제의 답이 보이지 않는다고 해서 스트레스를 받는 것이다. 중요한 것은 생각할 때 생기는 스트레스를 최소화해야 한다는 것이다. 심적 부담을 느끼면서 오랫동안 생각하면 십중팔구 머리가 아파온다. 불가에서 오로지 한 가지만 생각하는 화두 선을 할 때도 기가 위로 올라간다는 의미의 '상기上氣'라고 하는 부작용이 있다고 하는데 그와 비슷한 상태가 된다.

주어진 문제를 풀기 위해 생각을 하면 굳이 의식하지 않아도 그 문제를 푸는 것이 목표가 되고, 자신도 모르는 사이에 목표지향 메커니즘이 작동하기 시작한다. 그런데 문제가 풀리지 않으면 목표에서 벗어나는 것이므로 좌절과 같은 부정적 감정이 생긴다. 그런 부정적 감정을 오래 유지하면 각종 부작용이 나타난다. 이때는 목표지향 메커니즘이 오히려 역기능으로 작용한다.

주어진 문제를 풀기 위해 계속 생각했는데도 답이 보이지 않았을 때 생기는 답답함이나 좌절감을 없애는 한 가지 방법은 또 다른 목표를 설정하는 것이다. 앞에서 설명했듯이 답이 보이지 않는 문제를 풀기 위해 노력할 때 비로소 우리의 지적인 능력을 100퍼센트 활용하게 된다. 바로 그것, 즉 지적인 능력을 100퍼센트 활용하는 것을 또 하나의 목표로 삼는 것이다. 이는 내가 사용하는 방법인데 효과가 아주 좋다. 내가 해결해야 할 미지의 문제를 생각하면서 보내는 시간이 내 인생에서 가장 값진 시간이라고 생각하는 것이다. 이때야말로 '지적 능력을 발휘하고 그 한계를 넓혀가는 삶'을 실천하는 순간이자 창의성이 잉태되는 순간인 것이다. 이보다 시간을 더 효율적으로 보낼 수 없다고 생각하면 답이 보이지 않더라도 마음이 한결 가벼워진다.

물론 학생들이 수업을 받을 때나 직장인들이 회사에서 근무를 할 때에는 선잠이 허용되지 않으므로 슬로 싱킹을 실천하기 힘들 수 있다. 하지만 마음 먹기에 따라 혼자 공부를 하거나 업무를 할 때 충분히 슬로 싱킹을 할 수 있다. 이 밖에도 걸어가거나 버스, 지하철에 탔을 때, 잠들기 전 등 각종 자투리 시간에 슬로 싱킹을 실천할 수 있다.

최선을 다하고
하늘의 뜻을 기다린다

걱정이나 근심을 하지 않고 결과에도 집착하지 않되, 문제를 풀기 위해 목숨을 건 전투를 하듯이 진지하고 절실하게 생각하는 것이 슬로 싱킹이다. 내가 학생들에게 이런 방식으로 생각을 하라고 하면 도무지 이해를 못하겠다고 한다. 걱정이나 근심 없이, 결과에도 집착하지 않으면서 어떻게 절실하게 생각하는 것이 가능하냐는 것이다. 이 상태를 학생들에게 어떻게 이해시킬 수 있을까 고민하던 끝에 적절한 설명이 떠올랐다.

가령 하나님을 믿는 독실한 신앙인이 있다고 하자. 그 사람에게 큰 문제가 생긴다면 그는 하나님을 믿기 때문에 걱정과 근심을 하나님에게 맡길 것이다. 그리고 결과도 하나님의 뜻에 따를 것이다. 그렇다고 해서 이 사람이 전혀 노력을 하지 않을까? 절대 아니다. 하나님이 항상 자신을 내려다보고 있다고 믿기 때문에 최선을 다하지 않으면 절대 도와줄 리 없다고 생각할 것이다. 그래서 자신의 몫에 대해서는 최선을 다할 것이다. 그러면 마음이 편해지고 생각하는 것도 편해진다. 이것이 바로 슬로 싱킹을 할 때의 마음가짐이다. 나는 이런 방법과 자세가 문제해결에 가장 효율적이라는 사실을 수많은 경험을 통해 확인했다.

근심이나 걱정은 주어진 문제를 해결하기 위해 노력하게 만든다는 점에서는 순기능으로 작용하지만, 일단 노력하기 시작하면 근심이나 걱정을 떨쳐버려야 한다. 그렇지 않으면 생각하는 데 필요한 에너지를 소모시켜 더 비효율적이기 때문이다. 근심이나 걱정을 하기보다는 의식을 100퍼센트 문제해결에 몰입하는 것이 더 효율적이다.

스포츠 선수들도 중요한 경기를 할 때 오로지 자신의 경기에만 몰입해야 높은 기량이 발휘된다. 몰입에 가장 방해가 되는 것은 결과에 대한 집착이나 부담이다. 마음을 비워야 고도의 몰입이 가능하기 때문이다. 특히 골프를 할 때 마음을 비우는 것이 중요하다. 불교신자였던 어머니의 영향으로 명상을 배웠던 타이거 우즈는 한 인터뷰에서 다음과 같이 밝혔다.

> 저는 항상 경기에 들어가기 전에 시간을 쪼개서 명상을 합니다. 하지만 경기에서 진정으로 승부를 할 때 저는 저 자신과 싸웁니다. 초조함과 꼭 이겨야만 한다는 욕심, 그러한 것으로부터의 모든 욕망을 버리고 홀가분한 마음으로요. 욕심을 부추기는 저 자신과 싸우며 공 하나하나를 쳐왔습니다.

기도나 묵상도 슬로 싱킹과 비슷하다. 특히 명상은 종교의 유무에 관계없이 영성 효과를 볼 수 있는 활동으로 통찰력과 직관을 얻는 데 도움이 된다. 애플사의 CEO 스티브 잡스는 리드 대학 재학 시절부터 동양사상과 선불교에 심취해 있었고, 이후 사과 농장에서 선수행자들과 명상을 하면서 많은 시간을 보내기도 했다. 이때의 경험이 나중에 '애플'이라는 회사명을 짓는 계기가 되었다고 한다. 집에 명상하는 방을 따로 갖추고 있는 그는 선의 경지에 들어가기 위해 출근하기 전에 매일 1시간 이상 충분한 명상의 시간을 갖는다고 한다.

집중의 뇌과학

왜 슬로 싱킹이 몰입도를 올리는 데 유리한지, 어떻게 이완에 의한 집중이 가능한지 더 명확하게 이해하기 위해서는 뇌과학적 지식이 필요하다. 몰입과 관련된 뇌과학은 뒷부분에서 다루기로 하고 여기서는 집중과 관련된 뇌과학에 대해서만 살펴보기로 하자.

뉴런 간의 정보전달

뉴런 간에 정보를 전달할 때는 전기적 방식과 화학적 방식 두 가지가 사용된다. 뉴런 내부에서는 전기적으로 신호를 전달하고 뉴런과 뉴런을 연결하는 부위인 시냅스에서는 화학물질에 의해 신호를 전달한다. 구체적으로 말하면 시냅스전presynaptic 뉴런에서 신경전달물질neurotransmitter이 분비되고 이것이 시냅스후postsynaptic 뉴런의 수용체에 작용하여 신경전달 혹은 정보전달이 이루어진다. 이때 자극의 크기가 작으면 전달이 안 되고 일정한 값보다 커야 전달된다.

뉴런 내부의 전위는 대략 —60밀리볼트(mV)의 정지전위resting potential를 갖고 있어 세포 밖보다 음의 값을 갖는다. 외부에서 자극이 들어와 세포 내부의 전위가 대략 15밀리볼트 더 올라가면, 즉 —45밀리볼트 정도가 되면 다음 뉴런으로 전달되어 시냅스전 뉴런에서 신경전달물질이 방출된다. 이때 시냅스전 뉴런에서 신경전달물질이 분비되는 것을 발화firing되었다고 하고, 이 발화를 야기하는 전위를 활동전위action potential라고 한다.

흥분성 및 억제성 신경전달물질

우리 뇌에서 시냅스 발화를 촉진하는 흥분성 신경전달물질은 글루타메이트glutamate이고, 시냅스 발화를 억제하는 억제성 신경전달물질은 가바GABA: gamma amino butyric acid다. 글루타메이트는 세포막의 정지전압을 평소의 값인 -60밀리볼트보다 더 양의 방향으로 바꾸고, 가바는 더 음의 방향으로 바꾼다. 글루타메이트는 작은 자극도 시냅스 발화를 일으키게 하여 신경전달을 촉진시키는 반면, 가바의 경우 작은 자극으로는 시냅스 발화가 일어나지 않도록 하여 신경전달을 억제시킨다.

가바에 의한 억제성 시냅스의 활동이 없으면 뇌는 불안정해진다. 예를 들어 흥분성 시냅스를 통해 뉴런은 이웃한 뉴런들을 흥분시키고, 이 뉴런들이 자신의 이웃 뉴런들을 흥분시키고, 그 흥분이 처음 발화한 뉴런으로 다시 전달되는 식으로 흥분연쇄가 계속되면 뇌 전체가 통제할 수 없을 정도로 발화된다. 실제로 이런 경우가 종종 일어나는데, 이를 '발작seizure'이라고 한다. 소위 '간질'이라고 알려져 있는 질환은 이러한 신경전달억제 기능을 가진 가바 시스템에 문제가 생겼을 때 발생한다.

가바의 수용체에 작용하여 가바의 역할을 하는 바륨Valium 같은 신경안정제는 불안을 가라앉히고, 긴장을 완화시키고, 스트레스를 해소하고, 경련을 멎게 하고, 근육을 이완시키고, 수면제로 사용되기도 한다. 알코올 역시 가바 수용체에 작용하여 가바의 효과를 낸다. 집중을 유도하는 가바의 효능 때문에 가바가 함유된 채소, 현미와 같은 곡물 그리고 유산균과 같은 음식물은 학습과 기억능력을 높인다고 한다.

반면 글루타메이트는 시냅스의 흥분을 조장하여 급변하는 사건들에 신속히 대처할 수 있게 해준다. 인공조미료에는 글루타메이트 성분MSG이 들어 있어 과다하게 섭취하면 시냅스의 발화가 쉽게 일어나 두통, 귀울림 등의 신체 증상이 나타난다.

위기상황에서 잡념이 사라지는 원리

몰입을 하려면 우선 의식에서 잡념을 떨쳐내야 한다. 그렇다면 위기상황에서 우리 몸은 어떻게 잡념을 없애버릴까? 이 문제는 몰입에서 대단히 중요하므로 이를 이해하기 위하여 수많은 뇌과학 문헌들을 조사해 본 결과 조지프 루드의 『시냅스와 자아』에서 가장 그럴듯한 설명을 발견했다. 이 책에서는 신경전달 억제기능을 가지고 있는 가바에 의하여 약한 자극이 차단되는 원리를 설명한다.

위기상황이 되면 주로 아드레날린이라는 각성물질이 방출된다. 아드레날린이 방출되면 각성물질인 노르아드레날린과 도파민도 어느 정도 방출된다. 이들 각성물질은 과흥분을 야기하므로 이에 따른 부작용을 줄이기 위해 우리 몸에서는 소위 마이너스 피드백이 작동하여 가바의 분비를 유도한다. 그 결과 체내에 가바의 양이 증가하게 된다. 가바는 자극을 억제시키는 물질이므로 가바의 분비에 의해 자극에 대한 억제가 강화된다. 이는 시냅스를 흥분시키기 어려워진다는 것을 의미하므로 가바가 분비되면 보통의 자극 정도로는 시냅스를 흥분시키지 못하게 된다.

예를 들어 평상시에는 뉴런의 외부에 대해 대략 -60밀리볼트를 유지했던 뉴런 내부의 정지전위가, 가바의 양이 많아질 경우 -80밀리볼트로 더 음의 값을 갖는다. 신경전달을 야기시키는 활동전위action potential를 -45밀리볼트라고 하고, 상념에 해당하는 자극이 20밀리볼트를 증가시킨다고 했을 때 평상시에 -60밀리볼트였던 전위는 -40밀리볼트가 되어 활동전위보다 더 올라가게 되므로 자극이 전달된다. 그 결과 상념이 의식으로 떠오르게 된다. 그러나 가바의 양이 많아진 상태에서는 상념에 해당하는 자극이 20밀리볼트를 증가시켜도 시냅스의 전위가 -80밀리볼트에서 -60밀리볼트가 되어 여전히 활동전위에 미치지 않는다. 결국 각성에 의하여 가바의 양이 증가하고 그 결과 자극이 전달되지 않으므로 상념이 사라지고 집중이 되는 것이다. 이를 '각성에 의한 집중의 뇌과학적 원리'라고 할 수 있다.

이와 같은 가바의 작용은 산만한 상태에서 무언가에 집중하고자 할 때, 또는 몰입도가 낮은 상태에서 몰입도를 올리고자 할 때 효과적이다.

슬로 싱킹이 몰입도를 올리는 이유

가바의 양이 증가하면 상념을 떨쳐버릴 수 있어 몰입도가 증가한다는 개념을 고려했을 때 '슬로 싱킹을 할 때 혹시 가바의 양이 많아지는 것은 아닐까?' 하고 생각해 볼 수 있다. 슬로 싱킹에 대한 연구는 뇌과학 분야에서 아직까지 이루어진 바 없으므로 이와 비슷한 명상 상태 중 가바 양의 변화를 참조할 수 있다.

연구 결과에 따르면 명상 중 가바의 양이 평소보다 더 증가한다고 한다. 요가를 전문으로 하는 사람 여덟 명의 뇌를 MRI로 촬영한 실험에서, 60분 동안 요가를 하자 뇌에서 가바가 27퍼센트 증가하는 것으로 나타났다. 슬로 싱킹이 집중도를 올리는 데 효과적인 것은 가바의 양이 많아지기 때문인 것으로 보인다. 이를 '이완에 의한 집중의 뇌과학적 원리'라고 할 수 있다.

천천히 생각하기의 긍정적 효과

슬로 싱킹을 할 때의 정서 상태는 성공리에 하루 일과를 마치고, 온몸에 힘을 빼고 잠자리에 두 다리를 쭉 뻗은 채 편안하게 누워 있을 때와 비슷하다. 잠자리에 들 때 뇌에서 세로토닌, 가바, 멜라토닌과 같은 긍정적인 신경전달물질이 분비되는데 이 물질들은 평화로운 정서를 만들어 쉽게 잠들 수 있게 해준다. 그런데 갑자기 전화벨 소리가 크게 울리면 마치 찬물을 끼얹은 듯 평온한 분위기가 깨져버린다. 순식간에 각성물질인 노르아드레날린이 분비되기 때문이다. 그리고 전화통화를 하고 나면 그 내용이 별것 아니더라도 정신이 번쩍 든 상태가 되어 더 이상 잠이 오지 않는다. 조금 전에 잠드는 데 도움이 됐던 평화로운 분위기가 완전히 깨진 것이다.

슬로 싱킹은 이처럼 잠들기 전 안락한 상태에서 생각을 하는 것과 같다. 다만 누운 자세가 아닌 앉은 자세에서 해야 하고, 천천히 생각해야 한다. 누워서 생각하면 깊은 잠에 빠지기 쉽다. 나는 30분 이상 지속되는 깊은 잠에 빠지면 근육이 늘어지고 컨디션이 오히려 나빠지는 것을 반복해서 경험했는데 아마도 다음 단계의 수면이 계속 진행되어 근육이 이완되기 시작하고, 긍정적 신경전달물질인 세로토닌과 도파민 수치가 거의 바닥으로 떨어지기 때문인 것으로 생각된다. 그러나 앉은 상태에서 슬로 싱킹을 하거나 20분 이하의 선잠을 자면 컨디션이 좋아지고 여러 가지 긍정적인 효과가 나타난다.

보통 잠자리에 드는 기회는 하루에 한 번밖에 없으므로 잠들기 전 긍정적 화학물질이 분비되는 시간을 20~30분밖에 갖지 못한다. 그런데 힘을 빼고 편안하게 앉아서 슬로 싱킹을 하면 우리 뇌는 잠을 자기 위해 준비하는 것으로 착각을 한다. 그래서 평화로운 정서를 만들어주는 세로토닌, 멜라토닌, 그리고 가바와 같은 신경전달물질들이 분비된다. 결국 슬로 싱킹은 이러한 긍정적 화학물질을 분비하는 시간을 인위적으로 늘려주는 효과를 갖는다고 볼 수 있다. 그러므로 집중이 잘되고, 불면증이 감소하고, 스트레스가 해소되고, 행복한 감정이 유도되는 것은 당연한 것이다. 명상의 긍정적 효과도 이와 비슷한 이유일 것으로 생각한다. 왜냐하면 잠들기 전에 분비되는 긍정적 화학물질과 명상 상태에서 분비되는 긍정적 화학물질이 거의 동일하기 때문이다.

슬로 싱킹을 하면 일이 즐겁다

가끔 내 연구실에 들르는 동료교수는 내가 슬로 싱킹 방식으로 수업준비를 하거나, 논문을 읽거나 쓰는 것을 보고 "그게 쉬는 거지, 일하는 건가?"라고 묻곤 한다. 그렇지만 나는 편한 자세로 일을 하면 집중이 더 잘 되고 쉬는 것 못지않게 편안함을 느끼고 솔직히 쉬는 것보다 기분은 더 좋다.

많은 사람들이 선잠에 대하여 부정적인 생각을 갖고 졸음이 오면 애써 떨쳐버리려 하는데, 선잠은 집중도를 올리고 컨디션을 고양시키며 아이디어를 얻는 데 상당히 유리하게 작용한다. 특히 기억의 저장보다는 기억의 인출이 요구되는 정신활동을 하는 사람들일수록 슬로 싱킹 방식으로 효과를 볼 수 있다.

풀기 힘든 문제를 생각할 때나 아이디어를 구할 때 슬로 싱킹을 활용해 보자. 분명 집중도가 높아지고, 아이디어도 잘 떠오르는 것을 경험하게 될 것이다. 그리고 아이디어를 구하는 활동이 얼마나 안락하고 기분 좋은 일인지도 실감하며, 이렇게 기분 좋은 일을 종일 할 수 있다는 것이 바로 축복이라는 생각이 절로 들 것이다.

만약 수면이 부족한 상태에서 선잠을 시도하면 거의 종일 잠만 자게 된다. 심지어 그다음 날이 되어도 그동안 쌓인 피로가 해소되지 않아서 계속 잠이 올 수도 있다. 편안한 자세로 있으면 잠만 오고 일을 할 수 없다는 생각에 조바심이 나기도 한다. 슬로 싱킹은 부족한 잠을 보충한 후에야 비로소 효과가 나타난다. 부족한 잠을 충분히 보충해도 편안한 자세로 일하다 보면 졸음이 밀려오곤 하는데, 바로 그때부터 선잠의 효과를 볼 수 있다.

수면이 부족한 상태에서는 무언가에 집중하기도 어렵고 설사 집중한다 해도 그 상태를 유지하기가 쉽지 않다. 그러나 충분한 수면을 취하고 나면 비교적 쉽게 집중도가 올라가고 집중된 상태를 오랜 시간 유지할 수 있다. 충분한 수면은 스트레스를 해소하고 업무에 싫증 내지 않고 재미있게 하는 데 가장 중요한 요소다.

불면증과 졸음으로부터 해방

몰입을 하기 전에 나는 약간의 불면증이 있었다. 수면제를 먹을 정도는 아니었지만 잠을 청해도 바로 잠들지 못하는 날이 많았다. 몰입을 처음 경험했을 때까지도 심하게 잠이 오지 않아 고생을 했다. 이런 날이 며칠씩 계속되어 심각한 지경에까지 이를 정도였다. 하지만 규칙적인 운동과 슬로 싱킹을 하면서 이러한 문제는 자연스레 해결되었고, 불면증도 깨끗이 없어졌다. 그 이후로 나는 몰입을 하지 않을 때도 잠을 잘 때 슬로 싱킹을 하는 버릇이 생겼다. 슬로 싱킹을 하면 밤에 잠이 훨씬 잘 온다.

내가 불면증에서 해방되었다는 느낌을 받은 데에는 수면에 대한 생각이 바뀐 것도 한몫한 것 같다. 몰입하다 보면 가끔 잠이 오지 않는 경우가 있다. 대개는 많은 아이디어가 떠오를 때다. 늦은 시간에 아이디어가 떠오르면 뇌가 흥분되어서 잠이 안 온다. 나는 잠이 오지 않으면 두뇌 활동이 활발해서 그렇다고 생각하고 잠을 청하는 대신 아이디어를 내기 위해 열심히 생각을 한다. 그러면 평소보다 아이디어가 더 잘 떠오른다. 이런 경험 때문에 나는 밤 늦은 시간에도 졸리지 않으면 억지로 잠을 청하지 않고 생각을 한다. 반대로 낮에도 사무실에서 편안하게 앉아서 생각하다가 졸리면 참지 않고 앉은 채로 선잠을 잔다. 특히 외국 출장을 가면 시차 때문에 잠이 들어도 새벽 한 시쯤 깰 때가 많다. 그러면 바로 일어나서 발표 준비를 하거나 생각을 한다. 출장을 갈 때는 흥분되어서 그런지 평소보다 아이디어가 더 잘 떠오른다. 그래서 아침까지 계속 떠오르는 아이디어를 적을 때가 많다. 그렇게 아침까지 잠을 자지 않고 활동할 때도 있고, 어느 때는 서너 시간 후에 잠이 들 때도 있다. 이러한 경험을 하면서 나는 불면증을 다른 각도에서 보게 되었다.

불면증이란 졸리지 않은 상태에서 잠을 자려고 발버둥을 치면서 괴로움을 겪는 것이다. 그런데 잠이 오지 않는다는 것은 뇌가 활동을 하고 싶어한다는 것을 의미한다. 이럴 때는 차라리 생각을 해서 두뇌를 사용하는 것이 더 낫다. 억지로 자려고 하면 잠은 오지 않고 오히려 잠을 자야 한다는 생각에 스트레스만 받는다. 졸리면 자고 졸리지 않으면 활동하는 것만 실천해도 일상에서 받는 스트레스를 절반 이상은 줄일 수 있다. 그렇게 했는데도 수면에 문제가 있다면 땀을 흘릴 수 있는 운동을 매일 규칙적으로 하는 것과 슬로 싱킹을 추천한다. 내 경험으로 볼 때 이 두 가지는 건강한 수면에 분명히 도움이 된다.

몸이 잠을 원하면 자고 그렇지 않을 때에는 활동을 하다 보면 마치 무리하지 않고 물 흐르듯이 자연스럽게 살아가는 것처럼 느껴진다. 물론 평소에 졸음을 참지 않는 버릇 때문에 난감할 때도 있다. 예를 들어 졸음을 참는 능력이 떨어져 낮에 회의를 할 때 졸 때가 많다. 가장 곤란할 때는 몰입을 통해 산업체의 불량 문제를 자문하러 갔는데 졸음이 쏟아지는 경우다. 관련 업무를 맡은 직원들이 각자의 일을 중단하고 모두 모여서 불량에 대한 설명을 하는 자리에서 졸음이 밀려오는 것이다. 나는 정 졸음을 참지 못할 것 같으면 미안한 마음에 일어서서 듣기도 한다.

슬로 싱킹의 효과를 입증하는 객관적 근거

나는 오랜 몰입 경험을 통해 온몸에 힘을 빼고 편안한 자세로 앉아서 풀리지 않는 문제를 천천히 생각하는 슬로 싱킹이 효율적이라는 확신을 갖게 되었다. 반대로 긴장한 상태로 책상에 앉아 업무를 수행하는 것이 대단히 비효율적이라는 사실도 알게 되었다.

긴장한 상태에서는 분명 집중력도 떨어지고 오래 지나지 않아 쉽게 피곤해지며, 업무가 즐겁기보다는 부담스러워지기 마련이다. 나는 슬로 싱킹의 효과를 본 장본인으로서 슬로 싱킹이 업무의 효율성을 높인다는 사실을 입증할 객관적인 근거를 찾기 시작했다.

그러던 중 '여키스-도슨의 법칙'이라는 것을 알게 되었다. 스트레스 혹은 각성 수준과 인지적 수행 간의 관계는 오래전부터 심리학자들의 관심의 대상이었다. 하버드 대학교의 여키스Yerkes와 도슨Dodson이 제안한 '여키스-도슨의 법칙Yerkes-Dodson Law'에 따르면 어느 수준까지 스트레스 또는 불안이 증가하면 수행능력과 효율성이 높아지지만, 그 이상으로 스트레스가 쌓이면 급속하게 떨어진다고 한다. 즉, 수행의 효율성은 각성이 중간 단계일 때 최대가 된다는 것이다. 이는 다음 페이지 〈그림 6〉에서 과제의 난이도가 보통인 가운데 곡선에 해당한다.

이후 스트레스와 수행능력의 관계에 대한 많은 연구가 뒤따르

| 그림 6 | 여키스-도슨의 법칙

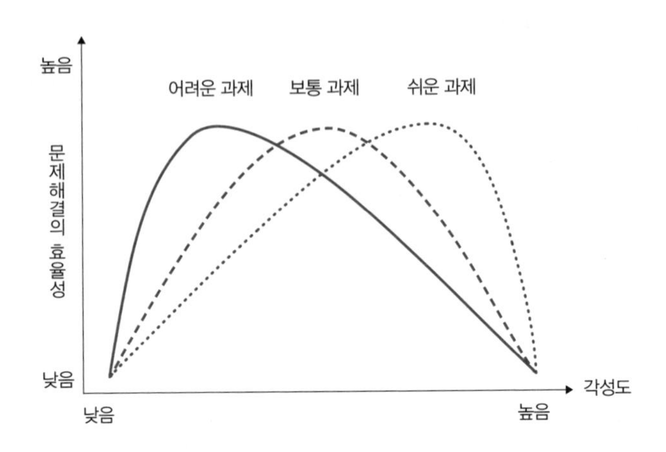

면서 과제의 종류나 성격에 따라 둘 사이의 상관관계가 달라진다는 사실이 밝혀졌다. 이러한 관계는 〈그림 6〉에 잘 나타나 있다. 즉, 과제의 난도가 비교적 낮거나, 높은 지적 수준을 요구하지는 않지만 끈기나 인내심을 요구하는 경우에는 각성 수준이 상대적으로 높을 때 동기부여가 더 잘 되고 수행능력이 향상된다. 반면 과제의 난도가 비교적 높거나, 높은 지적 수준을 요구하는 경우에는 각성 수준이 상대적으로 낮을 때 집중이 더 잘 되고 수행능력이 향상된다는 것이다.

자는 동안에도 생각은 계속된다

일본 소프트뱅크 손정의 회장은 머리를 쓰면 누구나 성공할 수 있다고 힘주어 말한다. 그 이유는 두뇌를 계속 쓰다 보면 좋은 아이디어가 떠오르는 현상을 여러 번 반복해서 경험했기 때문일 것이다. 내 경험에 비추어봐도 두뇌를 많이 쓰면 좋은 아이디어가 떠오른다는 것은 거의 진리에 가깝다는 것을 알 수 있었다. 과연 그 이유는 무엇일까?

어떤 문제를 해결하기 위해 생각을 할 때, 우리는 가지고 있는 엄청난 양의 장기 기억이라는 데이터베이스에서 문제해결에 도움이 될 만한 정보를 검색하게 된다. 이때 필요한 것이 기억의 인출능력이다. 어려운 문제에 대한 아이디어나 해결책을 생각해 내는 능력은 곧 그 문제와 관련된 장기 기억의 인출능력이라고 할 수 있다.

몰입 상태에서는 아이디어가 떠오르는 빈도가 평소보다 10배에서 100배가량 높다. 아이디어가 떠오르는 원리는 대단히 중요하므로 여기서는 이와 관련된 최근 뇌과학 결과를 바탕으로 잠이 들 때 아이디어가 떠오르는 원리에 대하여 조금 더 자세히 다루도록 하겠다.

잠자는 동안 떠오르는 기적 같은 아이디어

뇌과학에서 수면 상태와 관련해 지금까지 밝혀진 중요한 정보 몇 가지를 살펴보자. 이 정보가 낮에 선잠 자는 것을 게으르고, 무능하고, 책임감 없는 것으로 간주하는 이들의 편견을 바꾸어줄 것이다.

앞에서 설명한 바와 같이 우리가 자는 동안 뇌의 해마는 낮에 경험한 사건 중 중요하지 않은 정보는 폐기하고 중요한 정보는 장기 기억으로 보내 저장한다. 이때 해마는 주어진 정보를 아무렇게나 저장하는 게 아니라 기존에 있는 관련 정보와 연관시키면서 저장한다. 수면 중에 해마는 기억을 정리하고 통합하는 것이다. 그러려면 주어진 정보를 저장하는 순간에 관련 기억들이 모두 검색되어야 하는데 이를 위해서는 관련 기억들이 활성화되어야 한다.

우리 뇌에 정보가 저장되어 있는 방식은 도서관에 꽂혀 있는 책들이 주제별로 정리되어 있는 방식과 유사하다. 도서관에서 빌렸던 책을 다시 서가에 꽂으려고 할 때에는 관련 주제가 있는 장소를 찾아야 한다. 이와 마찬가지로 우리 뇌에서 낮에 얻은 중요한 정보를 관련 정보들과 연관시키면서 효율적으로 저장하려면 그와 관련된 장기 기억들이 활성화되어야 한다.

수면 상태에서 장기 기억이 활성화되고 단기 기억이 약화된다는 사실은 뇌과학의 연구를 통해 이미 확립되었다. 장기 기억이 활성화된다는 것은 기억의 인출능력이 활성화된다는 것을 의미하고, 단기 기억이 약화된다는 것은 기억의 저장능력이 약화된다는 것을 의미한다. 즉, 수면 상태에서는 기억의 인출이 잘 되기 때문에 이 상태에서 문제를 생각하면 문제해결에 도움이 되는 관련 기억이 잘 떠오르지만, 저장이 안 되는 탓에 다음 날 일어나면 잊어버리게 된다. 그래서 낮에 갑자기 아이디어가 생각나면 우연히 떠올랐다고 생각하는 것이다.

잠잘 때 얻어진 아이디어는 평소 자신이 생각할 수 있는 수준을 넘는 경우가 많다. '내가 어떻게 이런 생각을 해냈지?' 하는 생각이 들 만큼 기적처럼 느껴진다. 그래서 신앙을 가진 사람들은 간혹 자신이 생각해낸 아이디어가 아니라 절대자의 응답이라고 생각하기도 한다.

낮에 경험한 것을 밤에 복습한다

나는 언젠가 '몰입 상태에서 얻는 놀라운 아이디어는 잠이 든 상태에서 얻어진다'는 내용을 주제로 강연을 한 적이 있다. 그 강연을 들은 서울대학교 뇌인지과학과 이상훈 교수는 인지과학에서도 잠든 상태에서 창의성이 발휘된다고 말하며, 윌슨 교수의 논문과 〈네이처〉지에 실린 '수면이 통찰력을 높인다'는 제목의 논문을 보내주었다. 미국 MIT 대학의 매튜 윌슨 교수는 쥐 실험을 통해 잠이 든 상태에서 낮에 경험한 행동을 다시 복습한다는 것을 입증해 보였다.

쥐의 해마에 있는 뉴런에 전극을 심어 신호를 받으면 쥐의 움직임에 대한 정보를 알 수 있다.

쥐 실험을 하기 위해서는 먼저 굶긴 쥐를 도너츠 모양의 둥그런 통로에 놓고, 쥐가 매번 4분의 3 바퀴를 회전한 다음 먹을 수 있도록 치즈조각을 놓는다. 그러면 쥐는 4분의 3 바퀴를 회전한 다음 치즈조각을 먹는다. 이러한 쥐의 행동이 해마에 있는 뉴런의 전기신호에 의해 기록되고, 이 데이터를 해독하면 쥐가 4분의 3 바퀴를 회전한 다음 먹이를 먹는 행위가 해당 시냅스들의 발화를 통해 나타난다. 이 쥐가 잠든 후 해마에 있는 뉴런의 전기신호를 기록하여 해독하면 낮에 행동했던 것과 동일한 부분의 시냅스, 즉 4분의 3 바퀴를 회전한 후 치즈조각을 먹을 때 일어났던 시냅스의 발화가 일어난다. 이 실험 결과는 명백히 낮에 어떤 문제에 대해 열심히 생각하면 밤에 잠을 자면서도 이 문제를 인식할 수 있다는 것을 의미한다.

수면이 통찰력을 높인다

위대한 발견이나 발명이 수면 중에 얻은 핵심적인 아이디어를 통해 이루어졌다는 일화는 너무도 많다. 프리드리히 케쿨레는 뱀이 자기 꼬리를 물고 돌고 있는 꿈을 꾸었는데 그것으로부터 벤젠의 구조가 육각형의 고리 모양을 하고 있다는 것을 알았다. 신경전달물질인 아세틸콜린을 발견한 공로로 노벨상을 수상한 오토 뢰비는 꿈에서 실험을 하다가 신경전달물질을 생각해 냈다. 소설가인 루이스 스티븐슨은 자신의 꿈에서 영감을 얻어 소설 『지킬 박사와 하이드 씨』를 쓰게 되었다. 이러한 사실을 배경으로 독일의 과학자들은 수면이 과연 통찰력을 증진시키는지에 대한 연구를 했고 그 결과가 〈네이처〉지에 발표되었다.

과학자들은 먼저 실험 대상자들에게 통찰력을 테스트할 문제를 어느 정도 훈련을 시킨 다음, 이들을 세 그룹으로 나누었다. 그런 다음 첫 번째 그룹은 8시간 동안 수면을 취한 후, 두 번째 그룹은 밤에 8시간 동안 깨어 있도록 한 후, 세 번째 그룹은 낮에 8시간 깨어 있도록 한 후 이 문제를 풀게 했다.

〈그림 7〉의 첫 번째에서 세 번째 데이터를 보면 8시간 동안 수면을 취한 후 문제를 푼 그룹의 경우 다른 그룹보다 통찰력이 세 배 가까이 많았다는 것을 알 수 있다. 주어진 문제를 생각하다 잠이 들면 통찰력이 올라간다는 사실이 명백히 증명된 것이다.

한편 잠자기 전 문제에 대한 훈련을 시키지 않은 두 그룹에 대한 실험을 추가하였는데, 이 중 한 그룹은 8시간 동안 수면을 취했고 다른 그룹은 낮에 8시간 깨어 있었다. 〈그림 7〉의 네 번째와 다섯 번째 데이터에서도 알 수 있듯이 잠을 잔 후라도 잠자기 전 문제에 대한 훈련을 시키지 않은 경우에는 통찰력이 증진되는 효과가 없다. 즉, 사전에 주어진 문제에 대한 생각을 하지 않으면 잠이 통찰력에 아무런 효과를 발휘하지 못하는 것이다.

| 그림 7 | 수면과 통찰력의 관계

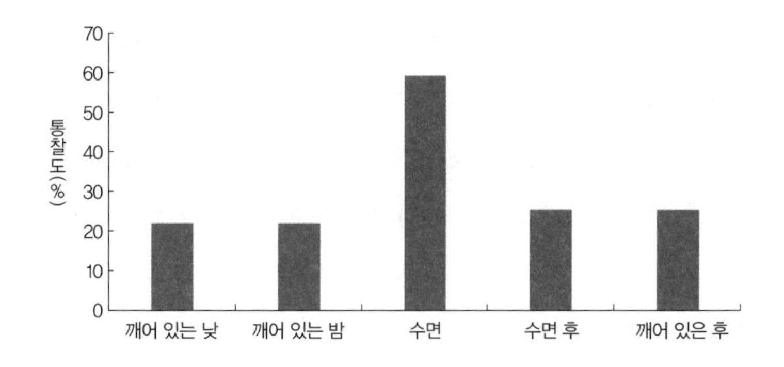

잠자는 동안
창의력이 발휘된다

영국에서 발행되는 〈타임스〉 온라인판 2008년 11월 22일자 기사에는 잠자는 동안 뇌가 창의성을 발휘한다는 내용이 소개되었다. 이 기사에 따르면, 낮에 활동할 때와 밤에 잠을 잘 때의 뇌를 스캔해서 비교해 보면 낮에는 뇌의 논리적인 회로가 활발하게 작동하지만, 밤에는 이 회로가 작동을 멈추고 감정의 회로가 활발하게 작동한다고 한다. 감정의 회로가 활발하다는 것은 장기 기억이 활성화된다는 것을 의미한다. 그래서 낮에 생각할 때보다 밤에 잠을 잘 때 더 유연하고 다양하게 생각할 수 있다는 것이다.

옥스퍼드 대학의 포스터 교수는 "잠이 부족하면 창의성이 말살된다"고 했다. 그는 낮에 아무리 고민해도 풀리지 않던 문제가 있다면 잠들기 전에 생각해 보라고 권한다. 수면이 부족하면 낮에 학습한 것을 기억하거나 문제해결을 위한 아이디어를 얻는 데에도 불리하지만, 감정 상태도 불안정해져 스트레스를 받기 쉽고 작은 일에 짜증을 내기 쉽다. 수면은 고갈된 신경전달물질을 다시 보충해 뇌가 활발하게 활동할 수 있도록 도와주는 재충전의 시간이다.

뇌는 깨어 있을 때 오히려 깊은 '생각'에 집중하지 못한다고 한다. 깨어 있는 동안에는 외부에서 시각, 청각, 후각, 촉각 등의 정보가 쉴 새 없이 들어와 이를 처리하기에도 바쁘기 때문이다. 뇌가 쉬면서 하루 동안 무수히 경험한 것들에 대해 숙고하는 유일한 시간은 수면할 때뿐이다. 그리고 이때부터 아이디어나 문제에 접근하는 새로운 방식이 떠오른다.

수면을 취하는 동안 우리 뇌는 특별한 관련이 없어 보이는 정보들을 서로 연결한다. 즉, 정보의 위치를 바꾸고 새로운 연관을 만들어낸다. 캘리포니아 대학 매튜 워커 박사는 이러한 뇌의 활동이 창의성을 낳는다고 주장한다. '일반적으로는 서로 들어맞지 않는 아이디어와 사건과 기억들을 연결하는 것, 그것이 바로 창의성의 기본'이라는 것이다.

창의성은 전반부 수면에서 더 발휘되므로 문제를 해결하고 싶다면 밤늦게까지 깨어 있지 말고 일찍 자라고 권한다. 깨어 있는 동안 학습활동에 의해 얻어진 단기 기억이 장기 기억으로 변환되는 것은 꿈을 꾸지 않는 수면 중에 일어나는데, 독일 뤼벡 대학의 신경과학자 잰 본 박사에 따르면 이러한 변환의 대부분은 전반부 수면 중에 일어난다고 한다. 그의 주장은 나의 몰입 경험과 정확하게 일치한다. 나는 한동안 정규 근무시간이 끝나자마자 테니스를 치고 집으로 돌아와서 9시 전에 잠을 잤다. 그리고 밤 12시와 1시 사이에 깨어나서 아이디어가 대단히 높은 빈도로 떠오르는 것을 7년 동안 한결같이 경험했다. 반면 새벽 2시나 3시에 다시 잠이 들어 아침 6시나 7시에 일어나면 그처럼 높은 빈도로 아이디어가 떠오르지 않았다.

기억력을 증폭시키는 선잠의 효과

2011년 1월 영국의 신경과학 학술지 〈네이처 뉴로사이언스Nature Neuroscience〉에 게재된 독일 연구진들이 수행한 선잠의 효과에 대한 기사가 국내의 한 의료정보 사이트에 소개되었다.

> 독일 루크 대학의 수잔네 디켈만 박사 등 연구진은 성인 24명에게 15쌍의 그림카드를 보여주고 40분 뒤 이들이 카드 그림을 얼마나 기억하는지 테스트했다. 연구진은 연구 참여자들을 두 그룹으로 나눠 한 그룹은 계속 깨어 있게 한 반면, 다른 그룹은 잠깐 낮잠을 자도록 한 뒤 테스트했다. 테스트 결과 잠깐 눈을 붙인 그룹은 평균 85퍼센트의 그림 패턴을 기억하는 데 비해 줄곧 깨어 있었던 그룹은 평균 60퍼센트밖에 기억하지 못했다.

디켈만 박사에 의하면 공부할 때 계속 깨어 있는 것보다 잠깐 눈을 붙이면 공부한 내용이 뇌의 해마에서 신피질로 이동해 오래 저장된다고 한다. 뇌에 단기 기억을 잔뜩 저장하기보다는 잠깐씩 선잠을 자면서 장기 기억으로 옮겨야 뇌에 부담이 덜하다. 종일 많은 양을 학습해야 한다면 중간중간 선잠을 자는 것이 스트레스 해소에도 도움이 되고, 집중력도 좋아지며 기억력에도 효과적이다.

기억의 저장 및 인출 관련 신경전달물질

왜 깨어 있을 때에 비해서 잠이 들 때 더 단기 기억[12]이 약화되고 장기 기억이 강화될까? 이는 깨어 있을 때와 잠들 때 왕성하게 분비되는 신경전달물질의 종류가 달라지기 때문이다. 기억의 저장에 관여하는 신경전달물질로는 도파민, 세로토닌, 노르아드레날린이 있다. 이들은 아민성 신경전달물질로서 수면 중에는 분비량이 최소가 된다. 잠이 들면 아민성 조절 기능이 감소하기 때문에 기억을 저장하는 기능이 현저히 저하된다.

기억의 인출에 관여하는 신경전달물질로는 아세틸콜린이 있다. 아세틸콜린의 분비는 수면 중에 많아지는데 특히 꿈을 꾸는 렘REM; rapid eye movement수면 중에 최대가 된다.

아세틸콜린이 과잉으로 분비되면서 기억을 저장하고 있는 부위의 억제 해소로 의식에 대한 접근이 증가되는 것이다. 따라서 잠이 들면 장기 기억의 인출 능력이 슈퍼맨처럼 올라간다. 이 상태를 활용하여 기적과 같은 아이디어나 해결책을 얻기 위한 활동이 바로 몰입이다.

참고로 알츠하이머병, 즉 노인성 치매는 아세틸콜린의 분비가 감소되기 때문에 나타나는 것으로 알려져 있다. 치매는 기억의 저장 시스템에 문제가 생기는 것이 아니라 기억의 인출 시스템에 문제가 생기는 것이다. 치매 증상을 완화시키고 지연시키기 위한 약은 아세틸콜린을 분해시키는 효소를 억제하여 아세틸콜린의 양을 증가시키는 역할을 한다.

몰입도가 불연속적으로 올라가는 이유

나는 어떤 문제를 생각하다가 잠깐 선잠을 자고 나면 그 문제와 관련된 몰입도가 불연속적으로 올라간다는 것을 수많은 경험을 통해 확인했다. 몰입도가 올라간다는 것은 관련된 장기 기억이 활성화된다는 것, 즉 장기 기억의 인출이 활성화된다는 것을 의미한다. 그런데 기억의 인출을 돕는 물질이 바로 아세틸콜린이고 이 물질의 분비는 수면 중에 증가한다. 이는 선잠이 몰입도를 올리는 데 도움이 된다는 나의 경험을 뒷받침해 준다. 또한 장기 기억의 인출능력이 올라가므로, 각종 아이디어를 얻는 데 선잠이 유익하다는 것도 이해할 수 있다. 기억해야 할 점은 그 문제에 대해 생각하다가 선잠을 자야 효과가 있다는 것이다.

수면에 대한 새로운 시각

여러 페이지를 할애해 슬로 싱킹에 수반되는 수면상태의 기억 인출능력과 창의성에 대해 설명했는데, 이를 강조한 이유가 있다. 많은 사람들이 학습을 하거나 업무를 볼 때 졸거나 선잠을 자는 것에 부정적인 생각을 갖고 있기 때문이다. 슬로 싱킹에 수반되는 수면과 선잠은 창의적인 아이디어를 얻거나, 문제를 해결하고 몰입도를 올리는 데 있어 중요한 역할을 한다. 수면과 선잠에 대한 편견을 버리고 몰입도를 올리고 창의적인 아이디어를 얻기 위한 방편으로써 적극 활용할 필요가 있다.

몰입과 관련된 인터뷰를 하러 왔던 연세대학교 황종환

학생은 공부하는 중에 쏟아지는 잠 때문에 스트레스를 많이 받는다고 했다. 나는 이 학생에게 수면의 역할을 설명해 주고 수업시간이 아닌 혼자 공부할 때만큼은 졸리면 바로 선잠을 자라고 조언해 주었다. 그렇게 실천해 보고 그 결과를 이메일로 알려달라고 부탁했다. 다음은 이 학생이 보내온 이메일이다.

1주일 실천 후

"공부하다가 졸릴 때는 자라"는 교수님의 말씀을 실천해 보고 나름의 결과를 말씀드릴까 하여 메일 드립니다.

일단 저는 스트레스에 약한 유형입니다. 대학원 진학을 준비하면서 3학년 때부터 참 많은 스트레스에 시달렸습니다. 잠이 오는 것은 보통 책을 펼치고 30분 후입니다(평균을 따져 보니 항시 그랬습니다). 평상시에는 공부한 지 얼마나 되었는데 벌써 졸리나 싶기도 하고 세수하러 일어나면 리듬이 깨질까 끙끙거리며 참고 참으며 두어 시간을 공부했습니다. 그러면 머리가 정말 무거워집니다. 하루 공부를 마칠 무렵에 지끈거림을 느끼기 일쑤였습니다.

그러나 교수님과 인터뷰한 후 커피숍이든, 도서관이든

공부를 하다가 졸리면 잤습니다. 잠이 들었어도 20분을 넘지 않는 범위에서 자동으로 눈이 떠지더라고요. 그러고 나면 주위가 조금 산만하더라도 책에 좀 더 집중할 수 있었습니다.

지금 『문화경제론』이라는 책을 읽고 있는데 책 디자인이나 책 내용상 상당히 딱딱하다고 느낄 수 있는 책입니다. 그래서 평상시보다 조금 더 신경을 쓰며 읽어야 하는 책임에도 불구하고 더 쉽게 몰입되어짐을 느꼈습니다. 사실 공부할 때 정말 집중하지 않으면 소리 내어 읽는 행동을 하지 않는데 저도 모르게 소리 내어 책을 읽고 있었습니다. 졸리면 자고, 그리고 잠을 잤다는 사실에 신경 쓰지 않았을 뿐인데 효과를 보았던 것 같습니다.

연구소에서 자료조사를 할 즈음 눈이 감길 때 잠깐만 양해를 구하고 잠을 청하고 나서 (역시 20분을 넘지 않았습니다) 3시간가량 걸리는 조사 분량을 1시간가량 단축하여 정리하는 효과도 보았습니다.

1개월 실천 후

혼자 공부할 때는 항시 선잠을 활용하고 있습니다. 선잠을 자고 난 직후에는 상당한 집중력이 생기는 것 같습니다. 기분 탓일지는 모르지만, 잠에서 깨어 첫 글자를 읽으면서부터는 기타 다른 시간들보다 더 금방 몰입하게 됩니다.

항시 선잠이 몰리는 때는 오전에, 책상에 처음 앉고 나서입니다. 10분에서 15분가량 잠들었다 깨어난 후 점심시간까지는 무리 없이 학업 및 업무를 진행하고 있습니다. 또 점심 식사 후 2시경에 가장 졸음이 많이 옵니다. 하지만 매번 선잠을 자려고 하기보다는 조금 참아보려고도 합니다.

4시경 정말 잠이 올 때에는 역시 20분가량 앉아서 잡니다. 예전보다 더 몰입에 쉽게 다다르는 듯한 느낌을 받을 수 있습니다. 생각이 유독 많아질 때 역시 책상 앞에 앉은 채로 잠을 청합니다. 깬 후에는(선잠은 20분을 항시 넘기지 않음) 생각이 정리가 된 듯한 느낌이 들고 다른 생각이 잘 나지 않습니다.

화장실에 가고 싶어도 거의 가지 않으며, 가능하면 식사 전까지 일어나지 않게 됩니다. 무엇보다 교수님께서 선잠이 여러 가지로 유익하다는 말씀을 해주시고 나서 심리적으로 선잠에 대한 스트레스가 없어졌습니다. 그 덕에 더 효과를 보고 있는 것 같습니다.

6개월 실천 후

선잠의 효과는 지금도 이어지고 있습니다. 사실 저번 학기에 전과목(4과목) A(A+포함)를 받았습니다. 이론 과목에서 이러한 성적을 받은 경우는 사실 처음입니다. 물론 나름의 노력을 했었지만 이론 과목에서 좋은 성과를 내는 게 버거웠습니다. 이번 학기에는 서술형 중간, 기말고사에서 모두 좋은 성적을 거둔 것이 현 성적의 큰 요인이 되지 않았나 싶습니다.

당시 그전에 메일로 말씀드린 선잠을 이용한 학습을 지속하고 있었습니다. 장학생 선발 여부는 아직 발표가 안 되어 알 수 없지만 선잠의 이득을 보고 있음은 확실해 보입니다.

11장

몰입과 영성의 친밀한 관계

몰입에서 느끼는 종교적 감정

2010년 4월 한 대형서점의 판매 순위는 참으로 흥미로웠다. 1위부터 4위까지가 각각 『무소유』, 『아름다운 마무리』, 『살아 있는 것은 다 행복하라』, 『맑고 향기롭게』로 모두 법정 스님의 책이었다. 5위와 10위인 베르나르 베르베르의 『파라다이스 1 · 2』를 제외하고 다시 법정 스님의 책이 이어져, 베스트셀러 20위 안에 법정 스님의 책이 무려 16권이나 올라 있었다. 그야말로 출판계에 전례가 없던 이변이 일어난 것이다. 이러한 현상이 나타난 것은 법정 스님이 입적하고 얼마 지나지 않았기 때문이기도 했지만, 그보다 스님의 글이 구구절절 사람들의 영혼에 큰 울림을 주었기 때문일 것이다. 이러한 집필은 삶과 죽음에 대한 끊임없는 영감 없이는 불가능하다. 법정 스님은 일반인들이 삶 속에서 늘 경험하면서도 미처 깨닫지 못한 것들을 찾아내고 그것을 글로 옮겨 내었다.

몰입과 삼매 상태는 여러 가지 면에서 비슷하다는 나의 믿음에 근거하여 나름대로 해석을 하면, 법정 스님이 삶과 죽음에 대한 수많은 깨달음을 얻을 수 있었던 것은 참선 상태에서의 고양된 두뇌 활동 때문인 것으로 생각된다. 이는 위대한 업적을 이룬 사람들이 풀리지 않은 난제를 포기하지 않고 오랜 기간 몰입해서 생각한 끝에 수많은 아이디어를 얻은 것과 비슷하다. 단지 주제나 관심사가 다를 뿐이다. 과학자들의 주제는 자연현상이고, 종교인들의 주제는 삶과 죽음이다.

참선수행을 하는 스님들은 앉으나 서나 한결같이 그 생각만 한다고 하여 '동정일여動靜一如', 꿈속에서도 그 생각만 한다고 하여 '몽중일여夢中一如', 깊은 잠 속에서도 그 생각만 한다고 하여 '숙면일여熟眠一如'를 행한다. 이때 의식을 한 가지에 집중하는데 집중하는 대상을 '화두'라고 하고, 이러한 참선을 '화두 선'이라고 한다. 그리고 이러한 수행을 통해 의식이 다른 잡념의 방해를 받아 끊기는 일 없이 오로지 하나의 화두에 집중하는 상태를 '삼매三昧'라고 한다. 삼매는 인도 산스크리트어인 사마디samadhi를 음으로 번역한 것으로, 나와 내가 의식하는 대상이 일치가 되는 상태를 뜻한다.

나는 스님들이 삼매 상태에 대해 기술한 글을 읽고 나서 슬로 싱킹은 명상이나 참선과 흡사하고, 몰입의 과정은 화두 하나만을 붙들고 오로지 그것만을 집요하게 생각하는 참선수행과 비슷하고, 몰입은 삼매와 대단히 유사하다는 사실을 알았다. 그래서 내가 종교적인 상태를 목적으로 하지 않았음에도 불구하고 몰입을 하면서 영성 효과를 체험했던 것이다. 무여 스님이 집필한 『쉬고 쉬고 또 쉬고』라는 책의 제목을 봐도 참선이 슬로 싱킹의 특징과 거의 비슷하다는 것을 알 수 있다.

영성 상태는 고도로 몰입된 상태와 거의 유사한 것으로 보인다. 만약 여기에 전문지식이 결합되면 많은 아이디어와 문제해결에 필요한 통찰력이 생길 것이다. 나는 만약 스님들이 어떤 분야의 전문지식을 가지고 있다면, 참선 상태의 고양된 능력으로 많은 문제들을 해결할 수 있으리라 생각한다. 또한 각 분야의 전문가들도 영성 상태를 활용하면 더 많은 문제들을 해결하고 더 좋은 아이디어를 낼 수 있을 것이다. 따라서 행복한 감정을 유도하고 창의적인 아이디어를 낼 수 있는 영성 상태를 이해하고 활용하려는 노력이 필요하다.

종교적 상태에서의 뇌 영상을 촬영해서 영성 상태가 평소와 어떻게 다른지 과학적으로 연구하는 신경신학neurotheology 분야의 권위자인 펜실베이니아 대학교 앤드루 뉴버그 교수에 따르면 집중하는 대상과 자신이 하나가 되는 삼매 상태 혹은 무아지경의 영적 일체감은 모든 종교에 공통적으로 나타나는 특징이라고 한다. 이런 양상은 앤드루 뉴버그 교수 등이 집필한 『신은 왜 우리 곁을 떠나지 않는가』에 소개된 14세기 독일에 살았던 수녀 마르가레타 에브너Margareta Ebner의 일기에서도 잘 나타나 있다. 그녀는 신성한 사순절을 맞이하기 위해 홀로 경건한 침묵과 명상 기도에 잠겨 있던 어느 날 밤, 수녀원 예배당의 성가대석에서 놀라운 존재를 인식하고는 다음과 같이 기록했다.

> 할렐루야가 울려 퍼졌을 때, 나는 아주 큰 기쁨을 느끼며 침묵에 잠기기 시작했다. 특히 참회 화요일 전날 밤에 나는 큰 은총 속에 휩싸여 있었다. 그러다가 참회 화요일 밤 한밤중의 기도 후 성가대석에 혼자 남게 되어 제단 앞에 꿇어앉았는데, 갑자기 큰 두려움이 나를 엄습하더니, 그 두려움 속에서 나는 형언할 수 없는 은총에 둘러싸였다. 예수 그리스도의 이름으로 맹세하건대 내 말이 진실임을 증언한다. 내면에서 하느님의 신성한 힘이 나를 붙잡고, 내 인간의 심장이 내게서 꺼내지는 것을 느꼈다. 형언할 수 없는 감미로움이 나에게 다가왔고, 마치 내 영혼이 몸에서 떠나는 것 같았다. 그때 모든 이름 중에서 가장 감미로운 예수 그리스도의 이름이 그의 커다란 열정적인 사랑과 함께 내게 주어졌고, 나는 단지 하느님의 신성한 힘이 나에게 계속 불어넣어주신 말로 기도 밖에 할 수 없었다. 저항할 수도 없고, 예수 그리스도라는 이름이

그 속에 계속 들어 있었다는 말 외에는 그것에 대해 아무것도 쓸 수가 없다.

이와 같은 체험은 영적인 범주에만 국한되는 것이 아니다. 자나 깨나 오직 연구에만 몰입하는 과학자도 연구하는 대상과 자신이 하나가 되는 일체감을 경험할 수 있다.

다음은 루트번스타인의 『생각의 탄생』에 소개된 바버라 매클린턱 교수의 이야기다.

옥수수를 연구할 때 나는 그것들의 외부에 있지 않았다. 나는 그 안에서 그 체계의 일부로 존재했다. 나는 염색체 내부도 볼 수 있었다. 실제로 모든 것이 그 안에 있었다. 놀랍게도 그것들은 내 친구처럼 느껴졌다. 옥수수를 바라보고 있으면 그것이 나 자신처럼 느껴졌다. 나는 종종 나 자신을 잊어버렸다. 가장 중요한 것은 바로 이것, 내가 나 자신을 잊어버렸다는 것이다.

바버라 매클린턱 교수는 미국 최초의 여성 노벨상 수상자로 옥수수를 연구하다가 유전자 변이를 발견했다. 이처럼 주어진 문제를 몇 개월 이상 자나 깨나 생각하다 보면 마치 아이를 잉태한 듯한 느낌이 들고, 몰입 끝에 해결한 최종 결과는 마치 내 아이처럼 느껴진다. 또 그 결과는 신성하게 느껴지면서 상대적으로 나 자신은 하찮게 생각된다. 내가 죽으나 하루살이가 죽으나 세상은 변함이 없지만, 이 결과만은 내가 어떠한 희생을 치르더라도 세상에 알려야 한다는 사명감마저 든다. 나는 처음 몰입을 경험했을 당시 특별히 종교활동을 하지 않는데도 이러한 종교적 감정이 강렬하게 느껴져서, 주위 사람들에게 "아마도 종교가 이렇게 생긴 것 같다"고 이야기하곤 했다.

몰입할 때 뇌의 변화

나는 몰입의 효과를 경험하면서 왜 몰입 상태에서 특별한 변화들이 생기는지 궁금증이 생겼다. 특히 왜 몰입 상태에서는 기적과 같은 아이디어가 쏟아져 나오고, 행복한 기분이 들고, 종교적 감정이 생기는지 알고 싶었다. 그러던 중 2007년 봄에 〈SBS 스페셜〉 제작진이 몰입 상태에서의 뇌가 평상시와 어떻게 다른지 뇌영상을 촬영해 보자는 제안을 해왔다. 가천의과대학 뇌과학연구소의 최첨단 양전자단층촬영positron emission tomography; PET 장비를 촬영에 사용할 것이라고 했다. 나도 몰입 상태에서 나의 뇌가 어떻게 변화하는지 궁금해하고 있던 참이었기 때문에 이 제안을 흔쾌히 받아들였다.

당시 나는 학기 중이어서 강의가 있었기 때문에 며칠 동안 연속적으로 방해받지 않는 시간을 만들기가 쉽지 않았다. 그래서 임의의 문제를 두고 사나흘간 몰입을 시도했다. 오랜 시간 몰입을 하지 않다가 갑자기 평소 절실하게 생각하지 않던 문제를 가지고 몰입을 시도해서 그런지 전과 달리 사흘이 지났음에도 불구하고 완전한 몰입 상태에 들어가지 못하고 60~80퍼센트 정도의 몰입도에서 왔다 갔다 했다. 하지만 촬영 스케줄 때문에 어쩔 수 없이 그 상태에서 촬영을 하기로 했다. 촬영을 할 당시에는 몰입도가 60~80퍼센트 정도였다고 생각한다.

| 그림 8 | 몰입 상태에서 뇌 촬영 결과

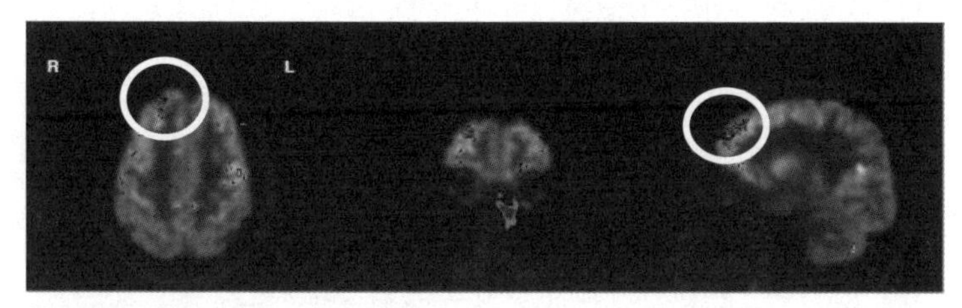

(a) 전두엽 – 오른쪽 활성화

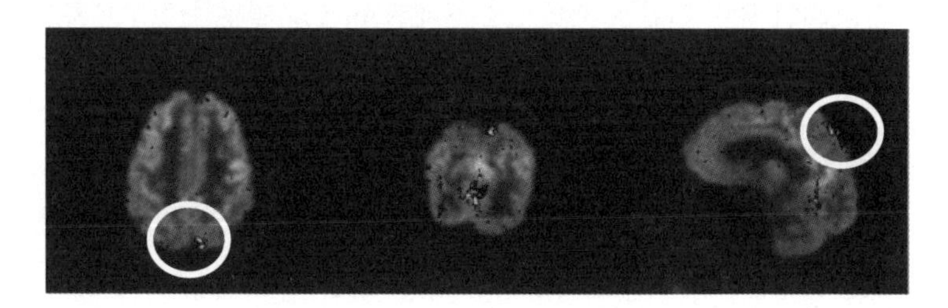

(b) 두정엽 – 비활성화

촬영은 몰입을 하지 않은 평상시의 뇌와 몰입도를 올린 상태의 뇌를 각각 촬영한 뒤 뇌의 어느 부위가 달라지는지 관찰하는 것으로 이루어졌다. 촬영 결과 〈그림 8〉과 같이 몰입 상태에서는 평상시보다 전두엽의 오른쪽이 활성화되고, 두정엽은 오히려 비활성화되는 것으로 나타났다.

〈그림 8-(a)〉에서 왼쪽으로 보이는 부분이 실제로는 오른쪽이 된다. 〈SBS 스페셜〉에서는 전두엽이 활성화된 상태를 프로게이머나 무속인이 몰입을 했을 때와 비슷하다고 소개했다. 나의 뇌영상 결과를 보고 뇌과학연구소의 조장희 교수는, 생각과 학습 등을 담당하는 전두엽이 활성화되었다는 것은 곧 생각하는 능력이 발달했다는 것을 의미한다고 설명했다. 나중에 그 연구소에서 보내준 해설에는, 전두엽의 오른쪽이 활성화되고 두정엽이 비활성화되는 상태는 앤드루 뉴버그 교수가 성직자들이 종교적 상태에 있을 때 촬영한 뇌 영상 결과와 유사하다는 내용이 포함되어 있었다. 이와 관련해 2007년 12월 22일자 조선일보 칼럼 〈이인식의 멋진 과학〉에 '두뇌 속의 유령'이라는 제목으로 소개된 내용의 일부를 살펴보자.

> 성당이나 절에서 신자들이 기도와 명상을 통해 절대자와 영적으로 일체감을 느끼는 신비체험을 할 때 뇌 안에서 일어나는 현상을 설명하려는 연구가 성과를 거두고 있다. 인간의 영성과 뇌의 관계를 탐구하는 신생학문은 신경신학neurotheology 또는 영적 신

경과학spiritual neuroscience이라 불린다. (중략) 이러한 발상으로 괄목할 만한 연구 성과를 거둔 대표적 인물은 펜실베이니아 대학교의 신경과학자 앤드루 뉴버그다. 그는 뇌 영상 기술을 사용해 명상에 빠진 티베트 불교 신자와 기도에 몰두하는 가톨릭의 프란치스코회 수녀가 아주 강렬한 종교적 체험의 순간에 도달할 때의 뇌 상태를 촬영했다. 2001년 4월 펴낸 『신은 왜 우리 곁을 떠나지 않는가』에서 뉴버그는 명상이나 기도의 절정에 이르렀을 때 머리 꼭대기 아래에 자리한 두정엽 일부에서 기능이 현저히 저하되고 이마 바로 뒤에 있는 전두엽 오른쪽에서 활동이 증가되었다고 밝혔다.

이러한 결과는 내가 몰입 체험 시 느꼈던 종교적 감정을 설명해준다. 앤드루 뉴버그는 그의 책에서 종교를 갖고 있든 그렇지 않든 간에 사람의 뇌는 영성을 느낄 수 있는 능력을 가지고 있다고 주장한다. 그렇기 때문에 아무리 과학이 발전해 신의 존재를 부정한다고 해도 종교는 영원할 것이고, 신은 우리 곁을 떠나지 않는다는 것이다. 종교적인 활동을 통해 위치와 방위를 판단하는 두정엽과 운동을 관장하는 후두엽이 연결된 부위가 비활성화되면 자신과 외부의 경계가 사라지는 것을 느끼게 되는데, 그는 이 상태가 바로 자신이 외부 혹은 절대자와 일치되었다고 느끼는 영성 상태라는 가설을 제안했다.

결국 몰입 상태에서 특별한 변화가 생기는 이유는 이러한 종교적 상태의 뇌와 관련이 있는 것으로 보인다. 사고에 의한 몰입은 고도의 정신적 집중 상태를 뜻한다. 외부로부터 어떤 자극이나 신호가 들어오는 것이 아니라 내가 의식적으로 생각한 결과가 입력되면 뇌에서는 입력된 정보를 처리하고, 그 결과가 다시 의식으로 출력되는 상황이 무한히 반복된다. 다시 말해 신호의 피드백이 내적으로 이루어지는 것이다. 기도나 참선, 명상 같은 영성 활동도 고도의 정신적 집중 상태이고 신호가 외부에서 들어오는 것이 아니고 내적으로 이루어진다는 점에서 동일하다. 두정엽의 비활성화는 외부로부터의 신호가 차단된 상태에서 모든 신호의 피드백이 내적으로 이루어지기 때문에 나타나는 것으로 보인다.

뇌과학으로 본 영성

종교적 상태, 즉 영적인 상태에서 떠오르는 아이디어를 영감이라고 부른다. 영감이라는 뜻의 영어 단어 'inspiration'은 흔히 '성령의 선물, 신으로부터 내려온 아이디어' 등의 의미로 쓰이기도 한다.

나는 강연회에서 만난 사람들을 통해 많은 사업가들이 새벽에 일어나 명상이나 기도, 성경책을 읽는 등의 종교 활동을 규칙적으로 실천하는 과정에서 사업상의 많은 아이디어를 얻는다는 사실을 알게 되었다. 앞서 살펴본 것처럼 몰입 상태에서 아이디어가 잘 떠오르는 것과 영적인 상태에서 아이디어가 잘 떠오르는 것은 서로 연관성이 있다고 볼 수 있다.

아인슈타인도 바로 이러한 종교적 상태에서 창조성이 발현된다는 이야기를 했다. 다음은 종교적 상태에서의 창조성에 관한 아인슈타인의 이야기다.

> 나는 뛰어난 과학적 견해는 모두 깊은 종교적 감정에서 나온다고 생각한다. 이 '무한한 종교적' 감정은 그것을 전혀 느끼지 못하는 사람에게 알려주기란 매우 어렵다. (중략) 내 견해로는, 이 감정을 일깨우고 이것을 이해하는 사람들 속에서 계속 이 감정이 유지되게 하는 것이 학문과 예술의 가장 중요한 기능이다.

무한한 종교적 감정을 유지하는 것이 학문과 예술의 가장 중요한 기능이라고 말한 것으로 볼 때, 아인슈타인도 그러한 상태를 인간이 경험할 수 있는 최상의 상태라고 생각한 것으로 보인다.

몰입의 장점은 지극히 창조적인 생산 활동을 하면서도 종교적 상태의 신성함과 지고의 선을 경험하는 최상의 삶으로 이끈다는 것이다.

몰입적인 탐구 활동을 '천국으로 가는 길'이라고 표현한 아인슈타인은 몰입 상태에서의 영적 체험을 통해 미래의 종교에 대한 자신의 의견을 다음과 같이 밝혔다.

미래의 종교는 개인적인 신을 초월하고 독단적인 신조나 교리로부터 자유로워야 할 것이다. 자연적인 부분과 영적인 부분을 커버하면서 그것들을 하나로 통합시키는 경험에서 우러나오는 종교적인 느낌에 기반을 두어야 할 것이다.

영성 상태 경험에 대한 과학적 해석

영성의 사전적 의미인 '신령한 품성이나 성질'은 모든 종교가 공통적으로 갖는 핵심요소다. 그렇다면 비종교적 활동인 명상이나 몰입에서 영성 상태를 경험한다는 것은 무엇을 의미할까? 과학적인 문제에 몰입했던 뉴턴이나 아인슈타인과 같은 과학자들이 영성 상태를 경험한 것은 무엇을 의미할까?

자나 깨나 주어진 문제만을 생각하면 그 문제를 해결하고 싶다는 간절한 바람이 생기고, 이 바람은 극단적인 목표지향을 만든다. 이때의 간절한 바람이 영성을 유도하는 것으로 보인다. 기도도 일종의 간절한 바람이다. 간절한 바람에 대한 현명한 답은 잠자는 동안 만들어지는데, 그것이 과학자들에게는 영감으로 간주되고, 간절한 기도를 한 신앙인들에게는 절대자의 응답으로 간주되는 것이 아닐까?

성황당에 정화수를 떠놓고 자식의 불치병이 낫기를 간절히 비는 어머니의 절실한 마음이 곧 영성 상태가 아닐까? 자식을 살릴 수 없는 안타까운 상황에서 간절한 기도가 현실을 바꾸어놓지는 못할지라도 영성 상태를 유도하여 어머니에게는 큰 위로가 될 수 있을 것이다.

나는 개인적으로 영성 상태가 오래전 인간이 발견해낸, 삶의 고통으로부터 벗어나고 힘든 상황에서 위로받고 행복의 감정을 만들 수 있는 방법이라고 생각한다. 그 결과 많은 사람들이 영성 상태를 경험하고 실질적인 혜택을 입고 있는 것이다.

대학원 시절, 나는 한동안 우울증에 가까운 상태에 빠진 적이 있다. 대학교 4학년 때 열심히 공부해서 경쟁률이 높은 대학원 입학시험을 통과했을 때였다. 당시 나는 뛸 듯이 기뻤는데 이 감정은 6개월 정도 지속되다가 곧 우울한 감정으로 바뀌었다. 고등학교 시절 열심히 노력해서 대학교에 합격했을 때도 이와 비슷한 경험을 했다. 마치 조울증 환자처럼 한동안 합격한 기쁨에 들떠 있다가 어느 날부턴가 끝이 보이지 않는 우울한 감정에 사로잡히는 것이었다. 나는 분명 목표를 이루었고 남들이 부러워하는 위치에 있는데도 내 마음은 한없이 공허하고 울적했다. 도저히 견디기 힘들어서 이 상태를 벗어날 수 있는 방법이 있다면 무슨 일이라도 하고 싶었다. 그래서 신앙을 가져볼까도 생각했다.

그때 나는 '인간이 자연을 정복하고 심지어 달나라도 갈 만큼

과학과 기술이 발전했지만 그 주체인 우리 자신이 행복하지 않다면, 아니 오히려 불행을 느낀다면 그 모든 발전이 무슨 소용이 있을까?' 하는 생각이 들었다. 이와 동시에 '왜 우리는 우리의 외부만 정복하려고 하고 우리 자신이 행복해질 수 있는 방법에 대해서는 연구를 하지 않나?' 하는 의문이 생겼다.

영성 상태를 종교적으로만 다룰 것이 아니라 과학적으로도 접근할 필요가 있다. 그래야 보다 많은 사람들이 영성 상태의 긍정적 효과를 활용할 수 있기 때문이다. 내가 뇌과학에 커다란 관심을 갖는 것도 바로 이 때문이다.

영성 상태를 만드는 신경전달물질

나는 몰입 상태에서 경험하는 여러 가지 긍정적인 감정과 종교적인 감정을 이해하기 위해 많은 뇌과학 서적을 찾아 읽었다. 그 결과 종교적 감정은 몰입 상태에 있을 때 뇌에서 유도되는 도파민의 과잉 분비로 인해 생겨난다는 결론에 이르렀다. 이와 관련하여 성영신 교수가 공저로 쓴 책 『마음을 움직이는 뇌, 뇌를 움직이는 마음』에 소개된 내용을 살펴보면 코카인 등의 약물복용으로 도파민이 과잉 분비된 사람들의 기분이 종교적 감정과 아주 유사하다는 것을 알 수 있다.

정신이 상쾌해지고, 몸도 가뿐해지고, 피곤한 것이 없어진다. 이유 없이 즐거워지고, 자신감이 생기고, 힘이 솟아나는 기분이 들고, 용감해지고, 자신의 능력이 증대된 것 같고, 감각이 생생해지고, 사소한 자극에 황홀한 기분이 들기도 한다. 신비한 느낌, 자아가 신체로부터 이탈하는 느낌, 의식이 확대되는 느낌, 타자와 일체가 되는 느낌이 나타나기도 한다.

누군가를 사랑하면 다량의 도파민과 긍정적 신경전달물질이 분비된다. 사랑의 감정이 더 강해지면 신성함을 느끼고 이는 종교적 감정에 가까워진다. 자신의 연인이나 배우자를 극도로 좋아하는 사람은 마치 '하늘에서 내려온 천사'나 '백마 타고 온 왕자'처럼 느껴진다고 하는데 이 역시 도파민의 과잉 분비로 인해 나타나는 현상이다. 마찬가지로 아기를 낳은 여자들은 너무 행복한 나머지 이런 행복을 느끼지 못하는 사람들이 모두 측은하게 느껴진다고 한다. 심지어 아기를 바라볼 때 사랑스러움을 넘어 거룩하고 신성한 느낌마저 든다고 한다. 자신보다도 아이가 더 소중하다고 느낀 나머지 '내가 어떠한 희생을 치르더라도 이 아이만은 훌륭하게 키우겠다!'는 결심을 한다면 그것은 종교적 감정과 비슷한 상태라고 볼 수 있다. 이 역시 도파민 과잉 분비에 의해 나타나는 현상이다.

비관적 상황에서의 몰입

현실이 아무리 비극적이고 참담하더라도 몰입을 하거나 영성 상태가 되면 평온을 얻는다. 현실에 대한 분노나 적개심에서 자유로워지기 때문이다. 성직자들은 화해와 용서라는 말을 자주 하는데, 바로 그런 이유가 아닐까 싶다. 이 문제와 관련해 나의 개인적인 경험을 소개한다.

한참 연구에 몰입해 있던 시절, 당시 연세가 일흔 다섯이셨던 아버님이 낙상하는 사고를 당하셨다. 처음에는 대수롭지 않은 사고인 줄 알고 병원에 갔는데 정밀검사를 해보니 악성 골수암이라는 진단이 나왔다. 의사는 아버님의 척추 속이 거의 비어 있고 다시는 일어날 수 없을 거라며, 척추신경이 차단되어서 그동안 고통을 못 느끼신 것 같다고 했다.

주말마다 대전에서 서울로 올라가 병상에 계신 아버님을 찾아뵈었는데, 그때마다 상황은 더 악화되어 있었다. 합병증이 생겨 매일 한 움큼씩 약을 복용해야 했고, 신장까지 나빠져서 하루라도 투석을 하지 않으면 안색이 어둡게 변했다. 설상가상으로 몸을 전혀 가눌 수 없어서 누워만 계시다 보니 욕창이 나서 종일 간병인이 붙어 있어야 했다.

주말에 아버님을 뵙고 집에 돌아가면 힘이 쭉 빠지고 매사에 의욕이 없어졌다. 무기력해지고 우울증 증세도 나타났다. 아무리 기운을 차리려고 애써도 소용이 없었다. 나는 이런 와중에도 몰입을 시도했다. 며칠을 노력해 몰입 상태에 들어가면 우울했던 기분은 어느새 사라지고 마음이 평온해졌다. 현실은 하나도 바뀐 것이 없는데, 몰입 상태만 되면 영락없이 마음이 평온해지는 것이었다. 그리고 삶에 대한 강한 의욕이 솟구치기 시작했다. 시들시들했던 나 자신이 다시 살아나는 것을 느꼈다. 그러면서 비관적인 현실을 새로운 각도에서 보게 되었다.

'이 세상의 모든 생명체는 반드시 죽게 되어 있다. 이것은 그 누구도 거스를 수 없는 대자연의 법칙이다. 아무리 큰 권력을 쥔 사람도, 부귀영화를 누리는 사람도 예외는 아니다. 한여름, 무성한 잎을 자랑하던 나무들도 가을이 되면 낙엽을 떨군다. 낙엽은 땅에서 썩고 이듬해 봄이면 어김없이 새싹이 돋아난다. 자연의 법칙이 그렇듯이 아버님의 인생에도 가을이 온 것이다.'

그렇게 생각하자 한없이 비관적이고 막연한 분노마저 솟구치던 상황이 자연스럽게 받아들여지기 시작했다. 원망할 것도 억울할 것도 없었다. 나약한 인간으로서 아무것도 할 수 없는 현실을 있는 그대로 받아들이면 그만이었다. 그러면서 나도 머지않아 은퇴를 하고 생을 마감할 것이라는 생각을 했다. 그러니 지금 건강하게 살아 있는 이 기회를 놓치지 말고 최선의 삶을 살아야겠다는 생각이 들었다. 나는 몇 개월 동안 병문안을 가면 가슴이 미어지면서 비관적이 되고, 다시 내 생활로 돌아와 몰입을 하면 평온해지는 감정의 변화를 반복해서 경험했다.

긍정적 화학물질이 분비되면 긍정적 감정이 생긴다. 이때 우리의 뇌는 우리가 긍정적 감정을 갖게 된 합당한 이유를 찾는다. 뇌과학에 의하면 우리의 뇌는 감정과 현실을 일치시키려는 경향을 갖는다고 한다. 내가 우울하면 세상이 어둡게 보이고, 내가 즐거우면 세상이 밝게 보이는 것이다.

남부러울 것 없는 여건 속에서도 비관하거나 심지어 자살하는 사람도 있고, 어려운 여건 속에서도 웃음을 잃지 않고 행복하게 살아가는 사람도 있다. 긍정적 화학물질이 분비되면 비관적인 현실이라도 해석을 달리하여 아름다움을 찾는다. 나는 연구에 몰입하면 연구의 세계뿐 아니라 이 세상 전체가 아름답게 보이는데 이 역시 긍정적 화학물질의 분비 때문인 것으로 생각된다. 이와 같은 경험은 행복한 삶을 추구하는 데 있어 대단히 중요한 의미를 갖는다.

행복의 감정은 뇌에서 분비되는 화학물질과 밀접한 관계가 있다. 특히 세로토닌은 행복호르몬이라고 불릴 정도로 행복이라는 감정에 깊이 관여한다. 우울증에 걸린 사람에게 세상을 긍정적으로 보라고 아무리 설명해도 소용없다. 그보다 우울증을 야기시키는 세로토닌의 부족을 보충할 만한 활동을 하는 것이 더 효과적이다.

12장

아이디어를 위한 몰입

위대한 기업가들의 공통점

내가 만난 기업체 인사들 중에는 직급이 올라갈수록 몰입을 실천하는 사람들이 많았다. 그중에서도 특히 최고 경영자들의 경우 상당수가 업무와 관련하여 몰입을 하고 있었다. 그들은 한결같이 처음에는 불가능해 보이던 문제들도 계속 생각하다 보면 평소에 보이지 않던 것들이 보이기 시작하고 때로는 우연히 아이디어가 떠오르기도 한다고 말했다. 그래서 남들이 미처 생각하지 못한 새로운 아이디어를 낼 수 있었고, 새로운 도전이 가능했다는 것이다.

종교인 다음으로 몰입 상태를 많이 경험하는 사람은 아마 기업가일 것이다. 회사를 경영하는 일은 중요한 의사결정의 연속인 데다가 위기 상황이 수시로 닥치기 때문에 몰입을 하지 않고서는 사업을 유지하기 힘들다. 혼다를 창업한 혼다 소이치로 회장이 몰입을 했다는 것은 그의 자서전 『좋아하는 일에 미쳐라』의 제목만 봐도 짐작할 수 있다. 몰입은 한마디로 어떤 일에 미치는 것이다. 다음은 그의 자서전에 소개된 내용이다.

> 그는 기술밖에 몰랐다. 아이디어가 떠오르면 잠자는 것도 잊었다. "엔진을 생각하면 머릿속에서 엔진이 돌아가 멈추지 않았다. 그래서 잠을 잘 수 없었다." 그가 반드시 참석해야만 하는 가족행사에는 부인이 가는 종이에 메시지를 적어 그의 안경에 매달았다고 한다. 그렇지 않으면 잊어버렸기 때문이다.

어떤 사람이 사업에 성공했다면 그것은 그가 운이 좋아서라기보다 판단력이 뛰어나기 때문이다. 이를 바둑에 비유해 보자. 바둑에서 이기려면 상대보다 실력이 좋아야지 운만으로는 안 된다. 여러 수를 두는데 매번 운이 좋을 수는 없기 때문이다. 바둑 10급인 하수가 운이 좋아서 1급인 상수를 이겼다는 이야기를 들어본 적이 있는가? 이는 도저히 불가능한 일이다.

치열한 경쟁 속에서 승승장구해서 큰 기업을 일으킨 국내 기업인들을 조사해 본 결과 한결같이 몰입을 했다는 사실을 발견할 수 있었다. 삼성그룹의 창업자인 고 이병철 회장의 이야기에서도 그런 일면을 엿볼 수 있다.

> 저는 새로운 사업을 시작할 때면 정말 재미가 나 열의를 갖고 매진할 수 있습니다. 뭔가를 새로 창조한다는 것이 그렇게 재미있을 수 없어요. 아침저녁에도 그 생각, 자고 일어나도 그 생각, 무언가 부족한 것이 없나, 있으면 보강하고 물어보고. 회의를 해서 안 되는 게 있느냐 또 알아보고. 난 똑같은 일을 하라고 하면 대단히 싫어해요.

이건희 삼성그룹 회장도 '사고 중독증'에 빠진 것처럼 몰입을 하곤 했다. 그는 삼성을 한 단계 도약시켰던 '신경영'을 고민했을 당시를 이렇게 회고한다.

> 몇 년 전까지만 해도 몇 시에 자는지, 몇 시간이나 자는지 나도 잘 몰랐습니다. 신경영을 고민할 때는 초밥 몇 개만 먹으면서 이틀 밤을 꼬박 새운 적도 있고, 그러다 지치면 종일 잠만 잔 적도 있어요.

현대그룹을 창업한 고 정주영 회장에 관한 이야기에서도 역시 이러한 면모가 나타난다.

정회장은 해결해야 할 중대한 사안을 놓고 며칠씩 고민하고 그것도 모자라 밤을 새는 경우가 많았다. 집중해서 생각하고 또 생각하다 보면 자신도 모르게 어느새 '아하!' 하는 순간을 경험할 때가 많았다.

내가 만난 기업가들 중에 인상 깊었던 두 기업가의 몰입 사례를 소개한다.

사례 1. "자나 깨나 생각하면 해결 못할 게 없다"

LG화학 CEO였던 김반석 부회장은 늘 직원들에게 "지금 당장은 답이 보이지 않더라도 자나 깨나 생각하다 보면 반드시 아이디어가 나온다. 따라서 자신이 하는 일에 대해 항상 생각하라"고 강조한다. 그는 몰입해서 어려운 문제를 해결하는 성공체험을 하면 즐거움과 행복함을 느낄 수 있다고 한다.

그의 좌우명은 "정말로 고민하면 해결 안 될 문제가 없다"라고 한다. 처음에는 불가능해 보였던 수많은 문제를 고민 끝에 해결한 경험을 통해서 이를 확신하게 되었다고 한다. 그는 이것을 '한계돌파 능력'이라고 부르는데, 직원들 모두가 한계돌파 능력을 확보할 수 있도록 하는 것이 그의 목표다.

김반석 부회장은 집중이란 쉽게 말해 '반복적으로 생각하는 것'이라고 말한다. 심지어 보고서 한 장을 작성할 때에도, 깊이 생각하고 다시 검토하면 반드시 개선점을 찾을 수 있다는 것이다. 한마디로 바둑에서도 생각을 많이 하는 사람이 이기듯이 사업에서도 생각을 많이 하는 사람이 이긴다는 것이다.

대단히 바쁜 일정에 따라 움직이는 그는 주로 이동하는 시간을 이용해 몰입을 한다. 비행기를 타고 외국으로 출장을 갈 때에는 승무원에게 부르기 전까지 오지 말아달라고 부탁하고, 열 시간 넘는 비행시간 내내 사업에 대한 생각에 몰입하기도 한다. 서울과 대전 사이도 자주 오가는 편인데, 갈 때마다 기사가 운전하는 차의 뒷좌석에 앉아 두 시간 정도 몰입을 한다. 그가 회사를 경영하는 아이디어는 모두 그런 시간에 얻어진 것이라고 한다.

특히 기분이 좋거나 안락한 상태에서 아이디어가 잘 떠오르는데, 아이디어가 떠오르면 그때그때 메모를 한다. 운동을 하다가도 생각이 나면 잠시 중단하고 메모를 한다. 그런데 나중에 이 메모지를 정리하다 보면 같은 내용을 반복해서 메모한 것도 많다고 한다. 자신은 분명 새로운 아이디어라고 생각해서 적었는데, 이미 그전에 메모한 적이 있었던 것이다. 이러한 메모는 그만큼 중요한 것으로 간주한다.

그는 직원들에게도 몰입을 권하고 각자가 몰입할 수 있는 명확한 목표를 설정하도록 한다. 이때 목표는 무리하지 않게 잡되 자신의 능력보다 조금 높게 설정하도록 한다. 그리고 설정한 목표는 반드시 달성해야 한다고 강조한다. 만약 풀리지 않는 중요한 문제가 있으면 선택과 집중을 위하여 TFT Task Force Team를 구성해서 오로지 주어진 문제에만 몰입하도록 하는데, 상당히 많은 문제가 이러한 방식으로 해결된다고 한다.

회사의 모든 의사결정권을 가진 최고경영자가 몰입을 실천하는 것은 기업에서 커다란 경쟁력으로 작용한다. 이는 김반석 부회장의 경영성과로 쉽게 확인할 수 있다. 그가 LG화학 CEO에 취임한 2006년 당시 LG화학 주식은 4만 원 정도였는데, 현재는 50만 원을 호가한다.

사례 2. "여기서 실패하면 우리 가족은 길바닥에 나앉는다"

코레일유통에서 여러 개의 매장을 운영하는 파란나라의 최중보 대표가 어느 날 몰입에 대한 조언을 얻고 싶다면서 나를 찾아왔다. 그는 대학 졸업 후 기차역에서 승차권 자동발매기를 운영하는 중소기업에 취직해, 자동발매기 수리 업무를 맡아 최선을 다해 일했다고 한다. 일에 자신감이 생긴 최 대표는 입사한 지 1년 8개월 만에 회사를 그만두고 1년간의 준비기간을 거쳐 인테리어 사업을 시작했다. 하지만 8개월 만에 빚만 떠안고 말았다. 그런 다음 동업자들을 모아 다시 캐릭터 사업을 시도했는데 2개월 만에 또 실패했다. 결국 사업의 꿈을 접고 한 회사에 입사했으나 자신이 생각하기에도 이상할 만큼 무기력하고 자신감이 없었다. 결국 그는 회사에서 쫓겨나 빈털터리에 실업자가 되었다.

그 당시 첫째 아이가 두 살이었는데 분유 사 먹일 돈도 없을 정도였다. 궁여지책으로 분유 회사에 샘플을 신청했더니 보름치 분유를 택배로 보내줬다. 각 분유회사에 아내의 이름, 자신의 이름으로 샘플을 신청하는 것도 모자라 친구의 이름까지 빌려 분유를 받아야 할 만큼 형편이 어려웠다.

상황이 그렇게 되자 부모님뿐 아니라 주변 사람들도 그에게 '못난 놈'이라고 손가락질했다. 최선을 다했음에도 불구하고 손대는 일마다 실패로 끝이 나자 그는 완전히 자신감을 잃었다. 그러던 중 예전에 다니던 기차표 자동발매기 회사의 사정이 안 좋아져서 1억 원을 투자하면 적정한 지분을 주겠다는 이야기를 전해 들었다. 이제 자신이 할 수 있는 것은 그 일밖에 없다는 생각이 든 그는 마지막 지푸라기라도 잡는 심정으로 살던 집을 전세에서 월세로 바꾸고, 아버지를 찾아가 부족한 돈을 융통해 달라고 부탁했지만 일언지하에 거절당했다. 아버지는 한번 말씀하시면 절대 번복하실 분이 아니라는 것을 알면서도 그는 며칠을 찾아가 설득하고 또 설득했다. 당시의 상황을 조금 더 생생하게 전달하기 위해 그가 직접 써 보낸 대목을 소개한다.

아버지께 돈을 빌리기 위해 찾아갔는데, 완강히 거절하시는 상황에서 너무나도 답답하고 서러워서 나도 모르게 하염없이 눈물이 주룩주룩 흘렀습니다. 눈물을 흘린 이유는 '그 누구보다도 성공을 위해 열심히 노력하고 애써왔는데, 결국은 이런 모습으로 살아가고 있구나!'라는 생각이 들어서였습니다. 아버지가 돈을 빌려주지 않아서가 아니라 노력을 해왔지만 결국 현재 이러고 있는 제 모습이 너무나 서러워서 눈물이 나왔던 것 같습니다.

하염없이 눈물을 흘리는 제 모습을 보시고 아버지께서는, 앞으로는 절대 금전에 대해 언급하지 말라는 약속을 하고 돈을 주셨습니다. 그 말씀에는 한 치의 거짓도 섞여 있지 않다는 것을 잘 알고 있었습니다. (중략) 서울에서 무궁화호를 타고 내려가는데 부슬비가 창밖에 내렸습니다. 그때 오로지 한 가지 말만이 입 안에서 맴돌았습니다. "여기서 실패하면 우리 가족은 길바닥에 나앉는다." 그것이 현실이었고, 다시 실패할 경우 길이 보이질 않았습니다. 실패할 경우 돈을 빌려주신 아버지를 다시 찾아갈 수 없다는 것도 잘 알고 있었습니다.

회사에서는 한 기차역의 자동발매기에서 한 달에 1천만 원 정도의 수익이 나오니, 1천만 원까지는 회사가 가져가고 그 이상의 수익이 나면 그중 90퍼센트를 그에게 가져가라고 했다. 기차역 자동발매기에 마지막 희망을 건 그는 피치 못할 경우를 제외하고는 자리를 뜨지 않았다.

밤 11시에 일을 마치고 전철 막차를 타고 들어오면 12시가 되었다. 잠이 들면 새벽 2시에 깜짝 놀라 잠에서 깼다. 새벽 4시에 일어나서 출근해야 하는데 혹시나 시간이 지났을까 봐 걱정이 되어서였다. 시계를 보고 다시 잠이 들면 3시에 또 깜짝 놀라 깼다 다시 잠이 들었다. 그러다 3시 30분에 또 놀라 잠에서 깨면 4시까지 잠을 자려고 해도 불안해서 잠들지 못했다. 그렇게 30분 동안 눈만 감고 있다가 자명 종소리가 나면 일어나 새벽 4시 30분에 출근해서 막차가 떠나는 밤 11시까지 근무를 했다.

김밥 두 줄로 아침을 때우고 점심은 15분 안에 해결하고, 화장실도 하루에 한 번만 갔다. 다리에 마비가 올 정도로 고통스러웠지만 서 있는 내내 '어떻게 하면 손님들이 자동발매기를 더 많이 이용할까' 하는 생각만 계속했다. 밥을 먹으면서도, 출근길에도, 세수를 하면서도 어떻게 하면 판매를 잘할 수 있을지에 대한 생각만 했다. 일부러 의식하지 않아도 어느새 그 생각만 하고 있었다. 종일 그 생각만 하고 퇴근해서 이불을 깔면서, 누워서 잠들 때까지, 그리고 출근시간이 지난 줄 알고 깜짝 놀라 잠에서 깨어날 때도 그 생각을 제일 먼저 했고 시계를 보고 안심하면서 다시 잠을 청할 때도 영업을 잘할 수 있는 방법을 생각하다 잠이 들었다. 한마디로 '몰입'을 한 것이다.

'어떻게 하면 사람들에게 매표 창구 대신 발매기에서 표를 뽑게 할 수 있을까?' '발매기 사용방법을 어떻게 써놓으면 사람들이 쉽게 이해할까?' '승객들이 발매기를 이용할 때 어려워하는 게 무엇이고 어떻게 바꾸면 쉽게 사용할까?' '매표창구에 있는 승객들에게 어떻게 접근해서 무슨 말을 하면 발매기 쪽으로 올까?' 등의 물음에 대해 생각에 생각을 거듭했다. 2개월을 그렇게 생각하니 엄청난 아이디어들이 쏟아져 나왔다. 그중에서 가장 좋은 방법을 선택해서 실행한 결과 첫 달에 300만 원, 둘째 달에 700만 원, 셋째 달에 1,500만 원의 수익을 올렸다.

업무의 특성상 한번 수익이 늘어나면 좀처럼 떨어지지 않는 구조였기에 3개월쯤 지나자 이제 길바닥에 나앉을 걱정은 없다는 생각에 안도감을 느꼈다. 그러자 그전에 자주 하던 전자오락도 하게 되고, 늦잠 잘까 봐 새벽에 깜짝 놀라서 깨던 버릇도 없어져 5시나 6시에 일어나다 10시까지 자기도 하고, 얼마 후에는 아예 출근을 거르기도 했다. 그렇게 되니 항상 영업에 대한 생각으로 가득 차 있던 머릿속에 다른 생각이 하나둘씩 들어오게 되었고, 5개월쯤 지났을 때는 일부러 생각하지 않으면 일 생각을 전혀 하지 않게 되었다.

매달 1,500만 원씩 나오는 수익을 기반으로 코레일유통의 매장에 입점하게 된 최 대표는 매장을 하나씩 늘려 운영하고 있다. 그는 자동발매기 일을 할 때도 두 달 만에 엄청난 아이디어가 쏟아져 나왔으니, 기차역의 매장을 운영할 때도 그렇게 몰입하면 지금보다 열 배는 더 돈을 벌 수 있을 거라고 생각했다. 그런데 별의별 방법을 다 써봐도 그전에 경험한 몰입 상태가 재현되지 않더라고 했다. 그래서 어떻게 하면 그 상태를 재현할 수 있는지 알고 싶어서 나를 찾아왔다고 했다.

그가 경험한 몰입은 고도의 위기상황, 그리고 극도로 절실한 상황에서 유도된 수동적인 몰입이라고 할 수 있다. 수동적인 몰입은 위기의식이나 절실함에 의해 만들어진다. 그런데 최 대표는 형편이 나아지면서 위기의식과 절실함이 사라졌기 때문에 몰입의 장벽을 넘지 못했고, 결국 몰입을 재현할 수 없었던 것이다. 내가 느끼기에 자동발매기 수익을 높이기 위한 두 달간의 몰입은 기간이 더 길어졌거나 자칫 잘못하면 육체적으로 혹은 정신적으로 커다란 부작용이 생길 수도 있을 만큼 위험했다.

그렇다면 왜 무수한 아이디어가 떠올랐던 몰입이 처음에는 가능했고 그 다음 번에는 힘들었던 것일까? 이 문제를 엔트로피 법칙의 구동력으로 접근해 보자.

어떠한 일이 일어나기 위해서는 그 변화를 일으킬 수 있는 구동력이 있어야 한다. 예전에는 "여기서 실패하면 우리 가족은 길바닥에 나앉는다"는 그야말로 막다른 곳에 몰린 상황이었기 때문에 자나 깨나 생각할 명백한 이유가 있었다. 이것이 바로 구동력으로 작용하여 몰입을 하도록 유도한 것이다. 그리고 구동력이 충분히 컸기 때문에 몰입의 높은 장벽을 넘을 수 있었다. 그러나 돈을 벌면서 이 구동력이 사라졌다. 가족이 길바닥에 나앉을 위기를 넘긴 것이다. 그러다 보니 자나 깨나 생각할 절실한 이유가 없어졌고, 그 결과 몰입의 장벽을 넘을 수 없었던 것이다.

능동적인 몰입 방법

수동적인 몰입을 유도했던 구동력이 없어진 상태에서는 능동적인 몰입을 유도하는 구동력을 만들어야 한다. 몰입 훈련이 되지 않은 상태에서는 대체로 능동적인 구동력만으로 몰입의 높은 장벽을 넘기가 힘들다. 따라서 몰입의 장벽을 낮추려는 노력을 병행해야 한다. 구동력이 크지 않더라도 장벽을 낮추면 보다 쉽게 극복할 수 있기 때문이다. 이를 위해서는 몇 가지 노력이 필요하다. 다음에 소개할 능동적으로 몰입하는 방법 중 첫 번째는 구동력에 관한 것이고, 두 번째와 세 번째는 몰입의 장벽 낮추기에 관한 것이다.

첫째, 새로운 목표를 설정해야 한다. 예전과 같은 위기감이나 절박함이 없는 상태에서 지금보다 더 많은 돈을 벌어야 할 명백한 이유를 찾아야 하는 것이다. 즉, 왜 돈을 벌어야 하는지에 대한 나름대로의 철학이 있어야 하고 그것을 자기 자신이 마음속 깊이 납득할 수 있어야 한다. 가령 기업가의 경우 올바른 기업가 정신을 가져야 하는 것이다.

둘째, 슬로 싱킹을 활용해서 어떻게 하면 매출을 올릴 수 있을지에 대해 끈질기게 생각해야 한다. 설사 절실한 상태에서 벗어났다고 하더라도 절실했던 때의 방식을 흉내라도 내야 한다. 물론 이를 실천하는 것은 말처럼 쉽지 않다. 그래서 평소에 사고력 훈련을 꾸준히 해야 하는 것이다.

셋째, 몰입의 장벽을 낮추기 위해 매일 1시간 이내의 규칙적인 운동을 해야 한다. 자신이 즐길 수 있고 땀을 흘릴 수 있는 운동이라면 무엇이든 좋다.

고민과 생각의 차이

기업가들이 자나 깨나 사업에 대한 생각을 하는 이유는 대개 위기감이나 고민 때문이다. 즉, 위기감이나 고민이 자꾸 사업과 관련된 생각을 하도록 유도하고 그런 생각 끝에 문제해결의 실마리를 얻게 되는 것이다. 이 관계를 잘 이해해야 한다. 많이 고민한 끝에 문제를 해결하는 것이 아니라, 자나 깨나 생각한 결과 문제를 해결하는 것이다. 고민은 단지 생각을 유도할 뿐이다.

고민과 생각을 확실히 구별해야 한다. 고민이 지속되면 노이로제가 되고 스트레스와 병을 유발하지만, 올바른 방법으로 생각을 지속하면 부작용이 거의 없다.

많은 사람들이 자신의 에너지 중 일부는 고민하는 데 사용하고, 나머지는 생각하는 데 사용한다. 대략 50퍼센트는 고민하고, 50퍼센트는 생각을 한다. 고민과 생각의 비율이 극단적으로 다른 다음의 두 가지 예를 살펴보자.

먼저 위기상황에 처했거나 걱정거리가 생겼을 때 '이를 어떻게 하나!' 걱정만 하고 생각은 전혀 하지 않는 사람이 있다. 이런 사람은 문제를 전혀 해결하지 못하고 발만 동동 구르다가 결국 병이 나서 드러눕게 된다. 고민을 하느라 생각할 수 있는 에너지의 상당 부분을 빼앗기기 때문이다.

이와 반대로 위기상황에 처했거나 걱정거리가 생겼을 때 걱정은 별로 하지 않고 오로지 문제해결 방법만 생각하는 경우가 있다. 이런 사람은 결국 문제를 해결한다. 가능하다면 고민 없이 생각에만 몰두하는 것이 가장 효율적이다.

가령 병사 두 사람이 있는데 한 사람은 전투 경험이 없고, 다른 한 사람은 백전노장으로 두 사람 모두 군인 정신이 투철하다고 하자. 갑자기 적의 총성이 들려올 경우 전투 경험이 없는 병사는 걱정에 사로잡혀 우왕좌왕하다가 제대로 대처하기 힘들다. 한편 백전노장은 총성의 방향과 세기로부터 적이 어느 방향, 어느 지점에 있는지 파악하고 어떻게 공략해야 할지에 몰두한다. 결국 백전노장만이 성공적으로 적을 무찌를 수밖에 없다.

어떤 문제에 대해 걱정하고 고민하면 감정의 뇌가 우위 상태가 되고, 그 문제를 해결하기 위해 곰곰이 생각하면 전두연합령 우위 상태에 도달한다. 구조적으로 곰곰이 생각할 때 더 올바른 판단을 내릴 수 있는 것이다. 고민의 비율을 줄이고 생각의 비율을 늘리기 위해서는 평소에 규칙적인 운동과 슬로 싱킹을 하는 습관을 들이는 것이 좋다.

몰입과 아이디어의 관계

절박한 상황이라면 누구라도 아이디어가 나올 것으로 믿는 사람들이 있는데, 절대 그렇지 않다. 우리 뇌는 목표로 한 것만 지향한다. 뇌에 그 목표의 중요성을 전달하려면 진지한 마음을 가지고 반복해서 생각해야 한다. 상황이 아무리 절실해도 문제해결을 목표로 삼아 생각하지 않으면 우리 뇌의 목표지향 메커니즘이 작동하지 않으므로 아무런 효과가 없다. 걱정을 한다고 문제가 해결되는 것이 아니라 생각을 해야 문제가 해결된다. 주어진 문제를 해결해야 한다는 내적 중요성이 올라가야 우리 뇌가 문제해결을 목표로 활발하게 작동하는 것이다. 이것이 바로 두뇌 활용법의 핵심이다.

생각이 끊이지 않도록 노력할 때 효과는 더욱 커진다. 충분히 생각하면 잠든 상태에서의 고양된 창의성과 고도로 활성화된 장기 기억 인출능력이 작용하여 평소에 미처 생각지 못했던 기발한 아이디어가 나온다. 아이디어가 생성되는 원리는 이처럼 간단하다. 이 원리만 깨달으면 아이디어를 얻기 위해 두뇌를 어떻게 활용해야 하는지 알 수 있다.

영성 상태 또한 몰입도를 높이는 역할을 하는 것은 틀림없지만 아이디어를 얻기 위한 충분조건은 아니다. 우리 뇌는 목표로 하지 않은 것에 대해서는 해결책을 내주지 않기 때문이다. 참선을 해서 삼매 상태에 들어가더라도 화두의 내용과 방식이 중요하다. 이에 따라 참선이 문제해결을 위한 활동이 될 수도 있고, 단지 삼매에 들어가기 위한 활동이 될 수도 있다. 마찬가지로 절대자를 믿는 종교 활동에서도 무조건 기도만 한다고 해결책이 나오는 것은 아니다. 주어진 문제를 해결하기 위해 '어떻게 해야 할까?' 생각하면서 기도를 해야 목표지향 메커니즘이 작동해서 답이 얻어지는 것이다.

문제를 해결하기 위해 생각할 때 애매한 것이 하나 있다. 문제의 난이도를 알 수 없다는 것이다. 문제가 언제 풀릴지 모른다는 것이 상황을 더 어렵게 만든다. 문제의 수준이 낮을 경우 처음에는 답이 보이지 않더라도 조금만 생각하면 답이 보인다. 반면 문제의 수준이 아주 높으면 아무리 오래 생각해도 답이 보이지 않는다. 귀중한 시간은 흘러가는데 도무지 풀릴 기미가 보이지 않는 상태에서 무한정 붙잡고 늘어지기란 쉽지 않다.

한 가지 분명한 것은, 문제해결 역량은 생각을 지속하는 한 계속 증진된다는 점이다. 계속 생각을 해야 문제해결과 관련된 시냅스가 활성화되기 때문이다. 이는 주어진 문제를 처리하는 컴퓨터의 수가 많아져 문제를 풀 수 있는 기량이 계속 올라간다는 것을 의미한다. 그래서 겉으로는 진전이 없는 것처럼 보여도 주어진 문제가 현미경으로 들여다보듯이 섬세하게 보인다. 조그마한 차이도 명확히 구별되기 시작하는 것이다.

문제 해결책이나 해결의 아이디어는 그것을 얻으려고 노력하기 시작한 시점보다 상당한 시간이 지난 후에 나오는 경우가 많기 때문에 아이디어를 얻기 위한 노력과 그것을 얻는 성과의 상관관계를 파악하기 어렵다. 심지어 아이디어를 잘 내는 사람들도 좋은 아이디어를 얻으려면 문제에 대한 생각을 접고 휴식을 취해야 한다고 오해하는 경향이 있다. 이렇게 믿는 이유는 아이디어를 얻으려고 열심히 생각을 했는데, 원하는 아이디어가 얻어지지 않아 포기하고 있었는데 며칠 지난 후 우연히 원하는 아이디어가 떠오르는 것을 경험했기 때문이다.

아이디어는 포기하지 않고 그것을 얻기 위해 끊임없이 노력할 때 가장 높은 빈도로 얻어진다. 아이디어를 얻기 위해서는 계속 생각하고, 관련된 내용을 읽고, 관련 전문가와 토론하는 등의 노력을 해야 한다.

IGM컨설팅 대표이자 시사평론가인 이종훈 박사는 평소 주위에서 '아이디어맨'이라는 소리를 들을 정도로 좋은 아이디어를 많이 낸다고 한다. 그는 자신이 아이디어를 얻는 방법을 내게 설명해 주었다. 먼저 외부에서 컨설팅 의뢰가 들어오거나 연구보고서를 써야 할 때면 1주일에서 열흘 정도 집중적으로 그 문제에 대해 생각한다고 한다. 그런 뒤 그 문제를 완전히 잊고 TV 등을 보면서 휴식을 취하다 보면 어느 날 아침에 잠이 깨면서 틀림없이 아이디어가 떠오른다고 했다.

나는 그에게 1주일에서 열흘 정도 집중적으로 생각한 뒤에도 생각의 끈을 놓지 말고 계속해서 생각해 보라고 권유했다. 그는 내가 제안한 대로 지속적으로 몰입을 시도했더니 예전보다 아이디어가 세 배 정도는 더 빠른 속도로 얻어지고 때로는 열 배 이상 쏟아져 나오는 것 같다고 했다. 또한 과거에는 잠이 깨면서 떠오르는 아이디어 중에서 상당수를 잊어버리기 때문에 60퍼센트 정도만 기억을 해서 활용했는데 요즈음은 그 활용도도 80~90퍼센트까지 올라갔다고 했다. 그래서 매일 새벽에 일어나서 쏟아지는 아이디어를 정리하면서 가끔 수백 페이지에 달하는 보고서까지 써낸다고 한다. 이런 노력이 쌓여 컨설팅 사업에서도 좋은 성과를 얻는 한편, 명지대에서 연구교수의 기회도 얻었다고 했다.

물론 아이디어를 얻기 위해 계속 긴장을 하다가 휴식을 취하면서 이완을 하면 유리한 점이 있다. 아이디어는 이완 상태에서 더 잘 얻어지기 때문이다. 그러나 슬로 싱킹을 하면 생각할 때 이미 이완을 하고 있기 때문에 따로 휴식에 의한 이완이 필요 없다.

사고주간의 위력

바쁜 와중에 틈틈이 여러 가지 문제를 생각하는 것과 충분한 시간을 두고 한 문제만 집중적으로 생각하는 것은 그 위력과 효과 면에서 엄청난 차이가 있다. 중요한 판단을 내리거나 중대한 방향 설정을 위해서는 관련된 정보를 충분히 숙지한 다음 방해받지 않는 혼자만의 시간을 갖는 것이 효과적이다. 예를 들면 빌 게이츠와 마이크로소프트사의 임원들이 실시하는 '사고주간'과 같은 시간을 갖는 것이다. 자투리 시간을 이용해서 생각하는 것은 약한 몰입에 해당하고, 1주일 이상 한 문제에만 매달려 생각하는 것은 강한 몰입에 해당한다.

컴퓨터를 오래 사용하다 보면 여러 프로그램이 설치되었다가 삭제되기를 반복하면서 성능이 조금씩 떨어진다. 이때 컴퓨터를 다시 포맷하면 예전의 성능이 돌아온다. 1주일 정도 사고주간을 갖는 것은 자신의 인생을 새로 포맷하는 것과 같은 효과를 준다. 요즘 절에서 많이 시행하는 템플스테이나 천주교의 피정과 같은 활동을 사고주간으로 활용해도 좋다. 기간은 1주일 정도가 적합하지만 상황만 허용된다면 더 늘릴수록 좋다. 나는 방학 기간을 이용하여 2주일 정도 강한 몰입을 한다. 이 기간 중에는 어떠한 일정도 잡지 않는데 이 기간 동안 외국에 출장 간 것으로 간주하면 된다.

나의 최고의 지적 능력을 최대 속도가 시속 200킬로미터인 자동차에 비유해 보자. 평소에는 고작 시속 20~30킬로미터의 속도로 다닌다. 약한 몰입을 할 때는 시속 40~50킬로미터이고 중간 몰입을 할 때는 시속 60~70킬로미터인데 강한 몰입을 할 때는 최고 속도인 시속 200킬로미터로 달리는 효과를 갖는다. 평소에 접고 있던 능력의 날개를 마음껏 펼친 느낌이다. 그 호쾌함은 이루 말할 수 없다.

물론 강한 몰입을 하려면 주어진 문제와 사투를 하듯이 단 1초도 다른 생각 없이 치열하게 생각하려는 노력을 해야 하기 때문에 어느 정도의 심적 부담은 있다. 그러나 분명 내가 찾고자 하는 문제에 대한 놀라운 해결책이나 아이디어를 줄 뿐 아니라 삶을 다시 추스르게 해준다. 그래서 다시 일상으로 돌아와도 적어도 몇 개월은 판단력이 좋아지고 삶에 여러 가지 긍정적인 영향을 준다. 실제로 목숨을 건 전투를 한 사람은 그 상황을 벗어나도 그전의 치열한 경험이 얼마간은 삶에 긍정적인 효과를 준다. 그러다 다시 6개월 후에 강한 몰입을 하면 이러한 효과를 반복할 수 있다.

몰입도 100퍼센트에서 느끼는 몰입의 진가

여러 사람에게 몰입을 지도해 본 결과 한 가지 공통점을 발견할 수 있었다. 본인이 적극적으로 몰입에 임할 경우 4~5일이 지나면 대부분 80~90퍼센트의 몰입도에 도달하는 것이었다. 그런데 몰입도 100퍼센트에 이르는 사람은 불과 10퍼센트 정도밖에 되지 않았다. 물론 몰입도가 80~90퍼센트만 되어도 많은 양의 아이디어가 쏟아져 나오기 때문에 단지 아이디어를 얻기 위해서라면 굳이 힘들여 100퍼센트 몰입 상태를 추구할 필요는 없다. 하지만 100퍼센트의 몰입 상태는 분명 특별한 의미가 있다.

100퍼센트의 몰입 상태는 화두 선의 삼매 상태와 비슷한데, 화두 선을 하는 사람들도 삼매에 들기가 쉽지 않다고 한다. 몰입도가 80~90퍼센트 상태까지 올라갔다가 다시 내려가면 등산할 때 8부나 9부 능선까지만 올라갔다가 내려가는 것과 같다. 정상에서 느끼는 산행의 참맛을 즐길 수 없는 것이다.

몰입도 100퍼센트에 도달하는 과정

이제부터 몰입도 80~90퍼센트 상태에서 100퍼센트에 도달하는 과정을 보다 상세히 살펴보자.

문제를 푸는 과정에서 몰입도가 80~90퍼센트에 도달했다면 이때부터는 관련된 책이나 자료를 읽어서는 안 된다. 또 사소한 아이디어는 메모하지 않는 편이 좋다. 생각이 한곳에 계속 머물러서 쌓여야 하는데, 머릿속에 떠오른 생각을 적으면 생각의 내용이 계속 바뀌기 때문이다.

몰입 강도를 높이기 위해서는 생각하는 대상의 폭도 최대한 좁혀야 한다. 문제의 핵심을 계속 파고들다 보면 점점 좁혀져서 최종적으로 남는 핵심은 하나의 점처럼 작아진다. 결과적으로 모든 생각과 노력도 이 작은 핵심에 쏟아붓게 된다. 이 때문에 발산적 사고를 유도하는 '어떻게How?'보다는 수렴적 사고를 유도하는 '왜

Why?'를 활용하는 것이 더 유리하다.

'어떻게?'라는 물음에는 정해진 하나의 답이 없다. 즉, 답이 여러 개가 될 수 있다. 계속 생각하다 보면 반드시 크고 작은 아이디어가 나오게 마련이다. 그러면서 생각의 초점이 바뀌기 시작한다. 돋보기로 햇빛을 모았을 때 초점을 자꾸 이동하면 종이를 태울 수 없는 것처럼 생각을 할 때도 집중하는 대상이 자꾸 바뀌면 강한 몰입 상태에 이르기가 어렵다. 그런데 '왜?'라는 질문은 호기심을 자극하고 문제가 어려우면 별 진전이 없기 때문에 생각을 흐트러뜨리지 않고 한 점에 모이게 하는 효과가 있다.

강한 몰입 상태에 들어가기 위해서는 문제의 난도가 대단히 높아야 한다. 아무리 생각해도 전혀 진전이 없는 문제일수록 효과적이다. 참선을 하는 사람들도 화두를 선택할 때 도저히 풀 수 없을 것 같은 문제를 택한다고 한다. 강한 몰입을 경험하기 위해서는 해당 분야에서 수십 년 이상 해결되지 않은 문제들처럼 수준이 높아야 좋다. 문제의 수준은 높으면서 이것을 해결하는 것과 내 인생을 바꾸어도 좋을 만큼 중요하다고 느껴지면 이상적이다.

몰입을 부추기는 감정

내가 강한 몰입을 통하여 해결하고자 했던 문제들은 모두 현상은 잘 알려져 있는데 그것이 왜 일어나는지는 이해할 수 없는 것이었다. 학계에서 수십 년 동안 미해결로 남아 있는 '왜?'와 관련된 문제였던 것이다. 이런 어려운 문제들의 특징은 아무리 생각해도 좀처럼 진전이 없다는 점이다. 결과를 보면 분명히 하나의 현상으로 반복적으로 재현되는데 도대체 왜 그러한 현상이 일어난 것인지 도저히 이해할 수 없다. 이러한 현상은 자연법칙의 결과이고 자연법칙은 거짓이 없기 때문에 이 문제는 풀릴 수밖에 없고 독 안에 든 쥐나 다름없다. 따라서 다음과 같이 생각할 수 있다.

'나만 잘하면 된다. 나는 끝까지 포기하지 않고 최선을 다할 것이기 때문에 이 게임의 승자는 결국 내가 될 것이 확실하다. 나는 틀림없이 이 문제를 풀 수 있다.'

문제를 풀 때 자신감이 없을 때하고, 풀 수 있다는 확신에 차 있을 때의 심리 상태는 천지 차이다. 자신이 없을 때는 '다른 할 일도 많은데 괜히 쓸데없는 문제로 고민하면서 아까운 시간과 에너지만 낭비하는 것이 아닌가?'라는 생각이 슬그머니 고개를 든다. 그러나 그 문제를 틀림없이 해결할 수 있다는 확신이 들면 자신의 인생을 송두리째 그 문제에 던지게 된다. 그리고 이때부터 비로소 내면 깊숙한 곳에서 잠자고 있던 무서운 잠재력이 발휘되기 시작한다.

물론 문제가 어려울 경우 해결할 수 있다는 확신을 가지고 있음에도 불구하고 아무리 생각해도 진전이 없는 때도 많다. 그야말로 자나 깨나 생각하는데도 아무런 진전이 없으면, '내가 혹시 이 분야에 대한 지식이 부족해서 그런 것이 아닌가?' 하는 생각이 들기도 한다. 그러면 그 분야에 관한 지식을 기초부터 다시 다지게 된다. 그 분야에 대해 완전히 이해했다고 생각될 만큼 철저히 공부를 해도 여전히 그 문제는 난공불락일 때도 많다. 오히려 생각하면 생각할수록 점점 더 이상하게 느껴지고, 교과서에 나오는 어떤 이론으로도 설명이 안 되기도 한다. 도저히 있을 수 없는 일이 일어나는 것이다.

그러다 그 이상한 정도는 점점 극에 달한다. 이 결과를 보고 있으면 "정말 돌아버리겠네!"라는 말을 하루에도 수십 번씩 중얼거리게 된다. 순간적으로 나오는 말이 아닌, 그야말로 마음속 깊은 곳에서 진심으로 우러나오는 말이다. 마치 자연법칙이 나를 속이고 있는 것 같은 심정이 된다. 그리고 호기심이 극도로 커져서 이것만 해결하면 내일 죽어도 여한이 없을 정도가 된다. 호기심 역시 몰입도를 올리는 데 중요한 역할을 한다.

난공불락처럼 보이는 문제를 포기하지 않고 계속 생각할 때 그 문제를 풀 수 있다는 확신과 그 문제에 대한 지극한 호기심 외에도 특별한 감정이 생기는데, 그것은 다름 아닌 분노심이다. '지난 며칠 동안 자나 깨나 오로지 이 문제만 생각했다. 적당히 생각한 것도 아니고 그야말로 목숨을 건듯 혼신을 다해서 그 문제만 생각했다. 내 평생 무언가를 이렇게 열심히 해본 적이 없다. 그런데도 전혀 진전이 없다.' 이런 상황이 되면 기가 죽고 주눅이 들기 쉬운데,

그러면 더 이상 몰입도를 올릴 수 없다.

이때 정반대의 자세를 취하는 것이 중요하다. 기죽어 있을 게 아니라 오히려 문제에 대한 도전정신을 발휘해야 한다. 마음속에서 '누가 이기나 해보자!', '그냥 지나치려고 했는데 이 문제가 내 성질을 건드리네!'라는 식의 오기가 발동되어야 한다. 마치 이 문제가 가만히 있는 나를 한 대 때린 것 같은 심정이 되어야 한다. 그러면 마음속 깊은 곳에 억제되어 있던 '본능적인 공격성'이 자극을 받아 발동하기 시작한다. 도전하고자 하는 마음은 이러한 '본능적인 공격성'과 아주 밀접한 관계가 있다. 가슴속에서 분노가 치밀어 오르고 이성을 잃을 정도의 흥분된 상태는 몰입할 때와 비슷하다. 이 분노나 공격성도 몰입도를 올리는 데 중요한 역할을 한다.

몰입과 참선

몰입 상태에서 가슴속 깊이 억제되어 있던 '호기심'과 '공격성', '분노'를 마음껏 발산하는 것은 스트레스를 해소하고 카타르시스 효과를 얻는 대단히 중요한 경험이다. 이때 느끼는 감정은 자신이 지극히 좋아하는 대상을 향해 마음껏 열정을 발산하는 때와 비슷하다.

한번은 봉은사의 요청으로 신도와 스님들을 대상으로 몰입에 대해 강연을 한 적이 있다. 강연이 끝나고 그 당시 주지스님이었던 명진 스님과 차를 마시면서 이야기를 나눌 기회가 있었다.

몰입 상태에 들어갈 때 나의 감정 변화를 이야기하자, 명진 스님은 이것이 바로 불교에서 말하는 수행의 3요소라고 했다. 틀림없이 문제를 풀 수 있다는 확신을 갖는 것을 '대신심大信心', 생각하면 할수록 이상함을 느끼는 것을 '대의심大疑心', 문제에 대한 분노심을 '대분심大憤心'이라고 한다는 것이다.

명진 스님도 『몰입』을 읽었는데 내가 소개하는 몰입과 불교의 수행이 상당히 비슷해서 책을 읽으면서 전율을 느꼈다고 했다. 조사를 하면 할수록 내가 경험한 강한 몰입은 삼매 상태와 비슷하다는 것을 알 수 있다. 재미있는 점은 명진 스님도 운동을 즐겨 하는데, 그 이유는 운동이 수행에 도움이 되기 때문이라고 한다.

왜 몰입 상태에서 지적 능력이 고양될까?

주어진 문제를 자나 깨나 계속해서 생각하면 의식이 오로지 그 문제로만 가득 채워지는 몰입 상태가 된다. 그럼에도 불구하고 문제의 수준이 높아 전혀 진전이 없으면 어떻게 될까? 우리 뇌는 내가 이 문제를 해결하지 못하면 목숨이 위태롭다고 생각한다. 그런데 문제는 계속 풀리지 않고 있으므로 내적 위기감은 극에 달한다. 이 경우 재미있는 상황이 발생한다.

몰입 상태에서 비상이 걸리는 것은 뇌의 일부분이지 신체 전체가 아니다. 실제 위기상황이 아닌 단지 편안하고 안락한 상태에서 생각을 할 따름이다. 이때 우리 뇌는 목숨을 건 전투를 하는 것으로 착각하고, 온갖 종류의 아이디어를 끄집어내준다. 마치 나의 뇌를 하인 부리듯이 최선을 다하게 해놓고 나는 한가하고 즐겁게 시간을 보내고 있는 느낌이다. 이러한 상황은 컴퓨터 게임에 몰입하는 아이가 자신의 뇌를 비상사태로 만들어놓고 이를 즐기는 것과 아주 비슷하다. 내적 위기감을 유지시키기 위해서 내가 할 일은 계속 그 문제만 생각하는 것이다.

몰입 상태에서 떠오르는 아이디어는 대체로 세 종류다. 첫째, 몰입을 하면 평소에 관심이나 문제의식을 갖고 있었던 다른 문제들에 대한 해결책이나 아이디어가 떠오른다. 이 문제들은 현재 풀려고 하는 문제와 관련은 없지만 역시 중요한 문제들이다. 절박해진 우리 뇌가 마치 "이것은 안 되겠니?" 하고 다른 문제에 대한 아이디어라도 내주는 것처럼 느껴진다. 내 두뇌가 최대로 가동된 상태에서 풀 수 있는 문제들은 모두 풀리는 것이다. 몰입 상태가 지속되면 자신의 능력 안에서 얻을 수 있는 문제의 답은 거의 다 얻어진다고 생각하면 된다. 따라서 평소에 문제를 많이 찾고 의문을 많이 가질수록 좋다. 문제의식이 높을수록, 혹은 생각하고 있던 문제가 많을수록 유리하다.

이러한 문제 중에는 연구와 관련된 것도 있지만 인생에 관한 문제들도 있다. 예를 들면 '어떻게 살 것인가?'와 같은 문제다. 몰입을 하면 삶 속에서 부딪치는 수많은 문제와 갈등에 대한 현명하고 지혜로운 답들이 보이기 시작한다. 연구 능력도 향상되지만, 현실을 살아가는 데 필요한 지혜도 생긴다. 세상을 보는 눈 역시 많이 달라진다. 한마디로 몰입을 하게 되면 정신적으로 강인해지고 성숙해진다.

둘째, 몰입을 하면 문제를 해결하는 데 직접적으로 도움이 되는 아이디어가 떠오른다. 예전에는 미처 생각하지 못했던, 문제와 관련된 새로운 깨달음을 얻는다. 그래서 점점 답에 가까워지고 있음을 확신하게 된다. 특히 문제에 관한 지식을 강화하기 위하여 관련된 책이나 논문을 많이 읽게 되는데 이때 예전에 몰랐던 새로운 깨달음을 얻는 경우가 많다. 이러한 깨달음이 쌓이면서 전공 분야에 대한 이해도 깊어지고 실력도 쌓인다.

셋째, 몰입을 하면 문제를 해결하는 데 도움이 될 만한 정보의 출처가 떠오른다. 이를테면 '어떤 책을 읽으면 도움이 되겠다, 어떤 논문을 찾아보면 좋겠다, 어느 대학의 어느 교수를 만나서 물어보면 도움을 얻겠다' 등의 아이디어다. 이런 아이디어도 평소에는 미처 떠올리지 못했던 기적과 같은 영감이다.

포기하지 않고 생각하면 결국은 해결된다

약한 몰입 사례

교수님의 '몰입'하라는 이야기를 듣고 조그만 실천을 해 보았는데 큰 변화를 실감할 수 있었습니다. 이전에 풀리지 않던 수학 문제를 화장실에서도, 밥 먹으면서도, 길을 걸어가면서도 생각해 보았고 결국 그 문제를 풀 수 있게 되었습니다. 책상에 앉아 있는 시간도 조금 더 길어졌습니다. 작은 변화이지만 많은 것을 느끼게 되었고 '나도 할 수 있겠구나'라는 생각이 들었습니다.

중간 몰입 사례

일과가 끝나면 6시에 퇴근하는 날은 1주일에 이틀 정도

되는데, 집에서 중요하다고 생각되는 문제를 자유롭게 생각하다가 자정쯤 잡니다. 10시 정도에 퇴근하는 날은 자정까지 문제를 좀 더 확실히 정리해 보고 일을 어떻게 나누어서 할지 생각해 보고 잡니다.

이렇게 3~4주 정도가 지났고, 제가 연구하면서 막혔던 문제들 중에서 2가지 문제를 풀 수 있었습니다. 다음으로 풀고 싶은 문제는 적분과 관련된 문제인데 아직 머릿속에서 정리도 잘 되지 않았지만 자주 떠올리고 있습니다. 그리고 제가 지금처럼 지내면서 느끼는 것이, 무엇인가를 하는 것도 중요한데 잡스러운 일, 특히 인터넷 등을 안 하는 게 아주 중요한 것 같습니다.

강한 몰입 사례

반복적인 몰입 상황을 체험하는 것이 몰입을 시도하고 이용하는 사람에게 가장 중요한 포인트로 생각됩니다. 예전에 교수님과 이야기를 나누면서 어렴풋이 알았던 것들이 일정 수준 이상의 몰입에 들어가는 횟수가 증가하니까 '그때 그래서 이런 이야기를 해주신 거구나'라고 깨닫게 되고, 자연스럽게 '어떻게 일상적으로 이러한 몰입 상황을 유지할까?' 하는 생각이 들게 됩니다.

'실험'에 대한 생각도 많이 달라졌습니다. 예전에는 실험 결과가 내가 원하는 대로 나와주어야 된다고 생각했다면, 지금은 간단한 실험이라도 이 실험이 보여줄 결과가 '기대'되고 오히려 기다려집니다. 몰입에 들어가면 이전에는 잘 생각되지 않던 부분들이 어떻게 항상 이렇게 바뀔 수 있는지 신기합니다.

13장

몰입에 대해 자주 하는 질문들

바쁜 직장인은 어떻게 몰입할까?

많은 직장인들이 한 해를 마감하면서 지난 1년을 돌아보면 바쁘게 보낸 것 같기는 한데 도대체 무엇을 했는지 모르겠다고 말하곤 한다. 매일같이 시간에 쫓기며 바쁘게, 열심히 살았는데 이렇다 할 결과물이 하나도 없는 것처럼 느껴진다는 것이다. 왜 그렇게 열심히 살면서도 공허함을 느낄까? 공허함과 부질없다고 느끼는 감정은 왜 생기는 것일까?

공허함과 부질없음은 주로 마음의 중심이 그 일 안에 있지 않고 바깥에 있을 때 생긴다. 내 능력의 전부를 발휘하지 않고 극히 일부만 사용하면서 적당히 살다 보면 인생이 텅 빈 것처럼 느껴지기 쉽다. 밤늦게까지 연구실에 남아서 연구를 해도 마음의 중심이 연구에 가 있지 않으면 엉덩이는 뒤로 빼고 고개만 앞으로 내민 채 연구를 하는 것과 같다. 즉, 바쁘게 보내며 열심히 하긴 했지만 혼신을 다하지는 않은 것이다. 이런 방식으로 연구를 하다 보면 아무리 많은 논문을 발표해도 연구 결과에 대해 자신 있게 말하기 힘들다.

반면 혼신의 힘을 다해서 연구를 하면 비록 발표할 수 있는 논문의 수는 적다 해도 "이것이 진정한 나의 결과물이다!"라고 자랑스럽게 말할 수 있다. 그 결과가 남에게 어떻게 비치든 "한 가지 분명한 것은 나는 진정으로 최선을 다했다"라고 남들 앞에서, 혹은 자신의 양심 앞에, 그리고 절대자 앞에 당당하게 말할 수 있는 것이다. 이렇게 살면 공허함과 부질없음이 끼어들 여지가 없다.

자투리 시간을 활용하라

바쁜 직장인들이 어떻게 자신의 일에 몰입을 적용하고 실천할 수 있는지 구체적인 방법을 살펴보자. 실제 직장에서 일어나는 일은 다양하고 예측 불가능하기 때문에 하나의 전형적인 예를 들어서 소개하겠다. 이를 읽고 각자 자신의 상황에 적절하게 응용해 보기 바란다.

우선 약한 몰입을 실천할 수 있다. 몰입을 시도하기 위해서는 먼저 목표를 설정해야 한다. 가령 나에게 열 가지의 일이 주어졌다고 하자. 여기에는 당장 끝내야 하는 시급한 일도 있고, 어느 정도 시간적 여유가 있는 일도 있다. 이 중에서 중요하면서도 몸보다는 머리를 상대적으로 많이 써야 하고, 어느 정도 시간적 여유가 있는 것 하나를 선택한다. 얼마나 훌륭한 아이디어를 내느냐에 따라 그 일의 성패가 좌우되는 일일수록 좋다. 어떤 일은 내가 아무리 좋은 아이디어를 내도 다른 요인이 일의 성패를 결정하기도 하는데, 이런 종류의 일은 몰입의 대상으로 적합하지 않다.

시간은 한 달 정도의 여유가 있으면 이상적이지만, 그렇지 않다 해도 최소 2주 이상은 되어야 한다. 그 일을 A라고 하면 A가 몰입을 시도할 목표가 되는 것이다.

A를 제외한 나머지 아홉 가지 일은 종전의 방식대로 수행한다. 그리고 A에 대해서는 자투리 시간을 활용해 수시로 생각하도록 한다. 여기서 자투리 시간은 점심시간에 식사를 마치고 업무가 시작되기 전까지의 시간, 업무를 하다가 잠깐 커피를 마시거나 화장실에 있는 시간, 출퇴근 길에 운전을 하거나 버스, 지하철 혹은 도보로 이동하는 시간, 집에서 세수를 하거나 샤워를 하는 시간, 잠자리에 들어서 잠들기까지의 시간 등을 말한다. 매일 별 생각 없이 흘려보내는 이 시간들을 합치면 의외로 길다. 이 자투리 시간에 A라는 문제를 집중 공략하기 시작한다. 이때 주로 '왜?'와 '어떻게?'를 적용하면 된다. A와 관련하여 이해가 가지 않는 부분이 있으면

'왜?'라는 의문을 제기해 보자. 그에 대한 답은 '어떻게?'에 대한 답을 얻는 데 힌트가 되는 경우가 많다.

자투리 시간에 생각을 하면 오히려 슬로 싱킹이 잘 된다. 이때 A에 관하여 생각해야 한다는 사실을 자꾸 잊어버릴 수가 있다. 이를 방지하기 위하여 책상 위나 눈이 자주 가는 곳에 A와 관련된 핵심 단어를 써서 붙이는 것도 한 가지 방법이다. A에 대하여 생각하다 보면 분명 자신이 충분히 알고 있지 않다고 느껴질 때가 있을 것이다. 이럴 때에는 관련된 정보나 지식을 찾아서 습득하려는 노력을 해야 한다. 예를 들어 A에 대해 자신보다 더 잘 알고 있는 주변 인물을 찾아서 도움을 청하기도 하고, 인터넷을 조사하거나 관련된 서적을 구입하여 해당 지식을 습득한다. 그러면 A에 관한 생각의 진전이 훨씬 잘 된다.

자투리 시간에 A에 대해 생각하는 상태로 1주일 정도를 보내면, A라는 문제를 처음보다 훨씬 더 구체적으로 파악하게 된다. 그리고 A에 대해 생각하기도 한결 수월해진다. 종전에 생각하지 못했던 아이디어가 떠오르는 경우도 많다.

1주일이 지났는데도 아이디어가 떠오르지 않을 수 있는데, 그런 경우에도 정해진 기간까지 생각을 지속해야 한다. 1주일 정도 시간이 지난 후에는 잠들기 직전에 생각하는 시간을 늘리는 것이 좋다. 이때부터 수면 상태에서의 활성화된 뇌활동의 효과가 나타나기 때문이다.

앞에서 언급했듯이 전반부 수면에서 창의성이 극대화되므로, 서너 시간 잔 후에 일어나는 것이 아이디어를 얻는 데 유리하다. 일어나서 30분에서 두 시간 정도 생각하면서 떠오른 아이디어를 적다가 다시 잠자리에 들면 된다. 이렇게 해도 별다른 아이디어가 떠오르지 않는다면 걱정하지 말고 계속 그것에 대한 생각을 하면 된다. 머릿속에서 아이디어가 숙성되고 있는데, 아직 때가 안 된 것뿐이다. 이러한 과정을 통하여 창조성이 잉태된다는 사실을 명심해야 한다. 이런 생활을 하다 보면 처음에는 막막하게 보이던 문제도 풀리기 시작하고, 예전에 미처 생각하지 못했던 아이디어도 떠오르면서 그것이 법칙처럼 재현된다는 것을 알게 된다.

기발하다고 해서 그것이 꼭 좋은 아이디어인 것만은 아니다. 사람들은 혼신의 생각 끝에 얻은 기발한 아이디어에 큰 애착을 갖는 경향이 있다. 공들여 생각해서 얻은 만큼 더없이 소중하고 좋은 아이디어라고 생각한다. 그러나 이러한 주관적인 감정에 집착하다 보면 일을 그르칠 수 있다. 따라서 자신의 아이디어가 가치 있는 것인지 객관적인 판단을 내려야 하는데 그러려면 직장 상사나 주위 사람들에게 의견을 듣는 것이 가장 좋다.

이와 같은 방식으로 A라는 일을 끝내면 그 결과가 어떻든 혼자서 자축의 시간을 가져보자. 여러 사람이 팀을 이루어 한 일이라면 참여한 사람들과 함께 시간을 갖는 것도 좋다. 이 시간은 바둑을 두고 난 후 복기를 하는 것과 비슷하게 보내야 한다. 아이디어를 내는 과정에서 어떤 접근이 좋았고, 어떤 접근이 나빴는지 돌아보는 것이다. 그리고 최종 선정된 아이디어로 A를 수행했을 때 어떠한 것이 예상과 맞아떨어졌고, 어떠한 것이 예상과 달랐는지 생각해봐야 한다. 예측한 것과 실제 일어난 것의 차이를 인식하고 그 차이가 왜 나타났는지를 이해하면 예측 능력이 점점 더 정확해진다. 이러한 시간을 통해서 작은 성공이라도 그 기쁨을 만끽하고 그동안 수고한 자신을 격려도 하고, 다음에는 조금 더 잘해보자는 다짐도 하는 것이다. 이로써 A에 관한 약한 몰입은 끝이 난다.

그런 다음에는 바로 다음 문제를 찾아 몰입에 들어가지 말고, A에 몰입하느라 그동안 미뤄왔던 일들에 시간을 할애한다. 그동안 부족했던 가족과의 대화, 미뤄두었던 주변 사람들과의 연락이나 만남에 시간을 할애하는 것이다. 그러고 나서 자신에게 주어진 열 가지 일 중에서 다시 최소 2주 이상 몰입할 문제를 찾아 앞에서 설명한 대로 반복하면 된다.

약한 몰입을 통해서도 어느 정도의 몰입 효과를 확인할 수 있다. 의식을 통제하여 한 가지 문제를 집중적으로 생각함으로써 아이디어가 나오는 경험, 관련된 업무에 흥미가 생기고, 업무 수행이 능동적으로 바뀌고, 문제에 쫓기기보다는 쫓는 상황으로 바뀐다는 것을 체험할 수 있다. 그러다 보면 나중에는 A를 생각하는 시간이 즐거워지고 다른 일은 상대적으로 재미가 없어진다. 빨리 끝내고 A에 대한 생각만 실컷하고 싶어진다.

약한 몰입이라도 반복해서 실천하면 의식의 통제 능력과 문제 해결 능력이 향상되고, 업무를 즐기는 능력도 올라간다. 그래서 대학에서 학위과정에 있는 것 못지않게 생각이 날카로워진다. 깊은 생각과 경험이 함께 어우러지면 자신이 몸담고 있는 분야에서 점차 달인이 되어간다. 그리고 이런 과정을 거쳐서 해낸 업무에 대해서는 주어진 조건에서 "최선을 다했다"고 자신 있게 이야기할 수 있다. 자신의 일에 대한 애착도 생기고, 내가 무언가 의미 있는 일을 했다는 자부심도 생긴다.

우리가 무엇인가에 시간을 쏟는 것은 우리 인생의 한 부분과 맞바꾸는 것이다. 특히 직장에서 일을 하는 시기는 대개 인생의 황금기다. 내가 하는 일이 과연 꽃다운 나의 청춘과 바꿀 만한 가치가 있는지 잘 생각해봐야 한다. 그것은 어떠한 일을 하느냐의 문제가 아니라 어떻게 일을 하느냐의 문제다.

문제 해결의 우선순위

해결해야 하거나 아이디어를 내야 할 문제가 굉장히 많은 경우가 있다. 그런데 대부분 너무 어려워서 어느 하나 뾰족한 해결책이나 아이디어가 나오지 않는 상황이라면? 이럴 때 여러 가지 문제를 동시에 생각하는 것은 효율적이지 못하다. 한 번에 한 문제씩 다루는 것이 몰입의 효과를 증대시킬 수 있는 방법이다.

먼저 여러 가지 문제 중 한 가지를 선정한다. 이 문제를 A라고 하고, 앞에서 언급한 방식으로 대략 1주일 동안 자투리 시간에 몰입해 보자. 역시 일과 후나 주말에는 아무것도 하지 않고 오직 A만 생각하는 시간을 갖는다. 그럼에도 불구하고 A에 대한 해결책이나 아이디어가 나오지 않을 수 있다. 그러면 A에 대한 생각은 일단 접어두고 그다음 주부터는 B라는 문제로 몰입의 대상을 바꾼다. 생각의 주제를 바꾸어도 A를 풀려는 두뇌활동이 무의식적으로 진행된다. A 문제를 공략하던 것과 같은 방식으로 1주일 동안 B라는 문제를 공략한다. 1주일이 지났는데 역시 B에 관해 뾰쪽한 해결책이나 아이디어가 떠오르지 않는다면 그다음 주에는 C라는 문제로 몰입 대상을 바꾼다. 이런 식으로 계속 진행해서 머릿속에 해결되지 않은 문제가 열 개 이상이라고 하자. 그러면 시간이 지날수록 아이디어가 떠오르는 빈도가 높아진다. 떠오르는 아이디어의 빈도는 문제의 수에 비례하기 때문이다. 그래서 어느 날 A에 관하여 다시 생각하고 있는데 갑자기 B나 C의 해결책이나 아이디어가 떠오르기도 한다. A에 관하여 생각한다고 해서 반드시 A에 관한 아이디어만 떠오르는 것이 아니다.

아이디어가 떠오르는 양상은 예측할 수 없지만, 분명한 것은 자신이 문제로 인식하는 것에 대해서만 아이디어가 떠오른다는 것이다. 따라서 많은 문제를 생각할수록 좋다. 단, 그 문제는 구체적이고 명확하게 정의되어야 한다. 해결해야 할 문제가 많을 때에는 각 문제마다 1주일가량 몰입해 보자. 이렇게 하면 그 문제의 핵심이 잘 정리되기 때문에 무의식 상태에서 해결책이나 아이디어가 보다 쉽게 나올 것이다.

시험을 앞둔 시점의 몰입

사고에 의한 몰입으로 문제를 해결하는 방식은 남이 만들어놓은 길을 가는 것이 아닌 내가 스스로 길을 만들어가는 경우에 유리하다. 따라서 창의적인 활동에 유리하다. 한편 수험공부는 주로 교과서에 있는 내용을 습득하는 것이고, 공부할 내용이 많고 다양하기 때문에 몰입 적용 방식도 사고에 의한 몰입과는 조금 다르다. 수험공부를 할 때의 몰입은 의식에 다른 잡념이 들어오는 것을 줄이고, 오로지 수험공부에 관련된 내용으로만 의식을 채우는 상태라고 할 수 있다.

나는 사실 수험공부에 몰입을 의도적으로 적용해 본 적이 없다.

몰입은 대학을 졸업하고 나서 한참 후에 경험한 일이기 때문이다. 그러나 그동안의 경험으로 미루어볼 때 내가 만약 중요한 입시나 고시를 준비하는 상황이라면 몰입을 어떻게 적용해야 할지 어느 정도 짐작이 된다.

수험공부에 몰입을 성공적으로 적용한 사례

내가 생각한 몰입 방법을 실제 수험공부에 성공적으로 적용한 사람들이 있어 소개한다.

한순간도 공부에 대한 생각을 놓지 않다

한번은 강연을 하기 위해 CHA의과학대학교를 방문했다가 박명재 총장을 만났다. 행정자치부 장관을 역임한 그는 자신도 몰입을 경험했다고 하면서 자신의 몰입 이야기를 들려주었다.

박 총장은 연세대학교 행정학과 재학 시절 학생회장에 뽑혔다. 학생회장이다 보니 시위에 자주 나서게 되었다. 그러다가 영장이 나와 군대를 가게 되었는데, 제대 후 마음속으로 품고 있었던 행정고시 준비를 했다.

복학한 첫해에는 2차 시험이 7개월밖에 남지 않아서 준비기간이 너무 짧았다. 그래서 1차 시험 합격만을 목표로 준비했다. 그 후로 길을 걸을 때나 화장실에 갈 때나 어느 한순간도 고시를 위한 공부를 멈춘 적이 없었다. 숨 쉬는 것은 물론 하루하루의 삶이 완전히 고시를 향해 있었다. 고시공부를 시작한 이후엔 '내 행동 하나하나가 합격에 직결된다'는 각오로 공부했다고 한다.

그가 공부하는 모습을 본 한 친구는 "너는 마치 신들린 듯이 공부를 하는구나"라고 말하기도 했다. 볼펜으로 종이에 써가면서 공부를 했는데, 종일 쓰다 보면 잉크가 닳아 매일 새 볼펜으로 바꾸어야 했다. 사흘이면 300~400페이지 정도 되는 책을 완전히 독파할 수 있어서 머릿속에 지식이 쌓이는 것이 느껴질 정도였다. 그렇게 7개월을 공부한 결과 행정고시에 수석으로 합격했다.

그 당시 학생회장 출신이, 그것도 첫 번째 시험에서 수석을 한 경우가 처음이라서 매스컴의 집중 조명을 받았다. 사무관이 된 날로부터 매일 누구보다도 일찍 7시경에 출근하여 19층까지 운동 삼아서 걸어 올라가 국무회의실의 문고리를 잡고 기도를 했다. 언젠가는 나도 이 회의에 참석할 수 있는 사람이 되게 해달라고. 결국 그 꿈을 이루어 행정고시 동기 중에 유일하게 장관이 되었는데, 그것도 항상 자신의 업무에 몰입했기 때문에 가능한 일이었다고 한다.

식사시간은 줄이고, 수면시간은 충분히

변호사이자 증권투자 전문가로 활동하다 지금은 국회의원으로 활동하고 있는 고승덕 의원은 '고시 3관왕'으로 유명하다. 대학교 재학 시절 사법고시 합격, 외무고시 차석, 행정 고시 수석을 차지했고 서울대 법대도 수석으로 졸업했다. 그는 하루 24시간 중 잠자는 7시간을 제외하고 나머지 17시간을 공부했다. 참고로 고시생의 하루 평균 공부시간은 10시간 정도니까 남들보다 훨씬 더 많은 시간을 공부에 할애한 셈이다. 밥 먹을 때는 반찬 떠먹는 시간도 아깝고, 씹는 시간도 아까워서 모든 반찬을 밥알 크기로 으깨 밥과 비벼 먹었다고 한다. 그리고 숟가락을 놓는 그 순간부터 공부를 했다. 이를 테면 공부에 철저하게 몰입한 것이다.

여기서 눈여겨볼 점은 깨어 있는 17시간은 공부만 했지만, 수면 시간은 7시간으로 비교적 충분히 잤다는 것이다. 공부를 할 때 잠을 줄이면 긍정적인 화학물질이 잘 분비되지 않아 집중이 안 되고 공부하기가 싫어진다. 따라서 절대 잠을 줄이지 말고, 깨어 있는 시간을 알차게 보내야 한다. 그래야 무리한 최선이 아닌 지속적으로 실천 가능한 최선을 할 수 있다.

몰입하는 흉내만 내도 충분하다

공부라는 행위도 그것을 중단 없이 연속적으로 하면 몰입 효과가 나타나서 생각보다 견딜 만하다.

적당히 공부하면 지겹지만 걸어 다니면서, 세수하면서, 화장실에서도 계속하다 보면 오히려 긍정적인 감정이 생긴다. 이처럼 공부에 몰입하는 사람들은 한결같이 강인한 정신력과 뚜렷한 목표의식을 갖고 있는데, 이 두 가지 요소가 몰입의 장벽을 넘고 고도의 몰입 상태를 유지하는 데 굉장한 힘이 된다.

정신적인 강인함은 몰입의 장벽을 넘기 위해서도 필요하지만 몰입 활동에서 발생할 수 있는 정서적 불안정을 줄이는 데에도 중요한 역할을 한다. 정신적인 강인함은 육체적인 강인함에 의하여 보완될 수 있는데, 박명재 총장의 고시공부는 군대를 막 제대한 후였음을 주목할 필요가 있다.

높은 몰입도를 계속 유지하려면 육체적으로든 정신적으로든 무리하지 말아야 한다. 이를 위해서는 편안한 자세와 마음가짐을 가지는 것이 중요하다. 한편 육체적 그리고 정신적인 무리에 대한 기준은 각 개인마다 다를 수가 있다. 한마디로 개인마다 견딜 수 있는 한계가 다르다.

기억해야 할 점은 몰입도를 올리는 과정이 힘들지, 일단 몰입도를 올려놓은 상태에서 계속 유지하는 것은 상대적으로 덜 힘들고 오히려 긍정적인 감정이 생긴다는 것이다. 따라서 몰입도가 오르내리기를 반복하는 상황보다는 몰입도가 높은 상태를 계속 유지하는 것이 훨씬 더 효율적이고 견디기도 쉽다.

특히 이동할 때는 생각을 하는 것이 가장 효과적이다. 생각할 문제가 없으면 노트에 있는 내용을 외워도 되지만, 책을 읽는 것은 피하는 것이 좋다. 이동 중에 책을 읽으면 어지럼증이 생겨 컨디션이 나빠진다. 이렇게 공부에 몰입한다는 것은 단 1초도 다른 생각을 하지 않고 자나 깨나 오로지 공부에 대한 생각만 하는 것이다. 이때 끊김 없이 연속적으로 하는 것이 중요하다. 처음에는 완벽하게 실행하기 힘들더라도 이러한 방향으로 계속해서 노력해야 한다. 시작할 때는 그냥 몰입하는 흉내만 내면 된다. 그래도 효과가 조금씩 나타난다. 흉내 내기를 지속하면 가속도가 붙어 머지않아 효과가 나타난다.

몰입을 하면 인간관계에 문제는 없을까?

몰입은 누구나, 어떤 일에나 적용 가능한 효율적인 방식이지만 가정생활이 원만하지 않고, 직장에서 원만한 인간관계를 형성하지 못하는 사람이 몰입을 하는 것은 곤란하다. 몰입은 좋은 인간관계에 만족하지 않고 개인적으로 더 큰 무언가를 성취하고자 할 때 필요한 것이다.

주위 사람들과의 관계가 원만하지 않으면 자신의 관심을 온통 주어진 문제에 쏟기가 훨씬 더 어렵다. 따라서 몰입을 하고 싶으면 먼저 가정과 직장에서 원만한 인간관계를 형성해야 한다. 특히 직장에서 지위가 낮을 경우 대체로 일하는 방식에서 자유롭지 못하므로 열심히 노력해서 먼저 상사로부터 인정을 받아야 한다. 인정을 받아야 자유가 생기고, 자유가 생길수록 자신이 원하는 방향으로 노력할 수가 있다. 또한 몰입이 현실과 조화를 이루도록 노력해야 한다. 만약 몰입 활동이 현실과 충돌하고 대립한다면 현실에 더 높은 우선순위를 두어야 한다. 몰입으로 이상적인 삶을 추구하더라도 두 발은 항상 땅을 딛고 있어야 한다.

내가 하는 일에 몰입하는 것이 더 중요하냐, 아니면 각종 모임 등의 활동이 더 중요하냐는 각 개인의 상황 혹은 가치관에 따라 달라진다. 그러나 명심할 점이 하나 있다. 성공적인 사교생활이 후회 없는 삶을 가져다주는 것은 아니라는 것이다. 평균적인 노력을 하고 평균적인 삶을 살면서 성공하기는 힘들다. 각 분야에서 정상에 있는 사람들을 보면 모두 비정상적인 노력을 하고 비정상적인 삶을 살았다. 몰입은 최선의 삶을 구현하는 한 방법이지만 분명 평균적인 삶은 아니다.

'그러면 삶에서 진정 중요한 것이 무엇인가?'라는 의문이 남는다. 무엇을 더 중요하고 소중하게 여기느냐에 따라, 그리고 살아가는 방식에 따라 삶의 결과가 형체 없는 안개로 사라질 수도 있고, 예술 작품에 버금가는 모습으로 완성될 수도 있다. 어떤 삶에 더 가치를 두고 살아가느냐는 각자의 선택에 달려 있다.

14장

몰입과 생각하기 지도 사례

학위 과정에서의 몰입과 생각하기

학생들을 지도하다 보면 많은 학생들이 미지의 문제를 스스로 생각해서 해결하는 훈련이 충분히 되어 있지 않다는 생각이 들곤 한다. 그리고 생각하는 훈련이 되어 있는 정도도 개인마다 다르다. 어떤 학생은 비교적 쉽게 생각하기를 실천하는 반면, 어떤 학생은 좀처럼 실천을 못한다.

여기에서 소개할 네 가지 사례 중 첫 번째와 두 번째 사례는 처음부터 생각하기를 잘한 편에 속하고, 세 번째와 네 번째 사례는 처음에는 생각하기를 좀처럼 실천하지 못했던 편에 속한다.

아마 첫 번째와 두 번째 사례가 예외적이고, 상당수의 사람들이 세 번째와 네 번째 사례에 가까울 것이다.

사례 1)
정신적으로 성숙한 학생

첫 번째 사례는 고등학생 시절부터 성적이 아주 우수했던 전형적인 모범생으로, 다른 학생들에 비해 정신적으로 아주 성숙한 학생의 이야기다. 이 학생은 내가 어떤 이야기를 해도 항상 귀 기울여 듣고, 배우려는 열의가 남다른 게 특징이다. 보통 학생들은 지도교수를 어려워하며 피하는 경향이 있는데, 이 학생은 이 핑계 저 핑계를 만들어서라도 나를 자주 찾아온다.

이 학생은 대학교를 졸업할 때까지 생각하기의 중요성에 대한 이야기를 그 누구에게서도 들어본 적이 없다고 했다. 내가 생각의 중요성과 몰입에 대한 이야기를 들려주자 몇 주 뒤 이 학생이 이메일을 보내왔다. 생각하기의 중요성에는 공감하는데 좀처럼 생각할 시간이 나지 않는다고 했다. 수업을 듣고, 숙제를 하고, 실험실 미팅에 참석하고 나니 생각할 시간이 없더라는 것이었다.

나는 이 학생을 불러 "생각하는 것에 우선순위를 두지 않으면 평생 생각할 시간이 나지 않는다"고 말해주었다. '나중에 시간 날 때 생각해야지' 하고 계속 미루다 보면 죽는 날까지 생각할 시간을 만들 수 없다. 특히 열심히 사는 사람일수록 바쁘게 시간을 보내기 때문에 일부러 시간을 내지 않으면 생각할 여유가 생기지 않는다.

나는 이 학생에게 등하교 시간에 짬짬이 생각할 것을 권했다. 이 학생은 낙성대 근처에 살았는데 평소 학교에 갈 때 마을버스를 탄다고 했다. 그래서 나는 마을버스를 타는 대신 걸어 다니면서 그 시간에 생각하는 습관을 들이라고 했다. 생각하는 대상은 주로 수업 내용 중 이해가 가지 않는 것이나, 자신의 연구 주제와 관련된 기본적인 개념에 대한 것으로 정하라고 일러주었다.

몇 주가 지난 뒤 그 학생에게서 이메일이 왔다. 내 말대로 하니까 매일 생각을 할 수 있었다는 내용이었다. 그리고 수업시간에 이해하지 못했던 내용을 생각하다 보니 기본적인 개념을 확실하게 깨우칠 수 있어 좋다고 했다. 그러면서 생각하기의 중요성을 새삼 실감하게 되었다고 했다. 이렇게 열 달 동안 열심히 생각하기를 실천하고 나서 새로운 사실을 깨달았다고 했다. 그전까지만 해도 모르는 문제는 해법을 배워야 알 수 있다고 생각했는데, 모르는 문제도 계속 생각하다 보니 스스로 해결할 수 있더라는 것이었다. 그 학생은 이것이 자신의 삶에서 겪은 가장 큰 패러다임의 변화라고 했다.

그 후 이 학생은 마음을 굳게 먹고 무려 40일 동안 자나 깨나 주어진 문제만 생각하며 본격적으로 몰입을 시도했다. 그 기간 동안 연구에 대한 생각을 하지 않은 시간은 오로지 주말에 부모님을 뵈러 갈 때뿐이었다. 이 학생은 내가 지도한 학생 중에 가장 진지하게, 가장 오랜 시간 몰입을 실천했다. 그 과정에서 하루가 다르게 성장해갔다.

흥미로운 것은 이 학생의 몰입 동기가 나와 같았다는 것이다. 이 학생은 대학 시절부터 '어떻게 살아야 죽을 때 후회하지 않을 것인가?'에 대한 물음이 삶의 화두였다고 한다. 그런데 그 답을 찾지 못하고 있다가 나에게서 몰입에 관한 이야기를 듣고 그것이 자신이 찾던 답일지도 모른다는 생각에 그때부터 몰입에 관심을 갖기 시작했다는 것이다.

그는 40일간의 몰입 체험으로 가치관이 바뀐 후 생활 패턴도 달라져 연구와 직간접으로 관련이 없는 활동은 멀리하고 거의 모든 시간을 연구에만 몰두했다. 그러면서 부모님과 친구들에게서 이구동성으로 전과 달라졌다는 이야기를 들었다고 했다.

이 학생은 극단적인 몰입은 아니더라도 슬로 싱킹을 활용하여 열심히 생각하는 연구생활을 몇 년 동안 실천했다. 규칙적으로 하루에 한 시간씩 운동도 했다. 규칙적인 운동의 위력을 실감한 것이 자신이 삶에서 겪은 두 번째로 큰 패러다임의 변화라고 했다. 그리고 이런 생활을 통해 지극한 행복감을 느끼게 되었다고 했다.

집으로 돌아가는 길에 낙성대로 걸어가다 보면 술에 취한 사람들이 눈에 띄는데 몇 년 전에는 자신도 그들과 같았다고 한다. 그래서 홍청망청 취해 그 순간의 기쁨을 누리는 그들의 기분을 너무도 잘 이해하지만 자신은 분명 그때보다 지금이 훨씬 더 행복하다고 한다. 이처럼 삶에서 중요한 몇 가지 일에만 전념해 단순한 삶을 살면서도 지극한 행복을 느낄 수 있다.

이 학생은 몰입의 놀라운 위력을 체험한 후 친동생에게도 멘토링을 해주었다. 그의 동생은 대학을 졸업하고 여러 회사에 응시했지만 번번히 낙방하다가 결국 군대에 갔다. 그는 동생이 휴가 나올 때마다 몰입의 효과와 중요성을 일러주면서 몰입을 한번 해보라고 권유했다. 그러다가 동생이 군대에서 제대할 무렵 경쟁률이 높은, 좋은 회사에 응시하게 되었다. 동생은 그 회사에 들어가고 싶은 마음이 너무도 간절했지만 여러 회사에서 이미 낙방한 경험이 있었기 때문에 자신이 없다고 했다.

그 회사의 면접시험 문제와 답은 인터넷에서도 얼마든지 구할 수 있었지만, 이 학생은 동생에게 몰입을 통해 보다 독창적인 답을 생각해 보라고 권유했다. 형의 말대로 동생은 며칠 동안 자나 깨나 그 문제만 생각했다. 그렇게 며칠이 지나고 나서 보니 인터넷에 있는 답보다 훨씬 더 수준 높은 답이 떠올랐다. 그리고 면접시험을 볼 때 그 답을 이야기하자 징조가 아주 좋았다. 면접관이 아주 훌륭한 대답이라고 칭찬을 해준 것이다. 예감대로 동생은 그 회사에 합격했다.

합격한 뒤 2주 동안 신입사원 연수를 갔는데, 팀별 프로젝트가 주어졌다. 동생은 그 주제에 대해서도 계속 몰입해서 아이디어를 냈고, 그 아이디어는 만장일치로 채택되었다. 팀원들은 어떻게 그런 생각을 했느냐며 모두들 놀라워했다고 한다.

이 학생의 주중 활동은 아주 단순하다. 연구, 수영 그리고 1시간 정도 여자친구와 전화통화를 하는 게 전부다. 그리고 주말에는 부모님 댁을 방문하고 여자친구와 데이트를 한다. 이들은 얼마 전에 결혼했다.

나는 학생들에게 쓸데없는 활동에 시간을 낭비하지 말고 인생에서 중요한 일에 전념하라고 권한다. 결혼도 인생에서 중요한 일이므로 좋은 사람을 만나면 모든 것을 걸라고 조언한다. 가정이 화목하고 안정되어야지 그렇지 않으면 절대로 자기 일에 몰입할 수 없기 때문이다. 나중에 이야기를 들어보니 연구에 몰입을 했지만, 죽어도 여한이 없을 정도는 아니었다고 한다. 그런데 2년 전 부친의 소개로 현재의 아내와 만난 이후 그야말로 모든 걸 걸었고 죽어도 여한이 없을 정도로 열애를 했다고 한다.

사례 2)
도전정신이 강한 학생

두 번째 사례는 이미 중고등학생 시절부터 생각하기 훈련을 잘 해온 학생의 이야기다. 이 학생은 이미 중고등학생 때부터 문제를 풀 때 해답을 보지 않고 끝까지 물고 늘어져 스스로 풀었다고 한다. 게다가 운동을 좋아해서 몰입의 기본 자세를 모두 갖추고 있었던 셈이다.

이 학생은 생각하는 것에 익숙하고 그 중요성을 이미 잘 알고 있어서 그런지, 내 지도학생이 된 후 거의 매 학기 방학 때마다 1주일 이상의 몰입을 시도해서 3년 동안 모두 다섯 번의 몰입을 경험했다. 한 번 몰입을 실천할 때마다 눈에 띄게 발전하는 모습을 보였는데 두 번째 몰입부터는 상당히 중요한 문제들을 해결해서 나를 깜짝 놀라게 하기도 했다. 평소 생각을 많이 하는 이 학생은 생각을 하기 위해 실험실에서 잠을 자는 경우도 많다. 또 지하철로 잠실에서 낙성대를 오가는 등하교 시간에는 항상 자신의 연구 주제에 대해 생각을 한다고 한다. 낙성대에서 전철을 타고 생각에 잠겼다가 잠실역에서 내릴 때가 되어 생각에서 벗어나면 마치 낙성대에서 잠실까지 순간 이동을 한 것처럼 느껴진다고 한다. 이 학생은 생각을 많이 하면 생각을 하지 않았을 때 보이지 않던 것들이 보이기 시작하고, 단순히 생각만 했을 때 보이지 않던 것들이 몰입할 때는 보인다고 한다. 그래서 아이디어를 얻는 효과로 보면 생각을 하지 않을 때와 생각을 많이 할 때의 차이는 엄청나고, 또 생각을 많이 하는 것과 몰입을 하는 것은 분명히 다르다는 것을 경험으로 확인했다는 것이다.

농구 마니아인 이 학생은 매일 오후 네 시면 어김없이 농구장으로 달려간다. 그러다 보니 남들 눈에는 열심히 연구하지 않는 것으로 보이는 모양이다. 한번은 주위 사람이 나에게 이런 이야기를 했다. 우리 연구실에 연구를 열심히 안 하고 놀기만 좋아하는 학생이 한 명 있는데, 바로 이 학생이라는 것이다. 겉보기에는 그렇게 보일지 모르지만 이 학생이 생각하는 방식을 보면 다른 학생들과 확연히 다르다. 가장 큰 차이는 문제의 핵심을 잘 파악한다는 것이다. 그리고 그 핵심에 생각을 집중한다.

나는 이 학생이 문제의 핵심을 파악하는 탁월한 능력을 가진 것은 중고등학생 시절에 스스로 생각해서 문제의 답을 찾는 학습법을 훈련했기 때문이라고 생각한다. 어린 시절 모르는 문제를 스스로 생각해서 해결하는 학습을 통해 약한 몰입을 경험했기 때문에 문제의 핵심을 쉽게 찾아내고 또 그것에 집중해서 생각해 문제를 잘 해결할 수 있을 뿐만 아니라 강한 몰입도 별 어려움 없이 할 수 있는 것이다.

게다가 이 학생은 도전정신이 아주 강한 게 특징이다. 아무리 어려운 문제에 직면해도 전혀 위축되지 않는다. 쉬운 문제 앞에서도 위축되고 그것을 풀 수 없는 이유부터 찾는 다른 학생들과는 아주 대조적이다. 학생들에게 도전정신을 심어주는 것도 대학원에서 해야 할 중요한 교육 중 하나다.

하루는 이 학생에게 남들보다 도전정신이 강한 이유가 무엇인지 물었다. 그러자 자신은 농구시합을 할 때 예선전보다는 준결승전이 더 재미있고, 준결승전보다는 결승전이 더 재미있다고 했다.

게임이 어려워질수록 더 혼신의 힘을 다하게 되고 그럴수록 더 재미를 느낀다는 것이다. 결국 열정과 도전정신은 끊임없는 도전을 통해서만 키울 수 있는 것이다.

사례 3)
생각보다 행동이 앞서는 학생

세 번째 사례는 성격도 쾌활하고 우리 연구실에서 실험을 가장 열심히 하는 학생의 이야기다. 항상 열정이 넘치는 이 학생은 거의 매일 늦게까지 실험실에 남아 실험을 하고, 주말에도 거의 빠짐없이 학교에 나와서 연구 활동을 한다. 그래서 그룹 미팅에서 발표할 때 보면 실험 결과의 양이 다른 학생의 두세 배는 된다. 게다가 자신의 연구에 대한 애착도 강하다. 이 학생은 실험실에서 약 한 달간을 먹고 자면서 집중적으로 실험에 몰입하는 경험도 했다.

모든 것이 완벽해 보이지만 이 학생에게는 한 가지 문제가 있다. 바로 머리보다 몸이 먼저 나간다는 것이다. 충분한 시간을 들여서 깊이 생각하지 않고 그저 실험만 열심히 하는 것이다. 물론 이 학생은 경쟁력에서 가장 중요한 요소인 열정, 근면, 그리고 성실성을 모두 갖추고 있다. 그러나 나는 지금보다 한 단계 더 발전하려면 생각을 깊이 하면서 연구를 해야 한다고 조언했다.

그러고 나서 몇 달 동안 관찰해 보니 실험은 열심히 하는데 역시나 생각은 거의 하지 않았다. 그래서 다시 노력의 방향을 생각하는 쪽으로 돌리라고 했다. 그 후 또 몇 달을 주의 깊게 살펴보니 그래도 생각은 거의 하지 않았다. 그렇게 2년의 시간이 흘렀다. 도저히 안 되겠다 싶어서 하루는 이 학생을 불러 앞으로 내가 별도의 지시를 내릴 때까지 실험은 하지 말고 생각만 하라고 단호하게 말했다. 실험을 중단하고 이제까지 얻은 실험 데이터의 의미가 무엇인지 생각하고, 관련 문헌을 읽고 생각하고, 또 앞으로 어떤 실험을 해야 좋을지에 대해서 생각만 열심히 하라고 했다.

1주일 동안 실험은 하지 않고 책상 앞에 앉아 생각만 했는데 아무 성과도 나오지 않았다고 했다. 그리고 실험을 하면 가시적인 성과가 나오는데 아무 성과도 없이 계속 생각만 하려니 너무나 괴로웠다고 했다. 생각하는 것보다 실험하는 것이 자신의 적성에 더 맞는데 지도교수인 내가 자신의 적성이나 스타일을 잘 모르고 있다고 생각했단다. 아무런 성과 없이 시간만 가는 것이 괴로워서 나몰래 실험을 할까도 생각했다고 한다.

그래도 하는 수 없이 생각을 계속했는데 열흘 정도 지나자 작은 아이디어가 하나 떠올랐다고 한다. 그때부터 실험에 관한 아이디어가 조금씩 나오는 것을 경험했다고 했다. 그러면서 생각 없이 실험만 하는 것보다 깊이 생각하는 것이 훨씬 더 부담되고 어려운 일이라는 것을 알았다고 한다. 물론 별 생각 없이 종일 실험만 하는 것도 육체적으로 쉬운 일은 아니다. 하지만 공사장에서 일하거나 이삿짐을 나르는 일의 노동강도에 비하면 이 정도는 아무것도 아니다.

반면 몸을 움직이는 일은 아니지만 생각을 하는 것은 부담이 되면서 힘이 든다. 특히 아무리 생각해도 별 아이디어가 나오지 않고 시간만 흘러가면 더욱 힘들다. 그러나 아무리 힘들어도 계속 생각하는 데 힘을 쏟아야 한다. 그래야 생각이 발전하고 한 단계 더 깊어지면서 예리해진다. 유대인이 강조하는 것처럼 몸만 쓰려고 할 게 아니라 부담이 되고 힘이 들더라도 머리를 쓰기 위해 노력해야 한다.

그러한 경험을 계기로 이 학생은 열심히 생각하는 것이, 생각 없이 실험만 하는 것보다 어렵기는 해도 시간을 훨씬 더 가치 있게 보내는 것이라는 사실을 깨달았다고 한다. 자연스럽게 생각보다 몸이 먼저 나가는 습관도 바뀌어 매일 출근할 때마다 오늘은 어떤 일을 해야 할지 생각하게 되었다고 한다.

충분히 생각하고 하루를 시작하면 보람 있고 알찬 시간을 보내는 반면, 그렇지 않으면 남는 것 없이 바쁘게만 시간을 보내게 된다고 한다. 하루의 성공과 실패가 출근길에 충분히 생각하느냐, 그렇지 않느냐에 달려 있다는 것을 깨달은 이 학생은 이제 생각하는 것을 즐긴다.

사례 4)
생각하기 연습이 부족한 학생

네 번째 사례는 운동을 좋아하고 낙천적이며 착실한 학생의 이야기다. 이 학생은 '후회 없는 삶'이나 '최선의 삶'보다는 '재미있게 사는 것'에 관심이 더 많았다. 특히 운동을 아주 좋아해서 자신이 좋아하는 운동만 하면서 살고 싶다고 말할 정도였다. 초등학생 시절 축구선수가 되는 것이 꿈이었는데, 부상으로 그 꿈을 이루지 못해 아쉬움을 갖고 있는 듯했다. 지금은 농구나 축구도 열심히 하지만 제일 좋아하는 운동은 골프라고 한다. 인생을 진지하게 생각하기보다는 약간 낭만적으로 생각하는 경향이 있는 편이다.

나는 적어도 몇 달에 한 번씩은 학생들에게 생각하기의 중요성을 상기시킨다. 학생들이 연구 발표를 할 때 보면 평소 얼마나 깊이 생각하는지 쉽게 파악할 수 있는데, 이 학생에게서는 1년이 지나도록 진지하게 생각하는 모습을 도통 찾아볼 수가 없었다. 평소 대화를 나눠보면 이 학생도 생각하기의 중요성에 대해서는 공감하고 있었다. 그럼에도 불구하고 생각하기를 실천하지 못하는 것이었다.

나는 어느 날 이 학생을 불러서 지난 1년 동안 지켜보니 통 생각을 하지 않는 것처럼 보이더라는 이야기와 함께, 생각을 하지 않는 이유가 무엇인지 물어보았다. 이 학생은 다음과 같이 대답했다.

"저는 이제까지 통 생각을 하지 않고 살아왔습니다. 그런데 갑자기 생각을 하려니까 잘 안 됩니다."

이 학생이 '생각하기'를 너무 막연하게 여기는 것 같아서 조금 더 구체적으로 지시를 했다. 자신의 연구와 관련된 문제 하나를 설정해서 등하교, 식사, 세수 등을 할 때 항상 의도적으로 생각해 보라고 했다. 1주일 뒤 이 학생은 시도를 해보긴 했는데 일상생활을 하면서 생각을 하는 것이 불가능하더라고 했다. 식사를 하면서 생각을 하려고 했더니 수저를 허공에 둔 채 식사를 멈추고 있더라는 것이다. 그리고 식사를 하는 동안에는 생각을 하지 않게 되고, 또 칫솔질을 할 때는 생각을 하지 않고 생각을 하면 칫솔질을 멈추고 있더라고 했다.

이 말을 듣고 데이트를 해본 적이 있는지 물어봤다. 그 학생은 해보았다고 대답했다. 그럼 데이트를 할 때 식사를 하면서 그 연인을 생각해 본 적이 있는지 물었다. 학생은 그렇다고 대답했다. 나는 바로 그런 식으로 생각하면 된다고 이야기해 주었다. 식사를 하면서 머릿속에는 좋아하는 연인에 대한 생각을 배경처럼 띄워놓듯이 자신의 연구에 대한 생각도 다른 일을 하면서 배경에 띄워놓을 수 있어야 하는 것이다. 이 학생은 이러한 훈련이 필요한 듯해 보였다.

이 학생의 솔직한 대답은 통 생각을 하지 않고 자라온 학생들의 입장을 이해하는 데 나에게 큰 도움이 되었다. 아마 많은 학생들이 이와 비슷할 것이라고 짐작한다. 생각하는 것은 눈으로 확인할 수가 없다. 그래서 어떻게 생각하는지 보여줄 수 없다는 어려움이 있다. 어떤 사람은 심지어 이런 이야기도 한다. “세상에 생각 없이 사는 사람이 있습니까?” 상념도 생각에 속하고, 망상도 생각에 속한다는 점에서 누구나 생각하며 산다고 할 수 있다. 그런데 문제를 해결하기 위해서 많은 생각을 해본 경험이 없으면 ‘문제해결을 위한 생각’의 의미를 잘 깨닫지 못한다. 그리고 어떻게 해야 하는지도 잘 모른다.

학생들을 지도하면서 늘 절감하는 것은 학생들에게 ‘생각하기’를 실천하도록 유도하는 것이 의외로 어렵다는 것이다. 내가 교육에서 추구하는 것 중 하나는 ‘어떻게 하면 생각하지 않는 학생들을 생각하는 학생으로 바꿀 수 있는가?’이다. 궁극적인 목표는 학생들에게 생각의 위력과 즐거움을 반복 경험하도록 함으로써 스스로 생각하기를 실천하도록 하는 것이다. 그리고 이것이야말로 경쟁력을 더 높여 성공적인 삶을 살 수 있고 행복의 총량도 더 높일 수 있는 방법이라는 것을 확신하게 하는 것이다. 거기까지만 할 수 있다면 그다음에는 저절로 굴러간다.

학생들에게 생각을 유도할 수 있는 방법을 고민하다가 생각해낸 것이 종전의 회의식 미팅을 토론식 미팅으로 바꾸는 것이었다. 토론식 미팅을 통해 이 학생을 포함한 여러 학생들에게 어떻게 생각해야 하는지 일깨워줄 수 있었다. 이 학생은 이제 생각을 잘 실천하고 있으며, 생각을 통해 자신의 연구에서 중요한 아이디어들을 도출하고 있다.

회의식 미팅과 토론식 미팅

연구실에서 회의식 그룹미팅은 우선 학생들이 자신의 실험 결과를 발표하는 것으로 시작한다. 그러면 지도교수는 그 실험 결과를 보다 명확하게 이해하기 위해서 몇 가지 질문을 한 다음, 앞으로 실험할 방향을 지시한다. 이와 같은 회의는 회사에서 의사결정권자가 보고를 받고 지시를 하는 방식과 비슷하다. 그런데 이런 방식으로 회의를 하면 보고하는 학생이나 그룹미팅에 참여하는 다른 학생들에게 생각을 유도할 기회가 별로 주어지지 않는다. 원래 열심히 생각하는 학생이라면 괜찮겠지만 생각을 잘 하지 않는 학생이라면 문제가 된다.

한편 우리 연구실에서 하는 토론식 그룹미팅은 생각하는 방법을 모르거나 생각하는 것이 습관화되지 않은 학생들을 생각하게끔 유도하기 위한 방식으로 진행된다. 한마디로 내가 수업시간에 적용하는 '사고기반학습'을 위한 질문식 수업을 회의에 적용한 것이라고 보면 된다.

토론식 미팅의 특성

토론식 미팅에서는 학생들이 실험 결과를 발표했을 때 지도교수가 일방적으로 다음 실험의 방향을 지시하지 않는다. 그 대신 참석한 그룹원들이 그 실험 결과가 무엇을 의미하는지, 혹은 왜 이런 실험 결과가 나왔는지에 대해 생각하고 차례로 자신의 의견을 내놓는다. 대개는 저학년부터 대답할 기회가 주어진다.

토론식 미팅에서 질문을 하면 처음에는 대부분 학생들이 "잘 모르겠는데요"라고 대답한다. 이렇게 대답하면 깊이 생각해 봤지만 잘 모르겠다는 것인지, 생각을 별로 해보지 않아서 잘 모르겠다는 것인지 알 수 없다. 그래서 나는 "잘 모르겠는데요"라는 대답은 가급적 자제하고 어떻게든 자신의 의견을 이야기해 보라고 한다.

이때 문제가 어려워서 학생들이 힘들어하면 문제의 수준을 약간 낮춘다. 그 문제를 조금 더 쉬운 몇 단계로 나누는 것이다. 문제의 난도를 낮추는 또 다른 방법은 문제의 핵심을 찾도록 하는 것이다.

생각을 잘 못하는 학생들의 공통점은 문제의 핵심을 파악하지 못한다는 것이다. 문제의 핵심을 파악하지 못하면 아무리 생각을 해도 문제를 해결할 확률이 낮다. 그러나 먼저 문제의 핵심을 파악한 후 그것을 집중적으로 생각하면 해결할 확률이 매우 높아진다. 축구에서 공이 미드필드보다 골문 앞에서 왔다 갔다 할 때 골인될 확률이 높은 것과 같은 이치다.

나는 학생들이 대답을 잘 하지 못하면 문제의 핵심이 무엇인지 물어본다. 문제의 핵심을 파악하는 것은 상대적으로 쉬워서 몇몇 학생은 올바른 대답을 한다. 이때 전체 학생들에게 문제의 핵심을 정확히 이야기해 준다. 그러면 문제의 수준이 낮아져서 학생들이 보다 쉽게 답을 찾는다.

주어진 실험 결과에 대해 이야기할 때 보면 내가 기대하던 답이 나올 때도 있고, 드물기는 하지만 내가 기대한 것 이상의 대답을 듣게 되는 경우도 있다. 만약 어느 학생이 기대 이상의 답을 내놓으면 나는 칭찬을 아끼지 않는 동시에 그 학생의 의견이나 아이디어에 대한 크레디트를 준다. 즉, "이 아이디어는 어떤 학생이 제안한 것이다"라고 공개적으로 선언을 하는 것이다.

실험 결과에 대한 해석을 놓고 토론이 끝나면 최종적으로 그 실험 결과가 무엇을 의미하는지, 혹은 왜 그런 결과가 나왔는지에 대해 정리를 해준다. 그런 다음 실험 결과의 의미를 알았으니 이제 어떤 실험을 하는 것이 좋을지 질문한다. 만약 지도교수라면, 혹은 회사의 의사결정권자라면 어떠한 실험을 지시하면 좋을지 물어보기도 한다. 그리고 학생들이 돌아가면서 의견을 이야기하면 내가 그것을 종합해서 최종 결론을 내린다.

가끔 학생들이 발표한 실험 결과의 의미가 나조차 명확하게 파악되지 않을 때가 있다. 그러면 나도 학생들과 함께 그 자리에서 생각을 한다. 경우에 따라서는 10분, 30분 혹은 한두 시간의 시간을 정해주고 주어진 문제에 대해 각자가 편안하게 생각한 뒤 의견을 내도록 하기도 한다.

이렇게 하는 이유는 지도교수도 답이 보이지 않을 경우 오랜 시간 생각한다는 것을 학생들에게 보여주기 위해서다. 내가 며칠이나 몇 주일, 혹은 몇 달이고 풀리지 않는 문제를 포기하지 않고 끊임없이 생각하는 모습을 학생들에게 보여줄 수는 없지만, 토론식 미팅을 통해 한두 시간이라도 지도교수가 자신들과 똑같이 미지의 문제를 해결하기 위해 막막한 시간을 보낸다는 것을 보여주려는 것이다. 그렇게 해서 학생들에게 아무 성과가 없어도 생각하면서 시간을 보내는 것이 최선이고, 그런 시간이 일상이 되어야 한다는 것을 깨닫게 해주고 싶다.

나는 이때에도 학생들에게 슬로 싱킹 방식으로 편안하게 생각하다 졸리면 책상에 엎드려 자라고 한다. 물론 나도 생각하다가 졸리면 책상에 엎드려 잔다. 일정 시간을 두고 생각하는 동안에는 자유롭게 산책을 해도 좋고, 자신이 생각하기 좋은 장소에서 생각을 해도 된다. 장소에 구애받지 않고 자유롭게 생각하는 것은 좋지만 컴퓨터나 전화통화 등 다른 일을 하는 것은 허용되지 않는다. 그러고 나서 정해진 시간까지 회의실로 돌아와 생각한 내용을 이야기하면 된다.

이 회의 방식을 바둑 두는 것에 비유하면 이해하기 쉽다. 종전의 보고와 지시 방식은 학생이 바둑을 두는데 지도교수가 옆에서 "여기에 둬라. 저기에 둬라" 지시하고 학생은 그대로 바둑알을 놓는 상황과 같다. 반면 보고-토론-지시의 방식은 상대방이 어디에 바둑알을 두었을 때 그것이 무엇을 의미하는지, 그것에 대응해서 어디에다 두면 좋을지 질문을 하는 것이다. 그러면 학생들은 나름대로 생각해서 어디에 두면 좋을지에 대한 의견을 제시하고, 지도교수는 그 수가 이러저러해서 좋지 않으니 여기에 두어야 하고 그 이유는 이러저러하다고 설명해 주는 방식이다.

토론식 미팅의 세 가지 장점

토론 방식으로 회의를 진행할 때의 단점은 시간이 많이 걸린다는 것이다. 예를 들어 30분이면 끝날 회의가 두세 시간까지 길어진다. 이러한 단점에도 불구하고 토론식 미팅은 장점이 더 많다.

가장 좋은 점은 의사결정의 결과가 종전보다 훨씬 더 좋아진다는 것이다. 종전의 회의는 30분 만에 지도교수인 내가 의사결정을 해야 했다. 그런데 회의시간이 두세 시간으로 길어지면 내가 생각에 투여하는 시간이 그 배로 늘면서 훨씬 더 수준 높은 의사결정을 내릴 수 있다. 바둑에서 제한시간이 늘어나면 판단력이 훨씬 좋아지는 효과와 비슷하다.

두 번째 장점은 학생들이 연구를 하면서 어떻게 생각해야 되는지 구체적으로 이해할 수 있다는 것이다. 제대로 생각해 본 경험이 없어서 생각하는 것 자체를 막연하고 어렵게 느끼는 학생들도 이런 토론식 회의에 몇 번 참석하고 나면 '생각한다는 것이 바로 이런 것이구나!' 하고 쉽게 이해하게 된다.

세 번째 장점은 학생들 사이에 활발한 토론이 벌어진다는 것이다. 학생들이 연구 과정에서 생각하는 방법을 파악하게 되면 실험을 어떻게 계획해야 하는지, 실험 결과가 무엇을 의미하는지 고민하는 습관을 갖게 된다. 각자 이런 생각을 해서 자기 나름대로의 의견을 갖거나 결론을 내리다 보면 자연스럽게 자신의 생각이 맞는지, 혹은 잘못되었는지 다른 사람의 검증을 받고 싶다는 생각이 든다. 그 결과 주위 동료나 선배들에게 자신의 생각을 이야기하게 되고, 자연스럽게 토론으로 이어진다. 생각하는 습관이 자연스럽게 토론하는 습관으로 연결되는 것이다.

서두르지 말고 충분한 시간을 두고 생각하라

일반 회사에서도 토론식 미팅을 활용할 수 있다. 그런데 상황에 따라 의사결정권자도 답을 쉽게 얻지 못하는 경우가 있을 수 있다. 그럴 때는 해결책을 도출하기 위해 구성원들끼리 충분히 토론하는 시간을 갖는 것이 좋다. 이런 회의 방식은 구성원들에게 생각하는 습관을 갖게 하고, 생각하는 방법을 배울 수 있는 기회를 제공할 것이다.

일반적으로 실험을 시작하기 전에는 어떤 실험을 해야 하는지 충분한 시간을 두고 생각해야 한다. 그리고 실험 결과가 나오면 그것이 무엇을 의미하는지에 대해 충분히 생각해야 한다. 그렇다면 각각의 과정에 얼마의 시간을 투자해야 할까? 경우에 따라 차이가 있겠지만, 나는 학생들에게 보통 실험을 종일 한다고 치면 4~5일은 실험을 계획하는 데 투자하고, 4~5일은 실험 결과의 의미를 생각하는 데 사용하도록 권유한다. 연구활동에서 10퍼센트가 실험이라면 나머지 90퍼센트는 생각하거나 관련 논문을 읽으면서 보내야 한다. 이렇게 보내야 창의적인 연구를 할 수 있고 빠른 속도로 사고력과 창의력을 발달시킬 수 있다.

실험 결과에 대해 충분히 생각해서 그 결과가 의미하는 바를 최대한 도출해 내는 것이 연구 능력이다. 이 능력이 발달하면 남들이 발표한 논문을 읽을 때도 직접 연구를 수행한 저자들보다 결과의 의미를 더 잘 파악할 수 있다.

사과나무에서 사과가 떨어지는 것은 누구나 관찰할 수 있지만, 뉴턴은 그 관찰 결과로부터 만유인력을 발견했다. 이처럼 실험 결과나 현상을 보고 그것이 의미하는 것을 끄집어내는 능력은 사고 훈련에 의해 끝없이 발달한다.

15장

몰입과 엔트로피 그리고 뇌과학

엔트로피 법칙으로 통제하는 삶

자연현상이나 생명현상이 예외 없이 자연법칙을 따르듯이 우리의 삶 역시 우리가 원하는 방향으로 흘러가는 것이 아니라 정확하게 법칙대로 흘러간다. 이러한 법칙을 올바로 이해하고 활용할 때 비로소 우리가 원하는 방향으로 삶을 통제할 수 있다. 이 법칙 중의 하나가 바로 엔트로피 법칙이다.

엔트로피 법칙은 수많은 천재들의 합작품으로 인류에게 남겨진 위대한 유산이다. 이 소중한 유산을 잘 활용하는 것은 이 시대를 살아가는 우리의 몫이다. 이 법칙이 그토록 중요한 이유는 유용성과 보편타당성 때문이다. 엔트로피 법칙은 시공을 초월해 어떠한 상황에서도 예외 없이 성립한다.

엔트로피 법칙이란 모든 현상은 항상 전체 엔트로피가 증가하는 방향으로, 다시 말해 우주의 모든 현상은 본질적으로 보다 더 무질서한 방향으로 진행된다는 것을 뜻한다. 전체 엔트로피가 증가하는 양상과 감소하는 양상이 어떻게 다를까? 이 차이를 이해할 수 있는 아주 쉬운 방법이 있다.

다양한 상황을 비디오로 촬영했을 때 화면 속의 장면은 현실 세계에서 일어나는 현상이고, 이는 곧 전체 엔트로피가 증가하는 모습이다. 그 비디오를 거꾸로 돌리면 촬영된 화면이 시간을 거슬러 가는 모습이 나타나는데 이 상황이 바로 전체 엔트로피가 감소하는 모습이다. 가령 폭포에서 물이 떨어지는 것을 비디오로 촬영하고 이것을 거꾸로 돌리면 폭포의 물이 거슬러 올라가는 모습이 된다.

공을 높은 곳에서 떨어뜨리면 처음에는 높이 튀어 오르다가 그 높이가 점점 낮아진다. 점점 낮게 튕기다가 마침내 땅 위에 정지한다. 이 모습을 비디오로 촬영해 거꾸로 돌리면 정지하고 있던 공이 스스로 점점 더 높이 튀어 오른다. 또 화재 현장에서 불에 타는 모습을 촬영한 후 거꾸로 돌리면 화염과 흩어지는 연기 속에서 원래의 건축물이 복원되는 모습을 확인할 수 있다. 이것이 바로 전체 엔트로피가 감소하는 모습이다.

내가 어떤 생각을 할 때 생각의 흐름도 엔트로피가 증가하는 방향이 된다. 그리고 이 생각을 거꾸로 하는 것이 엔트로피가 감소하는 방향이다. 이와 같이 전체 엔트로피를 낮추기 위해서는 시간을 되돌릴 수 밖에 없다. 그런데 시간을 되돌릴 수 없기 때문에 전체 엔트로피를 감소시킬 수 없는 것이다. 그래서 엔트로피를 '시간의 화살 time's arrow'이라고도 한다.

엔트로피 법칙과 확률의 관계

엔트로피의 물리적 의미는 '확률'이다. 따라서 '전체 엔트로피는 항상 증가한다'는 엔트로피 법칙은 '전체 확률은 항상 증가한다'는 이야기와 같다. 즉, 확률이 낮은 상태에서 높은 상태로의 변화는 가능하지만 그 반대로의 변화는 불가능하다는 것이다. 나중 상태의 확률에서 처음 상태의 확률을 뺀 값을 그 변화를 야기시키는 '구동력'이라고 할 수 있는데, 이 값이 양 positive이면 그 변화는 가능하지만 이 값이 음 negative이면 그 변화는 불가능하다.

엔트로피 법칙은 어떠한 현상이 일어나기 위한 필요조건이 된다. 한마디로 어떤 현상이 발생 가능한지 불가능한지를 판단하는 기준이 된다. 엔트로피 법칙으로 주어진 현상이 발생 가능하다는 것을 알았다면, 그다음은 그 현상이 얼마나 빨리 일어나는지 알아야 한다. 이와 관련된 것이 '속도론 kinetics의 법칙'이다.

속도론의 법칙은 '세상은 가장 확률이 높은 방식으로 진행된다'

는 것이다. 장벽이 높으면 그 경로의 진행 속도가 느리고, 장벽이 낮으면 그 경로의 진행 속도가 빠르다. 그런데 자연은 진행 속도가 빠른 경로를 택한다. 진행 속도가 빠르다는 것은 그만큼 확률이 높다는 것을 뜻한다. 속도론의 법칙은 주어진 현상이 일어날 필요충분조건이 된다. 이러한 자연의 기본법칙이 우리 삶에 어떻게 적용되는지 살펴보자.

가령 어떤 일이 어렵다고 하는 것은 그 일이 구현될 확률이 낮다는 것을 의미한다. 철광석으로부터 철을 만드는 것보다 엔진을 만들고 자동차를 만드는 일이 더 구현될 확률이 낮다. 이보다 더 구현될 확률이 낮은 것은 반도체를 만들고 휴대전화를 만들고 컴퓨터를 만드는 것이다. 이와 같이 산업적으로 고도화되고 고부가가치를 가진 물건들을 개발한다는 것은 확률이 지극히 낮은 상태를 구현하는 것이다.

첨단산업이나 고도로 발전된 사회일수록 구현될 확률이 낮고 엔트로피가 낮은 방향으로 움직인다. 공부를 잘하는 것은 낮은 확률 상태를 구현하는 일이다. 아무도 생각하지 못한 참신하고 유용한 아이디어를 내는 것, 많은 돈을 버는 것, 성공적인 삶을 사는 것 모두 낮은 확률 상태를 구현하는 것이다. 이런 일이 가능한 이유는 전체 엔트로피는 항상 증가하지만 부분적인 엔트로피는 감소[13]할 수 있기 때문이다. 그러나 엔트로피나 확률이 감소하는 것은 특별한 경우여서 부분적으로라도 감소하려면 힘과 같이 특별한 무언가가 반드시 작용해야만 한다. 결국 낮은 확률 상태를 구현하려면 적절한 노력에 의해 구현되기 어려운 상태였던 것을 구현되기 쉬운 상태가 되도록 확률을 올려야만 한다.

자연계의 힘과 확률

어떠한 변화도 확률이 증가하는 방향으로 진행된다면, 우리가 관심을 갖고 있는 변화를 통제하고 예측하기 위해서는 확률에 영향을 미치는 요소가 무엇인지 아는 것이 중요하다. 자연계에서 확률에 영향을 미치는 요소는 무엇일까? 그것은 바로 자연계에 존재하는 중력이나 전기력과 같은 힘force이다. 이 우주의 모든 현상은 방향성이 있고 질서를 만들려는 힘에 의한 경향과 방향성 없이 임의의 방향으로 무질서해지려는 경향이 서로 통합적으로 작용해 균형을 이룬다. 그렇다면 힘이 어떻게 확률에 영향을 미치는지 자세히 살펴보자.

정육면체 모양의 주사위를 던지면 모든 면이 나올 확률은 6분의 1로 같다. 그런데 정육면체 모양 대신 성냥갑 모양의 직육면체로 된 주사위를 만들었다고 가정하면 정육면체 주사위와 달리 모든 면이 나올 확률은 똑같지 않을 것이다. 즉, 넓은 면이 나올 확률은 6분의 1보다 더 커지고, 좁은 면이 나올 확률은 6분의 1보다 더 낮아질 것이다. 이 경우 각 면이 나올 확률을 결정하기는 쉽지 않지만 그래도 확률적이라는 사실 자체에는 변함이 없다.

직육면체 주사위의 각 면이 나올 확률이 달라지는 이유는 무게중심의 위치가 달라지기 때문이다. 넓은 면이 나올 때에는 무게중심이 낮아져 위치에너지가 작고, 좁은 면이 나올 때에는 무게중심이 높아져 위치에너지가 크다. 따라서 위치에너지가 클수록 그 면이 나올 확률이 낮아지고, 위치에너지가 작을수록 그 면이 나올 확률이 높아진다. 이로써 중력이라는 힘에 의해 작용하는 위치에너지가 달라지면 확률이 달라진다는 것을 알 수 있다. 위치에너지에 따라 확률 분포가 달라진다는 것이 엔트로피 법칙의 또 다른 개념이다. 이 개념 역시 우리 눈앞에 펼쳐지는 어떠한 현상에도 똑같이 적용된다.

지구 표면과 멀어질수록 압력이 낮아지고 공기는 희박해진다. 즉, 공기가 존재할 확률은 지구 표면으로부터 멀어질수록 낮아진다. 그 이유는 지구 표면과 멀어질수록 공기분자의 지구 중력에 대한 위치에너지가 커지기 때문이다.

예를 들어 물의 경우 기체 상태인 수증기와 액체 상태의 물의 같은 부피당 물 분자의 수를 비교하면 액체 상태에서 훨씬 더 많다. 이는 물 분자가 물로 존재할 확률이 기체로 존재할 확률보다 훨씬 높다는 것을 의미하는데, 이러한 확률의 차이는 물 분자가 액체 상태로 있을 때와 기체 상태로 있을 때의 위치에너지 차이[14] 때문에 생긴다. 이 위치에너지의 차이는 물 분자 사이의 전기력 때문에 생긴다. 따라서 세상의 모든 현상은 확률적인데, 이 확률을 결정[15]하는 데에는 힘이 깊숙이 관여하고 있음을 알 수 있다.

엔트로피 법칙은 어디에나 적용된다

확률 혹은 엔트로피의 개념은 어떠한 문제에도 적용될 수 있다는 점에서 지극히 유용하고 강력하다. '공부를 잘하기 위해서는 어떻게 해야 하나?' '성공하기 위해서는 어떻게 해야 하나?' '선진국이 되기 위해서는 어떻게 해야 하나?' 등의 물음에 확률 개념을 적용하면 다음과 같이 바뀐다. '공부를 잘할 수 있는 확률을 올리려면 어떻게 해야 하나?' '성공할 확률을 올리려면 어떻게 해야 하나?' '선진국이 될 확률을 올리려면 어떻게 해야 하나?'

위의 두 가지 물음에 큰 차이가 없는 것 같지만 확률 개념을 적용해 보면 훨씬 더 구체적이 된다. 엔트로피 법칙은 우리가 원하는 변화를 이끌어내기 위해서는 그 변화가 일어날 확률을 올리는 방향으로 노력하는 것 이외에 다른 방도가 없음을 명백하게 보여준다. 따라서 목표를 성취하기 위해서는 변화가 일어날 확률에 영향을 주는 요소가 무엇인지 가려내서 보다 체계적으로 접근할 필요가 있다.

예를 들어 공부를 잘하려면 먼저 자신이 과연 공부를 열심히 할 구동력을 어느 정도 갖고 있는지 알아야 한다. 구동력이 없다면 그것을 만들어주어야 하는데, 이를 만들 수 있는 대표적인 방법이 왜 공부를 열심히 해야 하는지 그 이유를 찾는 것이다. 각 과목에 대해서도 왜 그 과목을 공부해야 하는지 명확한 이유를 찾아야 구동력이 생긴다.

구동력을 갖고 있다면 충분한지, 부족하지는 않은지 조사해서 부족하다고 판단되면 그 구동력을 늘리도록 노력해야 한다. 공부에 대한 구동력을 늘리려면 공부를 열심히 해야 하는 이유를 반복해서 생각해서 그 당위성에 대한 내적 중요성을 증대시키면 된다. 또한 그 구동력이 수동적인지 능동적인지 조사해서 수동적이라면 능동적으로 바꾸어야 한다.

만약 구동력은 충분한데 공부를 실천하기 힘들다면 속도론적 장벽이 높다는 것을 의미한다. 이는 곧 실천하는 방법이 잘못되었다는 것을 의미하므로 보다 더 실천하기 쉬운 방법을 찾아야 한다. 요컨대 공부를 열심히 하는데 실제 성적이 오르지 않는다면 그 이유가 어디에 있는지 가려내어, 그것을 집중적으로 보완하는 것이 문제해결에 가장 효율적이다.

내가 추구하고자 하는 변화를 이끌어내기 위해서 관련된 구동력과 확률을 바꾸는 방법을 알고 이를 실천할 수 있다면 앞으로의 인생을 얼마든지 자기 뜻대로 바꿀 수 있는 것이다. 이러한 확률적 접근은 개인을 변화시키는 데에도 도움이 될 뿐 아니라 어떤 제도를 도입할 때나 정책을 결정할 때, 그리고 다양한 상황에서 의사결정을 내려야 할 때에도 유용하게 적용할 수 있다.

엔트로피 법칙과 교통질서

예를 들어 엔트로피 법칙을 교통질서 문제에 적용해 보자. 일본이나 미국을 방문해 본 사람은 그들의 철저한 교통질서 의식에 깊은 인상을 받는다. 흔히 우리 국민이 상대적으로 교통질서 의식이 낮은 이유는 국민성 때문이라고 이야기한다. 그래서 교통질서를 지키지 않는 것은 개선할 수 없다고 생각하는데 이 문제를 엔트로피적으로 접근해 보면 일본이나 미국에서는 교통질서를 지킬 확률이 높을 수밖에 없는 제도를 시행하고 있는 반면, 우리나라는 그렇지 않기 때문이라는 결론이 나온다.

예를 들어 우리나라에서는 불법주차에 대한 단속이 허술하기 때문에 불법주차를 예삿일로 여긴다. 그러나 일본이나 미국에서는 불법주차를 하면 거의 어김없이 교통범칙금 고지서가 날아온다. 즉, 범칙금의 부과가 힘과 같은 역할을 해 주차질서를 지키는 사람들의 확률 분포를 바꾸는 것이다. 여기서 눈여겨봐야 할 점은, 교통질서를 지킬 확률에 주된 영향을 주는 요소가 국민성이라고 판단하면 이 문제는 해결되지 않는다는 것이다. 확률에 영향을 주는 요소에 대해 올바른 판단을 내려야 문제가 효과적으로 해결된다는 것이 엔트로피 법칙이 주는 시사점이다.

생명현상의 엔트로피

세상은 확률에 따라 움직인다는 것이 예외 없이 성립하는 법칙이라면 확률을 바꾸는 근본 요소가 중요하다는 것을 알 수 있다. 자연현상의 경우 확률에 영향을 주는 요소는 중력이나 전기력과 같은 힘이다. 그렇다면 삶에서 확률에 영향을 주는 요소는 무엇일까? 삶에서 엔트로피 법칙을 활용하려면 먼저 이 요소를 가려내야 한다. 생명체의 경우 확률을 바꾸는 근본 요소는 무엇인지 살펴보자.

먼저 생명활동을 생각해 보면 우리는 숨을 쉬고, 음식을 먹고 소화를 시킨다. 또한 우리 몸은 피를 만들어 순환시키면서 영양분과 산소를 몸 구석구석에 공급하고, 신체의 온도를 일정하게 유지시키고, 다양한 활동을 할 수 있는 다른 에너지로 변환시킨다. 이처럼 생명체가 생명현상을 유지하는 것은 대단히 낮은 확률, 즉 낮은 엔트로피를 구현하는 것이다.

전체 엔트로피는 항상 증가하지만 생명체의 엔트로피를 감소시키는 것은 가능하다. 물론 부분적인 엔트로피라도 저절로 감소하기는 어려우므로 거기에는 특별한 이유가 있어야 한다. 생명체의 행위나 행동의 확률에 영향을 주는 근본 요소를 알기 위해서는 이 특별한 이유를 찾아야 한다.

죽은 상태가 살아 있는 상태보다 엔트로피가 더 증가한 상태이므로 인간은 결국 죽는다. 이것이 자연의 법칙이다. 그러나 우리는 죽음으로부터 멀어지기 위해 노력하고 삶을 지속하기 위해 애쓴다. 이를 위해 우리 몸에서 엔트로피가 증가하려는 경향을 계속적으로 막아야 한다. 결국 환경으로부터 계속해서 음의 엔트로피를 얻어야 하는 것이다. 우리가 음식을 먹고 몸에서 대사하는 과정의 핵심은 결국 신체에 음의 엔트로피를 공급하는 것이다.

엔트로피를 감소시키는 생명현상

우리는 매일 엔트로피가 증가하는 경향에 맞서서 엔트로피를 낮추면서 살고 있다. 이처럼 엔트로피가 낮아지는 현상을 음의 엔트로피라는 의미로 '네거티브 엔트로피negative entropy'라고 하는데, 이를 줄여서 '네겐트로피negentropy'라고 한다.

생명현상은 스스로 엔트로피를 줄일 수 있는 특성이 있는데, 이는 엔트로피 법칙으로 볼 때 대단히 놀랍고 특별한 것이다. 이런 이유로 양자역학을 정립한 물리학자 중 한 사람인 슈뢰딩거는 그의 책 『생명이란 무엇인가?』에서 "생명은 네겐트로피를 먹고 사는 존재다"라고 말했다.

그렇다면 무엇이 생명현상의 낮은 확률을 구현 가능하도록 하는 것일까? 이 질문을 통해 생명체의 확률에 영향을 주는 근본 요소를 생각해 볼 수 있다. 생명현상은 어떻게 스스로 엔트로피를 낮출 수 있을까?

슈뢰딩거는 생명의 핵심인 네겐트로피를 가능하게 하려면 어떤 정보가 생명체에 있어야 한다고 생각했고, 그것을 '코드code'라고 불렀다. 그의 통찰은 정확했다. 후에 왓슨과 크릭이 슈레딩거의 책을 읽고 영감을 받아 DNA 이중나선구조를 찾아냈기 때문이다.

즉, 슈뢰딩거가 이야기하는 코드는 이중나선구조를 갖고 있는 DNA에 해당한다. 한마디로 유전자 속에 들어 있는 유전 정보가 네겐트로피를 가능하게 했고 확률을 낮춘 것이다.

식물을 예로 들어보자. 식물은 태양에너지와 땅속의 양분을 흡수해 나뭇잎과 열매 등을 만드는데 나뭇잎과 열매는 극히 엔트로피가 낮은, 즉 확률적으로 절대 저절로 생길 수 없는 결과물이다. 이렇게 낮은 확률로 보이는 결과가 구현될 수 있는 것은 바로 유전 정보 때문이다.

결국 정보가 확률을 바꾸는 요소라는 것을 알 수 있다. 이 사실은 대단히 중요하다. 우리가 공부를 해서 지식을 습득하는 것은 정보를 저장하는 행위다. 그렇게 저장된 정보는 앞으로의 인생 경로에서 보다 낮은 확률을 구현할 수 있게 해준다.

생존과 번식의 확률을 올리는 요소

동물의 경우 식물과 달리 운동을 하기 때문에 스스로 확률을 변화시키는 행위가 더욱 분명하게 드러난다. 그리고 확률을 변화시키는 요소 중에 식물과는 다른 것이 있다. '동물動物'은 움직이는 물체라는 의미를 가지고 있는데, 이때 움직임은 예측할 수 없는 상황에서도 적절히 대처할 수 있는 기능을 수반해야 한다. 그래야 생존과 번식의 확률을 올릴 수 있다. 이러한 기능을 가지고 있는 동물만이 진화의 경쟁에서 살아남았다고 볼 수 있다. 이는 단순히 정보만 가지고 해결될 문제가 아니다. 정보 이외에 다른 무엇인가가 있어야 한다.

그것은 과연 무엇일까? 바로 자연계의 힘과 같이 방향성이 있어야 스스로 엔트로피를 감소시킬 수 있다. 자연계에서 힘에 의한 위치에너지는 인간의 감정과 비슷하다. 위치에너지 자체는 방향성이 없지만, 거리에 대한 위치에너지의 변화는 힘이 되어 방향성이 생긴다. 마찬가지로 감정 자체는 방향성이 없지만 감정의 변화는 방향성을 갖는다.

예를 들어 어떠한 행위가 점점 더 즐거움을 준다거나 점점 더 고통을 준다면 우리는 즐거움을 증가시키는 방향으로, 혹은 고통을 감소시키는 방향으로 행동할 것이다. 이와 같이 확률 분포에 영향을 준다는 면에서 우리의 감정이 자연계의 힘과 같은 역할을 한다는 것을 알 수 있다. 우리의 감정은 우리에게 삶을 끌어당기고 죽음을 밀어내는 방향성을 만든다.

자연계에 존재하는 중력이나 전기력의 크기는 일정한 공식에 따라 정해진다. 따라서 지구 표면과의 거리에 따른 공기의 분포와 같은 것은 공식에 의해 정해지므로 예측이 가능하다. 반면 확률에 영향을 주는 우리의 감정은 임의로 변하기 때문에 우리의 생각이나 행동은 예측하기 어렵다.

예를 들어 내가 어떤 일에 의도적으로 몰입을 하면 그것에 대한 내적 중요성이 증가해 감정이 변하게 되고, 이에 따라 나의 생각이

나 행동의 확률이 바뀐다. 자연현상은 주어진 조건이 같으면 재현 가능하고 예측 가능한 경우가 많지만, 우리의 생각이나 행동은 주어진 조건이 같다 해도 똑같이 재현되지 않을뿐더러 예측하기도 어려운 것이다.

쾌감, 불쾌감, 두려움과 분노 같은 인간의 감정은 대뇌변연계에서 만들어진다. 보통 감정은 하나의 신경전달물질에 의해 만들어지기보다 다양한 신경전달물질들이 어우러져 복잡하고 특별해진다. 흔히 "스릴을 즐긴다"는 말을 하는데, 이는 독사의 독 못지않게 독성이 강한 아드레날린이나 노르아드레날린, 그리고 쾌감물질인 도파민 등이 서로 어우러져 특별한 재미의 감정을 만들어내는 것을 의미한다. 마치 매운맛 자체는 통증을 줘서 거부감이 들지만 고추장을 넣은 비빔밥이나 비빔냉면은 즐기는 것과 마찬가지다.

이러한 감정 때문에 우리는 주사위가 던져지는 것처럼 임의로 행동하지 않고 필연적으로 먹을 것과 짝을 찾으려는 노력을 한 결과 생존과 번식 확률을 극단적으로 올려 치열한 진화의 경쟁에서 살아남은 것이다. 동물들은 새끼를 양육하는 방법을 배운 적이 없는데도 새끼를 낳으면 자연스레 젖을 물린다. 만약 동물들의 행위가 방향성이 없고 임의적이라고 한다면 이러한 행위는 확률적으로 거의 제로에 가까울 것이고, 동물들은 이미 오래전에 멸종되었을 것이다.

'왜?', '어떻게?'라는 질문의 힘

오늘날 고도로 발달된 문명이 어떻게 가능했는지 정보엔트로피의 관점으로 접근해 보자.

원시인류는 동물과 크게 다를 것이 없었다. 그러다가 언어가 발달하면서 다른 동물들과 구별되기 시작했다. 인류는 언어를 통해 다른 사람이 획득한 지식과 정보를 공유할 수 있게 되면서 낮은 확률 상태를 구현할 수 있었다. 이것이 선사시대의 문명이다. 이후 문자가 발명되었고, 이에 힘입어 선사시대가 역사시대로 바뀌었다. 문자의 발명은 조상들이 획득한 지식과 정보를 후손들에게 전해주는 역할을 했다. 이로써 더욱 낮은 확률 상태를 구현할 수 있게 되었다. 그 결과 고대문명이 구축된 것이다. 이후 고대국가의 탄생, 전쟁,

상거래나 무역 등으로 지식과 정보의 확산이 가속되었다.

역사가들이 중세를 암흑시대라고 하는데 이는 문명의 발전이 정지되었기 때문이다. 그렇다면 왜 문명의 발전이 정지되었을까? 바로 인류가 '왜?'와 '어떻게?'라는 질문을 하지 않았기 때문이다. 즉, 생각을 하지 않은 것이다. 중세시대에 자연현상을 포함한 모든 것은 성서에 따라 해석되었고, 이에 반하는 생각은 금기시되었다. 그러다 천동설이 무너지고 지동설이 등장하면서 인류는 기존의 모든 믿음에 대해 회의를 갖기 시작했다. 그리고 성서적 해석에 구애받지 않고 스스로 자유롭게 생각하고 표현하기 시작했다. 이러한 시도는 커다란 성공을 거두었다. 이것이 바로 인류문명을 꽃피운 르네상스다.

결국 암흑시대는 인류가 생각하기를 멈춘 상태라고 볼 수 있고, 생각하기를 멈추면 발전도 멈춘다는 것을 보여주는 역사적 실험 결과라고 할 수 있다. 이 개념은 개인에게도 적용된다. 항상 '왜?'와 '어떻게?'라는 질문을 하고 이에 대해 끊임없이 생각하면 각자의 인생에서 르네상스를 꽃피울 수 있지만, 생각을 하지 않거나 게을리하면 별다른 발전 없는 암흑시대를 맞이할 것이다.

엔트로피 관점으로 본 몰입

감정은 정보 전달에 의해 만들어지므로 정보와 감정이 우리의 행위와 사고의 확률을 바꾸는 핵심 요소라는 것을 알 수 있다. 그렇다면 정보와 감정을 처리하는 가장 근본적인 부분은 어디일까? 우리 몸에서 정보의 저장과 전달이 일어나는 곳은 시냅스이고, 여기서 감정도 만들어진다. 바로 시냅스가 우리의 행위와 사고의 확률을 변화시킬 수 있는 근본인 것이다. 이처럼 엔트로피 관점에서 보면 시냅스에 대한 이해가 삶을 이해하는 데 가장 중요한 요소인 동시에 삶의 방정식을 푸는 핵심이 된다. 무언가에 몰입한다는 것은 의식이 산만해지려는 경향에 맞서 집중된 상태로 가는 것이다. 즉, 의식의 엔트로피가 증가하는 경향에 맞서 이를 감소시키는 방향으로 가는 것이다. 칙센트미하이는 "몰입도가 증가하면 의식의 엔트로피는 감소한다"고 하였다. 그런데 이와 같은 일은 결코 저절로 일어나지 않는다.

생각을 하나의 문제에 집중한다는 것은 흩어지는 담배 연기를 좁은 공간에 모으는 것과 비슷하다. 흩어지는 담배 연기를 좁은 공간에 모으는 것은 쉬운 일이 아닌데 이것을 엔트로피 장벽이라고 할 수 있다. 몰입이 어려운 이유는 이러한 엔트로피의 장벽을 넘어야 하기 때문이다.

몰입도가 낮은 산만한 상태는 다양한 시냅스가 무작위로 활성화되는 상태라고 할 수 있다. 이때 잡념이 임의로 떠오른다. 반면 몰입도가 높은 상태는 특별한 관계를 갖는 뉴런과 시냅스들이 선택적으로 활성화되는 상태다. 따라서 몰입을 이해하려면 우리 몸의 뉴런과 시냅스의 작용을 이해해야 한다.

자기 능력의 한계를 발휘하고 이를 확대해 나가는 삶은 엔트로피가 가장 낮은 상태 혹은 가장 낮은 확률 상태를 구현하는 것이다. 고도의 몰입 상태 역시 의식의 엔트로피가 가장 낮은 상태다. 이러한 상태는 시냅스가 가장 낮은 엔트로피를 갖는 상태이므로 엔트로피가 가장 높은 상태인 죽음과는 가장 반대되는 상태다. 따라서 몰입하는 삶은 죽음에 대한 최대의 저항이고 죽음과 가장 반대되는 삶, 가장 삶다운 삶이라 할 수 있다.

바람직한 시냅스를 형성하기 위한 노력

인간이 자유의지를 가졌다고는 해도, 우리의 어떠한 행동도 자연의 법칙을 거스를 수는 없다. 이 한계를 벗어날 수 없다는 점에서 우리 역시 자연의 일부이고, 우리가 살아가는 모습도 자연현상의 하나라고 할 수 있다. 이러한 사실로부터 한 가지 깨달음을 얻을 수 있다. 세상에는 우리가 할 수 없는 것과 할 수 있는 것이 있으며, 그중에서도 하기 쉬운 것이 있고 하기 어려운 것이 있다는 것이다. 이것을 구별함으로써 우리의 한계와 능력을 분명하게 인식할 수 있다. 그리고 이러한 인식은 '어떻게 살아야 하는가?'라는 질문에 중요한 가이드라인을 제시해 준다.

우리가 경험하고 행동하고 생각하는 것 중 우리 뇌에서 중요하다고 판단한 내용은 모두 시냅스에 장기 기억 형태로 기록된다. 이는 시냅스를 항구적으로 만들거나 변형시킨다. 그리고 이러한 기록들은 다시 우리의 생각과 행동에 영향을 미쳐 생각과 행동의 방향성이나 확률을 바꾼다. 결과적으로 인격이 바뀌는 것이다. 미미하지만 작은 변화가 누적되면 커다란 변화를 일으킨다.

시냅스의 형성은 유전자에 의해 영향을 받기도 한다. 선천적인 요소는 우리가 바꿀 수 없는 것이므로 제외하고, 여기서는 후천적으로 생성되고 변화하는 시냅스에 대해서만 살펴보자.

시냅스의 형성에 영향을 주는 것은 정보의 입력이다. 이는 경험에 의해 이루어진다. 좋은 환경에서 좋은 경험이 얻어지고 결국 좋은 시냅스가 만들어진다. 이것이 맹모삼천지교孟母三遷之敎의 뇌과학적 근거다. 이런 사실은 정보의 입력을 통제하는 것이 대단히 중요하다는 것을 말해준다. 경험은 두 가지로 나뉘는데, 육체적 경험은 제약이 많아 통제가 어렵지만 정신적 경험인 사고에는 제약이 없으므로 의도적인 노력에 의하여 비교적 쉽게 통제할 수 있다. 즉, 의도적인 생각으로 의도적인 시냅스를 생성시킬 수 있다.

지금으로부터 약 100년 전 "아무리 사소한 생각이라도 예외 없이 두뇌의 구조를 변화시켜서 흔적을 남긴다"는 놀라운 통찰을 한 사람이 있다. 그 주인공은 1875년 하버드 대학에서 미국인 최초의 심리학 전담 교수가 된 윌리엄 제임스 교수로 나중에 철학과 교수가 되어 미국 실용주의 철학을 정립한 것으로도 유명하다.

> 아주 사소한 생각조차 영향을 미쳐 뇌 구조를 바꾼다. 생각 하나하나가 뇌 구조를 쉬지 않고 바꾼다. 좋은 생각이든 나쁜 생각이든 뇌에 배선을 만든다. 같은 생각을 여러 번 반복하면 습관으로 굳어버린다. 성격도 생각하는 방향으로 바뀐다. 그러니 생각을 원하는 방향으로 바꾸고 그 상태를 단단히 유지해 새로운 습관을 들여라. 그러면 뇌 구조가 거기에 맞게 변경될 것이다.

나를 움직이게 하는 힘의 원천

삶에서 자기 자신을 올바로 이해하는 것은 대단히 중요하다. 자신을 이해해야 다른 사람도 이해할 수 있고 세상을 이해할 수 있으며 앞으로 어떻게 살아야 할지, 또 어떠한 방향으로 노력해야 할지도 알 수 있다. 내가 어떤 목적지를 향해서 걸어간다는 것은 수십 킬로그램의 물체가 한 곳에서 다른 곳으로 이동하는 것이다. 엔트로피 법칙에 의하면 이러한 변화는 구동력이 없으면 결코 일어날 수 없다. 그렇다면 우리 몸에서는 이러한 구동력이 어떻게 형성되고 작용할까? 내 행동의 구동력이 만들어지는 원리를 알면 내 행동이 어떤 과정을 거쳐 나오는지 알 수 있고, 궁극적으로 나를 통제할 수 있는 방법도 알게 된다.

쾌감에 의해 조정되는 행동

보통 동물을 훈련시킬 때에는 '신호cue'와 '보상reward'을 사용한다. 훈련사의 신호에 잘 따르면 먹이를 주고 그렇지 않으면 먹이를 주지 않음으로써 신호에 따르는 행동을 하게 하는 것이다. 뉴욕 주립대학교의 탈와Talwar 교수팀은 〈네이처〉지에 이와 관련된 재미있는 실험 결과를 보고했다.

이 실험에서 탈와 교수팀은 쥐를 훈련시키면서 신호와 보상을 뇌 자극으로 대신했다. 즉, 신호는 쥐의 감각신호를 처리하는 뇌 부위에 전극을 심어 무선으로 대신하고, 보상은 쾌감을 느끼게 하는 뇌 부위에 전극을 심어 무선으로 자극했다.

쥐에게 신호 역할을 하는 자극을 주어 오른쪽 수염이 당겨지는 느낌을 받으면 똑바로 가던 쥐가 오른쪽으로 방향을 돌렸다. 쥐가 계속 그 방향에서 진행을 하면 보상 역할을 하는 자극을 주어 도파민을 분비시켰다. 이러한 방식으로 훈련시킨 결과 쥐는 쾌감물질인 도파민 보상이 주어지는 쪽으로 행동을 하게 되었다. 원격 조정을 해서 쥐가 임의로 설정된 다양한 경로를 따라 움직이게 하는 데 성공한 것이다.

쥐의 등에 카메라를 장착하면 쥐 주위의 정보를 알 수 있으므로 멀리서도 쥐를 원하는 방향으로 이동시킬 수 있다. 다시 말하면 쥐를 첩보활동에도 활용할 수 있다. 이런 쥐를 쥐로봇rat robot이라고 한다.

〈그림 9〉는 실험에서 쥐가 움직인 경로를 나타낸 것이다. 〈그림 9-(a)〉는 스키의 회전경기(slalom) 모양 코스를 따라 움직이도록

| 그림 9 | 신호와 보상 자극에 의한 쥐의 행동 조절

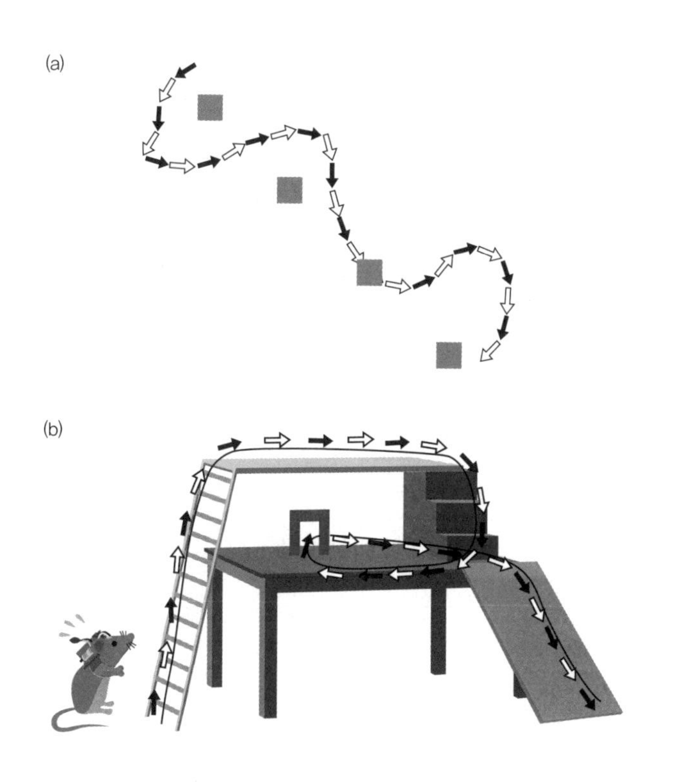

한 것이고, 〈그림 9-(b)〉는 수직계단을 올라가 좁은 판자를 가로지른 다음 몇 개의 커다란 계단을 내려가 입구가 좁은 테두리 속을 통과한 후 가파른 70도의 경사 아래로 내려오도록 한 것이다. 〈그림 9-(a)〉의 경우 평지라서 도파민 자극을 적게 주어도 쥐를 계획된 경로로 유도하기에 충분하지만, 경사가 높아 가기를 꺼려하는 〈그림 9-(b)〉의 경로로 쥐를 유도하려면 더 많은 도파민 자극이 필요하다.

이 실험은 쾌감신경을 이용해 쥐의 행동을 조절한 것으로, 평소라면 쥐가 거의 하지 않을 행동도 자극을 이용하면 얼마든지 가능하다는 것을 보여준다. 물론 이때 쥐는 자기 기분대로 행동했다고 느낄 것이다. 즉, 스스로 능동적으로 행동했다고 여기겠지만 엄밀히 말하면 쾌감회로에 의한 수동적인 행동을 한 것이다.

인간도 마찬가지다. 쾌감과 불쾌감, 노여움이나 두려움을 만드는 물질의 분비가 인간의 사고와 행동에 영향을 미친다. 물론 우리의 사고와 행동도 이들 물질의 분비에 영향을 미치므로 상호의존적이다. 우리가 이러한 화학물질의 영향에서 벗어날 수 없고 이것이 우리의 진화론적 한계라는 사실을 이해하는 것은 나를 이해하고 다른 사람을 이해하는 데 대단히 중요하다.

행동을 유도하는 화학물질

신경전달물질이나 호르몬은 외부에서 주입할 수 있다. 또한 그렇게 함으로써 효과를 더 명확히 확인할 수도 있다.

오오키 고오스케 교수는 그의 책 『알고 싶었던 뇌의 비밀』에서 갑상선자극-방출호르몬 100만 분의 1그램을 잠든 병아리의 뇌에 주사했던 경험을 소개했다. 잠든 병아리에게 갑상선자극-방출호르몬을 주사하자 갑자기 벌떡 일어나서 아무런 목적 없이 저돌적으로 직진하다가 벽에 부딪치면 또 다른 방향으로 직진하는 식으로 행동했고, 5분 정도 지나자 지친 듯이 다시 잠에 빠졌다고 한다. 이로부터 갑상선자극-방출호르몬은 '행동력의 바탕', '의욕의 분자'라는 것을 알 수 있다.

갑상선자극-방출호르몬은 기유맹Guillemin과 앤드류 샬리Andrew Schally가 발견했는데, 이들은 그 공로를 인정받아 1977년 노벨상을 수상했다. 이 발견을 시발점으로 뇌의 시상하부로부터 각종 소형 단백질 호르몬이 분비되는데 그것이 정신 활동의 원인이 된다는 사실이 밝혀졌다. 이러한 사실을 통해 신경전달물질과 호르몬의 분비가 사람의 생각과 행동에 영향을 준다는 것을 알 수 있다. 반대로 환경이나 행동이 화학물질의 분비에 영향을 주기도 한다. 같은 환경이나 상황에서도 개인마다 다르게 반응하는데, 이는 신경전달물질과 호르몬의 분비가 저마다 다르기 때문이고, 또한 그것은 각 개인마다 형성된 시냅스가 다르기 때문이다. 결국 한 개인의 사고방식과 행동양식, 나아가 인격까지도 시냅스에 의해 결정된다는 것을 알 수 있다.

도파민의 과잉 분비와 몰입의 관계

도파민은 우리 뇌에서 분비되는 대표적인 쾌감 물질이다. 우리가 어떤 행위를 하든 그로 인해 쾌감을 느꼈다면 그 근본 원인은 도파민에 있다고 보면 된다. 몰입의 즐거움은 바로 이 도파민의 과잉 분비에 의한 결과다.

도파민의 분비

도파민은 궁극적으로 생존과 번식의 확률을 올리기 위한 화학물질이므로 식욕이나 성욕과 깊은 관계가 있다. 우리가 초콜릿과 아이스크림을 좋아하는 것도 이를 먹으면 도파민이 분비되기 때문이다. 이러한 고칼로리 음식이 다른 음식보다 더 많은 도파민을 분비시키는 이유는 고칼로리 음식이 생존에 더 유리하기 때문이다. 물론 갈증이 날 때는 물만 마셔도 도파민이 분비된다.

매력적인 이성에게 끌리는 이유 역시 도파민이 분비되기 때문이다. 첫사랑을 할 때 도파민의 과잉 분비를 거의 처음으로 경험하게 된다. 사랑이 강렬할수록 도파민의 분비가 증가한다. 도파민과 더불어 사랑과 관련된 다른 화학물질들도 활발하게 분비된다. 이전까지 경험하지 못했던 색다른 차원의 즐거움과 행복을 느끼면서 이러한 긍정적인 감정을 상대방이 만들어준 것이라고 생각하게 된다. 첫사랑을 특별하게 생각하고 못 잊는 이유가 바로 여기에 있다.

열애에 빠졌을 때는 여러 가지 긍정적인 화학물질이 분비되어 강렬한 행복감을 느끼지만, 사랑하던 연인과 원치 않는 이별을 하게 되면 고통스럽고 우울해진다. 이때는 긍정적인 화학물질의 분비가 평소에 비해 급격히 떨어져 마치 약물중독자들이 약물복용을 중단할 때 겪는 금단현상과 비슷한 상태를 경험하게 된다. 그래서 견디기가 어려운 것이다. 이를 빠른 시일 안에 치유하려면 긍정적 화학물질이 분비되는 활동을 해야 된다. 예를 들어 자신이 좋아하는 스포츠 또는 취미활동을 하거나 새로운 이성을 사귀는 것이다.

우리가 새로움을 추구하는 것도 도파민의 분비 때문이다. 새로운 것을 시도하거나 낯선 곳을 여행하는 것이 도파민의 분비를 유도하는 것이다. 낯선 이성에게 끌리는 이유도 마찬가지다. 영화 관람, 독서, 스포츠 경기 관람 등 각종 취미활동도 도파민을 유도한다. 모험적인 행위를 통해 스릴을 느낄 때도 도파민이 분비되고, 목표를 달성했을 때도 도파민이 분비된다. 어려운 수학문제를 끙끙대다가 풀었을 때 희열을 느끼는 것도 도파민이 분비되기 때문이다. 심지어 자선을 베풀었을 때 느끼는 쾌감도 도파민에서 비롯된다.

자기공명영상(MRI) 장치를 이용해 뇌 부위를 관찰하면 술, 흡연, 카페인, 쇼핑, 도박, 마약, 인터넷, 컴퓨터 게임에 빠질 때 복측피개영역Ventral Tegment Area: VTA이 활성화된다고 한다. 쾌락의 중추라고 알려져 있는 이 부위는 도파민 회로의 출발점이며, 중독과 관련이 있다.

약물의 부작용

동물실험 결과 마약을 복용할수록 도파민 수용체receptor[16]의 수가 줄어드는 것이 확인되었다. 도파민 수용체가 줄어들면 두 가지 부작용이 나타난다.

첫째, 처음에 쾌락을 느꼈던 마약의 양으로는 만족할 수 없게 되어 사용량을 점점 늘리지 않으면 동일한 수준의 쾌락을 얻지 못한다. 이것을 '내성'이라 한다.

둘째, 평소에 정상적인 양의 도파민이 분비되더라도 도파민 수용체가 줄어들었기 때문에 도파민의 양이 감소한 것과 같은 효과가 나타난다. 그래서 의욕이 없어지고 무기력해진다.

결과적으로 마약 중독자나 알코올 중독자는 평소에도 도파민이 결핍되어 보통 사람보다 활기 없는 삶을 살게 된다. 그러다 보니 약물에 더 의존하게 되어 악순환이 계속되는 것이다.

한편 모르핀 중독은 진통 작용을 하는 엔도르핀을 감소시킨다.

평소 엔도르핀은 우리 몸이 고통을 느끼지 않도록 균형을 이루고 있는데, 이것이 감소하면 몸에서 아프지 않은 곳이 하나도 없을 정도로 고통스럽다고 한다. 이것이 '금단현상'이다.

특정 행위에 따라 도파민의 분비가 반복되면 해당 신경조직들이 발달하기 때문에 더 많은 자극을 요구하게 된다. 그러면 그 행위에 더욱 끌리게 되는데, 이것이 '중독현상'이다. 음주, 흡연, 쇼핑, 도박, 인터넷, 컴퓨터 게임에 중독되어도 도파민을 분비하는 신경조직들이 발달해 더 많은 자극을 요구하게 된다. 심한 경우 알코올 중독자는 술잔만 봐도 도파민이 분비되고, 니코틴 중독자는 담배만 봐도 도파민이 분비된다고 한다. 중독의 원리나 정도는 마약과 다르지만 도박 역시 내성과 금단현상이 나타난다. 도박에 중독되면 하는 횟수와 배팅하는 돈이 늘어나고 알코올에 중독되면 술을 마시는 횟수와 양이 늘어나는데 이 역시 도파민에 대한 내성이 생기기 때문이다.

도파민 회로의 경로

인간은 도파민과 같은 화학물질의 작용에 수동적이기 때문에 일단 중독되면 헤어나기 힘들다. 도파민 회로가 우리 뇌에서 어떠한 경로를 지나는지 한번 살펴보자.

쾌감중추인 복측피개영역에서 시작된 도파민 회로는 식욕과 성욕 중추가 있는 시상하부를 지나 감정중추인 편도체에 도달한다.

그리고 '의욕적 목표 추구'를 위한 자발적 행동을 담당하는 측좌핵을 경유한다. 그다음 감정연합과 이성을 매개하는 중간기지 역할을 하는 대상회에 도달하고 감정과 기억의 폐쇄회로인 파페츠 회로에 들어간다. 이 폐쇄회로를 벗어나면 신피질에 도달하게 되고 다양한 정보에 대한 평가, 분석, 비교, 판단, 계획을 담당하는 전두연합령에 도달하게 된다.

전두연합령은 생각하고 학습하고 추론하고 계획을 세울 뿐 아니라 의욕과 감정을 지배하는 뇌의 최고 중추기능을 한다. 즉, 우리 몸의 사령관이나 최고경영자CEO인 셈이다. 전두연합령은 우리가 스스로의 의지로 무언가를 계획하고, 그것을 실행하기 위해 전략을 짜고, 그것을 추진하게 할 뿐만 아니라 어려운 과업에 도전하게 하고 창조성을 발휘하게 한다. 그리고 그 결과에서 성취의 희열과 가슴 떨림을 맛보게 한다.

복측피개영역에서 전두연합령으로 가는 상행선과 그 역방향의 하행선은 한 개의 신경회로 속에 같이 있는데, 상행 회로는 선천적으로 발달해 있지만 하행 회로는 그렇지 않다. 정신적으로 성숙하거나 깊이 생각하거나 사고력을 발달시킨다는 것은 전두연합령을 발달시킨다는 것을 의미하는데, 이로 인하여 하행 회로가 발달하게 된다.

하행 회로가 발달하면 쾌락을 선별할 수 있는 능력이 생긴다. 주어진 쾌락이 파멸적인지, 소모적인지, 아니면 생산적인지를 판별해 자신을 통제하고 조정하는 것이다. 당장 눈앞에 보이는 쾌락을 억제함으로써 더 많은 쾌락을 얻을 수 있다면 그것을 택할 수 있게 된다. 소위 '만족 지연 능력'이 발달하는 것이다. 뿐만 아니라 지금 당장은 힘들고 고통스러운 일이라도 미래의 행복을 약속한다면 기꺼이 그것을 택할 수 있게 된다. 반면 하행 회로를 발달시키지 않으면 동물적 속성이 강하게 나타나고 쾌락에 쉽게 이끌리는 행동을 하게 된다.

파멸적인 쾌락,
소모적인 쾌락, 생산적인 쾌락

인간은 누구나 쾌락을 추구한다. 이러한 기능 때문에 생존과 번식이 가능했고 그 결과 현재 존재하는 것이기 때문에 쾌락의 추구는 숙명적인 것이다. 그리고 생물학적 특성상 인간의 사고와 행위는 뇌 내 화학물질에 대하여 대단히 수동적이다. 그러나 쾌락을 추구하는 방식은 노력하면 얼마든지 능동적으로 선택할 수 있다.

알코올 중독자가 탐닉하는 쾌락, 컴퓨터 게임에 몰입하는 아이가 느끼는 쾌락, 과학자들이 연구에 몰입하면서 누리는 쾌락, 성직자들이 영성 활동을 통해 얻는 쾌락 모두 그 본질은 뇌 내 화학물질의 작용에 있다. 어떤 행위든 쾌락을 만드는 근본 물질은 동일하다. 보통 성직자들이 금욕적인 생활을 한다고 생각하지만 아마도 그들은 일반인들보다 더 많은 행복을 누리면서 살아갈 것이다. 영성 활동은 도파민, 세로토닌, 옥시토신과 같은 긍정적 화학물질을 가장 많이 분비시키기 때문이다.

어떤 쾌락을 추구하느냐에 따라 그것이 파멸을 불러올 수도 있고, 소모적일 수도 있고, 생산적일 수도 있다. 파멸적인 쾌락을 느끼는 쾌감회로나 식욕과 성욕에 관련된 쾌감회로는 특별히 노력하지 않아도 선천적으로 잘 발달되어 있다. 이미 고속도로가 잘 닦여 있는 것이다. 소모적인 쾌락을 위한 쾌감회로 역시 선천적으로 발달되어 있어 조금만 노력하면 쉽게 길이 난다. 그러나 생산적인 쾌락의 회로는 거의 발달되어 있지 않기 때문에 이를 발달시키기 위해서는 부담과 도전의 장벽을 넘어야 한다. 결국 자신이 해야 할 일을 즐기게 되려면 장벽을 넘을 수 있는 능력을 발달시키는 것 외에는 달리 방법이 없다.

시냅스의 유전적인 배선은 선천적 진화에 해당하고, 시냅스의 후천적 배선은 후천적 진화에 해당한다. 그런데 선천적 진화의 속도는 너무 느려서 인류문명의 발달속도를 도저히 따라갈 수가 없다. 결과적으로 선천적 진화에 해당하는 우리의 본능만으로는 문명사회에 적응하기 힘들다. 이 점이 동물과 달리 인간들이 갖고 있는 불리한 점이고 문명의 혜택을 누리면서 치러야 하는 대가다. 고도로 발달된 현대문명에 얼마나 잘 적응하여 성공적인 삶을 사느냐는 각 개인의 후천적 진화에 달려 있다. 후천적 진화에 주된 역할을 하는 것이 바로 교육이다.

어린아이의 뇌는 시냅스가 형성되는 초기이므로 마음대로 형태를 바꿀 수 있는 밀가루 반죽처럼 말랑말랑한 상태이지만 나이가 들면서 점점 굳어진다. 부모의 가장 중요한 역할은 아이의 뇌에 생산적인 쾌감회로의 고속도로를 만들고 이를 발달시키는 것이다. 그리고 그 방법은 아이에게 적절한 부담과 도전의 경험을 하게 해서 배움은 꿀처럼 달다는 것을 반복 체험시키는 것이다.

보람을 수반하는 재미와 후회를 수반하는 재미

어린아이들은 컴퓨터 게임이나 전자오락을 좋아한다. 재미가 있기 때문이다. 그런데 그런 재미에는 보람이 따르지 않는다. 컴퓨터 게임이나 전자오락을 즐기는 순간에는 좋을지 몰라도 그 시간이 지나면 허탈감과 후회라는 부정적 감정만 남는다.

한편 한 번도 접해보지 않은 미지의 문제를 혼자 해결하면 재미를 느끼는데 이 경우에는 보람이 뒤따른다. 지적 능력의 한계를 뛰어넘어 도저히 풀 수 없을 것 같았던 문제를 해결해 낸 자신이 대견하게 느껴진다. 시간이 흐른 뒤에 다시 생각해도 마냥 즐거운 기억이 된다. 그야말로 평생 기억하고 싶고, 자랑하고 싶은 영웅적인 경험으로 남는 것이다. 이런 이유로 보람이 수반되지 않는 재미는 보람이 따르는 재미를 결코 넘어설 수 없다.

어린 나이에, 쾌감에 쉽게 길들여지는 컴퓨터 게임에 노출되기 전에 보람이 수반되는 재미를 경험하도록 해야 한다. 소모적인 행위에 대한 시냅스가 형성되기 전에 생산적인 재미에 대한 시냅스가 만들어지고 뻗어나가도록 해야 하는 것이다. 보람이 수반되는 재미를 충분히 경험한 아이는 보람은커녕 후회만 남는 일에 쉽게 중독되지 않는다.

코카인의 작동 원리

코카인과 같은 약물이 어떻게 시냅스에서 도파민의 과잉 분비를 유도하는지 살펴보자.

다음 페이지의 〈그림 10-(a)〉는 뉴런 축색 말단에 도파민과 표적세포에 있는 도파민 수용체, 그 사이 20나노미터 정도의 간극인 시냅스를 보여준다. 도파민이 축색 말단에서 분비되면 시냅스 간극을 지나 인접한 뉴런 수상돌기에 있는 표적세포의 도파민 수용체에 도달해 인접한 뉴런에 정보가 전달되는 것이다. 이러한 현상이 수많은 뉴런들 사이에 도미노처럼 반복해 일어나 정보가 전달된다.

〈그림 10-(b)〉와 같이 축색 말단에 도파민의 자가수용체가 존재한다. 자가수용체는 자기가 방출한 신경전달물질을

| 그림 10 | 시냅스에서 도파민 과잉을 유도하는 코카인의 작용 원리

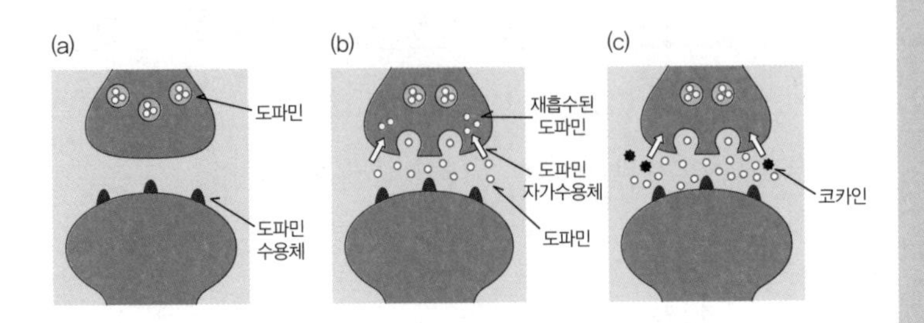

스스로 회수하는 수용체다. 그래서 축색 말단에서 분비된 도파민의 일부는 이 도파민 자가수용체로 흡수된다. 자가수용체의 역할은 도파민의 과잉 분비로 인한 부작용을 막는 것이다. 이와 같이 자가수용체에서 어떤 신경전달물질 등이 과도하게 방출되는 것을 조절하는 기능을 '마이너스 피드백'이라고 한다.

코카인이 주입되면 〈그림 10-(c)〉와 같이 코카인이 도파민 자가수용체를 차단시킨다. 결과적으로 시냅스에 도파민이 과잉 분비됨으로써 쾌감이 증가한다. 이것이 코카인의 작용이다. 수치로 환산하면 성행위가 도파민의 수치를 평소보다 50~100퍼센트 정도 늘려주는 데 비해 코카인의 수치는 무려 500~800퍼센트나 늘려준다. 따라서 코카인에 의한 중독은 그 어떤 중독보다 무서운 것이다. 현재 남용되고 있는 대부분의 약물은 도파민의 과잉 분비를 유도하는 것으로 알려져 있다.

우울증 치료 원리

우울증은 세로토닌의 부족으로 인해 생기는 것으로 알려져 있는데, 역시 시냅스에서 세로토닌 자가수용체에 세로토닌 재흡수를 억제하면 세로토닌의 부족 현상을 방지할 수 있다.

오른쪽 〈그림 11〉은 우울증의 치료 원리를 도식적으로 설명한 것이다. 〈그림 11-(a)〉와 〈그림 11-(b)〉는 일반인과 우울증 환자의 시냅스에서 세로토닌의 양을 비교한 것으로 우울증 환자가 일반인보다 세로토닌의 양이 적은 것을 알 수 있다. 〈그림 11-(c)〉는 우울증 환자가 프로작Prozac과 같은 선택성 세로토닌 재흡수 억제제를 복용할 경우 이들이 자가수용체를 막음으로써 세로토닌이 재흡수되는 것을 억제해 시냅스에서의 세로토닌이 많아진다는 것을 보여준다.

| 그림 11 | 우울증과 세로토닌의 관계 및 우울증 치료제의 약리 작용

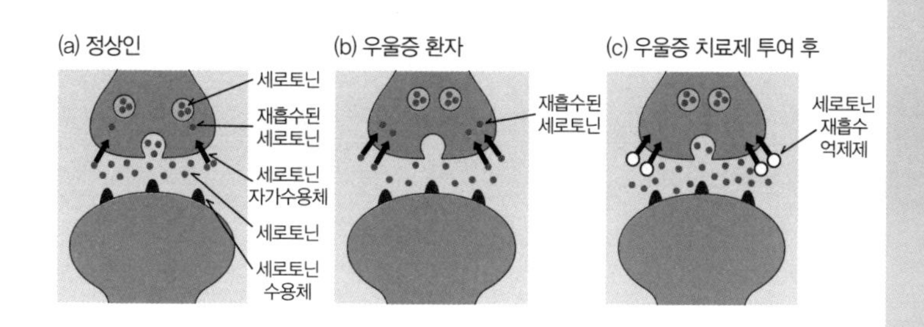

따라서 우울증을 감소시키려면 세로토닌의 분비를 유도하는 활동을 하는 것이 바람직하다. 운동과 명상은 세로토닌 분비를 유도하는 대표적인 활동이다. 이외에 햇볕을 쪼인다거다 세로토닌 합성재료인 트립토판tryptophan을 함유한 현미나 콩, 치즈와 같은 식품을 섭취하는 것도 도움이 된다.

뇌는 사용하지 않으면 퇴화한다

다음 페이지 〈그림 12〉는 토머스 울지Thomas A. Woolsey 박사의 역사적인 실험으로 두뇌는 사용하지 않으면 퇴화한다는 것을 극명하게 보여준다. 이 실험은 생후 2~3일 후 쥐의 수염을 제거하고 그것이 뇌세포에 어떠한 영향을 주는지 조사하기 위해 시행되었다.

쥐에게는 수염의 촉각이 대단히 중요한 역할을 한다. 각 수염의 촉각은 해당되는 뇌 부위와 뉴런을 통해 연결되어 있다. (a)에서 (d)까지 각각 두 개의 뇌세포 그림이 있는데, 이 중 왼쪽 뇌세포는 초기의 변화를 나타내고 오른쪽 뇌세포는 시간이 더 흐른 후의 변화를 나타낸다.

〈그림 12-(a)〉는 수염을 제거하지 않은 상태이므로 오른

| 그림 12 | 쥐의 수염과 그에 해당하는 감각피질의 뇌세포

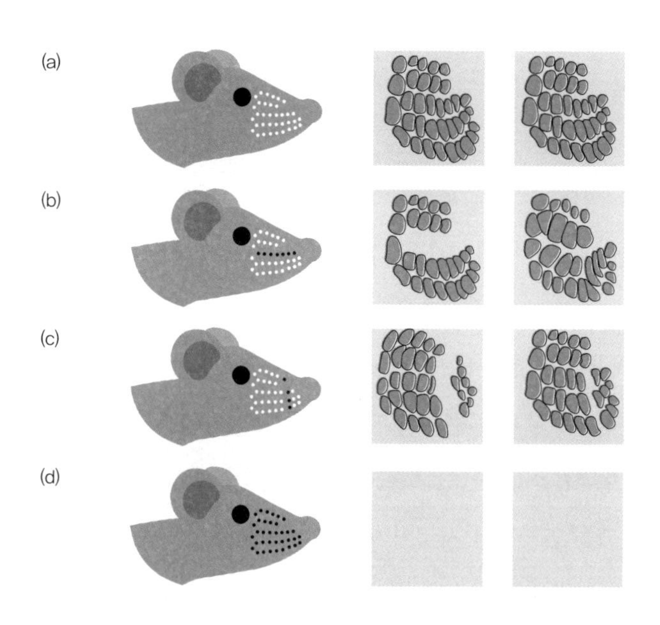

쪽의 뇌세포는 모두 정상이다. 〈그림 12-(b)〉는 중앙의 수염을 제거한 상태로(검은 점으로 표시된 부분), 이 수염에 해당하는 뇌세포는 없어지고 나중에는 주변 뇌세포가 더욱 발달해 그 부위를 메우고 있음을 보여준다. 〈그림 12-(c)〉는 〈그림 12-(b)〉와 동일하지만 수염을 세로 방향으로 제거했다. 역시 제거된 수염에 해당하는 뇌세포는 없어지고 주변

뇌세포가 발달해 이 부위를 메운다. 〈그림 12-(d)〉는 수염을 모두 제거할 경우 그에 해당하는 대뇌감각피질의 모든 뇌세포가 사멸되는 것을 보여준다. 결국 제거된 수염에 해당하는 뇌세포는 퇴화하고 그 옆에 있는 뇌세포는 더 발달한다.

이 실험을 통해 외부의 자극이 두뇌의 발달에 얼마나 중요한 영향을 미치는지 알 수 있다. 우리의 두뇌는 사용하지 않는 그 순간부터 퇴화하는 것이다. 운동을 하면 근육이 발달하듯이 사고를 하면 사고와 관련된 뇌세포가 발달한다.

자극이 풍부한 환경과 그렇지 않은 환경에서 성장한 쥐의 두뇌를 비교한 연구 결과가 여러 차례 발표된 바 있다. 이 모든 연구에서 자극이 풍부한 환경에서 성장한 쥐는 빈약한 환경에서 성장한 쥐보다 해마의 뉴런 수가 현저하게 증가하고, 심지어 뇌의 무게까지 증가하기도 했다.

예를 들어 여러 쥐들에게 튜브를 기어오르고 쳇바퀴를 돌리고 새로운 음식과 사회적 상호작용을 할 수 있는 풍요로운 환경을 제공했더니 2개월 후 쥐들의 양쪽 해마에서 뇌세포가 각각 5만 개씩 증가했다. 우리가 항상 논리적이고 깊은 사고를 하면서 두뇌의 가동률을 높여야 하는 이유는 두말 할 필요도 없다.

몰입도가 기분을 좌우하는 이유

뇌과학적 관점에서 몰입을 다루기 위해서는 의식의 원리를 이해해야 한다. '의식'은 신경과학 분야에서 가장 중요한 연구 주제 가운데 하나지만 아직 명확하게 정립되지 않고 있다. 의식에 관한 최소한의 지식을 이해하고, 이에 입각하여 몰입의 원리를 보다 구체적으로 살펴보자.

'오늘 저녁에는 무엇을 먹을까?'라는 상념이 의식의 표면으로 떠오를 때 그와 관련된 수많은 뉴런과 이들 사이를 연결하는 수많은 시냅스가 동시에 활성화되는데, 이를 '시냅스 활성이 동기화synchronizing되었다'고 한다. 그리고 이 상념을 만드는 데 관여한 뉴런들을 가리켜 '뉴런연합체'라고 한다.

하나의 풍경을 쳐다볼 때도 수천만 개의 시냅스가 서로 동기화되어 활성화되고 수많은 뉴런들이 관여한다. 의식 근처에서 활성화된 여러 종류의 뉴런연합체들은 그 내용이 의식의 표면에 떠오르기 전까지는 무의식으로만 존재한다. 즉, 뉴런연합체가 충분히 크지 않아서 의식을 야기할 만큼 커다란 자극을 만들지 못하면 무의식으로 존재하는 것이다.

몰입도는 뉴런연합체에 비례한다

의식은 대단히 작은 기억 용량을 가지고 있다. 그렇다면 '의식 근처에 잠재적인 수많은 상념을 만들 수 있는 활성화된 뉴런연합체 중에서 무엇이 이 작은 용량의 의식을 차지하게 될까?'라는 의문을 가질 수 있다. DNA를 발견한 크릭과 공동으로 오랜 기간 의식에 관한 연구를 한 캘리포니아 공과대학의 크리스토퍼 코흐에 의하면 활성화된 뉴런연합체들이 서로 경쟁적으로 자극을 야기하다가 우연히 경쟁에서 이긴 뉴런연합체의 내용이 의식의 표면으로 떠오른다고 한다.

의식의 자리를 누가 차지하느냐는 뉴런연합체들이 만드는 자극의 세기의 경쟁이다. 그리고 자극의 세기는 뉴런연합체의 크기에 비례한다. 결국 우리 뇌는 커다란 자극에 의식의 우선순위를 부여하는 것이다. 언제고 의식으로 떠오를 가능성이 있지만 아직 의식으로 떠오르지 않은 상태에 있는 뉴런연합체들은 의식 근처에 머물러 있다고 할 수 있다. 또한 의식되지는 않지만 행동이나 사고에 직접적인 영향을 주는 활성화된 암묵 기억[17]도 의식의 근처에 있다고 할 수 있다.

몰입도가 낮다는 것은 여러 상념들이 머릿속에 떠올랐다가 사라지기를 반복하는 상태를 말한다. 이는 각 상념에 해당하는 뉴런연합체들이 수시로 종류를 바꿔가면서 의식으로 떠올랐다가 사라지기를 반복하는 것이다. 한마디로 이 생각 저 생각이 떠오르는 상태다. 반대로 몰입도가 높다는 것은 관련된 내용이 의식에서 차지하는 비중이 큰 상태를 말하는데, 이는 관련된 뉴런연합체의 크기가 크다는 것을 의미한다. 따라서 몰입도는 곧 뉴런연합체의 크기와 같다고 할 수 있다. 결국 고도의 몰입 상태는 뉴런연합체가 극도로 커져 있는 상태다.

그렇다면 왜 몰입 상태가 되면 재미를 느낄까? 한 가지 정보가 의식을 통해 입력되면 그 정보에 의해 관련된 뉴런연합체의 시냅스들이 동시에 발화를 한다. 몰입도가 높다는 것은 입력된 하나의 정보 혹은 신호에 따라 동시에 작동될 수 있는 시냅스의 수가 대단히 많다는 것을 의미한다. 결과적으로 다량의 신경전달물질이 분비되는 것이다. 우리가 월드컵 경기를 몰입해서 관람할 때 선수들

동작 하나하나에 흥분하고 일희일비하는 것은 바로 축구 광경의 정보가 의식을 통해 들어올 때 다량의 시냅스가 동시에 발화하기 때문이다. 이때 쾌감물질인 도파민이 다량 분비되어 몰입의 즐거움을 유도하는 것으로 보인다.

반면 몰입도가 낮다는 것은 입력된 하나의 정보가 흥분시킬 수 있는 시냅스의 수가 적은 것을 의미한다. 그래서 산만한 상태에서는 기량도 떨어지고 재미도 없는 것이다. 몰입도가 낮은 대표적인 심리 상태는 권태다. 권태에 빠지면 아무것도 하기 싫고 극도로 게을러진다.

높은 몰입도를 유지한다는 것은 커다란 뉴런연합체의 크기가 감소하지 않고 유지된다는 것을 의미한다. 엔트로피적 관점에서 보면 바인딩binding된 커다란 뉴런연합체가 개개의 독립적인 뉴런으로 나뉘는 것이 자연스럽다. 자극이 더 이상 입력되지 않으면 시간이 경과하면서 몰입도가 떨어지는 것이 자연스러운 것이다. 따라서 몰입도를 떨어뜨리지 않으려면 관련 자극을 계속해서 입력해야 한다. 이러한 자극은 몰입도가 떨어지려는 자연스러운 경향에 맞서는 무언가를 제공한다. 그것은 뉴런연합체를 바인딩시키는 힘을 제공하는 것으로써 각성을 야기시키는 신경전달물질일 것이다. 그중에서도 특히 도파민이 핵심적인 역할을 하는 것으로 보인다.

몰입도에 관여하는 신경전달물질

사고에 의한 몰입을 할 때 몰입도를 올리는 데 깊이 관여하는 신경전달물질의 역할은 다음과 같다.

첫째, 가바는 잡념이 들어오는 것을 막는 역할을 한다. 가바는 각성에 의해서뿐만 아니라 이완에 의해서도 증가시킬 수 있다. 슬로 싱킹은 이완에 의해 가바의 수준을 올리는 방법이다.

둘째, 아세틸콜린은 관련된 장기 기억을 인출하고 활성화시키는 역할을 한다. 아세틸콜린의 분비는 수면 상태에서 증가하므로 선잠이 몰입도를 불연속적으로 올려준다는 사실을 뒷받침해 준다. 특히 아세틸콜린은 꿈을 꾸는 렘수면 중에 분비량이 최대가 되므로 주어진 문제를 잠들기 직전까지 생각하는 것이 몰입도를 올리는 데 중요하다.

셋째, 도파민은 뉴런연합체를 바인딩하는 역할을 하는 것으로 보인다. 도파민은 주어진 문제에 대한 생각을 끊임없이 할 수 있도록 돕지만, 반대로 의도적으로 생각을 끊임없이 하려고 노력할 때 분비가 유도되기도 한다.

시냅스의 시간적 가중과 공간적 가중

몰입도를 올린다는 것은 결국 관련된 주제에 대한 자극을 지속적으로 입력하여 뉴런연합체의 크기를 증가시키는 것이다. 이때 왜 자극이 지속적이어야 효과적인지 이해하기 위해서는 시냅스가 발화하는 특성을 알아야 한다. 이와 관련된 뇌과학 지식이 시냅스의 시간적 가중과 공간적 가중이다.

한 뉴런에서 다른 뉴런으로 자극이 전달될 때 신경전달물질의 양이 다른 뉴런을 흥분시키기에 충분하지 않을 때가 있다. 즉, 시냅스를 발화시키기에 충분하지 않은 것이다. 이때 자극이 일정 시간 내에 반복되면 신경전달물질의 양이 충분해져 흥분이 전달된다. 이런 현상을 '시냅스의 시간적 가중'이라고 한다.

반면 한 개가 아닌 여러 개의 뉴런에서 동시에 자극이 전달되면 개개의 뉴런에 의해 분비되는 신경전달물질이 충분하지 않더라도 이들의 합이 흥분을 야기시키기에 충분할 때가 있다. 이런 현상을 '시냅스의 공간적 가중'이라고 한다.

시냅스의 시간적 가중은 어떤 행위에 대한 몰입도를 올리기 위해서는 중단 없이 연속해야 효과적이라는 것을 알려준다. 다시 말해 걸어가거나 운전을 하거나 식사를 하는 등의 활동을 할 때 중단하지 않고 계속해서 주어진 문제를 생각하면 시냅스의 시간적 가중 효과 때문에 몰입이 쉬워지는 것이다.

시냅스의 공간적 가중은 뉴런연합체의 크기가 커질수록 시냅스의 발화가 점점 쉬워진다는 것을 의미한다. 몰입도가 올라갈수록 점점 더 몰입하기가 용이해지는 것이다. 반대로 몰입도가 낮을수록 몰입하기가 어렵고, 이것이 몰입의 장벽으로 작용한다. 공부나 일도 발동이 걸리기 전에는 힘도 들고 효율도 떨어지지만 일단 발동이 걸리기 시작하면 효율도 올라가고 집중도 잘 되며 재미도 느낄 수 있다.

몰입에 의한 가치관의 변화

어떤 문제를 풀기 위해 슬로 싱킹 방식으로 자나 깨나 생각하기를 지속하다 보면 신념의 변화를 확연하게 느낄 수 있다. 평생을 노력해도 풀리지 않을 것 같던 문제도 머지않아 반드시 해결될 거라는 확신이 생긴다. 이러한 확신은 1~2주일 정도의 비교적 단기간에 형성된다. 일단 그 문제를 풀 수 있다는 믿음이 생기기 시작하면 무서운 힘이 발휘된다. 인생을 걸고 매달리게 하는 것, 이것이 신념의 위력이다. 문제의 수준이 높아 해결하지 못한 상태에서 몇 개월이 지나도 이 신념은 조금도 흔들리지 않고 오히려 점점 더 강해진다. 열애를 하는 듯한 감정을 느끼기도 한다.

몰입이 몇 개월 이상 지속되면 내가 하는 일이 세상에서 가장 중요하다고 느껴진다. 가치관의 변화가 생기는 것이다. 이러한 변화는 대단히 설득력 있게 일어나고 더욱 쉽게 그 문제에 빠져들게 한다. 그래서 그 일이 자신의 인생과 바꾸어도 결코 아깝지 않게 느껴지는 것이다. 신념의 형성에 대해 논하기 전에 먼저 몰입을 통해 자신이 하는 일에 대한 새로운 가치관이 형성되는 과정을 개인적인 경험을 예로 간략히 소개한다.

원시시대 인류의 화석에서 뼈나 이빨에 나이테가 종종 발견되고 있다. 고고학자들에 따르면 뼈에 나이테가 생기는 것은 몇 년에 걸쳐 성장이 불균일하게 일어났다는 것을 의미하고, 이는 여러 해 동안 거의 먹지 못해 뼈가 성장하지 못했기 때문에 나타나는 현상이라고 한다. 또 이빨에 나이테가 생기는 것은 몇 개월 동안 거의 먹지 못하는 상황을 반복적으로 경험했을 때 나타나는 현상이라고 한다. 문명이 없던 시절 우리 조상들은 이처럼 어렵고 힘겨운 삶을 살았다. 그런데 지금 우리는 얼마나 풍요로운 세상에 살고 있는가? 또 얼마나 품위 있는 삶을 누리고 있는가?

우리는 옛날의 왕이나 귀족보다도 더 풍요롭고 품위 있는 삶을 누리고 있다. 이를 누구에게 감사해야 하는가? 이런 현실이 어떻게 가능해졌을까? 바로 고도로 발달한 문명 덕택이다.

그렇다면 문명을 누가 발달시켰는가? 문명을 만드는 데 기여한 사람들은 창조적인 사람들이었다. 과학이든 문학이든 예술이든 어떤 분야에서도 창조적인 사람들이 커다란 기여를 했다.

우리가 과학기술 문명 덕택에 누리고 있는 혜택을 한번 생각해 보자. 만약 마이클 패러데이가 전기를 발견하지 못했다면 세상은 어떻게 됐을까? 전기를 사용하는 기구가 없는 세상을 한번 상상해 보자. 만약 제임스 와트가 엔진을 발명하지 않았더라면 세상은 어떻게 됐을까? 엔진을 사용하는 기구가 없는 세상을 한번 상상해 보자. 우리는 지금 수백 년 전의 왕이나 귀족의 삶과도 바꾸지 않을 만큼 값진 현대문명의 축복 속에 살고 있는 것이다.

이와 같은 생각을 하게 되면 인류의 문명을 발전시키는 데 크게 기여한 과학자나 기술자들을 한없이 존경하고 흠모하게 된다. 특히 뉴턴이나 아인슈타인과 같은 위대한 과학자들에게는 매일 감사의 기도를 올려야 할 것 같다. 그와 동시에 비록 능력은 모자라지만 나도 연구라는 활동을 통해 이들이 걸어간 창조의 길을 가고 있다는 생각을 하면 감개무량하기까지 하다. 나도 인류 문명이라는 성을 쌓는 이 성스러운 작업에 벽돌 하나나마 나르고 있다는 생각이 들기 때문이다. 그러니 내가 하는 일이 숭고하게 느껴지고, 내 인생을 송두리째 던져도 아깝지 않은 것이다.

몰입에 의한 이러한 가치관의 형성은 자신이 하는 일에 대한 소명의식을 갖게 하고 삶을 의미 있게 만든다. 소명의식을 갖게 되면 자신이 해야 할 일을 좋아하게 되고, 자신이 하는 일에 신앙과 같은 믿음이 생긴다. 결과적으로 지극히 행복하면서도 높은 경쟁력을 갖게 되는 것이다.

프로와 아마추어의 차이

돌이켜보면 연구에 임하는 자세에 있어 아마추어였던 내가 몰입 후에는 프로로 바뀌었다. 그리고 아마추어와 프로가 어떻게 다른지 나름대로의 철학을 갖게 되었다. 조치훈 프로기사는 "나는 바둑 한 수 한 수에 목숨을 건다!"라고 말했다. 이 말처럼 프로와 아마추어의 차이를 극명하게 보여주는 것은 없다.

프로는 자신이 하는 일 하나하나에 의미를 두고 목숨을 걸고 혼신을 다하는 반면, 아마추어는 자신이 하는 일에서 평생 목숨을 걸 만큼 중요한 의미를 찾지 못한다. 자신의 일 하나하나에 목숨을 걸고 살아가는 프로는 흥분되고 희열에 넘치는 삶을 산다. 매사에 목숨을 걸기 때문에 자기 능력의 한계를 발휘하고 그것을 넓혀나갈 수 있다. 자아실현을 하는 것이다. 그 과정에서 능력은 급속도로 향상되고 자신의 가치 또한 올라간다. 그리고 시간이 지날수록 자신을 필요로 하는 곳이 많아지고 여기저기서 스카우트 제의도 받게 된다.

반면 평생 목숨을 걸 만한 일을 찾지 못한 아마추어는 삶이 시들하고 지루하게 느껴진다. 그래서 자신을 흥분시키는 무언가를 찾기 위해 다른 취미활동에 기웃거린다. 목숨 걸 일이 없으니 평생 능력의 한계를 발휘할 기회도 없고, 시간이 지날수록 자신의 가치는 떨어지기만 한다. 당연히 자신을 필요로 하는 곳도 점점 없어진다. 심지어 자신이 몸담고 있는 직장에서조차 불필요한 사람으로 낙인 찍혀 정리해고 대상이 되기도 한다.

프로는 선택과 집중을 통해 필요한 곳에 모든 에너지를 쏟아붓지만, 아마추어는 불필요한 곳에 에너지를 흩뿌린다. 나도 몰입을 하기 전에는 우리 사회에서 일어나는 일들에 사사건건 관심을 쏟으며 혼잣말로 참견을 하곤 했다. 신문이나 TV 뉴스에 나오는 정치인들의 적절치 못한 행동을 보고 "저렇게 정치를 하니 이 나라가 밤낮 이 꼴이지!" 하며 분개했고, 국가대표 축구선수들이 골문 앞에서 실수하는 것을 보면 "이것이 바로 우리 축구의 문제야!"라며 흥분을 하기도 했다. 그러나 몰입을 시작한 이후 신문이나 TV를 보면서 흥분하는 시간과 에너지도 아깝게 느껴졌고 이 모든 에너지를 아껴서 내가 하는 일에 쏟아붓기에도 바빴다.

프로 선수들을 보면 자신이 하는 일을 세상에서 가장 중요한 것으로 생각하고 그 외의 부분은 과감하게 포기한다. 그리고 자신이 선택한 분야에 기꺼이 인생을 던진다. 아주 단순한 삶을 사는 것이다. 그리고 남들이 보기에는 아주 좁게 느껴지는 그 세계에서 희로애락을 느끼고 아름다움을 발견하고 자기 능력의 한계를 발휘하며 살아간다.

스포츠라는 분야는 보통 사람들에게 취미나 오락으로 간주되는 것으로 그것 자체가 특별한 의미를 갖는 것은 아니다. 그럼에도 프로 선수들이 이러한 활동에 커다란 의미를 부여하고 목숨을 걸고 인생을 던질 수 있는 이유는 가치관의 형성이 임의적으로 만들어졌기 때문이다. 결국 가치관은 어떤 일을 하느냐가 아니라 어떻게 일을 하느냐에 따라 달라지는 것이다. 자신의 일에서 의미와 보람을 느끼지 못한다면 그것은 가치관이나 소명의식이 형성되지 않았기 때문이다.

신념의 순기능과 역기능

가치관보다 더 일반적인 개념은 신념이다. 신념은 가치관뿐만 아니라 종교적인 믿음도 포함한다. 최근 인지과학 분야에서 신념이 어떻게 형성되는지에 대한 연구가 활발하게 이루어지고 있다. 그 결과 신념체계와 지식체계가 형성되는 메커니즘이 다르다는 사실이 확립되었다. 엄청난 위력을 발휘하는 가치관이나 신념은 인위적인 노력으로 만들어질 수 있다. 그러나 잘못된 가치관이나 신념의 형성은 많은 폐해를 가져오므로 신념에 대한 올바른 이해를 통해 역기능에 의한 피해는 최소화하고 순기능을 활용할 필요가 있다.

신념의 힘은 목숨보다 더 강하게 나타나는 경우가 많다. 대표적인 예로 종교인들이 위험한 상황에서도 믿음을 포기하지 않고 순교를 하는 경우를 들 수 있다. 기사도 정신과 사무라이 정신도 마찬가지다. 기사나 사무라이는 명예를 중히 여기고 목숨까지도 기꺼이 바친다. 이것도 일종의 신념이다. 애국심도 일종의 신념이고, 자신의 직업에 대한 소명의식도 신념이다. 신념은 기꺼이 목숨을 버릴 수 있을 만큼 위력적이다. 신념이라는 것은 일정한 기준 없이 임의로 생긴다. 그런데 쉽게 꺾이지 않는 특성을 가지고 있어 신념끼리 서로 부딪힐 때가 있다. 신념이 서로 다를 경우, 목숨을 바칠 만큼 강력한 신념끼리 서로 충돌하는 것이다. 신념의 속성상 어느 쪽도 절대로 쉽게 물러서지 않기 때문에 신념끼리 충돌하면 화해하기가 어렵다. 이것이 신념의 역기능이다.

신념체계와 지식체계

신념체계와 지식체계의 개념을 조금 더 과학적으로 접근하기 위해 용어부터 다시 정의해 보자. 신념은 경험에 의해 교정되는 것에 저항하는 경향을 보이고, 지식은 경험에 의해 끊임없이 수정과 갱신을 거친다. 즉, 신념체계는 자신이 믿는 지식을 계속 고수하도록 하는 반면, 지식체계는 어떤 지식을 믿고 있었다 해도 더 나은 지식이 나타나면 기존의 지식을 새로운 지식으로 대체한다.

최근의 인지과학 연구에 의해 신념체계와 지식체계는 뇌의 서로 다른 영역에서 활동하고 정보처리 방식도 서로 다르다는 사실이 밝혀졌다. 신념체계는 뇌의 피질-편도체, 피질-선조체 회로의 상호작용에 의해 중재되는 반면, 지식체계는 피질-해마 회로의 상호작용에 의해 중재된다고 한다. 편도체는 공포 반응을 담당하고, 선조체는 무언가를 절실히 바라는 감정을 담당하며, 해마는 장기 기억을 담당한다.

신념체계와 지식체계는 상호 보완 작용을 하면서 효율적으로 작동한다. 예를 들어 우리가 가지고 있는 지식들이 종종 서로 상충할 때가 있다. 이럴 경우 뇌가 적절한 판단을 내리기 어렵다. 어떤 지식을 믿고 어떤 지식을 믿지 말아야 할지, 그 기준이나 우선순위가 있어야 적절한 판단을 내릴 수 있다.

지식의 우선순위를 정하기 위해 우리의 뇌는 기억에 감정을 싣는다. 카프그라 증후군은 감정이 신념에 어떤 영향을 미치는지 명확하게 보여주는 대표적인 예다. 개개인의 얼굴을 인식하는 기능을 하는 뇌 부위에 문제가 생기면 다른 사람의 얼굴을 인식하지 못하게 되는데, 이러한 증상을 '안면인식장애'라고 한다. 그리고 이 부분에는 문제가 없는데, 거기서 감정의 뇌로 연결되는 통로에 문제가 생겼을 때 나타나는 증상을 '카프그라 증후군'이라 한다.

카프그라 증후군에 걸린 환자는 자신의 어머니를 보고 단지 얼굴이 똑같다고 생각할 뿐 어머니로부터 느꼈던 감정을 느끼지는 못한다. 그리고 자신의 어머니와 똑같이 변장한 사기꾼이라고 생각한다고 한다. 이 사례는 지식은 있지만 그 지식에 대한 감정이 없을 때 우리가 어떻게 반응하는지를 명백히 보여준다. 똑같은 모습이라는 지식이 있음에도 어머니에 대한 감정을 느끼지 못하기 때문에 어머니가 아니라고 믿는 것이다. 이로부터 감정이 없는 지식은 신념을 형성하지 못한다는 사실을 알 수 있다. 달리 말하면 감정은 신념을 형성하는 데 필수적인 것이다.

감정이 없는 지식은 중요성이나 우선순위가 낮아 어떤 판단이나 의사결정에 큰 영향을 미치지 못한다. 즉, 감정이 실리지 않은 지식은 힘이 없다. 지식에 감정이 실릴 때 비로소 믿음이 형성되고 열정이 생긴다. 이러한 이유로 공부나 일을 할 때 감정을 실어 신념을 형성하는 것이 중요한 것이다.

우리는 누가 뭐라 해도 만유인력을 믿는다. 누군가 만유인력에 어긋나는 현상을 발견했다고 주장하더라도 그 현상의 해석 과정에 무엇인가 오류가 있을 것이라고 단정하고 그 주장을 무시해 버린다. 만유인력은 이제 지식의 수준을 넘어 확고한 신념이 되었기 때문이다. 이와 같이 어떠한 지식이 여러 단계의 검증을 거쳐 불변의 진리라고 인정되면 신념이 된다. 일단 신념이 형성되면 강력한 우선순위를 갖게 되어 이와 상충된 정보가 들어올 때에도 효율적인 판단을 내릴 수 있다.

한편 신념의 이러한 속성 때문에 부작용이 생기기도 한다. 예를 들어 지동설이 받아들여지기 전 시대의 사람들은 천동설을 확고하게 믿었다. 기원후 2년에 프톨레마이오스에 의해 천동설은 더 정교해지고 체계화되었고, 결과적으로 몇 개의 예외를 제외하고는 별들의 모든 운동이 설명되는 듯했다. 그러다가 1543년에 코페르니쿠스가 지동설을 주장했다. 처음에는 지동설을 뒷받침하는 설득적인 증거들을 제시해도 모두 무시당했다. 최종적으로 지동설이 받아들여지기까지는 많은 진통이 있었는데, 이는 천동설에 대한 확고한 신념 때문이었다.

마찬가지로 창조론을 굳게 믿었던 대중에게 다윈의 진화론이 받아들여지기까지는 숱한 난관을 넘어야 했다. 이와 같이 신념은 올바른 진리에 기반을 두고 생겨나기도 하지만 잘못된 이해 때문에 생겨나기도 한다. 즉, 신념의 형성은 아주 임의적이고 신념이 형성되기 위해 반드시 논리적 체계가 필요한 것도 아니다.

비논리적 체계에 의해 신념이 형성되는 경우도 있다. 종교적 신념의 경우 지구상에 수많은 종교가 존재하고 각 종교마다 확고한 신념을 가진 신도들도 수없이 많다. 정치적 신념도 마찬가지다. 신념의 형성은 아주 임의적이고 또 비논리적인 체계에 기반을 두고 만들어지기도 하지만, 한번 형성된 신념은 강하게 고수된다. 그리고 바로 여기서 문제가 발생한다. 서로 다른 신념체계를 가진 사람들이 자신들의 신념을 강하게 고수하는 경향 때문에 합의나 타협

이 이루어지기 어렵고, 이는 분쟁의 씨앗이 될 수도 있다.

지구상에 끊임없이 벌어지고 있는 종교 간의 갈등, 그리고 지난 세기까지 심각했던 공산주의와 자본주의 사이의 이데올로기 갈등과 정치에서 보수와 진보의 갈등이 바로 서로 다른 신념 간의 대립에 해당한다. 역사가 보여주듯이 서로 다른 신념의 대립은 많은 경우 서로에게 깊은 상처를 입히고 좀처럼 합의나 타협으로 이어지기가 어렵다. 신념은 설득되지 않는 속성을 가지고 있기 때문이다.

신념의 대립은 소모적이다

습득된 정보는 지식체계와 신념체계로 명확하게 분리되기보다 두 가지 요소를 모두 내포하고 있다. 단지 어느 한 가지 요소가 우위에 있을 뿐이다. 자신이 어떤 견해를 가지고 있고 어떤 주장을 했더라도 보다 나은 견해나 주장의 합리성과 타당성을 인지하면 기꺼이 수용하는 소위 열린 마음을 가지고 있는 사람은 지식우위체계의 성향을 가지고 있다고 볼 수 있다. 반면 자신이 한번 주장한 사항에 대해서는 누가 뭐라 해도 절대 바꾸지 않는 사람은 신념우위체계의 성향을 가지고 있다고 볼 수 있다. 나이가 들수록, 그리고 새로운 지식을 흡수하지 않을수록 신념우위체계의 성향이 강해진다.

피질-해마 회로의 상호작용이 중재한다고 생각되는 지식체계에서는 서로 주장이 다르더라도 논리에 입각한 합리적인 토론과 대화에 의해 합의점에 도달할 수 있다. 하지만 피질-편도체, 피질-선조체 회로의 상호작용이 중재한다고 생각되는 신념체계에서는 서로 주장이 다른 경우 본질적으로 합의점에 도달하기가 어렵다. 따라서 어떠한 갈등이 있을 경우 먼저 이것이 지식체계의 대립인지, 아니면 신념체계의 대립인지를 생각해 볼 필요가 있다. 지식체계의 대립일 경우 명확한 의사표현과 의사전달이 중요한 문제가 된다. 그러나 신념체계의 차이에 기인한 대립이라면 피하는 것이 좋다. 신념체계의 대립은 결론을 기대하기 힘들고 소모적일 뿐만 아니라 서로에게 상처만 입히는 경우가 많기 때문이다.

사람들 가운데는 자신의 일에 몰입한 나머지 자신의 분야는 중요하지만 다른 분야는 전혀 가치 없는 것으로 간주하는 사람들이 있다. 그러나 내가 하는 분야가 중요한 만큼 다른 사람이 하는 분야도 중요할 것이라고 생각하는 자세를 가져야 한다. 내 일이 존중받기 위해서는 남의 일도 존중해야 한다. 이러한 열린 자세는 서로 다른 종교, 서로 다른 이념, 서로 다른 가치관에 몰입하는 사람들이 우선적으로 가져야 할 덕목이다.

16장

몰입으로 인생에 행복엔진을 달아라

절망도 희망으로 바꾸는 몰입의 힘

박문호 박사의 책 『뇌, 생각의 출현』을 보면 탁구공을 예로 들어 조건반사와 무조건반사에 대해 설명한다. 탁구공을 떨어뜨리면 몇 번 튕겨 오르다가 멈춘다. 탁구공은 무생물이라서 무조건반사를 하는 것이다. 그러나 동물은 조건반사를 하기 때문에 외부로부터 자극이 입력되었을 때 즉각적으로 반응을 출력하지 않는다. 고등동물로 갈수록 이 시간은 길어진다.

예를 들어 메뚜기는 풀만 살짝 건드려도 탁 날아간다. 자극을 받자마자 그대로 반응하는 것처럼 보일 정도로 메뚜기의 행동은 지연 시간이 굉장히 짧다. 반면 비둘기는 지연 시간이 조금 더 길다. 그리고 인간의 경우 자극 후 반응까지의 지연 시간이 더욱 길다. 외부의 자극에 대해 이런 지연 반응을 보이는 것이 인간의 특징이다. 반응을 지연한다는 것은 곧 대뇌에서 많은 계산을 한다는 것을 뜻한다.

얼마나 생각하느냐에 따라 운명이 달라진다

무생물의 운명은 완전히 주위 환경에 의해 결정되지만, 동물의 운명은 하등동물이라 하더라도 전적으로 주위 환경에 의해 결정되지는 않는다. 그리고 고등동물일수록 주위 환경에 의해 좌우되는 경향이 확연하게 줄어든다. 즉, 진화할수록 확률을 변화시켜 자신의 운명을 스스로 개척하는 능력이 발달한 것이다.

운명의 개척 능력은 외부의 자극에 대해 대뇌에서 얼마나 많은 계산을 하고 반응하느냐에 달려 있다. 대뇌에서 계산을 한다는 것은 생각한다는 것을 의미한다. 한마디로 얼마나 많이 생각하며 살아가느냐에 따라 운명의 개척 능력이 달라진다. 따라서 외부로부터 어떠한 자극이 입력되었을 때 즉각적으로 대응하는 본능적 행동보다는 충분히 생각한 다음 대응하는 행동이 진화론적으로도 한 차원 더 높다는 것을 알 수 있다.

생각을 하지 않는 삶은 인생의 바둑을 두는데 주어진 제한 시간을 충분히 활용하지 않고 속기바둑을 두듯이 살아가는 것과 같다. 고등동물인 인간만이 누릴 수 있는 특권을 포기하는 것이다.

행동이 타의에 의해 결정되면 수동에 가깝고, 자의로 결정하면 능동에 가깝다. 이것을 조금 더 일반화하면, 외부 자극에 의해 결정되는 요인이 크면 수동성이 증가하고 내부적 요인이 크면 능동성이 증가한다. 이런 관점에서 볼 때 무생물이 가장 수동적이고 고등동물로 갈수록 능동성이 증가한다고 할 수 있다. 무생물은 외부 자극에 대한 선택의 폭이 아예 없지만, 동물은 고등동물로 갈수록 선택의 폭이 높아진다. 이 선택의 폭을 '자유의지'라고 할 수 있다.

선택의 폭은 얼마나 생각하느냐에 따라 한없이 늘어날 수 있다. 이 선택의 폭을 늘리면 절망적인 상황에서도 희망을 찾을 수 있고, 단점만 보이는 사람에게서도 장점을 찾을 수 있다. 설사 실패를 한다 해도 이를 교훈 삼아 더 많은 것을 얻을 수 있는 지혜가 생긴다. 스티븐 코비는 그의 책 『성공하는 사람들의 7가지 습관』에서 첫 번째로 주도적인 습관을 가지라고 말했다. 주도적이라 함은 주어진 자극에 대해 본능적으로 반응하는 것이 아니라 충분히 생각한 후 자발적인 선택에 의한 결정을 내려서 대응하는 것을 말한다.

행복한 삶을 부르는 의도적인 몰입

우리의 삶은 우리의 의식이 어떤 내용으로 채워져 있느냐에 따라 달라진다. 따라서 의식을 통제한다는 것은 곧 삶을 통제하고, 행복을 통제한다는 것을 의미한다.

통제되지 않은 의식은 불필요한 생각으로 채워진다. 이는 엔트로피 증가의 법칙에 따른 자연스러운 현상이다. 그런데 의식을 통제하지 않으면 본능에 이끌리는 삶을 살게 된다. 그렇게 되면 주도적인 삶을 살 수 없고, 당연히 인생이 의도하지 않았던 방향으로 흘러가게 된다.

의식을 필요한 생각으로 채우면 그와 관련된 시냅스가 형성되고 활성화되고 관련된 구동력이 만들어진다. 따라서 의식을 통제하는 능력은 임의로 구동력을 바꿀 수 있는 능력이라고도 할 수 있다. 내 의지와 노력에 의해 내가 원하는 삶, 행복하고 의미 있는 삶을 만들어갈 수 있는 것이다.

의식을 통제하기 위해서는 의도적인 몰입을 활용하는 것이 좋다. 몰입을 하면 원하는 것에 대한 내적 중요성을 증폭시킬 수 있기 때문이다. 이는 삶에서 대단히 강력한 효과를 발휘한다.

누구나 자신을 둘러싼 환경에는 비관적인 부분도 있고 낙관적인 부분도 있다. 이때 비관적인 부분에 몰입하면 그것과 관련된 시냅스가 발달해서 비관적인 생각이 증폭되고 결국 그 상황을 비관적으로 보게 된다. 반대로 낙관적인 부분에 몰입하면 낙관적인 생각이 증폭되고 마침내 그 상황도 낙관적으로 보게 된다.

마찬가지로 이 세상에 역기능 없이 순기능만 있는 것도 없고, 순기능 없이 역기능만 있는 것도 없다. 이때 순기능에 몰입하면 순기능을 최대한 활용할 수 있고 역기능의 폐해는 상대적으로 감소시킬 수 있다. 똑같은 상황이라도 어느 쪽에 몰입하느냐에 따라 결과가 달라지는 것이다. 낙관적인 선택에는 작은 구동력이 관여하지만 그 결과는 큰 차이를 만든다.

초식동물들은 풀을 뜯어 먹다가도 수시로 고개를 들어 주위를 살핀다. 혹시 포식자가 근처에 있지 않나 확인하기 위해서다. 진화론적으로 보면 이처럼 수시로 걱정이나 불안한 생각을 하는 동물들은 생존 확률이 높다. 진화에 성공한 인간들 역시 이러한 성향을 갖고 있다. 즉, 우리는 수시로 걱정하고 불안해하는 성향을 태생적으로 갖고 있다. 이는 뇌에서 분비되는 화학물질과 편도체의 작용에 의한 것이다.

문제는 걱정하고 불안해할 이유가 없는 상황에서 쓸데없이 부정적 감정이 생기곤 한다는 것이다. 일단 이러한 화학물질이 분비되면 우리 뇌는 걱정하고 불안해야 할 마땅한 이유를 스스로 찾아낸다. 일례로 선진국 부유한 가정의 아이들은 아무 걱정 없이 살 것 같지만 '혹시 3차 대전이 일어나서 핵전쟁이 일어나면 어쩌나?' 하는 걱정을 한다고 한다. 이렇게 걱정할 이유를 찾으려고 하면 끝이 없다.

인류는 태곳적부터 이런저런 걱정과 불안 속에 살면서 자연스럽게 이로부터 벗어날 수 있는 길을 찾았다. 그래서 찾은 것 중 하나가 종교 활동으로 보인다. 어떤 종교든 시간과 공간을 초월해서 존재하는데, 이는 인간이 그것을 반드시 필요로 했기 때문이다. 종교의 중요한 역할은 불안한 마음을 안정시켜주는 것이다.

불안한 생각이나 걱정거리를 뿌리친다고 하더라도 의식은 온갖 상념으로 채워지는 경향이 있다. 이 생각 저 생각이 부초처럼 의식 속을 떠다닌다. 소위 산만한 상태가 된다. 별다른 자극이 없는 한 이처럼 의식의 엔트로피는 증가하게 마련이다. 이는 결코 유쾌하지 않은 상태이므로 사람들은 이를 피하려 한다. 의식의 엔트로피를 감소시킬 수 있는 방법으로 기도, 묵상, 참선, 그리고 명상과 같은 영성 활동을 들 수 있다. 의식의 엔트로피를 낮춘다는 점에서 영성 활동도 일종의 몰입이라고 할 수 있다.

현대인들은 불안함을 떨치거나 의식의 무질서 상태를 피하는 방법으로 영성 활동보다 한층 더 쉬운 대안을 찾는다. 바로 강한 자극을 입력하는 것이다. 강한 자극은 관심을 유도해 순간적으로 몰입을 하게 하는데, 이러한 자극을 제공해 주는 것들은 주위에 널려 있다. 바로 신문, TV, 인터넷, 채팅, 컴퓨터 게임 등이다. 이러한 활동들은 의식의 엔트로피를 순간적으로 낮추고 잠시나마 불안하거나 무료한 상태에서 벗어나게 한다.

여기서 앞에서 설명한 이완에 의한 집중인 영성 활동과 각성에 의한 집중인 강한 자극은 모두 가바 레벨을 상승시킨다는 사실에 주목할 필요가 있다. 외부의 자극에 의해 유도된, 각성에 의한 집중 상태는 뇌파로 보면 베타파 상태다. 베타파는 심리적으로 긴장된 상태에서 나타나기 때문에 '스트레스파'라고도 한다. 베타파 상태가 장시간 지속될 경우 긍정의 심리 상태를 유지할 수 없게 된다. 자극이 우리에게 재미를 주는 것은 분명하지만 정신적인 피로도 수반하기 때문이다. 결과적으로 산만하게 만들어 의식의 엔트로피를 어느 수준 이상으로 낮추지 못한다. 그래서 베타파 상태에서는 마음의 안정에서 오는 평온함이나 행복감을 얻기 힘든 것이다.

몰입을 외부의 자극에 의존해서 하는 습관을 들이다 보면 의식의 통제능력 또한 발달시키지 못한다. 결과적으로 주도적인 삶을 살지 못하고, 본능에 이끌리는 삶을 살게 된다. 몰입이나 긍정적 감정을 외부의 자극에 의존하는 것은 효율적이지도 않고 바람직하지도 않다. 의식의 통제능력을 발달시키기 위해서는 TV 시청보다는 독서가, 독서보다는 문제해결을 위해 생각하는 활동이 더 바람직하다.

의식의 통제를 위한 슬로 싱킹

슬로 싱킹은 이완에 의한 집중을 유도하고 의식을 깊게 하므로 의식을 통제하기에 이상적인 방식이다. 슬로 싱킹에 의한 의식의 통제를 다양한 상황에서 어떻게 활용할 수 있는지 살펴보자.

부부 혹은 연인 사이에서의 의도적인 몰입

열애 끝에 결혼을 한 부부라도 시간이 흐르면서 서로에게 별다른 애정을 느끼지 못하는 경우가 종종 있다. 실제로 도파민, 엔도르핀, 페닐에틸아민, 그리고 노르아드레날린 등 사랑의 호르몬이 분비되는 기간은 고작 1년 6개월이라고 한다. 그 이후에는 여성의 경우 옥시토신이, 남성의 경우 바소프레신이 분비되어야 서로에게 애착을 느끼고 바람기를 막아준다고 한다. 그러나 이는 의도적인 노력 없이 자연스러운 감정의 흐름을 따를 때의 이야기이고, 부부

관계에서도 의식을 통제함으로써 서로에 대한 내적 중요성을 한층 더 올릴 수 있다. 슬로 싱킹을 이용해 편안하게 힘을 빼고 앉아서 상대에 대한 좋은 감정 혹은 좋은 기억이나 함께한 추억에 명상을 하듯이 천천히 의도적으로 몰입을 하면 되는 것이다. 그러면 관련 시냅스가 활성화되어 상대에 대한 좋은 감정이 증폭된다.

아내 또는 남편을 마주하기 전에 의도적으로 상대의 매력과 호감이 가는 점에 대해 몇 시간 동안 슬로 싱킹으로 몰입해 보자. 그러고 나면 상대에 대한 감정이 예전과 다르다는 것을 느낄 수 있을 것이다. 연인들도 이 방법을 사용하면 좋은 감정이 더욱 증폭되는 것을 경험할 수 있을 것이다. 이 방법은 상대와 함께 동시에 실천하는 것이 바람직하다.

이러한 시도를 몇 시간이 아니라 며칠 이상 하면 어떻게 될까? 그 효과는 더욱 증폭된다. 만약 이러한 노력을 자나 깨나 몇 주일 이상 시도한다면 자신의 배우자와 함께 사는 하루하루가 기적처럼 행복하게 느껴질 수 있다. 자신이 바로 소설이나 영화에나 나오는 기적 같은 사랑 이야기의 주인공처럼 느껴질 것이다. 처음 열애에 빠졌을 때 상대를 '하늘에서 내려온 천사' 혹은 '백마 타고 온 왕자'처럼 느꼈던 것은 자연스럽게 상대에 대해 좋은 감정으로 몰입했기 때문이다. 그런데 의도적으로 몰입을 해도 우리 뇌는 열애할 때와 유사한 반응을 보인다. 슬로 싱킹에 의한 의식의 통제로 식었던 사랑의 열정을 계속해서 불태울 수 있는 것이다.

대인관계에서의 의도적인 몰입

직속상관이 자신의 스타일과 아주 달라서 매사에 맞지 않고 어긋난다고 하자. 그 상사와 같이 일하는 것을 피할 수 있는 상황이라면 문제가 없겠지만 현실적으로 그럴 수 없다면 심한 스트레스를 받을 수밖에 없다. 이 경우 자연스럽게 그 상사의 단점이나 부정적인 면에 대한 생각을 많이 하게 되고, 그에 대한 내적 중요성이 높아져 부정적인 면이 증폭된다. 직원들끼리 모이면 그 상사에 대한 험담만 늘어놓게 된다. 그러다 보면 상황은 더욱 나빠진다.

장점은 없고 단점만 있는 사람은 없다. 마찬가지로 단점은 없고 장점만 있는 사람도 없다. 반감이 생기는 사람은 장점보다 단점이 조금 더 많은 사람이고, 호감이 가는 사람은 장점이 조금 더 많은 사람이다. 그러므로 그 사람의 장점에 의도적인 몰입을 하면 그 장점에 대한 인식이 증폭된다. 처음에 10퍼센트로 보였던 장점도 90퍼센트로 증가할 수 있는 것이다. 그러면 그 사람에게도 배울 점이 많다는 것을 알게 되고, 그 사람의 행동이 이해되기 시작한다. 결국 그 사람의 장점과 자신의 장점의 연결고리를 찾게 되고 서로 윈윈 할 수 있는 방법도 찾게 된다. 나는 이와 같이 의도적인 몰입에 의해 상대방에 대한 나의 감정이 변화하는 것을 수도 없이 많이 경험했다. 피할 수 없다면 즐길 수 있는 방법을 스스로 찾아야 하는 것이다.

부부 사이에서의 의도적 몰입 사례

나는 어느 대학의 요청으로 몰입에 관한 강의를 한 적이 있다. 직장인들을 대상으로 한 이 강의는 1주일에 한 번 저녁 7시에 시작해서 10시에 끝났다. 강의 마지막 날 각자의 약한 몰입 사례를 발표하는 시간을 가졌다. 그중 한 여성이, 남편을 좋아할 당시의 기억을 떠올려 의도적으로 몰입을 했더니 그에 대한 좋은 감정이 증폭되어 효과를 발휘했다는 자신의 경험을 들려주었다.

수업을 듣고 집에 돌아가려고 하는데 남편에게서 전화가 왔다. 남편은 다짜고짜 "지금 도대체 어디에 있느냐?"며 화를 냈다. 이런 상황이면 거의 대부분 집에 들어가서 심한 말다툼을 하곤 했다. 하지만 그날은 수업이 끝나고 남편을 만나기까지 지하철을 타고 집에 가는 1시간 동안 남편의 긍정적인 면을 의도적으로 떠올리며 슬로 싱킹을 했다.

먼저 '한 살과 두 살 된 아이들을 혼자 돌보느라 얼마나 힘이 들었으면 내 수업이 늦게 끝난다는 사실도 잊어버리고 화를 냈을까!'라는 생각이 들었다. 그렇게 생각하자 두 달 동안이나 저녁에 수업을 들을 수 있도록 배려해 준 남편에게 감사하는 마음이 들기 시작했다. 그리고 가족을 위해 열심히 노력하는 남편의 모습이 사랑스럽게 느껴졌다. 그런 생각을 의도적으로 하면서 집에 이르렀을 때 가슴속에서 남편에 대한 뜨거운 사랑이 솟아나는 것을 느꼈다.

집에 들어간 순간, 아이들을 재우고 나온 남편은 아주 어두운 표정으로 화가 난 모습이 역력했다. 나는 다른 때와 달리 진심으로 남편에게 아이들을 돌보느라 힘들지 않았냐, 아이들을 돌봐줘서 감사하다고 이야기했다. 그랬더니 정말 신기한 일이 일어났다. 그렇게 어둡고 잔뜩 화난 표정을 짓고 있던 남편의 얼굴이 갑자기 환하게 변하는 것을 보고 속으로 정말 깜짝 놀랐다. 남편도 예전과 달리 부드럽게 나오는 나의 태도에 금세 자신이 화를 내서 미안하다며 사과를 했다. 그리고 남편과 화기애애한 대화를 나누었다. 이런 상황에서 싸움을 하지 않고 사이 좋게 끝난 것은 거의 처음 있는 일이었다.

대인관계에서의 의도적 몰입 사례

나에게 몰입을 지도받고 있던 한 젊은 연구원이 어느 날 자신이 속한 팀에서 몰입을 통해 중요한 문제 몇 가지를 해결했다는 이야기를 했다. 그런데 자신의 성과를 높이 평가해주는 사람이 있는가 하면, 무언가 부정적으로 이야기하는 사람도 있어 기분이 상했다고 했다. 그중에서도 업무상 매일 보아야 하는 사람이 있었는데 특히 그가 제일 부정적인 반응을 보였다고 했다. 그래서 나는 그가 언급한 사람도 틀림없이 장점이 있을 테니 그 장점에 대해 슬로 싱킹으로 의도적인 몰입을 한번 해보라고 권했다. 다음은 그가 몇 주일 실천한 후 내게 보낸 이메일이다.

지난 몇 주 동안 선생님의 말씀대로 다른 사람들의 다양한 면을 보려고 시도했습니다. 그렇게 1~2주 정도 지나자 확실히 다른 면이 보이기 시작하더군요. 저와 불편한 관계에 있던 직장 동료도 계속 다양한 면에서 관찰해 보니 일을 처리하고 풀어가는 모습이 그전과 다르게 느껴졌습니다. 집중해서 일하는 모습이 보기 좋았고, 하나의 일을 시작해서 마무리하기까지 오랫동안 한 분야의 일을 해온 숙련된 사람에게서 풍기는 멋이 있었습니다. 그동안의 갈등으로 인해 그분에게 갖고 있던 부정적인 마음속에 애잔한 마음이 생기고 그분에 대해 높이 살 부분들이 보였습니다. 제 마음이나 시선이 이렇게 바뀌니 저에 대한 상대방의 시선도 좀더 긍정적으로 바뀐 것 같습니다.

저는 사소한 부분들에 쉽게 상처받는 타입인데, 그분이 이야기를 할 때 자신의 위치에서 어떠한 역할로서 말을 하는지 받아들이고 나니 저도 일하기가 훨씬 수월해진 느낌입니다. 다른 사람들에 대한 시선도 점점 더 장점 위주로 바뀌고 있습니다.

부정적 생각에서 벗어나 가치 있는 생각을 하라

사람들은 쉽게 삶에 대한 자세나 대인관계에 불만을 갖는 경향이 있는데 이는 지극히 자연스러운 현상이다. 다른 사람의 장점보다 단점을 더 쉽게 찾는 것이 인간의 성향이다. 문제는 이러한 부정적 성향이 순기능으로 작용하기보다 역기능으로 작용하는 경우가 더 많다는 것이다.

먼저 부정적 성향은 스트레스와 갈등을 유발하고, 상황을 악화시키는 악순환을 초래한다. 또한 전염성이 있어 주위 사람들에게 쉽게 확산된다. 부모와의 갈등, 부부 간의 갈등은 물론 사회적 갈등과 대립도 이와 관련되어 있다. 이러한 갈등과 대립이 해결된다면 생산적일 수도 있지만, 대개의 경우 불행으로 귀착된다. 이러한 문제가 너무 심각하다 보니 이것을 학문의 한 분야로 편입시켜 체계적으로 연구하는 긍정심리학이 생겨나기도 했다.

어려운 환경의 순기능은 그 환경에 처한 사람을 끊임없이 시험하고 도전하게 한다는 것이다. 이러한 시험과 도전은 그 사람을 발전시키고 정신적으로 성숙하게 한다. 오히려 어려운 환경이 최선의 삶을 위한 구동력을 제공하는 경우가 많다. 그래서 자연스럽게 능력을 발휘하며 그 한계를 넓혀갈 수 있게 되고 경쟁력을 높일 수 있는 것이다.

어린 시절을 불우하게 보냈던 사람 중에 위대한 업적을 남긴 대표적인 인물로 뉴턴을 꼽을 수 있다. 뉴턴은 그의 아버지가 세상을 떠난 후에 태어났다. 뉴턴의 출산을 도운 조산원에 따르면 그가 미숙아로 태어나 제대로 성장할 수 있으리라는 기대조차 하지 않았다고 한다. 뉴턴의 어머니는 뉴턴이 세 살 때 이웃 동네 목사와 결혼했다. 그래서 뉴턴은 외할머니 손에서 자랐다. 서양 나이로 세 살이면 우리 나이로는 대략 다섯 살이다. 이 시기에 부모는 거의 신적인 존재다. 그런데 신과 다름없는 존재인 어머니가 자신을 버리고 떠난 것이다. 이러한 상황에 놓인 어린 뉴턴의 고뇌와 시련은 우리가 상상조차 하기 힘든 정도였을 것이다. 환경 자체가 엄청난 도전이었던 셈이다. 평소 말이 없던 뉴턴은 학교에서도 왕따를 당했다고 한다. 이러한 환경이 뉴턴을 자기만의 깊은 사색의 세계에 들어가도록 인도하는 동시에 그의 천재성을 키웠던 것으로 보인다.

루게릭병에 걸린 상태에서도 세계적인 물리학자가 된 스티븐 호킹이나 장님이자 벙어리이면서 귀머거리였던 헬렌 켈러 역시 극단적인 역경에도 불구하고 위대한 업적을 남기며 가치 있는 삶을 살았다. 이들에게 역경은 커다란 도전이었고, 그들은 이 도전을 극복해 냈다. 그들에게 역경이 없었더라면 오히려 그러한 가치 있는 삶을 살지 못했을 것이다. 역경의 순기능도 많은 것이다. 물질적으로 풍요하고 시간적인 여유가 있다고 해서 가치 있는 삶을 사는 것은 아니다. 부질없는 일과 생각으로 일상의 삶을 채운다면 절대 가치 있는 삶을 살 수 없다.

규칙적인 운동이 몰입을 돕는다

몰입 상태가 되면 밤에 잠이 오지 않아 고생을 할 수도 있는데, 나는 이 부작용을 해소하기 위해 규칙적으로 테니스를 치기 시작했다. 하루에 1시간 정도 오랜 기간 테니스를 치면서 규칙적인 운동의 효과를 실감하게 되었다. 그러면서 몰입을 부작용 없이 지속하기 위해 운동은 필수조건이라는 생각이 들었다. 나는 몰입 상태에서 빠져나올 때에도 규칙적으로 테니스를 계속 친다. 1시간 정도 테니스를 치고 나면 테니스와 관련된 시냅스가 발달되어서 그런지 확실히 재미있고 기분이 좋아지는 것을 느낀다. 마치 재미가 보장되는 느낌이다. 즐거움이나 쾌감의 크기로 치면 몰입 중 테니스를 칠 때가 가장 큰 것 같다.

규칙적으로 운동을 하면 최상의 컨디션을 유지하고 솟구치는 의욕과 자신감을 매일 공급받을 수 있기 때문에 살면서 부딪치는 많은 문제들이 해결 가능해진다. 행복한 삶을 누리는 것은 물론 성공적인 삶을 향해 갈 확률도 높다. 설사 월급을 두 배로 준다고 해도 규칙적인 운동만큼 장기적으로 의욕을 상승시키지는 못할 것이다. 운동은 몰입에 대한 장벽을 낮추어줄 뿐 아니라 해야 할 모든 일에 대한 장벽을 낮추어준다.

운동을 하면 시간을 빼앗겨 일할 시간이 더 모자랄 것 같지만 실제로 해보면 삶을 훨씬 더 알차게 보낼 수 있다. 가장 두드러지는 효과는 일에 쫓기는 상황에서 일을 쫓는 상황으로 바뀐다는 것이다. 쓸데없이 소모되는 시간이 줄어들고 마음의 여유가 생기기 때문이다. 그리고 해야 할 일에 대해 보다 능동적이고 자율적으로 행동하게 된다. 이런 이유로 나는 하루 일과 중 운동에 가장 높은 우선순위를 부여하고 업무를 수행하듯이 의무적으로 실천한다.

무엇인가 불편하고 불만족스럽다고 느끼면 본능적으로 우리 뇌는 우선 그 문제부터 해결하려고 한다. 이런 상태에서는 마음의 중심을 자신의 일에 놓고 몰입하기가 어렵다. 이때 규칙적인 운동을 하면 기분이 좋고 만족스러운 상태가 되어 몰입하기가 한결 쉬워진다.

규칙적인 운동은 일일이 열거를 할 수 없을 정도로 매우 효과적이다. 성공적인 삶을 위해 가장 중요한 실천사항 하나를 꼽으라면 그것은 명백히 규칙적인 운동이다. 새해에 거창한 계획을 세우기보다 매일 운동할 것을 결심해 보자. 그러면 나머지 일들이 다 잘 돌아가는 것을 몸소 체험할 수 있을 것이다.

운동을 할 때와 하지 않을 때의 삶의 질 차이

운동은 재미있으면 열심히 하고 재미없으면 안 할 것이 아니라 의무감을 갖고 매일 규칙적으로 해야 한다. 추우나 더우나, 컨디션이 좋으나 안 좋으나 상관없이 규칙적으로 해야 한다. 밥을 먹고 잠을 자는 것처럼 일상의 하나로 여기는 것이 좋다. 단순히 운동에 재미를 붙여보라는 것이 아니다. 운동을 하는 데도 어느 정도의 통제가 필요하다. 운동은 그 자체에 목적이 있는 것이 아니라 심신을 단련해 삶의 질을 높이고 업무의 효율을 더 높이는 데 목적이 있다.

운동은 2시간씩 하루 걸러 하루 하는 것보다 매일 1시간씩 하는 것이 더 효과적이다. 운동도 매일 하면 몰입 효과가 나타나는 것 같다. 땀 흘리는 운동을 2시간가량 하고 나서 업무를 할 때는 약간 피로감을 느껴 컨디션이 최상의 상태가 되지는 않는다. 그런데 운동을 1시간 정도 하고 나서 약간 아쉽고 부족하다는 느낌이

들 때 그만두면 최상의 컨디션으로 업무를 할 수 있다. 운동을 시작하기 전, 그리고 운동을 마친 후에 스트레칭 체조를 하면 몸에 무리를 주지 않아 효과적이다.

나는 가급적이면 재미를 느낄 수 있는 운동을 추천한다. 재미가 있어야 지속적으로 할 수 있기 때문이다. 주로 공을 가지고 하는 운동이 집중을 유도하고 몰입 효과를 준다. 공으로 하는 운동에는 테니스 외에도 배드민턴, 족구, 농구, 축구, 라켓볼, 스쿼시 등이 있다. 전문가들에 의하면 단순한 달리기보다 공을 이용한 운동이 두뇌 발달에도 효과가 높다고 한다. 이런 운동들은 명백히 집중력을 높여주어 업무를 할 때도 많은 도움이 된다.

나는 테니스를 칠 때 도대체 어떤 활동이 마법을 일으켜서 나의 정신과 신체를 그토록 극적으로 변화시키는지 궁금해서 한동안 테니스를 칠 때마다 이를 추적했다. 그러던 중 조금이라도 더 집중하고 혼신을 다해 잘하려고 바동거리는 나 자신을 발견했다. 이렇게 바동거리다 보면 몰입도가 올라가고 세포가 활성화되어 긍정적인 상태로 바뀌는 것이었다. 이처럼 세포가 최대로 활성화되면 긍정적 화학물질의 분비를 촉진시켜 삶에 대한 자신감과 의욕이 솟구친다.

삶에서도 이러한 자세가 필요하다. 자신을 조금 더 긍정적인 상태로 만들기 위해서는 조금 더 잘해보려고 바동거리는 자세가 필요하다. 그런데 사실 일상에서는 혼신의 힘을 다해 바동거릴 만한 일이 별로 없다. 심리적으로 바동거림을 느낄 때는 자극적인 영화나 컴퓨터 게임을 통해 수동적으로 경험할 때뿐이다. 이때 세포가 활성화되면 삶이 조금 더 생생하게 느껴져 긍정적 감정을 느낀다. 그러나 그 외에 육체적으로 숨이 차서 헐떡거리는 상태는 결코 경험할 수 없다. 정신적으로만 활성화될 뿐 육체적으로는 활성화되지 않는 것이다. 따라서 세포가 활성화되는 정도를 양으로 따지면 영화나 컴퓨터 게임이 운동의 효과를 절대로 대체할 수 없다.

사실 몰입 상태에서 느끼는 긍정적인 감정도 몰입도를 올리는 과정에서 경험하는 바동거림에 의해 생긴다. 몰입도를 올린다는 것은 바로 바동거리는 것이다. 따라서 바동거려야 할 시점에 이를 피하려고 해서는 안 된다. 피해버리면 몰입의 장벽을 넘을 수 없기 때문이다. 이것이 인생의 진리다. 긍정적인 상태는 돈으로 살 수 있는 것이 아니라 이러한 혼신의 '바동거림'에 의해 만들어진다.

운동에 관한 전문가들의 이야기

과학적 근거를 바탕으로 운동이 주는 긍정적 효과를 다룬 책들이 있다. 먼저 하루야마 시게오는 그의 책 『뇌내혁명2』에서, 뇌에서 나오는 모르핀인 엔도르핀의 양은 근육의 양과 비례해 근육이 많은 사람일수록 뇌 내 모르핀을 잘 분비한다고 했다.

하버드 대학 존 레이티 교수의 『운동화 신은 뇌』에서는 미국의 한 고등학교의 사례를 소개한다. 이 학교의 신입생들은 매일 아침 정규수업 전에 소위 '0교시 체육수업'이라고 해서 심장박동측정기를 단 채 1.6킬로미터의 운동장을 달린다. 이 학교는 1년간 정규수업 전에 '0교시 체육수업'을 한 학생들이 그렇지 않은 학생들보다 읽기 능력이 17퍼센트 향상되었음을 증명해 보였다. 2005년부터 실시한 '0교시 체육수업' 덕분에, 이 학교는 학업 성취도 평가 팀스TIMSS에서 과학 1위, 수학 6위를 기록했다. 이외에도 일리노이 대학의 찰스 힐먼 교수는 일리노이주의 초등학교 3학년과 5학년생 259명을 대상으로 체질량을 측정하고 기초운동을 시킨 다음 아이들의 운동 능력과 수학, 읽기 능력을 비교했다. 그 결과 운동 능력이 뛰어난 아이들의 지능 수준이 높게 나타났다.

KBS 〈생로병사의 비밀〉 300회 특집에서는 민족사관고등학교(민사고)에서 운동을 통해 학생들의 학업 성취도를 크게 높여온 이야기를 소개했다. 민사고에서는 기상 후 첫 일과를 체육활동으로 시작하고, 학생들의 아침운동은 필수라고 한다. 이와 관련해 2010년에 열린 강원도민체전에서 농구, 배구, 야구, 검도 등 7개 종목에 101명이나 되는 민사고 학생들이 횡성군 대표로 출전하여 횡성군을 종합우승으로 이끌었다는 뉴스가 소개되었다. 이 대회에서 민사고 학생들은 남녀 농구와 야구에서 1위, 여고 배구에서

2위 등 뛰어난 성적을 올렸다.

『운동화 신은 뇌』는 이 분야의 세계적인 전문가가 쓴 책으로 수많은 사례와 통계적인 데이터에 근거해 운동의 효과를 다루고 있기에 신뢰할 수 있고 주목할 만하다. 이 책에서 밝히는 운동의 효과는 다음과 같다.

첫째, 심장혈관계가 튼튼해진다. 이로 인해 혈관이 막히는 일이 예방된다. 둘째, 비만이 줄어든다. 셋째, 스트레스를 견딜 수 있는 한계점이 높아진다. 넷째, 기분이 좋아진다. 운동이 시냅스 형성을 촉진시키고 긍정적 신경전달물질을 분비시키기 때문이다. 다섯째, 면역체계가 강화된다. 그래서 암이나 기타 질병에 걸릴 확률이 낮아진다. 여섯째, 의욕이 강해진다. 운동을 하면 의욕과 관련된 도파민 수치가 올라가기 때문이다. 일곱째, 신경 가소성이 촉진된다. 운동이 신경영양인자Brain-derived neurotrophic factor; BDNF의 생성을 촉진시켜 신경세포가 잘 자라도록 돕기 때문이다. 이로 인해 시냅스 형성이 촉진되어 기억력과 뇌기능을 증진시킨다. 다시 말해 학습효과가 증진된다.

규칙적인 운동은 뇌를 가장 바람직한 방향으로 변화시킨다. 학습능력을 획기적으로 올리는 것은 물론 우울증, 불안장애, 주의력 산만, 각종 중독, 스트레스로부터 해방시켜 주어 삶의 질을 끌어올린다. 뿐만 아니라 능동적인 삶을 살 수 있는 인프라를 구축해 준다. 내가 해야 할 학습이나 일에 대한 부담을 감소시켜 최대한 즐겁게 할 수 있도록 두뇌의 환경을 조성해 주기 때문이다. 규칙적인 운동이야말로 행복하고 성공적인 삶을 사는 데 가장 효과적인 활동이라고 할 수 있다.

최상의 컨디션을 위한 운동 효과

오래전 대전에 있을 당시 친척 한 분이 재수하고 있는 아들을 데리고 나를 방문한 적이 있다. 그 친척은 그동안 재수학원에서 아들의 성적이 우수해서 목표로 하는 대학에 합격하는 것은 전혀 문제없어 보였다고 했다. 그런데 얼마전 예비고사 결과가 아주 엉망이었다는 것이다. 한 달 정도 있으면 대입 본고사를 보는데 도저히 목표한 대학에 합격할 자신이 없다고 했다. 그러면서 고3 때에도 학교 성적은 좋았으나 본고사를 잘못 치러 재수를 하게 되었는데 그 악몽이 되살아나는 것 같다고 했다.

나는 그 아이에게 좋아하는 운동이 있는지 물었다. 농구를 좋아한다고 하기에 하루도 빠짐없이 매일 30분에서 1시간 정도 농구를 하라고 했다. 그리고 잠은 반드시 6~7시간 정도 자고, 낮에 혼자 공부하다 졸리면 엎드려 선잠을 자라고 했다. 이것은 내가 최선을 다해야 하는 상황에서 실천하는 방식이다. 그는 내 말대로 실천했고 본고사를 잘 치러서 목표한 대학에 무난히 합격했다. 주변에 이와 비슷한 고민 상담을 해와서 상담을 해준 경우가 몇 번 더 있었는데 대부분 결과가 좋았다.

입시와 같은 중요한 시험을 치를 때에는 최상의 컨디션을 갖기 힘들다. 그래서 많은 학생들이 시험을 망친다. 중요한 시험을 앞두고 있을 때일수록 잠자는 시간도 아끼고 운동도 하지 않기 때문에 몸과 정신 상태가 최악의 컨디션에 놓이기 쉽다. 이런 상태에서는 두뇌회전이 잘 되지 않아 절대로 좋은 결과를 얻을 수 없다. 사실 나 역시 그랬다.

지금까지 나에게 두 번의 중요한 입시 기회가 있었는데 두 번 다 최악의 컨디션에서 치렀다. 오랜 시간 열심히 공부했는데 시험만 보면 뻔히 알고 있는 문제도 부지기수로 틀리는 것이었다. 이런 뼈아픈 경험 때문에 어떻게 하면 입시와 같이 중요한 순간에 최상의 컨디션을 만들 수 있는지 많은 고민을 했다. 그리고 오랜 시간 몰입과 규칙적인 운동을 실천하면서 비로소 최상의 컨디션을 만드는 법을 알게 되었다.

규칙적인 운동을 하면 컨디션이 좋아지는데 그 정점에 달하려면 한 달 이상이 걸린다. 따라서 중요한 시험을 앞두고는 최소한 한 달 이상 반드시 매일 30분에서 1시간 정도 자신이 흠뻑 빠져들 수 있는 운동을 하고 수면시간이 부족하지 않도록 주의해야 한다. 최상의 컨디션에서 시험을 봐야 좋은 결과를 얻을 수 있다. 이는 고시나 임용고사 혹은 중요한 오디션을 보는 사람들도 마찬가지다.

최선의 삶을 살려면 하루하루를 생에서 가장 중요한 날로 생각하고 최상의 컨디션을 유지해야 한다. 이를 위해서는 규칙적인 운동을 꾸준히 하는 것 외에 달리 방법이 없다. 위에서 소개한 미국의 한 고등학교에서 실시한 '0교시 체육수업'처럼 규칙적인 운동이 하루 일과 중에서 가장 높은 우선순위가 되어야 한다.

운동의 학습 효과

한 『몰입』 독자가 초등임용고사를 준비하는데 몰입을 적용해 보고 싶다고 연락을 해와서 몇 번 이메일을 주고받은 적이 있다. 내가 일러준 대로 1주일 동안 몰입을 실천하고 그 결과를 나에게 보내주면 내가 다시 일러주는 방식이었다. 1주일 동안 실천한 내용을 보니 운동을 전혀 하지 않고 있었다. 그래서 다음에는 매일 30분에서 1시간 정도 자신이 즐길 수 있고 땀을 흘릴 수 있는 운동을 규칙적으로 하라고 일러주었다. 그분은 1주일 동안 날짜별로 어떻게 시간을 보냈는지 간략하게 정리해서 나에게 이메일을 보내주었는데 운동의 효과를 잘 보여주기에 소개한다.

교수님의 메일을 확인한 날 바로 운동을 했어요.

저희 집에서 가장 가까운 데가 동사무소 체력단련실이에요. (주변에 테니스 할 만한 장소가 없어요.) 30분 운동을 꾸준히 월~금요일까지 했습니다.

1일차(화)

내 최종 목표를 '수석의 꿈을 안고 어디서든 공부하기'로 세웠습니다. 확실한 목표를 세우니 도전의식이 생기고 공부하고 싶은 마음이 부쩍 커졌어요.

운동할 만한 마땅한 장소를 찾아봤더니 동사무소 체력단련실이 제일 가깝고 좋아서 그곳 러닝머신에서 30분 동안 뛰었어요. 처음엔 시간이 너무 안 가서 힘들었지만 점점 공부 생각을 잊고 운동에 집중할 수 있었습니다. 그 이후 공부할 때 예전보다 좀더 집중력이 향상되었어요.

2일차(수)

포켓노트를 샀어요. 거기에는 꼭 알아야 하지만 외우기 쉽지 않은 각 과목별 교수학습 모형 절차를 적고 어디서든 펴고 읽어보았습니다. 걸으면서 외우니 한결 더 잘 외워져요.

오늘 운동을 40분 내외로 하고 샤워를 했더니 그다음 공부가 훨씬 잘됐습니다. 운동하면서 스트레스도 풀리고 성취감도 생겨서 좋았습니다.

3일차(목)

오늘은 교사 TO가 발표된 날이었습니다. 마음이 뒤숭숭했습니다. 그런 와중에 운동을 했더니 근심을 싹 잊을 수 있었고 난 그래도 할 수 있다는 의지가 불끈 생겼습니다.

하지만 주변에서 자꾸 연락이 와서 연락을 받다 보니(오늘 하루만 전화기를 켜놓았어요.) 공부에 집중이 안 돼서 1시간 동안 TV를 봤습니다. 나중에 엄청 후회하고 다시는 안 그러기로 다짐했습니다.

4일차(금)

오늘은 아침에 늦게 일어나서 약간 멍하지만 금방 평상심을 찾고 공부에 임했어요. 이젠 운동할 때에도 덜 힘들고 내 페이스에 따라 조절할 수 있어 좋아요. 포켓노트를 계속 가지고 다니다 보니 머리맡에 두고 자요. 다음 날 아침에 일어나자마자 보려고 했는데 생각처럼 보게 되지 않았어요.

7일차(월)

오늘 오전에는 집중이 잘 안 되고 무기력했습니다. 아무래도 주말에 체력단련실이 문을 열지 않아서 운동을 못한 탓인 것 같아요. 다음부터는 주말에도 다른 곳에서 운동을 해야겠다는 생각이 듭니다. 이제 운동은 제 삶의 중요한 일부분이 되었습니다.

몰입과 행복의 밀접한 관계

몰입도를 올리는 과정에는 지루하고 답답하고 우울한 기분 등 온갖 부정적인 감정이 느껴지지만 일단 몰입의 장벽을 극복하고 고도의 몰입 상태에 들어가면 자신감, 의욕, 희열과 같은 온갖 긍정적 감정을 느끼게 된다. 몰입 상태에서 오랜 기간 행복한 상태로 지내는 것은 아주 특별하고도 귀중한 체험이다. 몰입의 절정 상태에서 몇 주일을 보내면 희열과 행복감이 고조되어 '매일 마약주사를 한 대씩 맞으면 이런 기분일까?'라는 생각이 들 정도가 된다. 행복을 마음대로 통제할 수 있는 것 같고 마치 행복을 정복한 듯한 생각마저 든다.

재미있는 사실은 행복이 넘치는 상태를 오랜 기간 경험하다 보면 행복에 대한 비중이 점점 줄어든다는 것이다. 이 상태에서는 지금보다 더 행복한 상태를 추구하지 않고, 하나밖에 없는 인생을 조금 더 의미 있게 사는 문제에 더 많은 관심을 갖게 된다.

행복은 인생의 목적이라기보다 무엇인가 보람 있고 가치 있는 일을 찾고 이를 보다 더 잘하기 위해 거쳐야 하는 하나의 과정이자 수단이다. 따라서 행복은 추구하기보다 활용해야 한다. 내가 해야 할 일을 좋아하고 즐기는 것은 행복을 활용하는 것이다. 단순한 행복을 추구하기보다 보람과 가치가 수반되는 행복을 추구할 때 비로소 행복을 생산적으로 활용하게 된다.

뇌과학에 따르면 행복한 감정은 긍정적 화학물질의 분비와 관계가 있다. 이처럼 확실한 과학적 근거에 기반을 두고 행복을 추구해야 어떠한 방향으로 노력을 해야 하는지 알 수 있다. 이러한 사실을 모른 채 행복을 추구하다 보면 잘못된 방향으로 노력을 하는 경우가 많다.

행복을 정복하려면 먼저 부작용 없이 뇌 속의 긍정적 화학물질의 분비를 유도하는 활동과 추구 방식을 파악하여야 한다. 명확한 것은 어떤 일을 하든 몰입을 하면 긍정적 화학물질이 분비된다는 것이다. 살아가면서 피할 수 없는 것이 '일'이다. 그리고 대개 일생에서 가장 많은 시간을 쏟게 되는 것도 일이다. 따라서 자신이 하는 일에서 긍정적 감정을 얻어야 행복을 최대화할 수 있다. 자신이 해야 할 일에 몰입해야 하는 이유가 여기에 있다.

몰입을 돕는 슬로 싱킹은 정신적인 집중이고, 운동은 육체적인 집중이다. 모두 낮은 엔트로피 상태를 만드는 것이다. 결국 긍정적 감정을 만들기 위해서는 엔트로피 장벽을 넘어야 한다. 이 장벽을 넘기 위해 혼신의 힘을 다할 자세가 되어 있지 않으면 행복을 얻기 힘들다. 생산적인 몰입의 장벽을 넘는 능력을 배양하고 의식을 통제할 수 있을 때 비로소 일과 놀이가 하나로 어우러진 삶을 살 수 있고 행복을 정복할 수 있다.

에필로그

능력을 발휘하고 한계를 넓혀가는 삶

내가 이 책에서 소개하는 몰입은 단 1초도 다른 생각을 하지 않고 오로지 풀리지 않는 문제에 대해 생각하는 극단적인 시도 끝에 펼쳐지는 새로운 정신세계에 관한 것이다. 불교의 수행 방식인 화두 선의 삼매와 상당히 유사한 이 상태에서는 지극히 행복한 감정을 느끼며, 평상시에는 떠오르지 않던 기적과 같은 영감이나 아이디어가 샘솟듯이 떠오른다. "미치면 못할 것이 없다"라는 말처럼 몰입하면 해결 못할 문제가 없다. 중요한 것은 이러한 상태를 누구나 의도적인 노력으로 만들 수 있다는 것이다. 몰입은 문제해결이나 아이디어를 얻기 위해 그리고 행복한 삶을 살기 위해 실천 가능한 '두뇌활용법' 이다.

1990년에서 1997년까지 체험한 몰입 상태에서의 연구는 나에게 상당히 특별한 경험이었다. 이때가 내 인생의 하이라이트였다. 마치 연구의 비법을 터득한 것 같았고 행복을 정복하는 법을 깨달은 것 같았다. 그래서 기회만 되면 주위 사람들에게 이 영웅담 같은 이야기를 들려주곤 했다. 이 이야기를 듣고 나에게 책으로 써보라고 맨 처음 권유한 사람은 박문호 박사님이었다. 이 말을 듣고 고민을 하기 시작했다. 경험이 없는 내가 책을 쓴다는 것은 많은 시간과 노력이 필요한 일이다. 게다가 내 경험이 그럴 만한 가치가 있는지에 대한 의문이 들었다. 몰입에 관한 심리학을 연구하는 사람에게는 이미 다 알려진 평범한 내용일지도 모른다는 생각에서였다. 그래서 '몰입' 이론을 정립한 세계적 석학인 칙센트미하이 교수에게 이메일을 보냈다. 나의 경험을 간략히 언급하면서 한번 방문해서 이 체험을 자세하게 소개하고 싶다고 했다. 그는 흔쾌히 나의 요청을 받아들였고, 2005년 여름 나는 몬태나주에 있는 그의 별장에 방문했다.

칙센트미하이 교수는 내 이야기에 큰 흥미를 보였다. 내가 경험한 내용의 일부는 자신도 알고 있는 내용이지만, 이렇게 전체적으로 구성된 이야기는 처음 들어본다는 것이었다. 만약 이런 몰입이 내가 아닌 다른 사람에게도 재현될 수 있다면 그것은 아주 훌륭한 이론이 된다며 반가워했다. 특히 그는 나의 경험 중에서도 내가 감정의 변화를 심리적으로 면밀하게 관찰한 점이 특이하고, 훌륭한 심리학자로서의 자질을 가지고 있다고 나를 격려해 주었다. 그는 이 내용을 논문으로 정리할 가치도 있고 책으로 쓸 가치도 있다며 힘을 실어주었다.

그때부터 나는 이 내용을 언젠가 책으로 정리해야겠다고 마음먹었다. 그러던 어느 날, 내가 지도하는 학생인 이동권 군이 몰입 시도를 시작했다. 그는 40일간의 몰입 체험을 완수했고, 그의 경험은 나의 몰입 체험을 이해하는 데도 많은 도움이 되었다. 내가 혼자 경험했을 때는 그것이 나의 개인적인 특성에 기인한 것인지, 몰입 때문에 나타나는 공통적인 현상인지를 구별하기가 어려웠는데, 이동권 군의 경험은 나의 경험을 일반화하는 데 큰 도움이 되었다. 두 사람의 경험에는 분명 적잖은 공통분모가 있었던 것이다.

이 몰입 체험을 가장 먼저 기업체에 소개할 기회를 주신 분은 같은 학부의 이정중 교수님이었다. 기업체에서는 의외로 나의 몰입 체험에 대하여 비상한 관심을 보였다. 이것이 계기가 되어 여러 기업체에서 몰입에 대한 강연을 하게 되었고, 입소문이 퍼져 지금도 끊임없이 요청이 오고 있다. 강연을 하면서 이야기를 나눠보니 청중 중에는 나와 비슷한 경험을 했다는 사람도 의외로 많았다. 대부분 내가 경험한 정도는 아니지만 약하게는 비슷한 경험을 했다는 것이다. 나는 내 이야기에 많은 공감을 나타내는 사람들을 보면서 내가 체험한 몰입의 일반화가 가능하다는 믿음을 갖게 되었다.

연구소에서 연구만 하다가 2003년 직업이 교수로 바뀌면서 나는 가치관의 혼란을 경험했다. 연구원 시절에 확립한 '몰입을 통해 내 지적 능력을 발휘하고 그 한계를 넓혀가는 삶'을 살겠다는 가치관과 현실적인 상황이 서로 충돌을 일으켰다.

교수가 해야 할 일은 연구 이외에도 강의, 학생 지도, 학사업무, 사회봉사 등 매우 다양했다. 이런저런 일에 쫓기다 보니 연구에 몰입하기가 힘들었다. 나름대로 시간을 쪼개어 연구를 했지만 예전과 비교하면 연구를 하는 것이 아니라 마치 연구하는 흉내만 내는 것 같았다.

그러던 어느 날 한 가지 문제점을 찾아냈다. 나의 역할은 이제 선수가 아니라 코치로 바뀌었는데, 나는 변함없이 훌륭한 선수의 자리를 고수하려고 했던 것이다. 그때 처음으로 '연구원이 아닌 교수로서 어떻게 살 것인가'에 대해 고민하기 시작했다. 그 과정에서 연구를 통해 내 지적인 능력을 발휘하고 그 한계를 넓혀가는 것 말고도 삶에서 중요한 것이 있다는 것을 알게 되었다. 그것은 바로 세상에 영향을 미치는 것이었다.

내가 연구를 하는 것도 결국에는 세상에 좋은 영향을 미치기 위한 것이다. 훌륭한 연구는 세상에 지대한 영향을 미친다. 교수로서 할 일은 학생을 잘 가르치고 지도해서 훌륭한 학사, 석사 혹은 박사로 성장하도록 돕는 것이다. 학생들을 잘 교육하고 지도하는 일은 개개인에게 영향을 미치는 일이고, 크게는 사회에 영향을 미친다. 그리고 이러한 영향은 바람직한 방향으로 흘러가면서 큰 효과를 낼수록 좋다. 이런 의미에서 교수의 할 일은 나를 바꾸는 것이 아니라 남을 바꾸는 것이다. 결국 연구뿐만 아니라 학생들을 가르치고 지도하는 데에도 내 능력의 한계를 발휘하고 한계를 넓혀가야 한다는 결론에 도달했다. 그래서 어떠한 가르침이 가장 좋은것인가에 대해 고민하기 시작했다. 그 결과 강의를 하는 부분에서는 '사고기반학습'이라는 강의방식을 생각해 냈고, 학생을 지도하는 부분에서는 '토론식 미팅'이라는 방법을 생각해 냈다. 또한 내가 '몰입'이라는 방법을 사용하여 커다란 물고기를 잡았는데, 이 방법을 학생들에게도 가르쳐 주면 좋겠다고 생각했다. 그러다가 그 대상을 내 지도학생들에게만 국한시키지 않고 일반인들에게까지 확장시키기로 마음먹었다.

이 책을 준비하는 데 강연에 참석한 청중들의 문의, 피드백이 많은 도움이 되었다. 대단히 바쁜 와중에 몰입 인터뷰에 응해주시고 이번 책을 준비하는 데 귀중한 조언을 해 주신 LG화학의 김반석 부회장님, 자신의 몰입 사례를 소상하게 정리해 주신 파란나라의 최중보 대표님, 몰입으로 행정고시 준비를 한 사례를 소개해 주신 CHA의과학대학교의 박명재 총장님께 특별히 감사 드린다. 그리고 아이디어를 얻는 데 몰입 방법을 적용하고 그 효과를 전해준 IGM컨설팅의 이종훈 박사님과 선잠을 실천하고 그 효과를 알려준 연세대학교의 황종환 씨에게도 고마움을 전하고 싶다. 이외에도 본인의 사례를 익명으로 싣도록 허락해 준 지도학생들과 많은 분들께 감사의 마음을 전한다. 뇌과학에 관하여 많은 조언을 해준 전자통신연구원의 박문호 박사님께도 감사를 드린다. 그와의 대화와 그의 강의를 통해 접한 그의 해박한 지식이 많은 도움이 되었다. 특히 그는 내가 필요로 하는 뇌과학 지식을 얻기 위해 적절한 책을 추천해 주었는데 그 덕택에 많은 시간을 절약할 수 있었다. 또한 서울대학교 뇌인지과학과의 이상훈 교수님이 소개해준 잠든 상태에서의 뇌과학에 대한 자료가 많은 도움이 되어 감사 드린다. 나의 몰입에 대해 분에 넘치게 높이 평가해 주시고, 기회가 있을 때마다 조언을 해주신 서울대학교 문용린 교수님의 격려도 큰 힘이 되었음을 꼭 밝히고 싶다.

몰입적 사고는 창의성을 요하는 업무, 특히 미지의 문제를 해결하거나 창의적인 아이디어를 얻고자 할 때 유리하다. 이 책이 몰입에 대해 더 깊이 알고 싶고 이를 활용하고자 하는 사람들에게 조금이나마 도움이 되었으면 한다.

하루하루 기적과 같은 아이디어가 쏟아져 나와 감격하고, 또 그것이 몇 달간 혹은 몇 년간 누적되어 하나의 작품으로 완성되고, 그렇게 자신이 이룬 일들에 진정으로 가슴 벅찬 감동을 느끼는 삶을 산다면 먼 훗날 삶을 뒤돌아볼 때 한 치의 후회도 남지 않을 것이다. 치열한 삶을 살아가는 모든 사람들에게 이 책을 바친다.

주

1 인류의 조상인 호모사피엔스는 지금으로부터 15만 년 전 지구에 출현했으나 처음 11만 년 동안은 원숭이와 크게 다르지 않은 삶을 살았다. 그러다가 4만 년 전에 지구 전 지역에 걸쳐 거의 동시에 비약적인 발전이 일어났다. 이때부터 인류의 문명이 급속도로 발달한 것이다. 인류학자들은 이것을 가리켜 '창조적 폭발creative explosion' 혹은 '위대한 도약great leap forward'이라고 부른다.

2 엔트로피는 한마디로 '무질서해지는 경향'을 말한다. 자연은 무질서한 방향으로 진행하는 경향이 있어 어떤 특정한 상태의 엔트로피를 감소시키는 것은 어려운 일이다. 집중이나 몰입을 하기 어려운 이유는 의식의 엔트로피가 감소하기 때문이다.

3 열역학에서 나오는 전문용어로 어떠한 변화를 일으키는 힘이라고 할 수 있다. 엄밀하게는 변화를 일으키는 자유에너지free energy의 차이 혹은 엔트로피 차이에 온도를 곱한 값이다.

4 이는 저자가 엔트로피 개념을 인간 심리에 적용하기 위하여 '구동력'의 의미를 일반화한 것이다.

5 신경세포인 뉴런과 뉴런을 연결하는 접합부로 하나의 뉴런은 수천 개의 시냅스 연결을 만든다. 시냅스에 분비되는 신경전달물질에 의하여 정보의 처리와 전달이 일어나고 감정이 만들어진다. 한마디로 시냅스는 컴퓨터의 역할과 감정을 유발시키는 역할을 한다.

6 단기 기억과 구별되는 것으로 영어 단어를 기억하고 친구의 이름을 기억하듯이 경험한 것을 수개월 이상 의식 속에 담아두는 기억을 말한다. 장기기억에는 우리가 의식할 수 있는 '외현 기억'과 우리가 의식할 수 없는 '암묵 기억'이 있다.

7 단기 기억과 대별되는 개념으로 단기기억이 정보를 잠시 유지하고 있는 수동적인 개념이라면 작업 기억은 의식의 역동성에 초점을 둔 능동적인 개념이다. 미국의 사상가 윌리엄 제임스William James에 따르면 작업 기억은 즉각적인 현재 순간이 의식에 포착되는 성분으로서 의식적 주의, 능동적인 정신적 노력이 작용하는 성분이다. 예를 들면 전화번호부에서 어떤 전화번호를 찾아 다이얼을 누를 때까지 기억하거나, 글을 읽거나 말을 듣고 이해하는 일은 단기적인 작업 기억에서 이루어진다.

8 몰입을 설명하기 위해 저자가 도입한 개념이다.

9 몰입을 설명하기 위해 저자가 도입한 개념이다.

10 상대방이 하는 행동을 보는 것만으로도 자신이 그 행동을 하는 것처럼 느끼게 하는 신경세포

11 이러한 사실을 봐도 운동할 때 뇌가 중요한 역할을 한다는 것을 알 수 있다. 즉, 뇌가 발달해야 운동을 잘할 수 있는 것이다. 반대로 운동을 하면 뇌가 발달한다.

12 수면 중에서도 꿈을 꾸는 수면이라고 알려진 눈동자가 빠르게 움직이는 렘REM, rapid eye movement수면 시 아세틸콜린의 분비가 최대가 된다.

13 부분적인 엔트로피를 학술적인 용어로 '시스템system 엔트로피'라고 한다. 시스템 엔트로피와 외부surrounding 엔트로피를 더한 것이 전체 엔트로피다.

14 이때 물 분자의 액체 상태와 기체 상태의 위치에너지 차이를 '기화열' 혹은 '엔탈

피enthalpy'라고 한다. 엔탈피는 엔트로피와 더불어 물질계의 안정성과 변화의 방향, 그리고 화학 평형의 위치와 이동을 결정하는 핵심적인 요소이다.

15 지구 표면과의 거리에 따른 공기의 확률 분포나 물과 평형을 이루고 있는 수증기의 확률 분포는 볼츠만분포Boltzmann distribution를 따른다.

16 시냅스 후 수상돌기에 존재하며 해당 신경전달물질과 선택적으로 결합하여 특정한 반응을 한다. 도파민 수용체는 도파민과 선택적으로 결합하여 반응을 일으킨다.

17 장기 기억은 외현 기억과 암묵 기억으로 나뉘는데 외현기억은 전화번호를 기억하는 것과 같이 의식할 수 있는 기억이고 암묵 기억은 자전거를 타는 법과 같이 의식할 수는 없으나 실제 행동에는 영향을 미치는 기억이다.

참고문헌

1부 | 최고의 나를 만나는 몰입의 순간

1. 알베르토 망구엘, 『독서의 역사』, 정명진 옮김, 세종서적, 2000
2. 로제 샤르티에, 굴리엘모 카발로, 『읽는다는 것의 역사』, 이종삼 옮김, 한국출판마케팅연구소, 2006
3. 미하이 칙센트미하이, 『몰입의 즐거움』, 이희재 옮김, 해냄, 1999
4. 미하이 칙센트미하이, 『FLOW-미치도록 행복한 나를 만난다』, 최인수 옮김, 한울림, 2004
5. 미하이 칙센트미하이, 『창의성의 즐거움』, 노혜숙 옮김, 한길사, 2003
6. 미하이 칙센트미하이, 『몰입의 기술』, 이삼출 옮김, 더불어책, 2003
7. 리처드 웨스트폴, 『프린키피아의 천재(뉴턴의 일생)』, 최상돈 옮김, 사이언스북스, 2001
8. 알베르트 아인슈타인, 『아인슈타인 혹은 그 광기에 대한 묵상』, 앨리스 칼라프라이스 편집, 이여명, 강애나 옮김, 정신문화사, 1998
9. 홍성욱 · 이상욱 외, 『뉴턴과 아인슈타인 우리가 몰랐던 천재들의 창조성』, 창작과비평, 2004
10. 아르민 헤르만, 『하이젠베르크』, 이필렬 옮김, 한길사, 1997
11. Jagdish Mehra, 『The Beat of a Different Drum』, Oxford University Press, 1996
12. 권석만 「현대 이상심리학」, 학지사, 2005
13. 제임스 글릭, 『천재』, 박병철 옮김, 승산, 2005
14. 폴 호프만, 『우리 수학자 모두는 약간 미친 겁니다』, 신현용 옮김, 승산, 1999

15. 혼다 소이치로, 『좋아하는 일에 미쳐라』, 이수진 옮김, 부표, 2006
16. 마크 티어, 『워렌 버핏과 조지 소로스의 투자습관』, 박진곤, 손태건 옮김, 국일증권경제연구소, 2006
17. 다치바나 다카시, 『뇌를 단련하다』, 이규원 옮김, 청어람미디어, 2004
18. 후쿠이 가즈시게, 『두뇌혁신 학습법』, 임수진 옮김, 동양문고, 2003
19. 〈문예춘추〉, 2007년 1월호, 일본판
20. 이나모리 가즈오, 『소호카의 꿈』, 김형철 옮김, 선암사, 2004
21. 존 맥스웰, 『생각의 법칙 10+1』, 조영희 옮김, 청림출판, 2003
22. 버트런드 러셀, 『행복의 정복』, 이순희 옮김, 사회평론, 2005
23. 앨런 홉슨, 『꿈』, 임지원, 아카넷, 2003
24. 안드레아 록, 『꿈꾸는 뇌의 비밀』, 윤상운 옮김, 지식의숲, 2006
25. John Grant, 『Dreamers:A Geography of Dreamland』, HarperCollins, 1986
26. 벤자민 월커가 편집한 『Dreams』에서 뽑은 내용을 기재한 《정신세계》, 2000년 8월호
27. http://www.dream-soul.com 〈꿈과 영혼의 세계〉
28. 이나모리 가즈오, 『카르마 경영』, 김형철 옮김, 서돌, 2005
29. 이지성, 『18시간 몰입의 법칙』, 맑은소리, 2004
30. 앤드류 뉴버그, 유진 다킬리, 빈스 라우즈, 『신은 왜 우리 곁을 떠나지 않는가』, 이충호 옮김, 한울림, 2001
31. http://en.wikipedia.org/wiki/Maslow%27s_hierarchy_of_needs
32. http://www.iloveulove.com/psychology/maslowhon.htm
33. http://en.wikipedia.org/wiki/Self_actualization#Self-actualization_in_Goldstein.27s_Theory
34. 오쇼 나즈니쉬, 『배꼽』, 박상준 엮음, 장원, 1991
35. 레너드 쉴레인, 『자연의 선택-지나사피엔스』, 강수아 옮김, 들녘, 2005
36. 법정, 『살아 있는 것은 다 행복하라』, 류시화 엮음, 위즈덤하우스, 2006
37. 헬렌켈러, 『사흘만 볼 수 있다면』, 이창식, 박에스더 옮김, 산해, 2005
38. 「화두의 의미와 역할」, 〈불교신문〉, 2298호, 2007년 1월 31일자
39. 성영신 외, 『마음을 움직이는 뇌, 뇌를 움직이는 마음』, 해나무, 2004

40. Neil R. Carlson, 『생리심리학의 기초』, 김현택 외 역, 시그마프레스, 2000
41. 오오키 고오스케, 『알고 싶었던 뇌의 비밀』, 박희준 옮김, 정신세계사, 1992
42. 박문호, 불교 TV 특강 〈뇌와 생각의 출현〉, 2007
43. 탐 스탠포드, 매트 웹, 『마인드 해킹』, 최호영 옮김, 황금부엉이, 2006
44. 김종성, 『춤추는 뇌』, 사이언스북스, 2005
45. 안토니오 다마지오 「데카르트의 오류」 김린 옮김, 중앙문화사, 1999
46. 조지프 르두, 『시냅스와 자아』, 강봉균 옮김, 소소, 2005
47. 로돌포 R. 이나스, 『꿈꾸는 기계의 진화』, 김미선 옮김, 북센스, 2007
48. 맥스웰 몰츠, 『맥스웰 몰츠 성공의 법칙』, 공병호 옮김, 비즈니스북스, 2003
49. 나폴레옹 힐, 『성공의 13단계』, 김향 옮김, 문진출판사, 1991
50. Thinking in Education, Matthew Lipman, 2nd Ed. Cambridge Univ. Press, 2003
51. 황농문, 「사고력 향상을 위한 공학교육」, 〈공학교육〉 13권, 1호, 2006년 3월
52. 노구치 유키오, 『초학습법』, 김용운 옮김, 중앙일보사, 1996
53. 루스 실로, 『유태인의 자녀를 낳고 기르는 53가지 지혜』, 김동사 옮김, 삼진기획, 1998
54. 루스 실로, 『유태인의 천재교육』, 권혁철 옮김, 나라원, 2007
55. 우정호, 「수학 학습-지도 원리와 방법」, 2000년 3월, 서울대학교출판부
56. IBM, 『IBM 한국보고서』, 2007년 4월, 한국경제신문사

57. 레너드 쉴레인, 『자연의 선택, 지나 사피엔스』, 강수아 옮김, 들녘, 2005.
58. 미하이 칙센트미하이, 『몰입의 즐거움』, 이희재 옮김, 해냄출판사, 2007.
59. 김상운, 『아버지도 천재는 아니었다』, 명진출판, 2008.
60. 말콤 글래드웰, 『아웃라이어』, 노정태 옮김, 김영사, 2009.
61. 김상운, 『아버지도 천재는 아니었다』, 명진출판, 2008.
62. 로버트 루트번스타인, 미셸 루트번스타인, 『생각의 탄생』, 박종성 옮김, 에코의서재, 2007.
63. 피터 드러커, 『피터 드러커 미래경영』, 이재규 옮김, 청림출판, 2002.
64. 미하이 칙센트미하이, 『창의성의 즐거움』, 노혜숙 옮김, 북로드, 2003.
65. 에릭 캔델, 『기억을 찾아서』, 전대호 옮김, 알에이치코리아, 2009.
66. 박문호, 『뇌, 생각의 출현』, 휴머니스트, 2008.
67. 미하이 칙센트미하이, 『몰입』, 최인수 옮김, 한울림, 2004.
68. 김범진, 『행복한 CEO는 명상을 한다』, 한언, 2007.
69. 조지프 르두, 『시냅스와 자아』, 강봉균 옮김, 소소, 2005.
70. 앨런 홉슨, 『꿈』, 임지원 옮김, 아카넷, 2003.
71. K. Louie, M.A. Wilson, Neuron, Vol. 29, (2001) pp. 145-156.
72. U. Wagner, S. Gais, H. Haider, R. Verleger, J. Born, Nature, Vol. 427, No. 22 (2004) pp. 352-355
73. http://www.kormedi.com
74. 무여, 『쉬고, 쉬고 또 쉬고』, 오시환 편찬, 새로운 사람들, 2009.
75. 앤드루 뉴버그, 유진 다킬리, 빈스 라우즈, 『신은 왜 우리 곁을 떠나지 않는가』, 이충호 옮김, 한울림, 2001.
76. 로버트 루트번스타인 · 미셸 루트번스타인, 『생각의 탄생』, 박종성 옮김, 에코의 서재, 2007.
77. 앤드루 뉴버그 외, 『신은 왜 우리 곁을 떠나지 않는가』, 이충호 옮김, 한울림, 2001.
78. http://en.wikipedia.org/wiki/Artistic_inspiration

79. 알베르트 아인슈타인,『아인슈타인 혹은 그 광기에 대한 묵상』, 앨리스 칼라프 라이스 편찬, 이여명 · 강애나 옮김, 정신문화사, 1998.
80. 성영신 외,『마음을 움직이는 뇌, 뇌를 움직이는 마음』, 해나무, 2004.
81. 혼다 소이치로,『좋아하는 일에 미쳐라』, 이수진 옮김, 부표, 2006.
82. 신현만,『대한민국 인재사관학교』, 위즈덤하우스, 2006.
83. 전도근,『신화를 만든 정주영 리더십』, 북오션, 2010.
84. 박명재,『손짓하지 않아도 연어는 돌아온다』, 삶과꿈, 2006.
85. 고승덕,『포기하지 않으면 불가능은 없다』, 개미들출판사, 2003.
86. 에르빈 슈뢰딩거,『생명이란 무엇인가』, 서인석 옮김, 한울, 2007.
87. 미하이 칙센트미하이,『FLOW, 몰입』, 최인수 옮김, 한울림, 2004.
88. 조영탁,『조영탁의 행복한 경영이야기』, 휴넷, 2004.
89. S.K. Talwar, S. Xu, E.S. Hawley, S.A. Weiss, K.A. Moxon, J.K. Chapin, Nature, vol. 417 (2002) pp.37-38
90. 오오키 고오스케,『알고 싶었던 뇌의 비밀』, 박희준 옮김, 정신세계사, 1990.
91. 미국 National Institute of Drug Abuse 홈페이지
92. 존 레이티 · 에릭 헤이거먼,『운동화 신은 뇌』, 이상헌 옮김, 북섬, 2009.
93. 강성종,『두뇌의 신비, 자궁에서 무덤까지』, 전파과학사, 1999.
94. 크리스토프 코흐,『의식의 탐구』, 김미선 옮김, 시그마프레스, 2006.
95. Daniel L. Schacter,『뇌의 기억, 그리고 신념의 형성』, 한국신경인지기능연구회 옮김, 시그마프레스, 2004.
96. 박문호,『뇌와 생각의 출현』, 휴머니스트, 2008.
97. 스티븐 코비,『성공하는 사람들의 7가지 습관』, 김경섭 옮김, 김영사, 2003.
98. 하루야마 시게오,『뇌내혁명2』, 박해순 옮김, 사람과책, 2002.
99. 존 레이티, 에릭 헤이거먼,『운동화 신은 뇌』, 이상헌 옮김, 북섬, 2009.

몰입

100쇄 기념 합본 에디션

1판 1쇄 발행 2020년 7월 29일
1판 10쇄 발행 2025년 3월 12일

지은이 황농문

발행인 양원석
편집장 김건희
영업마케팅 조아라, 박소정, 이서우, 김유진, 원하경
펴낸 곳 ㈜알에이치코리아
주소 서울시 금천구 가산디지털2로 53, 20층(가산동, 한라시그마밸리)
편집문의 02-6443-8902 **도서문의** 02-6443-8800
홈페이지 http://rhk.co.kr
등록 2004년 1월 15일 제2-3726호

ISBN 978-89-255-5628-4 (03320)